D0282801

The
Oxford Book of
French Prose

# The
# Oxford Book of
# French Prose

Chosen and Edited by

Janet E. Heseltine

Oxford

At the Clarendon Press

1970

*Oxford University Press, Ely House, London W. 1*

GLASGOW NEW YORK TORONTO MELBOURNE WELLINGTON
CAPE TOWN SALISBURY IBADAN NAIROBI DAR ES SALAAM LUSAKA ADDIS ABABA
BOMBAY CALCUTTA MADRAS KARACHI LAHORE DACCA
KUALA LUMPUR SINGAPORE HONG KONG TOKYO

PRINTED IN GREAT BRITAIN

# PREFACE

THE present anthology contains extracts representative of
French prose from the twelfth to the twentieth century
and the first thing to say about it is that I have not confined
selection solely to passages that might be considered as
models of style. Neither have I been concerned to trace
the grammatical development of the language, though
even the look of the first page and the last is evidence of
this. Anthologies and textbooks exist already, compiled
to such ends by editors far better qualified for their task
than I could ever hope to be. It is true, remarks on prose
style and even a long letter about a small conjunction will
be found in these pages, but they owe their inclusion to
catholicity of choice rather than purposeful selection. I
have had a different aim.

In their move from a simple to a complex civilization,
through an expanding yet also contracting universe, men
have become progressively more articulate. They have
employed language to convey emotion and sensation, to
record great events and familiar scenes, to amuse or to
criticize, to make the printed page glow with colour or
reflect the distraught movements of a routed army; and
with the centuries this faculty of language, which has been
said to 'crystallize the very flow and spray of thought',
has acquired a plastic quality which makes it a clothing
for the most abstract speculation. I have tried to illustrate
the French language used in these many ways not only by
professing authors but by men of various types, in various
situations, for a variety of purposes.

There have been other influences on selection. I found it
interesting, for example, to include passages from French
travellers in England or French students of English history.

Or again, in the course of wide reading I found myself more than once changing or adding to a preconceived idea of the sort of passage I would take. Personalities were too appealing or too strong, too amusing or too irrepressible to be ignored. Descartes of *La Méthode* was also Descartes at the end, lonely and a misfit at the Swedish Court. Bayle the philosopher was also Bayle the respectful, affectionate son. Littré worked long night hours at his Dictionary in a silence broken only by the nightingale's song. The sixteenth-century victim of a poltergeist and the eighteenth-century geologist who found himself in Edinburgh at a bagpipe contest forced their way in!

The passages I have chosen vary in length from a few sentences to several pages but this is in no way to be taken as a criterion of the authors' importance. Each passage is complete in itself, with dots to mark any omissions in mid-text. In so far as modern scholarly editions of earlier texts were available I have quoted from these, notably from the invaluable Pléiade editions, rather than from the originals; and except for Us and Vs and very occasional accents I have not presumed to alter the spelling of the texts used, even though one passage which keeps to the original spelling and punctuation may be followed immediately by another of the same period in which spelling and punctuation have been modernized by the editor. Neither, as regards extracts from medieval authors, have I provided any help other than the occasional footnote for readers unacquainted with the grammar and vocabulary of the period. Explanations that are of use to one individual are just as likely to be exactly what the next could have done without. In fact, it is surprising how much of the sense and flow of the early language can be seized even by the unpractised reader and how much of its charm the printed page can lose when texts have been modernized and vagaries of spelling abolished.

Footnotes have been kept to a minimum. When their purpose is solely glossarial I have nearly always given an equivalent French word, but if some further explanation has been necessary the footnote is in English. Except for dates of birth and death I have given no biographical details unless the author quoted is not to be found in *The Oxford Companion to French Literature*. In such cases I have again provided a footnote. Order is chronological, following dates of birth or, when the author is unknown, the probable date of composition. Headings with very few exceptions have been chosen from the works quoted, usually from the immediate context.

My task of compilation has been lightened by encouragement and suggestions from many quarters directly and also indirectly, as for instance when a chance remark in conversation sent me to a fresh source. I owe a special debt of gratitude to Professor Jean Seznec not only for generous help and advice but for the stimulus I derived from contact with such a lover of his own language and literature. The late Professor Ewert made valuable suggestions when the book was being planned; and I must also thank Professor T. B. W. Reid for information about early texts, Dr. R. A. Sayce for his willingness to read, or to answer queries, Mr. R. C. Cobb for advice about historical passages, Mr. F. W. Sternfeld who drew my attention to the resemblance between the extract from Ronsard and Lorenzo's speech in *The Merchant of Venice* (Act V), and Mr. Kenneth Sisam to whom I took many problems with the certainty of finding wise and experienced counsel. No thanks can be too warm for the help given by the Librarian and staff of the Taylorian Institution and by Mr. R. C. Maasz; and my thanks to members of the staff of the Clarendon Press are accompanied by remorse for the calls I have made on the time and patience of the Deputy Secretary, Mr. D. M. Davin. A detailed list of copyright acknowledgements is printed on page ix, but I should like to record here the advice and assistance received from the Librarian of the Maison Française while permissions were being sought, as also from Mr. W. W. Brown and his colleagues at Parker's Foreign Bookshop.

When the Delegates of the Clarendon Press did me the great honour of asking me to compile this anthology I accepted with misgivings, which have become no fewer with the years, about my qualifications for the task. But temptation was too overwhelming to be refused. It became my duty—a word suddenly synonymous with pleasure—to spend time doing what I enjoyed—reading French, living, observing, laughing and sorrowing with a diversity of characters who were often more real than the world around, and seeking the passages that might communicate some of the interest and pleasure I had myself experienced, that might even stimulate some readers to explore for themselves the rich fields in which I had wandered. If enthusiasm can be an excuse for temerity I have the best of excuses; and if, as must happen, my choice fails to please everybody I can at least take refuge in yet another quotation:

Je n'aime point à citer; c'est d'ordinaire une besogne épineuse: on néglige ce qui précède et ce qui suit l'endroit qu'on cite, et on s'expose à mille querelles.[1]

J. E. H.

*March 1970*

[1] Voltaire, *Dictionnaire philosophique*, s.v. Bien (Tout est).

# COPYRIGHT
# ACKNOWLEDGEMENTS

I wish to make grateful acknowledgements to the publishers and individuals mentioned below for permission to include copyright passages. The list omits the names of a few copyright-holders whom repeated efforts failed to contact and from them, as from any who may inadvertently have been overlooked, I beg forgiveness.

Éditions Albin-Michel: Blum (397–8)*; Rolland (379–80)

Société d'Édition Les Belles Lettres: Boileau-Despréaux (146); Calvin, éd. Pannier (45–7); Laclos (225); Michelet (289)

Éditions Berger-Levrault: De Gaulle (423)

Calmann-Lévy, Éditeur: France (360–1); Renan, éd. Psichari (343–7)

Cambridge University Press: Maupassant (365); Prévost (189)

Éditions du Cerf: *La Bible de Jérusalem* (438)

Éditions Champion: *Aucassin et Nicolette*, éd. Roques (6); Chartier (23–4); Christine de Pisan (16)

Librairie Armand Colin: Alembert (211); Lamennais, éd. Le Hir (274); Bloch (420)

Éditions Conard-Lambert: Flaubert (336–7)

Librairie Delagrave: Fabre, J.-H. (348); Fénelon, éd. Roux (161); Kemp (415)

Desclée et Cie, Éditeurs: Gerson (15)

Éditions Desclée de Brouwer: Maritain (413)

Librairie Marcel Didier: Rivarol, éd. Suran (232)

Éditions du Divan: Guérin, M. de (324–5)

Librairie Droz: La Noue, éd. Sutcliffe (59–60)

* The figures in brackets refer to the serial numbers of the extracts.

# GEOFFROI DE VILLEHARDOUIN

*c.* 1152–1212

## *1*     *Et il laissent aler les voiles au vent*

EINSI se partirent del port de Corfou la veille de Pente-
coste qui fu mil et deus cens anz et trois après l'incarnation
Nostre-Seignor Jesu-Crist. Et enqui furent totes les nefs
ensemble, et tuit li uissier[1] et totes les galies de l'ost,[2] et
assez d'autres nefs de marcheanz qui avec eus s'erent
aroutées. Et li jorz fu bels et clers, et li venz dolz et soefs;
et il laissent aler les voiles au vent. Et bien tesmoigne
Joffrois li mareschaus de Champaigne, qui ceste œvre
dicta (qui onc n'i menti de mot à son escient, si com
cil qui à toz les conseils fu), que onc si bele chose ne fu
vue. Et bien sembloit estoire qui terre deust conquerre;
que tant que on povoit veoir à œil, ne povoit-on veoir
se voiles non de nefs et de vaissiaus, si que li cuer des
homes s'en esjoïssoient mult.

*La Conquête de Constantinople*

## *2*     *Et lors virent tot à plain Constantinople*

LORS se partirent del port d'Avie tuit ensemble. Si
peussiez veoir flori le Braz-Saint-Jorge contremont de
nefs et de galies et de uissiers; et mult granz mervoille ere
la biautez à regarder. Et einsi corurent contremont le
Braz-Saint-Jorge, tant que il vindrent, la veille de la saint
Jehan-Baptiste, en juin, à Saint-Estiene, à une abbaïe qui
ere à trois lieues de Constantinople. Et lors virent tot à
plain Constantinople, cil des nefs et des galies et des
uissiers; et pristrent port, et aancrèrent lor vaissiaus.

[1] huissiers: vessels specially constructed for transporting horses
[2] armée

Or poez savoir que mult esgardèrent Constantinople cil
qui onques mais ne l'avoient veue; que il ne povoient
mie cuidier que si riche ville peust estre en tot le monde,
com il virent ces hauz murs et ces riches tours dont ele
ere close tot entor à la reonde, et ces riches palais et ces
hautes églises, dont il i avoit tant que nuls nel poïst croire,
se il ne le veist à l'œil, et le lonc et le lé de la ville qui de
totes les autres ere soveraine. Et sachiez que il n'i ot si
hardi cui la chairs ne fremist; et ce ne fu mie merveille,
que onques si granz affaires ne fu empris de nulle gent,
puis que li monz fu estorez.

*La Conquête de Constantinople*

### 3    *Ainsi fu departiz li gainz*

Lors fu crié par tote l'ost, de pars le marquis Boniface
de Monferrat qui sires ere de l'ost, et de par les barons, et
de par le duc de Venise, que toz li avoirs fust aportez et
assemblez, si com li ere asseuré et juré et fais escomunie-
menz. Et furent nomé li lieu en trois églises; et là mist-on
gardes des François et des Veniciens des plus loiaus que
on pot trover. Et lors comença chascuns à aporter le gaing
et à metre ensemble. Li uns aporta bien, et li autres
mauvaisement, que convoitise, qui est racine de toz maus,
ne laissa, ainz comencièrent d'enqui en avant li convoiteus
à retenir des choses, et Nostre Sires les comença moins à
amer. Ha! Dieu, com s'estoient leialment demené trosque
à cel point, et Dam Dieu lor avoit bien mostré que de toz
lor afaires les avoit honorez et essauciez sor tote l'autre
gent. Et maintes foiz ont domage li bon por les mauvais.
Assemblez fu li avoirs et li gaains; et sachiez que il ne fu
mie toz aportez avant, quar assez en i ot de ceus qui en
retinrent, sur l'escomuniement de l'Apostole. Ce qui aus
moustiers[1] fu aporté, assemblé fu et desparti des Francs

---

[1] églises

et des Veniciens par moitié, si com la compaignie ere
jurée. Et sachiez que li pelerin, quant il orent parti, que
il paierent de la lor partie cinquante mil marcs d'argent as
Veniciens, et bien en departirent cent mil entr'eux ensemble
par lor gent. Et savez coment? Deus serjanz à pié contre
un à cheval, et deus serjanz à cheval contre un chevalier.
Et sachiez que onques hom n'en ot plus pour hautesce ne
pour proesce que il eust, se einsi non com il fu devisé et
fait, se emblé[1] ne fu. Et de l'embler, cil qui en fu revoiz,
sachiez que il en fu fait grant justice; et assez en i ot de
penduz. Li cuens[2] de Saint-Pol en pendi un suen chevalier
l'escu au col, qui en avoit retenu; et mult i ot de ceus qui
en retindrent, des petiz et des granz; mais ne fu mie su.
Bien poez savoir que granz fu li avoirs, que sanz celui
qui fu emblez et sans la partie des Veniciens, en vint bien
avant quatre cens mil marcs d'argent, et bien dix mil
chevaucheures, que unes que autres. Ainsi fu departiz li
gainz de Constantinople com vous avez oï.

*La Conquête de Constantinople*

## ROBERT DE CLARI

?– *c.* 1216

### 4   *Tout li pelerin et li Venicien se misent en mer*

ADONC si atirerent tout communaument leur oirre[3] et
leur navie tout entierement, si se misent en la mer. Et
chascuns des haus hommes avoit sa nef à lui et à sa gent,
et son uissier à ses chevaux mener. Et li Dux de Venice
avoit avec lui cinquante galies tout à son coust. La galie
où ens il estoit ert toute vermeille, et si avoit un paveillon
tendu par desus ele d'un vermeil samit; si avoit quatre
buisines[4] d'argent devant lui qui buisinoient, et timbres
qui grant joie demenoient. Et tout li haut homme, et clerc

---

[1] volé          [2] comte          [3] voyage          [4] trompettes

et lai, et petit et grant, demenerent si grant joie à l'esmouvoir,
que onques encore si faite[1] joie ne si faite estoire[2] ne fu veue
ne oïe. Et si fisent li pelerin monter aus chasteaus des nefs
tous les prestres et les clercs qui chanterent *Veni Creator
Spiritus*. Et trestout et grant et petit plorerent de pec[3] et
de la grant joie qu'il eurent.

Et quant li estoires parti du port de Venice, et les
dromons[4] et les riches nefs, et tant d'autres vaisseaus,
c'estoit la plus bele chose à esgarder qui fust très le commencement du monde. Car il y avoit bien cent paires de
buisines, que d'argent que d'airain, qui toutes sonnerent
à l'esmouvoir, et tant de timbres et tabours et autres
estrumens, que c'estoit une fine merveille. Quant il furent
en la mer et il eurent tendu leur voiles, et leur banieres
mises haut aus chasteaus des nefs et leur enseignes, si
sambla bien que la mer fourmiast toute et qu'ele fust toute
embrasée des nefs qu'il menoient et de la grant joie qu'il
demenoient.

*La Conquête de Constantinople*

# AUTEUR INCONNU

*c.* 1230

5    *Ilz ont beü leur destruction et leur mort*

QUANT le roy Marc ot ouy que Tristan avoit amee
Yseult par force de vin herbé et que ce n'avoit pas esté de sa
volenté, si fu dolent et courouchié et commence a plourer
et dit: «Helas! dolent, pour quoy ne savoye je ceste
aventure? Je les eüsse ainchois celés et consentus qu'il se
fust ja parti de moy. Las! or ai perdu mon nepveu et ma
femme!» Lors commanda que les corps soient portés a

---

[1] parfaite          [2] flotte          [3] émotion
[4] navires de guerre

la chapelle et soient illeuc enterrés si richement comme il appartient a si haulte gent. Le roy fait faire deux sercleux,[1] ung de calcedoine et l'autre d'un beril. Tristan fu mis en calcedoine et Yseult ou beril, et furent enfouys a plours et a lermes, l'un d'une part de la chappelle et l'autre de l'autre part.

Perinis, qui jesoit malade, oy la noise, si se lieve et vient au cry. Quant il sceut que Tristan et Yseult sa dame furent mors et illeuc enfouys, si commence sur les tombes a faire trop grant deul, si qu'il n'est nul qui le veïst qui pitié n'en eüst, et dit que ja mais ne se partiroit d'illeuc se mort non. Le roy lui fist illeuc faire ung habitacle, quant il vit qu'il ne se vouloit d'illeuc partir. Heudent le chien Tristan estoit alé en la forest, et avoit trouvé maintes biches, mais oncques ne verti, et se ala courant droit au port ou les corps avoient esté premierement, et commence a abaier et a huller, et s'en vient par trache droit a la chappelle ou les corps avoient esté enterrés. Si tost comme il vit Perinis, si court celle part, et senti a la trache que le corps son seignor estoit illeuc enterré, si commence a faire si forte fin que chascun se mervelloit. Illeuc demeurerent Heudent et Perinis sans boire et sans mangier, et, quant ilz avoient fait leur deul sur Tristan, si aloient sur Yseult. Perinis mande Gouvernal et Brangien par un message en Loonois. Si tost comme ils sceurent la nouvelle, ilz montent et chevauchent tant qu'ilz vindrent en Cornoaille et trouverent Perinis et Heudent en la chappelle ou les corps estoient enfouys. Gouvernal si tost comme il vit Heudent si sceut bien que le corps son seigneur estoit illeuc enterré, et la ou Perinis estoit, la estoit Yseult enfouye. De dedens la tombe Tristan yssoit une ronche belle et verte et foillue qui aloit par dessus la chappelle, et descendoit le bout de la ronche sur la tombe Yseult et entroit dedens. Ce virent le gens du pais et le compterent

[1] cercueils

au roy. Le roy la fit par trois fois coupper : a l'andemain
restoit aussi belle et en autel estat comme elle avoit esté
autrefois. Cest miracle estoit sur Tristan et sur Yseult.

*Le Rommant de Tristan et Yseult*

# AUTEUR INCONNU

*c.* 1250

6              *Ce fu el mois de mai*

AUCASINS fu mis en prison, si com vos avés oï et entendu,
et Nicolete fu d'autre part en le canbre. Ce fu el tans d'esté,
el mois de mai que li jor sont caut, lonc et cler, et les nuis
coies[1] et series.[2] Nicolete jut une nuit en son lit, si vit la
lune luire cler par une fenestre et si oï le lorseilnol[3] center
en garding, se li sovint d'Aucassin sen ami qu'ele tant
amoit. Ele se comença a porpenser del conte Garin de
Biaucaire qui de mort le haoit ; si se pensa qu'ele ne re-
manroit plus ilec, que, s'ele estoit acusee et li quens[4]
Garins le savoit, il le feroit de male mort morir. Ele senti
que li vielle dormoit qui aveuc li estoit ; ele se leva, si
vesti un bliaut de drap de soie que ele avoit molt bon ; si
prist dras de lit et touailes, si noua l'un a l'autre, si fist une
corde si longe conme ele pot, si le noua au piler de le
fenestre ; si s'avala[5] contreval le gardin, et prist se vesture
a l'une main devant et a l'autre deriere, si s'escorça por
le rousee qu'ele vit grande sor l'erbe, si s'en ala aval le
gardin.

Ele avoit les caviaus[6] blons et menus recercelés, et les
ex[7] vairs et rians, et le face traitice, et le nes haut et bien
assis, et lé levretes vremelletes plus que n'est cerisse ne
rose el tans d'esté, et les dens blans et menus : et avoit les
mameletes dures qui li souslevoient sa vesteure ausi con ce

---

[1] calmes        [2] sereines        [3] rossignol        [4] comte
[5] descendit        [6] cheveux        [7] yeux

fuissent deus nois gauges; et estoit graille par mi les flans
qu'en vos dex mains le peusciés enclorre; et les flors
des margerites qu'ele ronpoit as ortex de ses piés, qui
li gissoient sor le menuisse du pié par deseure, estoient
droites noires avers ses piés et ses ganbes, tant par estoit
blance la mescinete.

*Aucassin et Nicolette*

# L'APOCALYPSE

13ᵉ siècle

7                    *Qui sunt il?*

APRÈS ceo vi ge une grant assemblée, que nul ne pout
conter, de tutes manieres de genz, que estunt devant le
throne en la venue del agnel, couverte de blanches estoles,
& palmes en lor mains; & crient a grant voiz: Salu a
nostre Deu que seez sur le throne, & al agnel. Et tuit li
angele estoient environ le throne, & cheïrent devant le
throne en lur face, & a[d]orerent, & disoient: Amen,
Beneïçon & clarté & savoir & graces, honor & vertu
& force a nostre Dieu sanz fin, & respond un des maieurs
& me dist: Cil que sunt couvert de blanches estoles qui
sunt il, & dunt vindrent? Et li dis: Sire vos le savez.
Et il me dist: Ces sunt ki vindrent de grant tribulation,
& lur estoles unt lavé & les unt blanchies el sanc del
algnel. Por ceo sunt il devant le throne Deu & le servent
jor & nuit en son temple. Et cil qui siet el throne habitera
sur euls. Il ne averont mès faim ne sef, ne li soleil ne
charra mès sure euls, ne chalor ne les quira mès; kar li
agnel que est en mi le trone les gouvernera & les merra
au fonteines de eve de vie, et essuiera totes lermes de lour
eulz.

*L'Apocalypse en français au xiiiᵉ siècle*

# JEAN, SIRE DE JOINVILLE

1224–1317

*8    Les saintes paroles nostre roy Saint Looys*

SON vin trempoit par mesure, selonc ce qu'il véoit que li
vins le povoit soufrir. Il me demanda en Cypre pourquoy
je ne metoie de l'yaue en mon vin; et je li diz que ce me
fesoient li phisiciens, qui me disoient que j'avoie une
grosse teste et une froide fourcelle,[1] et que je n'en avoie
povoir de enyvrer. Et il me dist que il me decevoient; car
se je ne l'apprenoie en ma joenesce et je le vouloie temprer
en ma vieillesce, les gouttes et les maladies de fourcelle
me prendroient, que jamais n'avroie santé; et se je bevoie
le vin tout pur en ma vieillesce, je m'enyvreroie touz les
soirs; et ce estoit trop laide chose de vaillant home de soy
enyvrer...

Il disoit que l'on devoit son cors vestir et armer
en tel manière que li preudome de cest siècle ne deissent
que il en feist trop, ne que li joene home ne deissent que
il feist peu. Et ceste chose ramenti-je le pere le roy qui
orendroit est, pour les cotes brodées à armer que on fait
hui el jour; et li disoie que onques en la voie d'outre mer
là où je fu, je n'i vi cottes brodées, ne les le roy ne les
autrui. Et il me dist qu'il avoit tels atours brodez de ses
armes qui li avoient cousté huit cenz livres de parisis. Et
je li diz que il les eust mieus emploiés se il les eust donnez
pour Dieu, et est fait ses atours de bon cendal[2] enforcié de
ses armes, si comme ses pères faisoit.

Il m'apela une foiz et me dist: «Je n'os parler à vous
(pour le soutil senz dont vous estes) de chose qui touche à
Dieu; et pour ce ai je appelé ces deus frères qui ci sont, que
je vous vueil faire une demande.» La demande fu tele:
«Seneschaus, fist-il, quele chose est Dieus?» Et je li diz:

---

[1] estomac          [2] taffetas

«Sire, ce est si bone chose que mieudre ne puet estre. —
Vraiement, fist-il, c'est bien respondu; que ceste response
que vous avez faite est escripte en cest livre que je tieng
en ma main. Or vous demant je, fist-il, lequel vous ameriés
mieus, ou que vous fussiés mesiaus;[1] ou que vous eussiés
fait un pechié mortel?» Et je, qui onques ne li menti,
li respondi que je en ameroie mieus avoir fait trente que
estre mesiaus. Et quant li frère s'en furent parti, il m'appela
tout seul, et me fist seoir à ses piez et me dist: «Comment
me deistes-vous hier ce?» Et je li diz que encore li disoie-
je. Et il me dist: «Vous deistes comme hastif musarz;[2] car
vous devez savoir que nulle si laide mezelerie n'est comme
d'estre en pechié mortel, pour ce que l'ame qui est en
pechié mortel est semblable au dyable: par quoy nulle si
laide meselerie ne puet estre. Et bien est voirs que quant li
hom meurt, il est guéris de la meselerie du cors; mais quant
li hom qui a fait le pechié mortel meurt, il ne sait pas ne
n'est certeins que il ait eu en sa vie tel repentance que Dieus
li ait perdonné: par quoy grant poour doit avoir que celle
mezelerie li dure tant comme Dieus iert en paradis. Si vous
pri, fist-il, tant comme je puis, que vous metés votre cuer à
ce, pour l'amour de Dieu et de moy, que vous amissiez
mieus que touz meschief avenist au cors, de mezelerie et de
toute maladie, que ce que li pechiés mortels venist à l'ame
de vous.»

Il me demanda se je lavoie les piez aus povres le jour
dou grant jeudi: «Sire, dis-je, en maleur! Les piez de ces
vilains ne laverai-je jà. — Vraiement, fist-il, ce fu mal dit;
car vous ne devez mie avoir en desdaing ce que Dieus
fist pour nostre enseignement. Si vous pri je, pour l'amour
de Dieu premier, et pour l'amour de moy, que vous les
acoustumez à laver.»

*Histoire de Saint Louis*

---

[1] lépreux      [2] étourdi

## 9 « *Li roys Richars te tuera* »

L i roys Richars fist tant d'armes outre mer à celle foys que
il y fu, que quant li cheval aus Sarrazins avoient peur
d'aucun buisson, leur maistre leur disoient: «Cuides-tu,
fesoient-ils à leur chevaus, que ce soit li roys Richars
d'Angleterre?» Et quant li enfant aus Sarrazinnes breoient,
elles leur disoient: «Tay-toi, tay-toi, ou je irai querre le
roy Richart, qui te tuera.»

*Histoire de Saint Louis*

## 10 *La royne acoucha d'un fil*

O r avez oy ci-devant les grans persecucions que li roys
et nous souffrimes; lesquelles persecucions, la royne n'en
eschapa pas, si comme vous orrez ci-après. Car trois jours
devant ce que elle acouchast, li vindrent les nouvelles que
li roys estoit pris; desquelles nouvelles elle fu si effreé, que
toutes les fois que elle se dormoit en son lit, il li sembloit
que toute sa chambre fust pleinne de Sarrazins; et s'escrioit:
«Aidiés, aidiés!» Et pour ce que li enfes[1] ne fust periz
dont elle estoit grosse, elle fesoit gesir devant son lit un
chevalier ancien de l'aage de quatre-vins ans, qui la tenoit
par la main. Toutes les fois que la royne s'escrioit, il disoit:
«Dame, n'aiés garde; car je sui ci.»

Avant qu'elle fust acouchie, elle fist vuidier hors toute
sa chambre, fors que le chevalier, et s'agenoilla devant li et
li requist un don; et li chevaliers li otroia par son sairement.
Et elle li dist: «Je vous demant, fist-elle, par la foy que
vous m'avez baillie, que se li Sarrazin prennent ceste ville,
que vous me copez la teste avant qu'il me preignent.»
Et li chevaliers respondi: «Soiés certeinne que je le ferai
volentiers; car je l'avoie jà bien enpensé, que vous occiroie
avant qu'il nous eussent pris.»

[1] enfant

La royne acoucha d'un fil qui ot à non Jehan; et l'appeloit
l'on Tristant, pour la grant dolour là où il fu nez.

*Histoire de Saint Louis*

# HENRI DE MONDEVILLE[1]

?–*c.* 1320

*11*      *Ainsi les cyrurgiens trouvent couverture*

... LA .5. est a noter que com les cyrurgiens fiebles et
champestres qui n'ont point de refinement ne de conis-
sance es deffautes de leur cures, comme il veissent que le
pueple eust tel fiance a cel saint, il mistrent seure aus plaies
et aus autrez maladies que il ne pou[v]oient curer, que en
ces maladies le mal Saint Eloy estoit sourvenu; et a tiex[2]
paroles a creu et creoit le commun du pueple, et ainsi cil
mire[3] s'en passe o la grace du pueple sans blasme et sans
domage, ne ne sueffre plus le commun que cyrurgien
œvre en la cure, que Saint Eloy leur a donné la maladie,
aussi il lez porra garir quant il voudra; et ainsi sous l'ombre
de cel saint mil millierz de membres sont souffers estre porris
et corrumpus, les quiex peussent bien par aventure estre
curés par bon cyrurgien, s'il s'en mellast; et ainsi les
cyrurgiens trouvent couverture et refui en leur defaus,
c'est a savoir la maladie Saint Eloy, si com les fisiciens,
quant il ne sevent rendre raison d'aucune chose, il dient
que ce est fait de tote l'espoisse, et les theologiens dient
ou lieu ou raison deffaut que ce est fait de la vertu divine,
et les logiciens dient, quant il ne sevent soudre, que illuec
est fallasce de consequant.

*La Chirurgie de Maître Henri de Mondeville*

[1] Surgeon to Philippe le Bel; he taught at Montpellier and Paris.
His treatise on Surgery, written in Latin *c.* 1306, was translated into
French in 1314.
[2] telles                                    [3] médecin

# SIRE JEAN FROISSART

*c. 1337–c. 1410*

## *12    Partout où je venois, je faisois enquête*

OR considérez entre vous qui le lisez, ou le lirez, ou avez
lu, ou orrez lire, comment je puis avoir sçu ni rassemblé
tant de faits desquels je traite et propose en tant de parties.
Et pour vous informer de la vérité, je commençai jeune,
dès l'âge de vingt ans; et si suis venu au monde avec les
faits et les avenues; et si y ai toujours pris grand'plaisance
plus que à autre chose; et si m'a Dieu donné tant de grâces
que je ai été bien de toutes les parties, et des hostels des
rois, et par espécial de l'hostel du roi Édouard d'Angleterre
et de la noble roine sa femme madame Philippe de Haynaut,
roine d'Angleterre, dame d'Irlande et d'Aquitaine, à
laquelle en ma jeunesse je fus clerc; et la servois de beaux
dittiés et traités amoureux : et, pour l'amour du service de la
noble et vaillant dame à qui j'étois, tous autres seigneurs,
rois, ducs, comtes, barons et chevaliers, de quelque nation
qu'ils fussent, me aimoient, oyoient et voyoient volontiers
et me faisoient grand profit. Ainsi, au titre de la bonne dame
et à ses coûtages et aux coûtages des hauts seigneurs, en mon
temps, je cherchai la plus grand'partie de la chrétienté,
voire qui à chercher fait; et partout où je venois, je faisois
enquête aux anciens chevaliers et écuyers qui avoient été
en faits d'armes, et qui proprement en savoient parler, et
aussi à aucuns hérauts de crédence pour vérifier et justifier
toutes matières. Ainsi ai-je rassemblé la haute et noble
histoire et matière, et le gentil comte de Blois dessus
nommé y a rendu grand'peine; et tant comme je vivrai,
par la grâce de Dieu, je la continuerai; car comme plus y
suis et plus y laboure, et plus me plaît; car ainsi comme le
gentil chevalier et écuyer qui aime les armes, et en persévérant et continuant il s'y nourrit parfait, ainsi, en

labourant et ouvrant sur cette matière je m'habilite et
délite.

*Chroniques*

## *13*                    *Le bal des ardents*

AVINT que assez tôt après celle retenue, un mariage se
fit en l'hostel du roi,[1] de un jeune chevalier de Vermandois
et de une des damoiselles de la roine; et tous deux étoient
de l'hostel du roi et de la roine. Si en furent les seigneurs,
les dames et damoiselles et tout l'hostel plus réjouis; et
pour cette cause le roi voult faire les noces; et furent
faites dedans l'hostel de Saint-Pol à Paris, et y eut grand'
foison de bonnes gens et de seigneurs et y furent les ducs
d'Orléans, de Berry, de Bourgogne et leurs femmes. Tout
le jour des noces qu'ils épousèrent on dansa et mena-t-on
grand'joie : le roi fit le souper aux dames, et tint la roine de
France l'état; et s'efforçoit chacun de joie faire, pour cause
qu'ils véoient le roi qui s'en ensonnioit[2] si avant. Là avoit
un écuyer d'honneur en l'hostel du roi, et moult son
prochain, de la nation de Normandie, lequel s'appeloit
Hugonin de Guisay; si s'avisa de faire aucun ébattement
pour complaire au roi et aux dames qui là étoient : l'ébattement qu'il fit, je le vous dirai. Le jour des noces, qui
fut par un mardi devant la Chandeleur,[3] sur le soir, il fit
pourvoir six cottes de toile et mettre à part dedans une
chambre, et porter et semer sus delié lin, et les cottes
couvertes de delié lin en forme et couleur de cheveux. Il en
fit le roi vêtir une; et le comte de Join, un jeune et très
gentil chevalier, une autre; et mettre très bien à leur point;
et ainsi une autre à messire Charles de Poitiers, fils au
comte de Valentinois; et à messire Yvain de Galles, le
bâtard de Foix, une autre; et la cinquième au fils du seigneur

[1] Charles VI, 1368–1422                [2] se mettait à l'œuvre
[3] Candlemas

de Nantouillet, un jeune chevalier; et il vêtit la sixième.
Quand ils furent tous six vêtus de ces cottes qui étoient
faites à leur point, et ils furent dedans enjoins et cousus, ils
se montroient être hommes sauvages, car ils étoient tous
chargés de poil, du chef jusques à la plante du pied.

Cette ordonnance plaisoit grandement au roi de France,
et en savoit à l'écuyer qui avisée l'avoit grand gré; et se
habillèrent de ces cottes si secrètement en une chambre,
que nul ne savoit de leur affaire fors eux-mêmes, et les
varlets qui vêtus les avoient. Messire Yvain de Foix, qui
de la compagnie étoit, imagina bien la besogne et dit au
roi: « Sire, faites commander bien acertes que nous ne
soyons approchés de nulles torches, car si l'air du feu
entrât en ces cottes dont nous sommes déguisés, le poil
happeroit l'air du feu, si serions ars et perdus sans remède
et de ce je vous avise! » — «En nom Dieu, répondit le roi
à Yvain, vous parlez bien et sagement, et il sera fait.» Et
de là endroit le roi défendit aux varlets et dit: «Nul ne
nous suive!» Et fit là venir le roi un huissier d'armes qui
étoit à l'entrée de la chambre et lui dit: «Va-t-en à la
chambre où les dames sont, et commande de par le roi
que toutes torches se traient à part et que nul ne se boute
entre six hommes sauvages qui doivent là venir.» L'huissier
fit le commandement du roi moult étroitement, que toutes
torches et torchins, et ceux qui les portoient, se missent en
sus au long près des parois, et que nul n'approchât les
danses, jusques à tant que six hommes sauvages qui là
devoient venir seroient retraits. Ce commandement fut
ouï et tenu; et se trairent tous ceux qui torches portoient
à part; et fut la salle délivrée, que il n'y demeura que
les dames et damoiselles, et les chevaliers et écuyers qui
dansoient. Assez tôt après ce, vint le duc d'Orléans et
entra en la salle; et avoit en sa compagnie quatre chevaliers
et six torches tant seulement, et rien ne savoit du commandement qui fait avoit été, ni des six hommes sauvages

qui devoient venir; et entendit à regarder les danses et les
dames, et il même commença à danser. Et en ce moment
vint le roi de France, lui sixième seulement, en l'état et
ordonnance que dessus est dit, tout appareillé comme
homme sauvage, et couvert de poil de lin aussi delié comme
cheveux du chef jusques au pied. Il n'étoit homme ni
femme qui les pût connoître, et étoient les cinq attachés l'un
à l'autre, et le roi tout devant qui les menoit à la danse.

Quand ils entrèrent en la salle, on entendit tant à eux
regarder qu'il ne souvint de torches ni de torchins. Le roi,
qui étoit tout devant, se départit de ses compagnons, dont
il fut heureux; et se trait devers les dames pour lui montrer,
ainsi que jeunesse le portoit. Et passa devant la roine, et
s'en vint à la duchesse de Berry qui étoit sa tante et la plus
jeune. La duchesse par ébattement le prit et voult savoir
qui il étoit; le roi étant devant elle ne se vouloit nommer.
Adonc dit la duchesse de Berry: «Vous ne m'échapperez
point ainsi, tant que je saurai votre nom.» En ce point
avint le grand meschef sur les autres, et tout par le duc
d'Orléans qui en fut cause, quoique jeunesse et ignorance
lui fit faire; car s'il eût bien présumé et considéré le meschef
qui en descendit, il ne l'eût fait pour nul avoir. Il fut trop
en volonté de savoir qui ils étoient. Ainsi que les cinq
dansoient, il approcha la torche, que l'un de ses varlets
tenoit devant lui, si près de lui que la chaleur du feu entra
au lin. Vous savez que en lin n'a nul remède et que tantôt
il est enflambé. La flamme du feu échauffa la poix à quoi
le lin étoit attaché à la toile. Les chemises linées et poyées[1]
étoient sèches et déliées et joignans à la chair, et se prirent
au feu à ardoir; et ceux qui vêtus les avoient et qui l'angoisse
sentoient commencèrent à crier moult amèrement et
horriblement. Et tant y avoit de meschef que nul ne les
osoit approcher. Bien y eut aucuns chevaliers qui
s'avancèrent pour eux aider et tirer le feu hors de leurs

---

[1] Smeared with gum and covered with flax

corps. Mais la chaleur de la poix leur ardoit toutes les mains et en furent depuis moult mésaisés. L'un des cinq, ce fut Nantouillet, s'avisa que la bouteillerie étoit près de là; si fut celle part, et se jeta en un cuvier tout plein d'eau où on rinçoit tasses et hanaps. Cela le sauva; autrement il eut été mort et ars ainsi que les autres; et nonobstant tout si fut-il en mal point.

Quand la roine de France ouït les grands cris et horribles que ceux qui ardoient faisoient, elle se douta de son seigneur le roi qu'il ne fût attrapé; car bien savoit, et le roi lui avoit dit, que ce seroit l'un des six. Si fut durement ébahie et chéy pâmée. Donc saillirent les chevaliers et dames avant en lui aidant et confortant. Tel meschef, douleur et crierie avoit en la salle qu'on ne savoit auquel entendre. La duchesse de Berry délivra le roi de ce péril, car elle le bouta dessous sa gonne et le couvrit pour eschiver le feu; et lui avoit dit, car le roi se vouloit partir d'elle à force: « Où voulez-vous aller? Vous véez que vos compagnons ardent. Qui êtes-vous? Il est heure que vous vous nommez. » — « Je suis le roi. » — « Ha! monseigneur, or tôt allez vous mettre en autre habit, et faites tant que la roine vous voie, car elle est moult mésaisée pour vous. »

Le roi, à cette parole, issit hors de la salle, et vint en sa chambre, et se fit déshabiller le plus tôt qu'il put et remettre en ses garnemens, et vint devers la roine; et là étoit la duchesse de Berry, qui l'avoit un peu réconfortée et lui avoit dit: «Madame, reconfortez-vous, car tantôt vous verrez le roi. Certainement j'ai parlé à lui.» A ces mots, vint le roi en la présence de la roine; et quand elle le vit, de joie elle tressaillit; donc fut-elle prise et embrassée de chevaliers et portée en sa chambre et le roi en sa compagnie qui toujours la reconforta.

Le bâtard de Foix, qui tout ardoit, crioit à hauts cris: «Sauvez le roi, sauvez le roi!» Et voirement fut-il sauvé par la manière et aventure que je vous ai dit; et Dieu le voult

aider, quand il se départit de la compagnie pour aller voir
les dames ; car s'il fût demeuré avecques ses compagnons, il
étoit perdu et mort sans remède.

En la salle de Saint-Pol à Paris, sur le point de l'heure
de minuit, avoit telle pestillence et horribleté que c'étoit
hideur et pitié de l'ouïr et du voir. Des quatre qui là ardoient,
il y en eut là deux morts éteints sur la place. Les autres
deux, le bâtard de Foix et le comte de Join, furent portés
à leurs hostels et moururent dedans deux jours à grand'peine
et martire...

Cette dolente aventure avint en l'hostel de Saint-Pol à
Paris, en l'an de grâce mil trois cent quatre-vingt douze,
le mardi devant la Chandeleur, de laquelle avenue il fut
grand'nouvelle parmi le royaume de France et en autre pays.

*Chroniques*

# JEAN CHARLIER DE GERSON

1363–1429

*14*        *Le flatteur mensonger*

FLATEUR est le menestrier ou trompette qui tousiours
chante de faincte musique, & mue sa notte selon ce que le
seigneur veult chanter ou deviser : c'est l'image du mirouer
qui rit quand on rit, pleure quand on pleure, *semper gaudet
alienum sumere vultum.* Dira un seigneur, il fait chault, le
flateur dira qu'il sue, si le seigneur dit incontinent, il fait
bien froit, le flateur dira qu'il tremble. Souvent j'ay veu
en un mesme disner ce cas ou semblable, & me donnoy
merveilles, que le seigneur ne l'apperçoit, ou se il apperçoit,
comme il ne se mocquoit ou reprenoit : le flateur tourne
tousiours la torche du conseil, par où le seigneur veult
aller, combien qu'il doibt trebucher, ou se rompre le col.
Tout tel me veulent les seigneurs, dit le flateur, & tel
me auront-ils :... Et qui estes-vous sire ? dit le flateur :
regardez-vous, maintenez vostre dignité : vraiment

terre ne soustient seigneur qui soit pareil à vous en
noblesse de cueur, en prouesse, en beau parler, en grand
sens & prudence : les autres ne sont que bestes au regard
de vous. Puis blasme à la fois le seigneur par jeu, &
comme en heraudant dit, maulgré celui là & l'autre : &
quoy sire vous estes trop humble & trop religieux, trop
doulx, trop large, & trop piteux : que vous chault de ces
vilains, ou de ces chaperons fourrez, ou de ces turlupins
religieux ? Monstrez, monstrez que soiez seigneur : & qui
estes vous je vous pry, que avez-vous affaire d'autruy ?
Qui seroit celuy qui vous pourroit grever, ou rien monstrer,
ou conseiller ? Oyez messeigneurs quel advocat : pleust
à Dieu que vérité à l'encontre respondist au seigneur,
quand flateur lui demande Qui estes-vous ? Et, Qui estes-
vous je vous pry ? respond vérité : Tu es une povre miserable
creature subiecte à toute angoisse & tribulation, à froid &
chauld, à douleur, à maladie & nécessité inevitable de mort :
Tu es un sac plein de fiens, terre & cendre, & pourriture :
quelque robe que tu ayes, quelque or ou argent, ou pierre
précieuse, ou pompeuse famille soit environ toy : quelle
chose (je te prie) est ta chair qui tost ou tard deviendra
charongne, voire trop puante viande à vers ? Tost sera ce
je te dy bien : car en si bref temps n'a point de tard : & s'il
est ainsi, esveille toy un peu : Ouvre les yeux qui te sont
clos par flaterie, & regarde quels seigneurs estoient à ce
conseil, depuis quatre ou six ans, chacun les honoroit,
chacun les redoutoit, chacun les flatoit, autant ou plus
que toy : mais où sont ceux de présent, où sont-ils ? pensez-y
bien : ils ont dormi leur songe ; ils ont fait leur personnage :
la mort en un moment leur a donné échec & mat, & sont
boutez en terre. Que leur proufite orgueil ? Que leur vault
s'ils ont opprimé & mené à douloureux tourment le menu
peuple pour complaire aux flateurs ? Flateurs les osteront-ils
de terre, & l'âme d'enfer si elle y est trébuchée ? elle y
est voirement, & toy en après si la miséricorde de Dieu

pour pénitence n'y met ou a mis remède. Terre, terre, terre, escoute la parole de Dieu, & qui est-elle? *Omnis caro fanum*: Toute chair n'est qu'un peu de foin, & toute sa gloire comme une fleur des champs. Pense bien que le flateur est le prestre à l'ennemy d'enfer, qui chante les vigiles de ceux qui sont morts par péchez, ensevelis par mauvaise coustume, puans desia par mal renommée, couverts de la trèsdure, trèsfroide & pesante pierre d'obduration de cueur, prests pour ensevelir au cimitière d'enfer.

*Harangue au Roi Charles VI*

## *15      Il faut délaisser l'amour mondain*

QUI veult commencier à savoir l'art de bien amer par la vie contemplative, doit tout premierement labourer à oster l'amour folle et contraire, que je puis appeller par mot general amour mondaine; car cest amour est comme gluz qui empesche les esles espirituelles de l'âme qu'elle ne puisse soi eslever en hault. C'est comme mortier tenant qui tient les piés de l'âme tellement qu'elle ne s'en puisse franchement departir; et est comme une chayne qui tient l'âme enlassée et atachiée au corps qu'elle ne puet soi esloigner de lui, en figure d'un ours ou d'un singe qui tourne et va environ l'estaige où il est lié sans passer oultre. Cest amour est le loquet du singe par lequel li ennemi retient toudis l'âme qu'elle ne puisse soi fuir loing que tantost ne la reprenge; en guise aussi des giz de l'oisel, et pareillement de telles figures samblables. Cest amour est la royne mauvaise qui fonde la cité de confusion de l'ennemy d'enfer en creature humaine car elle fait amer soi meismes iusques au content et mesprisement de Dieu. Ceste amour est la mauvaise terre, sterile et mauldite de Dieu, où fruit quelconque bon ne peult venir. C'est la charoigne qui ne laisse revenir le corbeil en l'arche; c'est à

dire l'a ne en son logis de paradis; c'est la folle qui tant
bruit et crie et fait si orrible noise par ses fantaisies qu'elle
maine en l'ostel de l'âme sans cesser, que l'âme mesmement
est contrainte issir de son ostel, et le Saint Esperit qui en
doibt estre vrai hostellain n'y puet demourer et s'en depart.

*La Montaigne de contemplation*

# CHRISTINE DE PISAN

1364–*c.* 1430

16            *Un Empereur à Paris*

Sɪ comme l'Empereur en la chaiere seoit, le roy à lui vint
et lui dist que bien fust-il venus, et que oncques prince
plus volentiers n'avoit en son Palais veu. Adonc le baisa
et l'Empereur du tout se deffula et le mercia; lors fist le roy
lever l'Empereur atout la chaiere et contremont les degrez
porter en sa chambre, et aloit le roy d'un costé et menant
le roy des Rommains à sa main senestre, et ainsi le convoya
en la chambre de bois d'Irlande, qui regarde sus les jardins
et vers la Sainte-Chappelle, que il lui avoit fait richement
appareillier, et toutes les autres chambres derriere laissa
pour l'Empereur et son filz, et il fu lougié es chambres et
galatas que son pere, le roy Jehan, fist faire. Après qui
l'Empereur une piece fu reposé, le roy en sa chambre
veoir l'ala, et en le saluent osta tout jus son chapperon,
dont il pesa à l'Empereur, qui recouvrir le voult, et il dist
que il lui monstroit sa coiffe, que encore n'avoit veue,
car est à savoir que es anciennes guises les roys portoient
deliées coiffes soubz leurs chapperons. En une chaiere fu
assis coste l'Empereur et dist: «Beaulx oncles, sachiez que
j'ay si grant joye de vostre venue que plus ne puis, et vous
pri que vous teniez qu'en ce que j'ay vous avez comme ou
vostre.» Adonc l'Empereur osta son chapperon, et le roy

aussi, et respondi: «Monseigneur, je vous mercy des
biens que vous me faittes et je vous offre et vueil que vous
certain soiez que moy et mon filz, que amené vous ay, et
mes autres enfens, et tout quanque j'ay, sommes vostre, le
poez prendre comme le vostre.» Desquelles paroles les
oyans qui presens estoient, qui furent mains barons et
autres, orent moult grant plaisir de veoir entr'eux si grant
amour et bonne voulenté; après maintes amoreuses paroles
le roy se parti; et ordena que, pour le travail qu'il avoit eu,
souppast en sa chambre à requoy, et il mena avec lui
souper le roy des Rommains, les ducs, les princes et
chevaliers de l'Empereur, et grant et notable souper y ot,...
et est à savoir que la Grant sale du Palais, la chambre de
Parlement, la sale sur l'eaue, la chambre vert, et toutes les
aultres notables chambres du Palais, la Sainte-Chappelle et
celle d'amprès la chambre vert estoient toutes tres richement ordennées et parées, tant au Palais, comme à Saint-
Pol, au chastel du Louvre, au bois de Vincenes, à Beauté;
es quelz hostelz le roy mena, tint et festoia l'Empereur.
Après ce souper, vin et espices prises, se retrairent le roy,
et le filz de l'Empereur, et les aultres seigneurs, chascun
en sa chambre, et ainsi se passa celle journée.

*Le Livre des Fais et Bonnes Meurs du sage Roy Charles V*

# AUTEUR INCONNU
*c.* 1393

## 17     *Se vous avez autre mary après moi...*

ET pour ce, chère seur, je vous prie que pour vous tenir
en l'amour et grâce de vostre mary, soyez luy doulce
amiable et débonnaire. Faictes-luy ce que les bonnes
simples femmes de nostre païs dient que l'en a fait à leurs
fils quant ils sont enamourés autre part et elles n'en pevent

chevir. Il est certain que quant les pères ou les mères sont
morts, et les parrastres et marrastres qui ont fillastres les
arguent, tencent et estrangent, et ne pensent de leur couchier,
de leur boire ou mangier, de leur chausses, chemises, ne
autres nécessités ou affaires, et iceulx enfans treuvent
ailleurs aucun bon retrait et conseil d'aucune autre femme
qui les recueille avecques elle et laquelle pense de leur
chauffer à aucun povre tison avec elles, de leur couchier,
de les tenir nettement, à faire rappareiller leurs chausses,
brayes, chemises et autres vestemens, iceulx enfans les
suivent et désirent leur compaignie et estre couchiés et
eschauffés entre leurs mamelles, et du tout en tout s'estrangent de leurs mères ou pères qui par avant n'en tenoient
compte, et maintenant les voulsissent retraire et ravoir,
mais ce ne peut estre, car iceulx enfans ont plus cher la
compaignie des plus estranges qui de eux pensent et aient
soing que de leurs plus prouchains qui d'eulx ne tiennent
compte. Et puis brayent et crient, et dient que icelles
femmes ont leurs enfans ensorcellés, et sont enchantés,
et ne les peuvent laissier, ne ne sont aises se ils ne sont
avecques elles. Mais, quoy que l'on die, ce n'est point
ensorcellement, c'est pour les amours, les curialités, les
privetés, joies et plaisirs qu'elles leur font en toutes
manières, et par m'âme, il n'est autre ensorcellement. Car
qui à un ours, un lou ou un lyon feroit tous ses plaisirs,
icelluy ours, lou ou lyon feroit et suivroit ceulx qui ce
luy feroient, et par pareille parole pourroient dire les
autres bestes, se elles parloient, que icelles qui ainsi seroient
aprivoisées seroient ensorcellées. Et, par m'âme, je ne croy
mie qu'il soit autre ensorcellement que de bien faire, ne
l'en ne peut mieulx ensorceller un homme que de luy
faire son plaisir.

    Et pour ce, chère seur, je vous pry que le mary que vous
arez vous le vueillez ainsi ensorceller et rensorceller et le
gardez de maison maucouverte et de cheminée fumeuse

et ne luy soyez pas rioteuse, mais doulce, amiable et paisible. Gardez en yver qu'il ait bon feu sans fumée, et entre vos mamelles bien couchié, bien couvert, et illec l'ensorcellez. Et en esté gardez que en vostre chambre ne en vostre lit n'ait nulles puces...

*Le Ménagier de Paris*

## AUTEUR INCONNU

*c.* 1409-1449

### *18        Comme s'il fust lavé d'eau rose*

*Item*, le peuple s'avisa de faire en la paroisse Saint-Huistace la confrairie Saint-Andry, et la firent un jeudy, neuviesme jour de juin:[1] qui s'y mettoit avoit un chapperon de roses vermeilles. Et tant s'y mist de gens de Paris, que les maistres de la confrairie disoient et affermoient qu'ils avoient fait faire plus de soixante douzaines de chappeaux; mais avant qu'il fust douze heures, les chappeaux furent faillis, mais le moustier de Saint-Huistace[2] estoit tout plein de monde; mais pou y avoit homme, prestre ne autre, qui n'eust en sa teste chappeau de roses vermeilles, et sentant tant bon au moustier comme s'il fust lavé d'eau rose.

*Journal d'un bourgeois de Paris*

### *19        L'an quatorze cents vingt*

*Item*, celle année, estoient les violettes au mois de janvier, bleues et jaunes, plus que l'année d'avant n'avoient esté en mars...

*Item*, en ce temps, estoient les Arminacs[3] plus acharnés à cruauté que oncques mais; et tuoient, pilloient, efforçoient, ardoient églises et gens dedans, femmes grosses et enfants;

---

[1] 1418        [2] l'église de Saint-Eustache        [3] Armagnacs

brief, ils faisoient tous les maux en tyrannie et en cruauté
qui pussent estre faits ne par diables ne par hommes; par
quoy il convint qu'on traitast au roy d'Angleterre, qui
estoit l'ancien ennemi de France, maugré que on en eust,
pour la cruauté des Arminacs, et lui fut donnée une des
filles de France, nommée Catherine; et vint gésir dedans
l'abbaye de Saint-Denys, le huitiesme jour de may quatorze
cents vingt; et l'endemain passa par-devant la porte Saint-
Martin par dehors la ville; et avoit bien sa compaignie,
comme on disoit, sept mille hommes de trait et très grant
compaignie de gens d'estoffe; et portoit-on devant lui un
heaume couronné d'une couronne d'or pour cognoissance,
et portoit en sa devise une queue de renard de broderie;
et alla gésir au pont de Charenton, pour aller à Troyes
pour voir le roy; et là lui furent présentées quatre char-
retées de moult de bon vin de par ceux de Paris, dont il
ne tint pas grand compte par semblant.

*Journal d'un bourgeois de Paris*

20     *« Gardez-vous de Courtaut! »*

*Item*, en celui temps, espécialement tant comme le roy fut
à Paris, les loups estoient si enragés de manger char
d'hommes, de femmes ou d'enfants que, en la darraine[1]
sepmaine de septembre,[2] estranglèrent et mangèrent
quatorze personnes, que grans que petits, entre Montmartre et la porte Saint-Anthoine, que dedans les vignes que
dedans les marais; et s'ils trouvoient un troupeau de
bestes, ils assailloient le berger et laissoient les bestes. La
vigile Saint-Martin fut tant chassé un loup terrible et
horrible, qu'on disoit que lui tout seul, avoit fait plus de
douleurs devant dites que toutes les autres; celui jour
fut prins : et n'avoit point de queue, et pour ce fut nommé
Courtaut; et parloit-on autant de lui comme on fait d'un

---

[1] dernière     [2] 1439

larron de bois ou d'un cruel capitaine, et disoit-on aux
gens qui alloient aux champs : «Gardez-vous de Courtaut!»
Icelui jour fut mis en une brouette, la gueule ouverte, et
mené parmy Paris ; et laissoient les gens toutes choses à faire,
fust boire, fust manger ou autre chose nècessaire, que que
ce fust, pour aller veoir Courtaut; et, pour vray, il leur
valut plus de dix francs la cuillette.

*Journal d'un bourgeois de Paris*

# AUTEUR INCONNU

*c.* 1420

*21*        *La nasse de mariage*

LA quarte joye de mariage, si est quand celuy qui est
marié a esté en son mesnage, et y demeure VI ou VII, IX
ou X ans, ou plus ou moins, et a cinq ou six enfans, et a
passé tous les maulx jours, les malles nuitz et maleurtez
dessusdites, ou aucunes d'icelles, dont il a eu maint mauvès
repoux; et est jà sa jeunesse fort reffroydie, tant qu'il fust
temps de soy repouser, s'il feust: car il est si mat, si las,
si dompté du travail et tourment de mesnage, qu'il ne lui
chault plus de chouse que sa femme lui die ne face, mès
y est adurci comme un vieil asne qui par acoustumance
endure l'aiguillon, pour lequel il ne haste gueres son pas
qu'il a acoustumé d'aller... Ce nonobstant, il fault qu'il
trote et aille par païs pour gouverner sa terre, ou pour sa
marchandise, selon l'estat dont il est : il a à l'aventure deux
pouvres chevaulx, ou ung, ou n'en a point. Maintenant
s'en va à six ou à dix lieues pour ung affaire qu'il a. L'autre
fois va à vingt ou à XXX lieues à une assise ou en parlement, pour une vieille cause ruyneuse qu'il a, qui dure dès
le temps de son besaieul.

Il a unes botes qui ont bien deux ou trois ans, et ont
tant de foiz esté rappareillées par le bas qu'elles sont

courtes d'un pied, et sans faczon, car ce qui soulloit estre
au genoil est maintenant au milieu de la jambe. Et a ungs
esperons du temps du roy Clotaire, de la vieille faczon,
dont l'un n'a point de molete. Et a une robe de parement
qu'il y a bien cinq ou six ans qu'il a, mais il ne l'a pas
acoustumé porter, sinon aux festes ou quant l'en va dehors;
et est de la vieille faczon, pource que depuis qu'elle fut
faite il est venu une nouvelle faczon de robes. Et quelque
jeu ou instrumens qu'il voie, il luy souvient tousjours de
son mesnage, et ne peut avoir plaisir en chouse qu'il voye.
Il vit moult pouvrement sur les chemins, et les chevaux
de mesmes, s'il en y a. Il a ung valet tout dessiré, qui a une
vieille espée que son maistre gaigna à la bataille de Flandres,
ou ailleurs, et une robe que chascun cognoist bien qu'il n'y
estoit point quant elle fut taillée, ou au moins elle ne fut
point taillée sur luy, car les coustures de dessus les es-
paulles en chaient trop bas. Il porte unes vieilles bouges
où le bon homs porta son harnoys à la bataille de
Flandres; ou a aultres abillements, selon l'estat dont il est.

*Les Quinze Joyes de mariage*

# (?) ANTOINE DE LA SALLE

1388–*c.* 1470

22        *Oncques abbé ne fust sy joyeulx*

LORS fut la table levee, et Madame dist a damp Abbes
qu'il se asseist. «Madame,» dist damp Abbes, «vous estes
dame et abbesse: asseez vous, et laissiez faire a moy.»
Madame quant fust assise, et au bas boult de sa table
Madame Jehanne, Madame Katerine et le seigneur de
Gency, qui avec elle estoit, y furent assiz a la deuxieme
table ung des prieurs du couvent. Ysabel et les aultres
demoiselles et II ou III escuiers et messire Geffroy de

Saint Amant viz a viz de Ysabel. Alors damp Abbé, sur son col une serviette, s'en va au dressoir au vin, et fait servir Madame de tottres a l'ypocras blanc, et aussi toutes les tables, puis les figues de caresme avec le cuere rosties. Madame qui moult le prie de seoir, mais il ne vuelt, disant: «Madame, ne vous soit en desplaisir, je tendray compaignie au maistre d'ostel, et pour ceste fois luy monstreray le chemin.» Et quant damp Abbes et le maistre d'ostel furent venus, et le premier metz assiz, Madame dist a damp Abbes: «Vraiment, Abbé, se vous ne vous seez, nous nous leverons.» «Or bien, Madame, je vous veuil et doy obeyr.» Madame vault faire retirer la table pour le faire asseir; maiz damp Abbes dist: «A! Madame, ja Dieu ne plaise que la table en bouge ja pour moy!» Lors fait porter un escabel, et viz a viz de Madame, aucun peu plus bas, s'en va asseoir. Lors fait servir de vin de Beaune blanc, puis du vermeil de troiz ou de IIII façons, dont tous en furent servis. Que vous diroye? Les prieres de faire bonne, et de boire les ungs aux aultres y furent largement, et tellement, que grant temps avoit que Madame n'avoit fait sy bonne chiere. Dont en buvant, Madame a damps Abbes, et damps Abbes a Madame, leurs yeulx, archeirs des cuers, peu a peu se commencerent l'un cuer a l'aultre traire; et tellement, que les piez, couvers de la treslarge touaille jusques a terre, s'encommencerent de peu a peu l'un a l'autre touchier, et puis l'un sur l'autre marchier. Alors ce tresenflammé dart d'amours fiert le cuer de l'un, et puis de l'autre, tellement, qu'ilz ont perdu le mengier; mais damps Abbes, qui de ceste queste nouvelle estoit sur tous le plus joyeux, boist a l'une et puis a l'autre. Que vous diroye? Oncques abbé ne fust sy joyeulx. Une fois se lieve et fait porter son escabel devant les dames, et la aucun peu se sciet, et puis va devant les damoiselles et prie de mengier, puis va aux femmes de chambre et boist a elles, et revient a Madame et de joie viz a viz de elle se assiet. Lors

recommencerent leurs archiers d'amours plus fort a traire,
et de leurs piez l'un sur l'autre marchier que oncques
n'avoient fait. Des aultres bonnes chieres de vins, de
viandes, de lamproyes, de salmons, et de maintz aultres
poissons de mer et de yaue doulce, pour abregier j'en
laisse, pour venir a l'istoire de parler.

*Histoire du Petit Jehan de Saintré*

# ALAIN CHARTIER
*c.* 1390–*c.* 1440

23        *Tournez vos yeulx sur vous mesmes*

PENSEZ que rien ne suffist vouloir le salut et liberté
publique et desirer la confusion de son ennemi, il faut
mectre la main à l'œuvre, et de l'œuvre vient la louenge et le
guerdon. Mais où sont doncques ceulx qui en ces condicions
chevaleureuses quierent leur renommee et leur perfection,
quant ilz ne se apparoissent et mettent avant en besoigne et
que entre les autres en peut on si pou choisir pour telz, donc
ceulx qui bien font sont dignes de plus grant los? Où est
la prudence des clers et conseilliers, qui par leurs sens ont
mains royaumes preservez et relevez souvent en peril-
leuses aventures? Qu'est devenue la constance et loyauté
du peuple françois, qui si longtemps a eu renom de perseverer
loial, ferme et entier, vers son naturel seigneur sans querir
nouvelles mutacions? Je me doubte que tous trois soient
rabaissez et avillez de la dignité et devoir de leurs estaz.
Pluseurs de la chevalerie et des nobles crient aux armes,
mais ilz courent à l'argent; le clergé et les conseilliers
parlent à deux visaiges et vivent avecques les vivans; le
peuple veult estre en sceurté gardé et tenu franc, et si est
impacient de souffrir subgection de seigneurie.

O tresredoutable et perilleuse acoustumance de voluptez et d'aises, o envieillie et enracinee norreture de pompes et de delices, tant avez bestourné et ramolly les courages françois que ceste subversion, dont Fortune nous fait ciseau de si prez, nous avez couvee et mise sus, et toutes voies sont et demeurent par vous les cuers si envelopez que le peril de la seigneurie et d'eulx mesmes et la doubte de leur prouchaine desercion ne les peut retraire de leurs delicatives acoustumances.

*Le Quadrilogue invectif*

## 24            *Endormez vous comme pourceaux*

QUEREZ, querez, François, les exquises saveurs des viandes, les longs repoz empruntez de la nuit sur le jour, les oultraiges des robes et des joyaulx, sans garder difference des estaz ne des degrez a ceulx a qui ilz appartiennent, les blandices et delices feminins ! Endormez vous comme pourceaux en l'ordure et vilté des horribles pechiez qui vous ont mis si près de la fin de voz bons jours ! Estoupez voz oreilles a toutes bonnes amonicions, mais ce sera par tele condicion que tant plus y demourrez et plus approuchera le douloureux jour de vostre exterminacion, et en pourrez tant user et si longuement vous y aouiller que trop en avoir prins vous en fera souffreteux a tousjours...
Le pays de Languedoc, en la prise du roy Jehan, se mua en vesteures et gouvernement de hommes et de femmes en laissant toute remonstrance de leesce et festivité. Quelles gens estes vous, ne quelles durtez avez vous en vos couraiges, qui ainsi vous laissez perdre a vostre escient, sans vouloir delaisser ce qui vous meyne a perdicion et vous tire a perdicion les bras au col ?

*Le Quadrilogue invectif*

# OLIVIER MAILLARD[1]

*c.* 1430–1502

### 25    *Les quatre manières d'auditeurs*

EN après, nous est demonstré qui sont ceulx qui prouffitent
au sermon, et qui sont ceulx qui n'y prouffitent pas, par ce
qu'il dist : *Qui ex Deo est verba Dei audit: propterea vos non
auditis, quia ex Deo non estis.* Qui est de la part de Dieu il ot
la parolle de Dieu, et pour ce vous ne l'oez pas, car vous
n'estes point de sa part. Saint Gregoire vient, qui florette
ceste matère et dit qu'il sont quatre manières d'auditeurs.
Les premiers, ceulx qui ne viennent synon pour reprendre
le prescheur ou pour veoir ceulx qui sont au sermon. Les
seconds sont ceulx qui oyent preschier et n'en retiennent
riens et n'en font conte. Les tiers sont ceulx qui ouent et
retiennent, mais ne s'amendent point pourtant. Et touttes
ces trois manières de gens s'en vont avec les dyables. Les
quatriesmes sont ceulx qui ouent et retiennent, et mettent
la doctrine à execucion et s'amendent. Ceulx cy sont de
la part de Dieu et profitent au sermon.

Or, levez les esperitz : qu'en dictes vous, seigneurs ?
Estes vous de la part de Dieu ?

*Sermon prêché à Bruges le dimanche de la Passion* [1500]

### 26    *L'Ascension Nostre Seigneur*

QUANT donques l'heure fut venue que Nostre Seigneur
devoit monter aux cieulx, saint Michiel lors hastivement
alla quérir toute la chevallerie de la court de paradis,
laquelle incontinent, en grant reverence, vint au devant
de son roy, et le mena en grant ioye et iubilation en son
royaume. Qui est celluy qui pourroit expliquer les chans

[1] Franciscan friar; he preached in Latin and in French.

et melodies que faisoient lors ces glorieux anges? Qui
sçauroit narrer leur ioye? Qui sçauroit aussi estimer la
consolation des sains pères, quand ils furent associez
avecques ces glorieux anges et qu'ilz furent mis en leur
possession et heritage, lequel ilz auoient perdu par la
fallace de l'ennemy? Et en vérité, il n'est cueur qui la
peust comprendre, tant estoit grande! O doulx maistre
et seigneur Iesus, comment avez vous souffert que vostre
mère fust privée de ceste compaignie, de ceste ioye?
Pourquoy l'avez vous laissée en ceste misère? Vostre
iugement est moult parfond. Je croy qu'elle estoit encore
necessaire en ce monde pour le salut de voz amys.

*Sermon de l'Ascension* [? *c.* 1500]

# PHILIPPE DE COMMYNES
## OR COMMINES
*c.* 1446–1511

27   *Par division se perdent toutes les bonnes*
*choses du monde*

LEDIT duc de Normandie (comme j'ay dit) s'estoit déliberé
un coup de fuyr en Flandres; mais sur l'heure se reconseil-
lerent le duc de Bretagne et luy, connoissans tous deux
leurs erreurs, et que par division se perdent toutes les
bonnes choses du monde: et si est presque impossible que
beaucoup de grands personnages ensemble et de semblable
estat, se puissent longuement entretenir, sinon qu'il y ait
chef par dessus tous: et si seroit besoin que cestuy là fust
sage et bien estimé, pour avoir l'obéyssance de tous. J'ay
vu beaucoup d'exemples de cette matière à l'œil, et ne parle
pas par ouyr dire: et sommes bien subjets à nous diviser
ainsi à nostre dommage, sans avoir grand regard à la
conséqucnce qui en advient: et presque ainsi en ay vu
advenir par tout le monde, ou l'ay ouÿ dire. Et me semble

qu'un sage prince, qui aura pouvoir de dix mil hommes
et façon de les entretenir, est plus à craindre et estimer
que ne seroient dix, qui en auroient chascun six mil tous
allyés et confédérés ensemble : pour autant que des choses
qui sont à démesler et accorder entre eux, la moytié du
temps se perd avant qu'il y ait riens conclu, ni accordé.

*Mémoires*

## 28    *J'ay esté son serviteur*

PEU d'espérance doivent avoir les povres et menus gens
au fait de ce monde, puisque un si grand roy[1] y a tant
souffert et travaillé, et puis laissé tout, et ne put trouver une
seule heure pour esloigner sa mort, quelque diligence
qu'il ait sçu faire. Je l'ay connu et ay esté son serviteur
en la fleur de son âge, et en ses grandes prospérités ; mais
je ne le vis oncques sans peine et sans soucy. Pour tout
plaisir il aymoit la chasse, et les oyseaux en leurs saisons ;
mais il n'y prenoit point tant de plaisir comme aux chiens.
Des dames, il ne s'en est point meslé, du temps que j'ay
esté avec luy : car, à l'heure de mon arrivée, luy mourut un
fils, dont il eut grand deuil, et fit lors vœu à Dieu, en ma
présence, de jamais ne toucher à femme qu'à la royne
sa femme : et, combien qu'ainsi le devoit faire selon
l'ordonnance de l'Église, si fut-ce grand'chose, à en avoir
tant à son commandement, de persévérer en cette promesse,
vu, encores, que la royne n'estoit point de celles où on
devoit prendre grand plaisir, mais au demourant fort bonne
dame. Encores, en cette chasse, avoit presque autant
d'ennuy que de plaisir : car il prenoit de grandes peines, il
couroit les cerfs à force, et se levoit fort matin, et alloit
aucunes fois loin, et ne laissoit pour nul temps qu'il fist :
et ainsi s'en retournoit aucunes fois bien las, et presque

[1] Louis XI

tousjours courroucé à quelqu'un : car c'est mestier qui ne
se conduit pas tousjours au plaisir de ceux qui le conduisent.
Toutesfois il s'y connoissoit mieux que nul homme qui
ait régné de son temps, selon l'oppinion de chascun. A
cette chasse estoit sans cesse, et logé par les villages,
jusques à ce qu'il venoit quelques nouvelles de la voye de
fait : car presque tous les estés y avoit quelque chose entre
le duc Charles de Bourgongne et luy, et d'yver faisoient
trèves... Le temps qu'il reposoit, son entendement travail-
loit : car il avoit affaire en moult de lieux, et se fust aussi
volontiers empesché des affaires de ses voisins comme des
siens, et mis gens en leurs maisons et desparty les auctorités
d'icelles. Quand il avoit la guerre, il désiroit paix ou trève :
quand il l'avoit, à grand'peine la pouvoit-il endurer. De
maintes menues choses de son royaume il se mesloit, et
d'assez dont il se fust bien passé ; mais sa complexion estoit
telle, et ainsi vivoit. Aussi sa mémoire estoit si grande qu'il
retenoit toutes choses, et connoissoit tout le monde, en tous
pays à l'entour de luy.

A la vérité, il sembloit mieux pour seigneurir un monde
qu'un royaume.

*Mémoires*

# LE NOUVEAU TESTAMENT
## *trad.* PIERRE OLIVETAN

*d.* 1538

29                *De l'enfant prodigue*

P u i s dist : Ung homme auoit deux filz : & le plus ieune
diceulx dist au pere : Mon pere / donne moy la portion de la
substance qui mappartient. Et il leur partit sa substance.
Et peu de iours apres quand le plus ieune filz eut tout
assemble / il sen alla dehors en region loingtaine / et
la dissipa sa substance en viuant dyssolument. Et apres

quil eut tout consomme: une grande famine aduint en
icelle region. Et commencea a auoir necessite. Il sen
alla: & se ioingnit a ung des citoyens dicelle region /
lequel lenuoya en sa metayrie / pour paistre les
pourceaux. Et desyroit de remplir son ventre des
escosses que les porceaux mangeoient / mais nul ne luy
en donnoit. Dont estant reuenu a soymesme / dist:
Combien de mercenaires y a il en la maison de mon pere
qui ont abondance de pains / & moy ie pery de faim: Je
me leueray / & men iray a mon pere / & luy diray: Mon
pere iay peche au ciel & deuant toy: & ne suis point
maintenant digne destre appelle ton filz: fais moy comme
ung de tes mercenaires. Lors se leua / & vint a son pere.
Et comme il estoit encore loing / son pere le veit: & fut
meu de compassion: & accouru & cheut sur le col diceluy /
& le baisa. Et le filz luy dist: Mon pere iay peche contre le
ciel & deuant toy: & ne suis point maintenant digne destre
appelle ton filz. Et le pere dist a ses seruiteurs: Apportez
la robbe longue premiere / & le vestez: & luy donnez ung
aneau en sa main / & des souliers en ses pieds. Et amenez
ung veau gras / & le tuez / & le mangeons & menons ioye:
car cestuy mon filz estoit mort / & est retourne a vie: il
estoit perdu / mais il est retrouue. Et commencerent a
mener ioye.

Et son filz aisne estoit aux champs. Lequel quand il vint
& approcha de la maison / il ouyt la melodie et les danses.
Et appella ung des seruiteurs & interrogua quelles estoient
ces choses. Il luy dist: Ton frere est venu / & ton pere a
occis ung veau gras / pourtant quil la receu en sante.
Lors fut courrouce / et ne vouloit pas entrer. Son pere donc
yssit: & le commencea a prier. Mais iceluy respondit / &
dist a son pere: Voicy / ie te sers par tant de annees: &
iamais ne transgressay ton commandement: aussi iamais tu
ne me donnas ung cheureau pour me esiouyr avec mes
amys. Mais apres que cestuy cy ton filz / lequel a tout

deuòre sa substance avec les paillardes est venu : tu luy as
occy ung veau gras. Et il luy dist : Mon enfant tu es
tousiours auec moy / et tous mes biens sont tiens : mais il
failloit faire bonne chiere & sesiouyr / pource que cestuy
ton frere estoit mort / et est retourne a vie : il estoit perdu /
& est retrouve.

*Le Sainct Euangile de Jesus Christ selon Sainct Luc*, chap. XV

# MARGUERITE DE NAVARRE

1492–1549

*30*   *La compaignie commença fort à s'ennuyer*

HIRCAN print la parolle et dist : «Ma dame, ceulx qui
ont leu la saincte Escripture, comme je croy que nous tous
avons faict, confesseront que vostre dict est tout veritable;
mais si fault il que vous regardez que nous sommes encore
si mortiffiez qu'il nous fault quelque passetemps et exercice
corporel; car si nous sommes en noz maisons, il nous
fault la chasse et la vollerye,[1] qui nous faict oblier mil
folles pensées ; et les dames ont leur mesnaige, leur ouvraige
et quelquesfois les dances où elles prennent honneste
exercice; qui me faict dire (parlant pour la part des
hommes) que vous, qui estes la plus antienne, nous lirez
au matin de la vie que tenoit nostre Seigneur Jesus Christ,
et les grandes et admirables euvres qu'il a faictes pour nous ;
pour après disner jusques à vespres, fault choisir quelque
passetemps qui ne soit dommageable à l'ame, soit plaisant
au corps; et ainsy passerons la journée joieusement.»

La dame Oisille leur dist qu'elle avoit tant de peyne de
oblier toutes les vanitez, qu'elle avoit paour de faire
mauvaise election à tel passetemps, mais qu'il falloit
remectre cest affaire à la pluralité d'opinions, priant

---

[1] la chasse à l'oiseau

Hircan d'estre le premier opinant. « Quant à moy, dist-il, si je pensois que le passetemps que je vouldrois choisir fust aussi agreable à quelcun de la compaignie comme à moy, mon opinion seroit bientost dicte; dont pour ceste heure je me tairay et en croiray ce que les aultres diront. »...

Parlamente, voiant que le sort du jeu estoit tombé sur elle, leur dist ainsy : « Si je me sentois aussy suffisante que les antiens, qui ont trouvé les arts, je inventerois quelque passetemps ou jeu pour satisfaire à la charge que me donnez; mais, congnoissant mon sçavoir et ma puissance, qui à peine peult rememorer les choses bien faictes, je me tiendrois bien heureuse d'ensuivre de près ceulx qui ont desja satisfaict à vostre demande. Entre autres, je croy qu'il n'y a nulle de vous qui n'ait leu les cent Nouvelles de Bocace, nouvellement traduictes d'ytalien en français... Et s'il vous plaist que tous les jours, depuis midy jusques à quatre heures, nous allions dedans ce beau pré le long de la rivière du Gave, où les arbres sont si foeillez que le soleil ne sçauroit percer l'ombre ny eschauffer la frescheur; là, assiz à nos aises, dira chascun quelque histoire qu'il aura veue ou bien oy dire à quelque homme digne de foy. »

*L'Heptaméron* [Prologue]

## 31    *Qu'appelez-vous parfaictement aymer?*

« Appellez-vous follie, dist Oisille, d'aymer honnestement en la jeunesse, et puis de convertir cest amour du tout à Dieu ? » Hircan, en riant, luy respondit : « Si melencolie et desespoir sont louables, je diray que Poline et son serviteur sont bien dignes d'être louez. — Si est-ce, dist Geburon, que Dieu a plusieurs moyens pour nous tirer à luy, dont les commencemens semblent estre mauvays, mais la fin en est bonne. — Encores ay-je une opinion, dist

Parlamente, que jamais homme n'aymera parfaictement
Dieu, qu'il n'ait parfaictement aymé quelque creature en
ce monde. — Qu'appelez-vous parfaictement aymer? dist
Saffredent: estimez-vous parfaictz amans ceulx qui sont
transiz et qui adorent les dames de loing, sans oser monstrer
leur volonté? — J'appelle parfaictz amans, luy respondit
Parlamente, ceulx qui cerchent, en ce qu'ilz aiment, quelque
parfection, soit beaulté, bonté ou bonne grace; tousjours
tendans à la vertu, et qui ont le cueur si hault et si honneste,
qu'ilz ne veullent, pour mourir, mectre leur fin aux choses
basses que l'honneur et la conscience repreuvent; car
l'ame, qui n'est creée que pour retourner à son souverain
bien, ne faict, tant qu'elle est dedans ce corps, que
desirer d'y parvenir. Mais, à cause que les sens, par lesquelz elle en peut avoir nouvelles, sont obscurs et charnelz
par le peché du premier pere, ne luy peuvent monstrer
que les choses visibles plus approchantes de la parfection,
après quoy l'ame court, cuydans trouver, en une beaulté
exterieure, en une grace visible et aux vertuz morales, la
souveraine beaulté, grace et vertu. Mais, quant elle les a
cerchez et experimentez, et elle n'y treuve poinct Celluy
qu'elle ayme, elle passe oultre, ainsy que l'enfant, selon sa
petitesse, ayme les poupines[1] et autres petites choses, les
plus belles que son œil peult veoir, et estime richesses
d'assembler des petites pierres; mais, en croissant, ayme
les popines vives et amasse les biens necessaires pour la vie
humaine. Mais, quand il congnoist, par plus grande expe-
rience, que ès choses territoires n'y a perfection ne felicité,
desire chercher le facteur et la source d'icelles.»

*L'Heptaméron* [Prologue]

[1] poupées

# FRANÇOIS RABELAIS

1494?–c. 1553

*32*                *Les Thélémites*

TOUTE leur vie estoit employée non par loix, statuz ou reigles, mais selon leur vouloir et franc arbitre. Se levoient du lict quand bon leur sembloit, beuvoient, mangeoient, travailloient, dormoient quand le désir leur venoit; nul ne les esveilloit, nul ne les parforceoit ny à boyre, ny à manger, ny à faire chose aultre quelconques. Ainsi l'avoit estably Gargantua. En leur reigle n'estoit que ceste clause:

## FAY CE QUE VOULDRAS,

parce que gens libères, bien néz, bien instruictz, conversans en compaignies honnestes, ont par nature un instinct et aguillon, qui tousjours les poulse à faictz vertueux retire de vice, lequel ilz nommoient honneur. Iceulx, quand par vile subjection et contraincte sont depriméz et asserviz, détournent la noble affection, par laquelle à vertuz franchement tendoient, à déposer et enfraindre ce joug de servitude: car nous entreprenons tousjours choses défendues et convoitons ce que nous est dénié.

Par ceste liberté entrèrent en louable émulation de faire tous ce que à un seul voyoient plaire. Si quelqu'un ou quelqu'une disoit: «Beuvons», tous beuvoient; si disoit: «Jouons,» tous jouoient; si disoit: «Allons à l'esbat ès champs», tous y alloient. Si c'estoit pour voller ou chasser, les dames, montées sus belles hacquenées avecques leur palefroy gourrier, sus le poing mignonement enguantelé portoient chascúne ou un esparvier, ou un laneret, ou un esmerillon. Les hommes portoient les aultres oyseaulx.

Tant noblement estoient apprins qu'il n'estoit entre eulx celluy ne celle qui ne sceust lire, escripre, chanter, jouer d'instrumens harmonieux, parler de cinq et six langaiges, et en iceulx composer tant en carme que en

oraison solue. Jamais ne feurent veuz chevaliers tant preux,
tant gualans, tant dextres à pied et à cheval, plus vers,
mieulx remuans, mieux manians tous bastons, que là
estoient. Jamais ne feurent veues dames tant propres, tant
mignonnes, moins fascheuses, plus doctes à la main, à
l'agueille, à tout acte mulièbre honneste et libère, que là
estoient.

Par ceste raison, quand le temps venu estoit que aulcun
d'icelle abbaye, ou à la requeste de ses parens, ou pour
aultres causes, voulust issir hors, avecques soy il emmenoit
une des dames, celle laquelle l'auroit prins pour son dévot,
et estoient ensemble mariés, et, si bien avoient vescu à
Thélème en dévotion et amytié, encore mieulx la conti-
nuoient-ilz en mariaige; d'autant se entreaymoient-ilz à
la fin de leurs jours comme le premier de leurs nopces.

*Gargantua*

## 33    *Badebec meurt du mal d'enfant*

QUAND Pantagruel fut né, qui fut bien esbahy et perplex?
Ce fut Gargantua, son père. Car, voyant d'un cousté sa
femme Badebec morte, et de l'aultre son filz Pantagruel né,
tant beau et tant grand, ne sçavoit que dire ny que faire,
et le doubte que troubloit son entendement estoit assavoir
s'il devoit plorer pour le dueil de sa femme ou rire pour
la joye de son filz. D'un costé et d'aultre il avoit argumens
sophisticques que le suffocquoyent, car il les faisoit très
bien *in modo et figura*; mais il ne les pouvoit souldre, et par
ce moyen demeuroit empestré comme la souriz empeigée
ou un milan prins au lasset.

«Pleureray-je? disoit-il. Ouy, car pourquoy? Ma tant
bonne femme est morte, qui estoit la plus cecy, la plus cela,
qui feust au monde. Jamais je ne la verray, jamais je n'en
recouvreray une telle; ce m'est une perte inestimable! O
mon Dieu, que te avoys-je faict pour ainsi me punir? Que

ne envoyas-tu la mort à moy premier que à elle? Car vivre
sans elle ne m'est que languir. Ha, Badebec, ma mignonne,
m'amye, mon petit con (toutesfois elle en avoit bien troys
arpens et deux sextérées), ma tendrette, ma braguette, ma
savate, ma pantofle, jamais je ne te verray! Ha, pauvre
Pantagruel, tu as perdu ta bonne mère, ta doulce nourrisse,
ta dame très aymée! Ha, faulce mort, tant tu me es malivole,
tant tu me es oultrageuse, de me tollir celle à laquelle
immortalité appartenoit de droict!»

Et, ce disant, pleuroit comme une vache; mais tout
soubdain rioit comme un veau, quand Pantagruel luy
venoit en mémoire.

«Ho, mon petit filz (disoit-il), mon coillon, mon peton,
que tu es joly, et tant je suis tenu à Dieu de ce qu'il m'a
donné un si beau filz, tant joyeux, tant riant, tant joly! Ho,
ho, ho, ho! que suis ayse! Beuvons, ho! laissons toute
mélancholie! Apporte du meilleur, rince les verres, boute la
nappe, chasse ces chiens, souffle ce feu, allume la chandelle,
ferme ceste porte, taille ces souppes, envoye ces pauvres,
baille leur ce qu'ilz demandent! Tiens ma robbe, que je me
mette en pourpoint pour mieux festoyer les commères.»

Ce disant, ouyt la létanie et les *Mementos* des prebstres
qui portoyent sa femme en terre, dont laissa son bon propos,
et tout soubdain fut ravy ailleurs, disant:

«Seigneur Dieu, faut-il que je me contriste encores?
Cela me fasche; je ne suis plus jeune, je deviens vieulx, le
temps est dangereux, je pourray prendre quelque fiebvre;
me voylà affolé. Foy de gentilhomme, il vault mieulx
pleurer moins, et boire dadvantaige! Ma femme est morte,
et bien, par Dieu! (*da jurandi*) je ne la resusciteray pas par
mes pleurs: elle est bien, elle est en paradis pour le moins,
si mieulx ne est; elle prie Dieu pour nous, elle est bien
heureuse, elle ne se soucie plus de nos misères et calamitéz.
Autant nous en pend à l'œil, Dieu gard le demourant! Il
me fault penser d'en trouver une aultre.

«Mais voici que vous ferez, dict-il ès saiges femmes (où
sont-elles? bonnes gens, je ne vous peulx veoyr): allez
à l'enterrement d'elle, et cependent je berceray icy mon filz,
car je me sens bien fort altéré et serois en danger de tomber
malade; mais beuvez quelque bon traict devant, car vous
vous en trouverez bien, et m'en croyez sur mon honneur.»
A quoy obtempérantz, allèrent à l'enterrement et funérailles, et le pauvre Gargantua demoura à l'hostel.

*Pantagruel*

## 34   De l'enfance de Pantagruel

Je trouve par les anciens historiographes et poëtes que
plusieurs sont néz en ce monde en façons bien estranges,
que seroient trop longues à racompter: lisez le vij livre de
Pline, si avés loysir. Mais vous n'en ouystes jamais d'une si
merveilleuse comme fut celle de Pantagruel, car c'estoit
chose difficile à croyre comme il creut en corps et en force
en peu de temps, et n'estoit rien Hercules qui, estant au
berseau, tua les deux serpens, car lesdictz serpens estoyent
bien petitz et fragiles; mais Pantagruel, estant encores au
berseau, feist cas bien espouventables.

Je laisse icy à dire comment à chascun de ses repas il
humoit le laict de quatre mille six cens vaches, et comment,
pour luy faire un paeslon à cuire sa bouillie, furent occupéz
tous les paesliers de Saumur en Anjou, de Villedieu en
Normandie, de Bramont en Lorraine, et luy bailloit-on
ladicte bouillie en un grand timbre qui est encores de
présent à Bourges, près du palays; mais les dentz luy
estoient desjà tant crues et fortifiées qu'il en rompit,
dudict tymbre, un grand morceau, comme très bien
apparoist.

Certain jour, vers le matin, que on le vouloit faire tetter
une de ses vaches (car de nourrisses il n'en eut jamais
aultrement, comme dict l'hystoire), il se deffit des liens qui

le tenoyent au berseau un des bras, et vous prend ladicte
vache par dessoubz le jarret et luy mangea les deux tétins
et la moytié du ventre, avecques le foye et les roignons, et
l'eust toute dévorée, n'eust esté qu'elle cryoit horriblement
comme si les loups la tenoient aux jambes; auquel cry le
monde arriva, et osterent ladicte vache à Pantagruel; mais
ilz ne sceurent si bien faire que le jarret ne luy en demourast
comme il le tenoit, et le mangeoit très bien comme vous
feriez d'une saulcisse; et quand on luy voulut oster l'os,
il l'avalla bien tost comme un cormaran feroit un petit
poisson; et après commença à dire: «Bon! bon! bon!» car
il ne sçavoit encores bien parler, voulant donner à entendre
que il avoit trouvé fort bon et qu'il n'en failloit plus que
autant. Ce que voyans, ceulx qui le servoyent le lièrent à
gros câbles, comme sont ceulx que l'on faict à Tain pour
le voyage du sel de Lyon, ou comme sont ceulx de la
grand nauf *Françoyse* qui est au port de Grâce en Normandie.

Mais, quelque foys que un grand ours, que nourrissoit
son père, eschappa et luy venoit lescher le visage (car les
nourrisses ne luy avoient bien à point torché les babines),
il se deffist desdictz câbles aussi facilement comme Samson
d'entre les Philistins, et vous print Monsieur de l'Ours et
le mist en pièces comme un poulet, et vous en fist une
bonne gorge chaulde pour ce repas.

Par quoy craignant Gargantua qu'il se gastast, fist faire
quatre grosses chaînes de fer pour le lyer, et fist faire des
arboutans à son berceau, bien afustez. Et de ces chaînes en
avez une à la Rochelle, que l'on lève au soir entre les deux
grosses tours du havre; l'aultre est à Lyon, l'aultre à
Angiers, et la quarte fut emportée des diables pour lier
Lucifer, qui se deschaînoit en ce temps-là à cause d'une
colicque qui le tormentoit extraordinairement pour avoir
mangé l'âme d'un sergeant en fricassée à son desjeuner.
Dont povez bien croire ce que dict Nicolas de Lyra, sur
le passaige du *Psaultier* où il est escripst: *Et Og regem*

*Basan*, que ledict Og, estant encores petit, estoit tant fort et
robuste qu'il le failloit lyer de chaisnes de fer en son berceau.
Et ainsi demoura coy et pacificque, car il ne pouvoit
rompre tant facillement lesdictes chaisnes, mesmement
qu'il n'avoit pas espace au berceau de donner la secousse
des bras.

*Pantagruel*

## 35    *Panurge*

PANURGE estoit de stature moyenne, ny trop grand, ny
trop petit, et avoit le nez un peu aquillin, faict à manche
de rasouer; et pour lors estoit de l'eage de trente et cinq
ans ou environ, fin à dorer comme une dague de plomb,
bien galand homme de sa personne, sinon qu'il estoit
quelque peu paillard, et subject de nature à une maladie
qu'on appelloit en ce temps-là

Faulte d'argent, c'est douleur non pareille—
toutesfoys, il avoit soixante et troys manières d'en trouver
tousjours à son besoing, dont la plus honorable et la plus
commune estoit par façon de larrecin furtivement faict —
malfaisant, pipeur, beuveur, bateur de pavéz, ribleur s'il
en estoit à Paris; au demourant, le meilleur filz du monde et
tousjours machinoit quelque chose contre les sergeans et
contre le guet.

*Pantagruel*

# MARTIN DU BELLAY[1]

*c.* 1494–1559

## 36    *Le Camp du Drap d'Or*

LEDIT jour de la Feste-Dieu,[2] au lieu ordonné, le Roy et le
roy d'Angleterre, montez sur chacun un cheval d'Espagne,

[1] Soldier and administrator; a cousin of Joachim Du Bellay.
[2] 1520

s'entre-abordèrent, accompagnez, chacun de sa part, de la plus grande noblesse que l'on eust veu cent ans auparavant ensemble, estans en la fleur de leurs aages, et estimez les deux plus beaux princes du monde, et autant adroits en toutes armes, tant à pied qu'à cheval. Je n'ay que faire de dire la magnificence de leurs accoustremens, puisque leurs serviteurs en avoient en si grande superfluité, qu'on nomma ladite assemblée le camp de Drap d'Or. Ayans faict leurs accollades à cheval, descendirent en un pavillon ordonné pour cest effect, ayant le Roy seulement avecques luy l'amiral de Bonnivet et le chancelier Du Prat et quelque autre de son conseil, et le roy d'Angleterre, le cardinal d'Iorc,[1] le duc de Norfolc et le duc de Suffolc. Où, après avoir devisé de leurs affaires particulières, conclurent que audit lieu se feroient lisses et eschaffaulx, où se feroit un tournoy, estans délibérez de passer leur temps en déduit et choses de plaisir, laissans négocier leurs affaires à ceux de leur conseil, lesquels de jour en autre leur faisoient rapport de ce qui avoit esté accordé. Par douze ou quinze jours coururent les deux princes l'un contre l'autre : et se trouva audit tournoy grand nombre de bons hommes-d'armes, ainsi que vous pouvez estimer ; car il est à présumer qu'ils n'amenèrent pas des pires.

Ce faict, le roy d'Angleterre festoya le Roy, près de Guines, en un logis de bois où y avoit quatre corps de maison, qu'il avoit faict charpenter en Angleterre, et amener par mer toute faicte ; et estoit couverte de toille peinte en forme de pierre de taille, puis tendue par dedans des plus riches tapisseries qui se peurent trouver, en sorte qu'on ne l'eust peu juger autre sinon un des beaux bastimens du monde : et estoit le dessein pris sur la maison des marchands à Calaiz. La maison, estant après désassemblée, fut renvoyée en Angleterre, sans y perdre que la voiture. Le lendemain, le Roy devoit festoyer le roy d'Angleterre près

[1] Cardinal Wolsey

Ardres, où il avoit faict dresser un pavillon ayant soixante pieds en quarré, le dessus de drap d'or frizé, et le dedans doublé de veloux bleu, tout semé de fleurs de lis de broderie d'or de Chypre, et quatre autres pavillons aux quatre coings, de pareille despense; et estoit le cordage de fil d'or de Chypre et de soye bleue turquine, chose fort riche. Mais le vent et la tourmente vint telle, que tous les cables et cordages rompirent, et furent lesdites tentes et pavillons portez par terre; de sorte que le Roy fut contraint de changer d'opinion, et feit faire en grande diligence un lieu pour faire le festin, où de présent y a un boullevert nommé le boullevert du Festin. Je ne m'arresteray à dire les grands triomphes et festins qui se firent là, ny la grande despense superflue, car il ne se peult estimer : tellement que plusieurs y portèrent leurs moulins, leurs forests et leurs prez sur leurs espaules.

*Mémoires*

## 37   *Combat à pelottes de neige*

Le ... jour de ... 1546, estant le Roy à La Roche-Guion, les néges estoyent fort grandes, se dressa une partie entre les jeunes gens estans près la personne de monseigneur le Dauphin : les uns gardoyent une maison, et les autres l'assailloyent à pelottes de nége; mais, durant ledit combat, le seigneur d'Anguien, François de Bourbon, sortant de fortune hors d'icelle maison, quelque mal avisé getta un coffre plain de linge par la fenestre, lequel tomba sur la teste dudit seigneur d'Anguien, et le blessa, de sorte que, peu de jours après, il mourut, au grand regret du Roy et de toute la Cour, pour la jeunesse florissante de luy, et le peu d'occasion de l'événement de sa mort.

*Mémoires*

# BONAVENTURE DES PÉRIERS

*c.* 1500–1544

*38*        *Ung cheval qui sçait parler*

MERCURE. N'est-ce pas pitié? soit que je vienne en terre, ou que je retourne aux cieulx, tousjours le monde et les dieux me demandent si j'ay ou si je sçay rien de nouveau. Il fauldroit une mer de nouvelles pour leur en pescher tous les jours de fresches. Je vous diray, à celle fin que le monde ayt de quoy en forger et que j'en puisse porter là hault, je m'en voys faire tout à ceste heure que ce cheval là parlera à son palefernier, qui est dessus, pour veoir qu'il dira. Ce sera quelque chose de nouveau, à tout le moins. Gargabanado, Phorbantas, Sarmotoragos. O qu'ay je faict! J'ay presque proferé tout hault les parolles qu'il faut dire pour faire parler les bestes. Je suis bien fol, quant je y pense. Si j'eusse tout dict, et qu'il y eust icy quelcun qui m'eust ouy, il en eust peu apprendre la science.

PHLEGON LE CHEVAL. Il a esté ung temps que les bestes parloyent; mais si le parler ne nous eust point esté osté, non plus qu'à vous, vous ne nous trouveriez pas si bestes que vous faictes.

STATIUS. Qu'est ce à dire cecy? Par la vertubieu, mon cheval parle!

PHLEGON. Voire dea, je parle. Et pourquoy non? Entre vous hommes, pour ce que à vous seulz la parolle est demourée, et que nous povres bestes n'avons point d'intelligence entre nous, par cela que nous ne pouvons rien dire, vous sçavez bien usurper toute puissance sur nous, et non seulement dictes de nous tout ce qu'il vous plait, mais aussi vous montez sur nous, vous nous picquez, vous nous battez; il fault que nous vous portions, que nous vous vestions, que nous vous nourrissions; et vous nous vendez, vous nous tuez, vous nous mangez. Dont vient cela? C'est par faulte que nous ne parlons pas. Que si nous sçavions parler et dire nos raisons, vous estes tant humains (ou devez estre) que après nous avoir ouy, vous nous traicteriez aultrement, comme je pense.

STATIUS. Par la morbieu! il ne fut oncques parlé de chose si estrange que ceste cy. Bonnes gens, je vous prie, venez ouyr ceste merveille; autrement vous ne le croiryez pas : par le sang bieu, mon cheval parle!

ARDELIO. Qu'i a il là, que tant de gens y accourrent et s'assemblent en ung troupeau? Il me fault voir que c'est.

STATIUS. Ardelio, tu ne sçay pas? par le corbieu, mon cheval parle!

ARDELIO. Diz tu? voylà grand merveille! Et que dict il?

STATIUS. Je ne sçay, car je suis tant estonné d'ouyr sortir parolles d'une telle bouche, que je n'entends point à ce qu'il dict.

ARDELIO. Metz pied à terre et l'escoutons ung petit raisonner. Retirez vous, messieurs, s'il vous plait; faictes place, vous verrez aussi bien de loing que de près.

STATIUS. Or ça, que veulx tu dire, belle beste, par tes parolles?

PHLEGON. Gens de bien, puis qu'il a pleu au bon Mercure de m'avoir restitué le parler, et que vous en voz affaires prenez bien tant de loisir de vouloir escouter la cause d'ung povre animau que je suis, vous devez sçavoir que cestuy mon palefrenier me faict toutes les rudesses qu'il peult, et non seulement il me bat, il me picque, il me laisse mourir de fain, mais...

STATIUS. Je te laisse mourir de fain?

PHLEGON. Voire, tu me laisses mourir de fain.

STATIUS. Par la morbieu! vous mentez; et si vous le voulez soustenir, je vous couperay la gorge.

*Cymbalum Mundi*

### 39   *La manière de faire taire et dancer les femmes*

Un quidam assez paisible et rassis d'entendement espousa
une femme qui avoit une si mauvaise teste qu'encore qu'il
print toute la peine de la maison et de faire la cuysine, où
qu'il fust à table en compaignie, il ne pouvoit eviter qu'il
ne fust d'elle tourmenté et maudit à tous coups, et que,
pour belles remonstrances et gracieux accueil qu'il luy
sceust faire, elle ne s'en voulsist garder, encor que le plus
souvent Martin Baston l'accolast. De quoy le bon homme
fort estonné se delibera d'user d'un autre moyen, qui fut
tel qu'à chacune fois qu'elle pensoit le fascher et maudire, il
se prenoit à jouer d'une fluste qu'il avoit, de laquelle il ne
savoit non plus l'usage que de bien aymer. Toutesfois, pour
cela, sa femme ne laissa de continuer ses maudiçons, jusques à ce que, s'estant apperceue et estant indignée de ce
qu'il n'en soucioit si fort qu'auparavant, elle se print à
dancer de colère, et, s'estant aucunement lassé au son
d'icelle, luy arracha d'entre les mains. Mais le bon homme,
ne voulant perdre les moyens par lesquelz il trompoit ses
ennuiz, se pendit d'une main à son col pour recouvrir sa
fleute, et dèslors recommença plus beau que devant à sifler
et en jouer. Tellement que ceste mauvaise femme, se
sentant offensée par l'importunité que luy faisoit cette
fleute, sortit de la maison, se promettant de n'endurer à
l'advenir de telles complexions, et, dès le lendemain qu'elle
fut retournée, elle reprint ses maudiçons mieux qu'auparavant. Toutesfois le mary ne delaissa à jouer de sa fleute
comme il souloit, et, ce voyant, sa femme, vaincue par luy,
luy promit qu'à l'advenir elle luy seroit plus qu'obeissante
en toutes choses honnestes, pourveu qu'il mît la fleute
reposer et n'en jouast plus, «pour ce, disoit-elle, qu'elle se
sentoit estourdie du son». Par ce moyen le bon homme
adoucist sa femme, et cogneut que le proverbe ne fut
jamais mal faict qui dit qu'il y a plusieurs moyens pour

abbaisser l'orgueil des femmes et les faire taire sans coup frapper.

*Les Nouvelles Récréations et Joyeux Devis*

# BLAISE DE MONLUC

1502-1577

*40      Plustost au combat qu'à la capitulation*

OR, le lundy sur le soir, la capitulation fut apportée, et le matin le marquis m'avoit envoyé un trompette, me priant que je luy envoyasse deux gentils-hommes en qui j'eusse fiance, pour leur dire quelque chose qu'il vouloit que j'entendisse, et estoit venu à Sainct-Lazare pour cest effet. Je luy envoyay le sieur Cornelio et le capitaine Charry, ausquels il dit ce que portoit la capitulation, laquelle devoit arriver ce soir mesmes à la cité, et que, entre autres choses, il y avoit un article qui disoit que le sieur de Monluc, avec les compagnies italiennes et françoises et tous officiers du Roy, sortiroient bagues sauves, enseignes desployées, les armes sur le col et tabourin sonnant; et que cest article-là ne me servoit de rien, car nous n'estions pas aux Sienois, ains au Roy, et, puisque nous n'estions à eux, ils n'avoient aussi puissance de capituler pour nous, et qu'il falloit qu'on capitulast de la part du Roy pour nous, et que je capitulasse seulement de la part du Roy; qu'il m'asseuroit que j'aurois tout ce que je demanderois et que, hors le service de l'Empereur, il feroit autant pour moi que pour le cardinal son frère; et que luy et moy estions deux pauvres gentils-hommes qui avec les armes estions parvenus aux degrez d'honneur, que des plus grands de France et d'Italie seroient bien aises d'avoir nos places; et leur dit qu'il attendroit là ma responce. Ils me trouverent à porte Nove, par là où ilz estoient sortis, où je me pourmenois avec messer Hieronim Espanos. Et, après avoir entendu ce

qu'il me mandoit et qu'il failloit que je rendisse responce,
je leur dis qu'ils luy allassent dire que je sçavois bien qu'il
avoit leu les histoires romaines, là où il pouvoit avoir
trouvé que, du temps des anciens Romains belliqueux, ils
envoyarent une de leurs colonies habiter en Gascongne,
près des monts Pirenées, d'où j'estois natif, et que, s'il ne
se vouloit contenter de ce que les Sienois m'avoient
comprins en leur capitulation, à la sortie je luy monstrerois
que j'estois sorty et extraict des belliqueux Romains, qui
aimoient mieux perdre cent vies, si tant en pouvoient
recouvrer, qu'un doigt de leur honneur et reputation; et
que j'aymois mieux que les Sienois capitulassent pour moy
que si je capitulois pour eux; et que, pour moy, le nom de
Monluc ne se trouvera jamais en capitulation. Et ainsi s'en
retournarent vers luy.

*Commentaires*

## 41 *Le songe que je fis*

LA nuict propre venant au jour du tournoy, à mon premier
sommeil, je songeay que je voyois le Roy assis sur une
chaire, ayant le visage tout couvert de gouttes de sang : et
me sembloit que ce fust tout ainsi que l'on peint Jesus-
Christ, quand les Juifs luy mirent la couronne, et qu'il
tenoit ses mains joinctes. Je luy regardois, ce me sembloit,
sa face, et ne pouvois descouvrir son mal ny veoir autre
chose que sang au visage. J'oyois, comme il me sembloit,
les uns dire : il est mort, les autres : il ne l'est pas encores.
Je voyois les medecins et chirurgiens entrer et sortir dedans
la chambre. Et cuide que mon songe me dura longuement;
car, à mon reveil, je trouvay une chose que je n'avois
jamais pensée, c'est qu'un homme puisse pleurer en songeant. Car je me trouvay la face toute en larmes, et mes
yeux qui en rendoient tousjours; et falloit que je les

laissasse faire, car je ne me peuz garder de pleurer longuement après. Ma feuë femme me pensoit reconforter : mais
jamais je ne peuz prendre autre resolution sinon de sa
mort.[1]

Commentaires

## 42    *Cecy n'est pas pour les courtisans*

OR c'est icy la fin de mon livre et de ma vie ; que si Dieu me
la continue plus longuement, quelqu'autre escrira le reste,
si je me trouve en lieu où je face quelque chose digne de
moy, ce que je n'espère pas, me sentant si incommodé que
je ne pense mes-huy pouvoir jamais plus porter les armes.
J'ay ceste obligation à ceste meschante arquebusade, qui
m'a percé et froissé le visage, d'avoir esté cause que j'ay
dicté ces Commentaires, lesquels, comme je pense, dureront
après moy. Je prie ceux qui les liront de ne les prendre
point comme escrits de la main d'un historien, mais d'un
vieux soldat, et encor Gascon, qui a escrit sa vie à la verité
et en guerrier. Tous ceux qui portent les armes y prendront
exemple, et recoignostront que de Dieu seul procède l'heur
et le mal-heur des hommes. Et pour ce que nous devons
avoir recours à luy seul, supplions-le nous aider et conseiller
en noz tribulations ; car ce monde n'est autre chose, et dont
les grands ont aussi bien leur part que les petits. En cela se
manifeste sa grandeur, veu qu'il n'y a roy ny prince qui en
soit exempt, et qui n'aye ordinairement besoin de luy et de
son secours.

Ne desdaignez, vous qui desirez suivre le train des armes,
au lieu de lire des Amadis ou des Lancellots, d'employer
quelqu'heure à me cognoistre dedans ce livre. Vous
apprendrez à vous cognoistre vous-mesmes et à vous
former pour estre soldats et capitaines ; car il faut sçavoir

[1] Henri II was mortally wounded in 1559 when jousting during
the celebrations which followed the end of the French wars in Italy.

obeir pour sçavoir après bien commander. Cecy n'est pas
pour les courtisans ou gens qui ont les mains polies, ny
pour ceux qui aiment le repos; c'est pour ceux qui par le
chemin de la vertu, aux despens de leur vie veulent eterniser
leur nom, comme, en despit de l'envie, j'espère que
j'auray faict celuy de Monluc.

*Commentaires*

# MICHEL DE L'HÔPITAL

1503–1573

*43    Les commandements du prince souverain*

Il n'y a rien non seulement plus juste, mais plus nécessaire,
principallement en l'estat monarchique, que d'obéyr aux
commandemens et volonté du prince soubverain; mais
cela s'entend quand elles sont conformes à la justice et à
la raison. L'équité est le nerf, veoire l'âme du commandement; et quand cela est, il faict obéyr purement et simplement; aultrement le noeud de la société civile seroit rompeu,
il n'y auroit plus de différence entre le roy et le subject,
et feroit un beau mesnaige, pour auquel obvier est fort
raisonnable que la force demeure au roy et à sa justice:
mais aussy, quand le commandement se trouve pré-
judiciable au public, est il pas vray qu'il redonde et rejaillit
sur le prince mesme? Lequel, comme chef de l'estat, est
tellement uny et joinct à ses membres, qu'il ne peult
offenser ny endommaiger qu'il ne s'en ressente tost ou tard;
et comme le prince est homme, il peult avoir esté surpris ou
par inadvertance, ou par maulvais et insidieux conseils;
mieulx informé, changera d'advis; et, en ce cas, le refus tant
s'en fault qu'il soit imputé à désobéyssance et desservice,
que c'est ung des plus grands et notables services qu'on luy
sçauroit faire, parce que vraysemblablement sa volonté n'est
pas de nuyre et préjudicier à son peuple, mais plustost de

luy procurer tous biens et prospéritez, veoire de postposer
son profict particulier à celuy de ses subjects.

*De la réformation de la justice*

## 44    *Comment s'acquitter dignement du devoir*
## *de juge*

... Il fault avoir de très esquises et excellentes partyes pour
s'acquitter dignement du debvoir de judge.

Premièrement, je conseille à tous ceulx qui y vouldront
aspirer de se taster le pouls, et d'examiner s'ilz ont assez
de couraige, de force et de vertu pour soustenir la pesantur
de ceste grande charge, qui est non seulement résister aux
meschans, mais les punir sans avoir esgard à leur grandeur,
qualité, médiocrité, ny condiction quelconque; ne faire rien
par faveur, par craincte, par courroux, par avarice, par
haisne, par envie, ny aulcune aultre passion qui puisse
survenir, corrompt et offusque le judgement. J'en ay
cogneu ez compaignies qui avoient l'âme bonne, et pour
rien du monde n'eussent vouleu faire une concussion; mais
ilz ne se pouvoient commander quand il se présentoit
quelque affaire pour leurs parens ou leurs amys.

Hors le palais, c'est ung bon naturel; mais le judge ne
doibt cognoistre que le mérite du faict simple dont il est
judge, sans acception de personne quelconque.

D'aultres sont naturellement timides, et combien qu'ilz
ne soyent pas meschans, craignent d'offenser les gens du
monde ou de faire des ennemys, *nec sunt pares invidiae*; et
ceste pusillanimité est une très pernicieuse qualité à ung
judge, qui luy fait souvent faire de lourdes faultes, au lieu
de rendre la justice esgale, comme il appartient.

D'aultres suyvent le vent de la court, et font à l'appétit,
recommandation des princes, des favoriz de court, des
grands seigneurs, ou de leurs amys ou serviteurs, et en

faveur des prélats et grands bénéficiers, des passes droicts en justice, afin d'estre bien veneus en court, et y avoir des cognoissances et des amys pour s'en prévaloir, pour eulx, leurs parens ou leurs amys, à ung besoing, ou d'accrocher quelque office ou bénéfice.

Tout cela ne vault rien pour en parler franchement, et ceulx qui sentent n'estre pas assez vertueux pour résister à ces tentations, qu'ilz ne prennent jamais la robbe de judge; aultrement ilz doibvent faire estat de vestir leur honte et leur confusion, et de ne recevoir jamais le vray honneur en leurs charges, ny de remporter la réputation d'ung homme de bien.

Pour ces conditions que je viens de dire, le prince ne les peult pas cognoistre, et n'y a que ceulx qui entrent ez charges qui le sçavent; et s'ilz sentent leur infirmité, ilz feroient beaucoup mieulx, s'ilz ont de l'honneur, de prendre quelque aultre vacation.

*De la réformation de la justice*

# JEAN CALVIN

1509–1564

## 45 *Il fault plustost obéir à Dieu*

MAIS en l'obéissance que nous avons enseignée estre deuë aux supérieurs, il y doibt avoir tousjours une exception, ou plustost une reigle qui est à garder devant toutes choses. C'est que telle obéissance ne nous destourne point de l'obéissance de celuy soubz la volunté duquel il est raisonable que tous les desirs des Roys se contiennent, et que tous leurs commandemens cèdent à son ordonnance, et que toute leur haultesse soit humiliée et abaissée soubz sa majesté. Et pour dire vray, quelle perversité seroit-ce, à fin de contenter les hommes, de encourir l'indignation de celuy pour l'amour duquel nous obéissons aux hommes?

Le Seigneur donc est Roy des Roys, lequel incontinent qu'il ouvre sa sacrée bouche, doibt estre sur tous, pour tous, et devant tous, escouté. Nous devons puis après estre subjectz aux hommes qui ont prééminence sur nous; mais non autrement, sinon en luy. S'ilz viennent à commander quelque chose contre luy, il nous doibt estre de nulle estime. Et ne fault avoir en cela aucun esgard à toute la dignité de leur superiorité, à laquelle on ne fait nulle injure, quand elle est soubmise et rengée soubz la puissance de Dieu, qui est seule vraye au pris des autres. Je sçay bien quel dangier peut venir d'une telle constance que je la requierz icy, d'autant que les Roys ne peuvent nullement souffrir d'estre abaissez; desquelz l'indignation (comme Salomon dict)[1] est message de mort. Mais puis que cest édit a esté prononcé par le celeste hérault S. Pierre,[2] qu'«il fault plustost obéir à Dieu que aux hommes», nous avons à nous consoler de ceste cogitation, que vrayement nous rendons lors à Dieu telle obéissance qu'il la demande, quand nous souffrons plustost toutes choses, que déclinions de sa saincte parolle.

*Institution de la Religion chrestienne*


## 46  *Les deux combatans*

CESTE grâce de Dieu est aucunesfois appellée delivrance, par laquelle nous sommes affranchiz de la servitude de péché; maintenant une reparation de nous, par laquelle, délaissant le vieil homme, nous sommes restaurez à l'image de Dieu; maintenant régénération, par laquelle nous sommes faictz nouvelles créatures; maintenant résurrection, par laquelle Dieu, nous faisant mourir à nous mesmes, nous ressuscite de sa vertu. Toutesfois il nous fault icy observer que la delivrance n'est jamais si entière, qu'une partie de

[1] Prov. 16          [2] Acts 4

nous ne demeure soubz le joug de péché; que la restauration n'est jamais telle, qu'il n'y demeure beaucoup de trace de l'homme terrien; que la résurrection n'est jamais telle que nous ne retenions quelque chose du vieil homme. Car ce pendant que nous sommes encloz en ceste prison de nostre corps, nous portons tousjours avec nous les reliques de nostre chair, lesquelles diminuent d'autant nostre liberté. Parquoy l'âme fidèle, depuis la régénération, est divisée en deux parties entre lesquelles il y a un différent perpétuel. Car d'autant qu'elle est régie et gouvernée par l'Esprit de Dieu, elle ha un désir et amour d'immortalité, lequel l'incite et meine à justice, pureté, et saincteté, et ainsi ne médite autre chose, que la béatitude du Royaume céleste, et aspire entièrement à la compaignie de Dieu; d'autant qu'elle demeure encores en son naturel, estant empeschée en fange terrienne, envelopée en mauvaises cupiditez, elle ne voit point ce qui est desirable et où gist la vraye béati-tude; estant détenue par le peché elle est destournée de Dieu, et de sa justice. De là vient un combat lequel exercite l'homme fidèle toute sa vie, entant que par l'Esprit il est eslevé en hault, par la chair destourné en bas; selon l'Esprit il tend d'un desir ardent à l'immortalité, selon la chair il est desvoyé en voye de mort; selon l'Esprit il pense à juste-ment vivre, selon la chair il est sollicité à iniquité; selon l'Esprit il est conduict à Dieu, selon la chair il est retiré en arrière; selon l'Esprit il contemne le monde, selon la chair il appète les delices mondaines. Ce n'est point une spécula-tion frivole, dont nous n'avons nulle expérience en la vie, mais c'est une doctrine de praticque, laquelle nous expéri-mentons de vray en nous, si nous sommes enfans de Dieu. Nous voyons donc, que la chair et l'Esprit sont comme deux combatans, lesquelz séparent en diverses parties l'âme fidèle, faisans en elle une bataille; dont toutesfois l'issue est telle, que l'Esprit est supérieur. Car quand il est dict que la chair destourne l'âme de Dieu, la retire d'immortalité, l'empesche d'ensuyvre saincteté et justice, l'esloigne du Royaume de Dieu, il ne fault pas entendre qu'elle ait si grand vigueur en ses tentations, qu'elle renverse et destruise l'œuvre de l'Esprit, et qu'elle estaigne sa vertu. Ja n'advienne!

*Institution de la Religion chrestienne*

## 47 *Le péché originel*

POUR ceste cause les enfans mesmes sont encloz en ceste condemnation. Nompas simplement pour le peché d'autruy, mais pour le leur propre, car combien qu'ilz n'ayent encore produict fruict de leur iniquité, toutesfois ilz en ont la semence cachée en eulx. Et qui plus est, leur nature est une semence de péché; pour tant elle ne peut estre que desplaisante et abominable à Dieu. L'autre point que nous avons à considérer, c'est, que cette perversité n'est jamais oysive en nous, mais engendre continuellement nouveaulx fruictz, a sçavoir iceulx œuvres de la chair, que nous avons n'aguères descritz, tout ainsi qu'une fornaise ardente sans cesse jette flambe et estincelles, et une source jette son eauë. Parquoy ceulx qui ont deffiny le péché originel estre un deffault de justice originelle, combien qu'en ces paroles ilz ayent compris toute la substance, toutesfois ilz n'ont suffisamment exprimé la force d'iceluy. Car nostre nature n'est seulement vuide et destituée de tous biens, mais elle est tellement fertile en toute espèce de mal, qu'elle ne peut estre oysive. Ceulx qui l'ont apellee concupiscence n'ont point usé d'un mot trop impertinent, moyennant qu'on adjoustast ce qui n'est concedé de plusieurs : c'est que toutes les parties de l'homme, depuis l'entendement jusques à la volunté, depuis l'âme jusques à la chair, sont souillées et du tout remplies de cette concupiscence, ou bien, pour le faire plus court, que l'homme n'est autre chose, de soymesme, que corruption.

*Institution de la Religion chrestienne*

# HELISENNE DE CRENNE

*c.* 1510–*c.* 1560

48                    *Mon malheur par luy advenu*

Eт pour ce qu'il luy seroit impossible (combien que sa vie
fust longue) de recouvrer amy ou amye que il aymast aussi
fidelement que moy il me semble qu'il seroit bien cruel,
si de mon malheur par luy advenu, il ne prenoit pitié &
commiseration, sçachant mon ame estre en continuelle
servitude, ma pensee liee, le corps vaincu, les membres
debiles : lesquelz nul sinon luy, secourir ne me peult. Las
toutesfois que je suis plus tormentee, entre toutes autres
parolles qu'il me dist jamais, souvent je rememore aucuns
motz, qu'une fois briefvement me prononça, qui furent telz.
Ma dame, selon ma conception, & par ce que je puis juger
par le changement de la couleur de vostre face : vous estes
destituee de vostre santé : mais si vous me voulez croire, en
brief temps vous sera restituee : car je ne sache medecin ne
phisicien, qui eussent medecines plus apres à vous guerir que
moy. Ces parolles me dist il en soubriant doulcement : dont
il me souviendra toute ma vie : car combien qu'elles fussent
proferees par maniere de recreation : sestoient elles veritables : car c'est celuy qu'au lieu de la grand mer Oceeane
me feroit païs ferme : dedans les perilz, indubitable asseurance : dedans le feu, tres suave refrigeration : en la povreté,
extreme richesse ; & en maladie, profonde santé : car si je
l'avois, ce me seroit éternel contentement pour ne sçavoir
oultre luy aucune chose desirer. Et si ceste beatitute
m'estoit concedee : alors en consolee liesse luy raconterois
toutes mes peines & travaulx ; & ce qui m'a esté triste &
ennuyeux à souffrir, à luy reciter me seroit joyeux. Las si
j'avois l'ingenieux art Dedalus, ou les enchantemens de
Medee, en grand promptitude avec aisles legeres serois
transportee au lieu ou je le penserois trouver.

*Les Angoisses douloureuses qui procedent d'amours*

# JACQUES AMYOT

1513–1593

*49*      *Es tu donques ici?*

ELLE feit requeste à Caesar, que son bon plaisir fust de luy
permettre, qu'elle offrist les dernieres oblations des morts
à l'ame de Antonius... Après avoir fait telles lamentations,
et qu'elle eut couronné le tumbeau de bouquets, festons
et chappeaux de fleurs, et qu'elle l'eut embrassé fort
affectueusement, elle commanda qu'on luy appretast un
baing: puis quand elle se fut baignée et lavée, elle se meit à
table, où elle fut servie magnifiquement. Et ce pendant
qu'elle disnoit, il arriva un païsan des champs qui apportoit
un pannier: les gardes luy demanderent incontinent, que
c'estoit qu'il portoit leans: il ouvrit son pannier, et osta les
fueilles de figuier qui estoyent dessus, et leur monstra que
c'estoyent des figues. Ilz furent tous esmerveillez de la
beauté et grosseur de ce fruict. Le païsan se prit à rire, et leur
dit qu'ilz en prissent s'ilz vouloyent: ilz creurent qu'il dist
vray, et luy dirent qu'il les portast leans. Après que
Cleopatra eut disné, elle envoya à Caesar des tablettes
escrittes et scellées, et commanda que tous les autres sortis-
sent des sepultures où elle estoit, fors ses deux femmes:
puis elle ferma les portes. Incontinent que Caesar eut ouvert
ces tablettes, et eut commencé à y lire des lamentations et
supplications, par lesquelles elle le requeroit qu'il voulust
la faire inhumer avec Antonius, il entendit soudain, que
c'estoit à dire: et y cuida aller lui mesme: toutefois il
envoya premierement devant en diligence voir que c'estoit.
La mort fut fort soudaine: car ceulx que Caesar y envoya,
accoururent à grande haste, et trouverent les gardes qui ne
se doubtoyent de rien, ne s'estans aucunement apperceuz
de ceste mort: mais quand ilz eurent ouvert les portes, ilz
trouverent Cleopatra roide morte couchée sur un lict
d'or, accoustrée de ses habits royaux, et l'une de ses

femmes, celle qui avoit nom Iras, morte aussi à ses pieds :
et l'autre Charmion à demy morte et ja tremblante, qui
luy raccoustroit le diadême qu'elle portoit alentour de
la teste : il y eut quelqu'un qui luy dit en corroux, «Cela
est il beau, Charmion ?» «Très beau, respondit elle, et
convenable à une dame extraitte de la race de tant de
roys.» Elle ne dit jamais autre chose, ains cheut en la place
toute morte près du lict.

Aucuns disent qu'on luy apporta l'aspic dedans ce
pannier avec les figues, et qu'elle l'avoit ainsi commandé
qu'on le cachast de fueilles de figuier, à fin que quand elle
penseroit prendre des figues, le serpent la picquast et
mordist, sans qu'elle l'apperceust premiere : mais que quand
elle voulut oster les fueilles pour prendre du fruict elle
l'apperceut, et dit, es tu donques ici ? Et qu'elle luy tendit
le bras tout nud pour se faire mordre.

*Antonius*

## 50        *Ces deux enfants en peu de*
*temps devinrent grands*

OR étoit-il lors environ le commencement du printemps,
que toutes fleurs sont en vigueur, celles des bois, celles des
prés, et celles des montagnes. Aussi jà commençoit à
s'ouïr par les champs bourdonnement d'abeilles, gazouille-
ment d'oiseaux, bêlement d'agneaux nouveau nés. Les
troupeaux bondissoient sur les collines, les mouches à miel
murmuroient par les prairies, les oiseaux faisoient résonner
les buissons de leur chant. Toutes choses adonc faisant bien
leur devoir de s'égayer à la saison nouvelle, eux aussi,
tendres, jeunes d'âge, se mirent à imiter ce qu'ils enten-
doient et voyoient. Car entendant chanter les oiseaux, ils
chantoient ; voyant bondir les agneaux ils sautoient à l'envi ;
et, comme les abeilles, alloient cueillant les fleurs, dont ils
jetoient les unes dans leur sein, et des autres arrangeoient

des chapelets pour les Nymphes; et toujours se tenoient
ensemble, toute besogne faisoient en commun, paissant
leurs troupeaux l'un près de l'autre. Souventes fois
Daphnis alloit faire revenir les brebis de Chloé, qui
s'étoient un peu loin écartées du troupeau; souvent Chloé
retenoit les chèvres trop hardies voulant monter au plus
haut des rochers droits et coupés; quelquefois l'un tout
seul gardoit les deux troupeaux, pendant le temps que
l'autre vaquoit à quelque jeu. Leurs jeux étoient jeux de
bergers et d'enfants. Elle, s'en allant dès le matin cueillir
quelque part du menu jonc, en faisoit une cage à cigale,
et cependant ne se soucioit aucunement de son troupeau;
lui d'autre côté, ayant coupé des roseaux, en pertuisoit
les jointures, puis les colloit ensemble avec de la cire
molle, et s'apprenoit à en jouer bien souvent jusques à la
nuit. Quelquefois ils partageoient ensemble leur lait ou
leur vin, et de tous vivres qu'ils avoient portés du logis se
faisoient part l'un à l'autre. Bref, on eût plutôt vu les brebis
dispersées paissant chacune à part, que l'un de l'autre
séparés, Daphnis et Chloé.

*Daphnis et Chloé*

## 51 *Et lors Philétas joua de la flûte*

PHILÉTAS adonc se leva, et, assis sur son lit de feuillage,
premièrement il essaya tous les chalumeaux, voir si rien
empêchoit le vent, et voyant que chaque tuyau rendoit le
son convenable, souffla dedans à bon escient. Si sembloit
proprement un air de plusieurs flageolets jouants ensemble,
tant menoient de bruit ces pipeaux : puis petit à petit
diminuant la force du vent, ramena son jeu en un son tout-
à-fait doux et plaisant, et, leur montrant tout l'artifice de
la musique pastorale pour bien mener et faire paître les
bêtes aux champs, leur fit voir comment il falloit souffler

pour un troupeau de boeufs, quel son est mieux séant à un chevrier, quel jeu aiment les brebis et moutons; celui des brebis étoit gracieux; fort et grave celui des boeufs; celui des chèvres clair et aigu; et une seule flûte imitoit toutes ces diverses flûtes, du berger, du bouvier et du chevrier.

La compagnie à table écoutoit sans mot dire, couchée sur le feuillage, prenant très grand plaisir d'ouïr si bien jouer Philétas, jusqu'à ce que Dryas, se levant, le pria de jouer quelque gaie chanson en l'honneur de Bacchus, et lui cependant leur dansa une danse de vendange, faisant les gestes comme s'il eût, tantôt cueilli la grappe au cep, tantôt porté le raisin dans la hotte, puis les mines d'un qui foule la vendange, qui verse le vin dans les jarres, et d'un qui hume à bon escient la liqueur nouvelle. Toutes lesquelles choses il fit si proprement et de si bonne grace, approchant du naturel, qu'ils pensoient voir devant leurs yeux la vigne, le pressoir, et les jarres, et Dryas buvant le vin doux.

Ayant ainsi le troisième vieillard bien et gentiment fait son devoir de danser, à la fin alla baiser Daphnis et Chloé, lesquels incontinent se levèrent et dansèrent le conte de Lamon. Daphnis contrefaisait le dieu Pan, Chloé la belle Syringe; il lui faisait sa requête, et elle s'en rioit; elle s'enfuyoit, lui la poursuivoit, courant sur le bout des orteils pour mieux contrefaire les pieds de bouc; elle feignoit d'être lasse et ne pouvoir plus courir, et au lieu des roseaux s'alloit cacher dans le bois.

Et Daphnis alors, prenant la grande flûte de Philétas, en tira d'abord un son douloureux, comme Pan qui se fût plaint de la jouvencelle; puis un son passionné, comme la priant d'amour; puis un son de rappel, comme cherchant par-tout ce qu'elle étoit devenue.

*Daphnis et Chloé*

# NOËL DU FAIL

1520–1591

*52    Ceste bienheureuse vacation de agriculture*

CAR demandez, ou souhaitez vous plus salutaire, ou plus
liberale vie que la nostre? moyennant que nous gardions de
aspirer à plus haultx estatz, veu mesmement que si sommes
diligens à labourer les terres à nous laissees par noz bons
peres, sera beaucoup, ne taschans par grands heritages à
les amplifier. Et avoient cela en une très grande reverence
nos anciens, qu'il n'estoit loysible de occuper plus de terre
que ce qu'on leur avoit limité; ayans beaucoup d'obser-
vances, qui aujourd'hui ne sont, comme: Celui estre
mauvais laboureur, qui achetoit ce que son champ lui
pouvoit produire; mauvais le pere de famille, qui faisoit
ce le jour, que la nuict eust peu faire, sinon (dea) qu'il eust
esté empesché par l'intemperance de l'air: plus mauvais
estimoient celuy qui plus tost besongnoit à la maison que
aux champs, comme desdaignant la coustume. Et m'est
advis avoir ouy dire d'un antique laboureur, accusé de ses
voysins, disans, qu'il avoit empoisonné leurs bleds, parce
que le sien estoit demeuré garanty, et les leurs gastez et
sans fruit, lequel preud'homme, sçachant à tord tel crime
lui estre imposé, amena en plein jugement sa fille, de force
inestimable, ses Bœufs graz et refaitz, son soc rondement
accré, son coultre tresbien apointé, disant que c'estoit sa
poison et mauvais art de ainsi bien accoustrer les bleds. Or
maintenant jugez si tel moyen n'estoit favorable pour bien
tost gaigner son procès. Mais, pour revenir, n'estimez-
vous en rien cela, qu'au matin, frotans vostre couille,
gratans vostre dos, estendans vos nerveux et muscleux
bras (après avoir ouy vostre horologe, qui est vostre Coq,
plus seure que celles des villes) vous levez sans plaindre
l'estomac, ou la teste, comme feroit je ne sçay qui, yvre de

soir ? et n'est subjet vostre fust à la guivre, sinon quand il
vous plaist. Puis lians vos Bœufs au joug, qui (tant soit
duitz[1]) eux mesmes se presentent, allez au champ, chantans
à pleine gorge, exerçans le sain estomac sans craindre
esveiller ou Monsieur, ou ma Dame. Et là avez le passe-
temps de mille oyseaux, les uns desgorgeans sur la haye,
autres suyvans vostre charrue (vous monstrans signe de
familiere privauté) pour se paistre des vers sortans de la
terre renversee. Autres qui là et ça volans, descouvrent le
Renard, dont le plus souvent, avec la corde de fil d'archail
tendue, avez la peau, vous monstrent d'aucuns signes
futurs, avec autres pronostiqz, que avez de nature, et par
commune coustume aprins, comme le Heron triste, sur le
bord de l'eaue, et ne se mouvant, signifie l'hyver prochain ;
l'Arondelle volant près de l'eaue, predit la pluye, et
volant en l'air, beau temps... Les Brebis ça et là courans,
sentent l'hyver approcher. Autrefois (pour laisser ce propos,
que trop mieux entendez) ayans le vouge sur l'espaule, et
la serpe bravement passee à la ceinture, vous pourmenez
à l'entour de vos champs, voir si les Chevaux, Vaches, ou
Porcz y ont point entré, pour avec des espines reclorre
soudain le nouveau passage, et là cueillez des Pommes, ou
Poires à vostre ayse, tastans de l'une, puys de l'autre : et
celles que ne daignez menger, portez aux villes vendre
et de l'argent, en avez quelque beau bonnet rouge, ou
une jaquette noire doublee de verd. Autresfois au matin
regardans d'où vient le vent, allez voir à vos pieges, que
avez tenduz au soir pour les Renardz, qui vous desrobent
ou Poules, ou Oyes, aucunesfois (la meschante beste) les
tendres aigneletz, peu vous soucians de l'intemperie de
l'air, fievres d'Automne, ou jours Caniculaires, ains en ces
temps, aux autres perilleux, avez la teste nue aux champs,
billans (possible) une gerbe de bled, ou raccoustrans un
fossé ; par ce moyen estes forts, robustes, allaigres, plus la

_____
[1] habitués

moitié que gens de ville, n'aymans que mignarderie, souz
l'ombre, ne sentans leur homme, fors en la brayette.

*Propos rustiques*

# JOACHIM DU BELLAY

1522–1560

*53      Pourquoy la Langue Françoyse n'est
si riche que la Greque & Latine*

ET si nostre langue n'est si copieuse & riche que la Greque
ou Latine, cela ne doit estre imputé au default d'icelle,
comme si d'elle mesme elle ne pouvoit jamais estre si
non pauvre & sterile: mais bien on le doit attribuer à
l'ignorance de notz majeurs, qui ayans (comme dict
quelqu'un, parlant des anciens Romains) en plus grande
recommendation le bien faire que le bien dire, & mieux
aymans laisser à leur postérité les exemples de vertu que
les preceptes, se sont privez de la gloyre de leurs bien faitz,
& nous du fruict de l'immitation d'iceux: & par mesme
moyen nous ont laissé nostre Langue si pauvre & nue,
qu'elle a besoing des ornementz & (s'il fault ainsi parler)
des plumes d'autruy. Mais qui voudroit dire que la Greque
& Romaine eussent tousjours été en l'excellence qu'on les
a vues du tens d'Homere & de Demosthene, de Virgile et
de Ciceron? Et si ces aucteurs eussent jugé que jamais,
pour quelque diligence & culture qu'on y eust peu faire,
elles n'eussent sceu produyre plus grand fruict, se feussent
ilz tant eforcez de les mettre au point où nous les voyons
maintenant? Ainsi puys-je dire de nostre Langue, qui
commence encores à fleurir sans fructifier, ou plus tost,
comme une plante & vergette, n'a point encores fleury,
tant se fault qu'elle ait apporté tout le fruict qu'elle pourroit
bien produyre. Cela, certainement, non pour le default de

la nature d'elle, aussi apte à engendrer que les autres : mais
pour la coulpe de ceux qui l'ont euë en garde, & ne l'ont
cultivée à suffisance, ains comme une plante sauvaige, en
celuy mesmes desert où elle avoit commencé à naitre, sans
jamais l'arrouser, la tailler, ny defendre des ronces & epines
qui luy faisoi[e]nt umbre, l'ont laissée envieillir & quasi
mourir. Que si les anciens Romains eussent été aussi
negligens à la culture de leur Langue, quand permierement
elle commença à pululer, pour certain en si peu de tens
elle ne feust devenue si grande. Mais eux, en guise de bons
agriculteurs, l'ont premierement transmuée d'un lieu
sauvaige en un domestique : puis affin que plus tost &
mieux elle peust fructifier, coupant à l'entour les inutiles
rameaux, l'ont pour echange d'iceux restaurée de rameaux
francz & domestiques, magistralement tirez de la Langue
Greque, les quelz soudainement se sont si bien entez &
faiz semblables à leur tronc, que desormais n'apparoissent
plus adoptifz, mais naturelz.

*Deffence et Illustration de la Langue Françoyse*

### 54    *Les esles dont les ecriz des hommes volent au ciel*

Qu'on ne m'allegue point aussi que les poëtes naissent, car
cela s'entend de ceste ardeur et allegresse d'esprit qui
naturellement excite les poëtes, & sans la quele toute
doctrine leur seroit manque & inutile. Certainement ce
seroit chose trop facile, & pourtant contemptible, se faire
eternel par renommée, si la felicité de nature donnée
mesmes aux plus indoctes etoit suffisante pour faire
chose digne de l'immortalité. Qui veut voler par les mains
& bouches des hommes, doit longuement demeurer en sa
chambre : & qui desire vivre en la memoire de la posterité,
doit comme mort en soymesmes suer & trembler maintes-

fois, & autant que noz poëtes courtizans boyvent, mangent
& dorment à leur oyse, endurer de faim, de soif & de
longues vigiles. Ce sont les esles dont les ecriz des hommes
volent au ciel.

*Deffence et Illustration de la Langue Françoyse*

# PIERRE DE RONSARD

1524–1585

## 55        *La Musique*

SIRE, tout ainsi que par la pierre de touche on esprouve
l'or s'il est bon ou mauvais, ainsi les anciens esprouvoyent
par la Musique les esprits de ceux qui sont genereux,
magnanimes, et non forvoyans de leur première essence, et
de ceux qui sont engourdiz, paresseux, et abastardiz en ce
corps mortel, ne se souvenant de la celeste armonie du
ciel, non plus qu'aux compagnons d'Ulisse d'avoir esté
hommes, apres que Circe les eut transformés en porceaux.
Car celuy, Sire, lequel oyant un doux accord d'instrumens
ou la douceur de la voyx naturelle, ne s'en resjouit point, ne
s'en esmeut point et de teste en piedz n'en tressault point,
comme doucement ravy, et si ne sçay comment derobé
hors de soy, c'est signe qu'il a l'arme tortue, vicieuse, et
depravée, et duquel il se faut donner garde, comme de
celuy qui n'est point heureusement né. Comment pourroit
on accorder avec un homme qui de son naturel hayt les
accords? celuy n'est digne de voyr la douce lumiere du
soleil, qui ne fait honneur à la Musique, comme petite
partie de celle qui si armonieusement (comme dit Platon)
agitte tout ce grand univers. Au contraire, celuy qui luy
porte honneur et reverence est ordinairement homme de
bien, il a l'ame saine et gaillarde, et de son naturel ayme les
choses haultes, la philosophie, le maniement des affaires
politicques, le travail des guerres, et bref, en tous offices

honorables il fait tousjours apparoistre les estincelles de sa
vertu. Or, de declarer icy que c'est que Musique, si elle
est plus gouvernée de fureur que d'art, de ses concens, de
ses tons, modulations, voyx, intervalles, sons, systemates
et commutations; de sa division en enarmonique, laquelle
pour sa difficulté ne fut jamais parfaitement en usage, en
chromatique, laquelle pour sa lasciveté fut par les anciens
banye des republiques, en diatonique, laquelle comme la
plus aprochante de la melodie de ce grand univers fut de
tous approuvée... de vouloir discourir davantage comme
les plus honorables personnages des siecles passez se sont
curieusement sentiz espris des ardeurs de la Musique,
tant monarques, princes, philosophes, gouverneurs de
provinces, et cappitaines de renom: je n'auroys jamais
fait; d'autant que la Musique a tousjours esté le signe et la
merque de ceux qui se sont monstrez vertueux, magnanimes
et veritablement nez pour ne sentir rien de vulgaire.

*Préface au Roy Françoys II*

# ÉTIENNE PASQUIER

1529-1615

*56*      *Contre les Jésuites*

VOUS promettez par vos Bulles de lire gratuitement.
*Magnifica vero Verba.* Car comme dit le proverbe, *Nemo suis
stipendiis militat.* Et certes cette promesse est si grande pour
gagner le cœur d'une pauvre & idiote populace, que
moy-mesme dès le premier abord de cette cause me trouvay
aucunement surpris. Toutesfois après avoir quelque temps
discouru en moy que dès leur premier advenement en
cette France, lors qu'ils voulurent estre receus & authorisez
par la Cour, ils faisoient les mesmes protestations &
promesses: Ce neantmoins que la Cour leur fit un per-

petuel refus, je pensay que cette sage compagnie ne s'estoit
point induite à ce faire sans grande & meure occasion.
Puis ayant ramené devant mes yeux tout ce qui s'est passé,
& que lors qu'ils vindrent en cette ville pour lire & former
leur ordre, qui est depuis dix ou onze ans en çà, ils estoient
pauvres comme la mesme pauvreté, & toutesfois maintenant qu'il n'y a College, voire compagnie qui soit plus
riche que cette-cy, je commençay lors d'haleiner leur fard,
& dire comme Martial:

*Qui potes infidias dona vocare tuas?*

Dois-je appeller liberalité de ne prendre un souls tous les
mois pour l'entrée de vostre College, & neantmoins vous
estre rendus en dix ans riches de cent mille escus? Où est
le Collège de toute nostre Université qui soit parvenu
depuis deux cens ans à telle richesse? D'ailleurs faictes-
vous en cecy chose qui n'ait esté pratiquée devant vous, &
encores ne le soit aujourd'huy, par les Professeurs du Roy?
Nommez-vous liberalité de n'estre contens de vingt &
trente escus pour la pension d'un enfant, mais d'en exiger
quatre-vingts & cent tous les ans? Est-ce liberalité de ne
prendre un denier ou un double pour examiner en confession la conscience d'un homme, & neantmoins extor-
quer de luy par forme de don gratuit, vaisselle d'argent, &
infinité d'autres dons précieux, qu'il n'est maintenant besoin
de raconter en ce lieu? En cette façon est le gend'arme
liberal, quand par honnestes promesses, il attire son ennemy en ses embusches pour en faire un piteux carnage.
Ainsi est le brigand liberal, qui chevale par beaux semblans
le pauvre passant, jusques à ce que le tenant à son avantage,
il luy oste miserablement & sa vie & son avoir. Ainsi est le
pescheur liberal qui donne à une mer un veron pour en
rapporter un gros poisson. Ainsi est vostre liberalité trop
pire & plus dangereuse, que si à pleine bouche vous veniez
crier par la ville que vous avez du sçavoir à vendre: comme

l'on récite avoir esté autresfois faict par un Alcuin, & deux
ou trois de ses compagnons du temps de l'Empereur
Charlemagne. Car à dire le vray cette promesse est une
piperie publique, à laquelle il faut que le sage Magistrat
tienne la main. Ces gens de bien (ils penseront que je me
mocque) qui se disent ne vouloir posséder biens, ny en
particulier, ny en public, veulent lire *gratis*. Mais en quel
lieu de la saincte Escriture est-ce qu'ils trouveront cette
charité imprimée, veu que par passages du tout formels
nous sommes admonestez que *Mercenarius dignus est mercede
sua: Et qui servit altari de altari vivere debet?* Vous estes
doncques, ou plus que celuy duquel vous empruntez le
nom, ou bien public imposteurs (il faut que cette parole
m'eschappe) de publier vostre liberalité gratuite: car cette
liberalité ne procede que d'un mesme fonds que vostre vœu
de pauvreté...

                                    *Plaidoyer... encontre les Jésuites*


57        *Le moyen de conserver la santé*

                                    A Monsieur Loisel

A L'ISSUË de ma maladie, mon Medecin prenant congé de
moy, me remonstra, que j'avois deux grands ennemis à
combattre: la saison de l'Hyver, en laquelle estions; &
l'ancienneté de mon aage, qui m'accompaigneroit jusques
à la mort: partant, me conseilloit de garder la chambre,
afin de ne plus garder le lict. J'estois lors encore foible, &
non du tout revenu, au moyen de quoy j'y acquiesçay fort
aisément. Mais reprenant peu à peu mes forces, & m'estant
enfin fortifié tout-à-faict, je commençay de faire le procez
au Medecin, & paravanture à moy-mesme. «Quoy? Sera-
t-il dit, que je feray de ma maison, ma prison? Cela estoit
bon, lors que je ne battois que d'une aisle; mais maintenant
que je suis, grâces à Dieu, plein de forces de corps &

d'esprit, pourquoy me banniray-je des compaignies? Pourquoy ne verray-je, comme auparavant, les hommes doctes, mes amis, qui m'estoient autant de leçons? Ce seroit une nouvelle maladie d'esprit, qui au long aller, me causeroit une plus forte maladie du corps. C'est une regle commune en l'eschole des Medecins, qu'il faut employer les medicaments selon la temperature du corps; tellement que de faire passer par une mesme chausse, le remede du corps fort, avec celuy du foible, ce seroit du tout errer contre les preceptes de la Medecine. »

Me chatouïllant de cette façon pour rire, je me voulois lascher la bride, & vous visiter, comme aussi mes autres amis, quand mon fils de Bussi & sa femme, qui font leur residence avec moy, me voyants en ces alteres, m'assaillirent brusquement en ceste maniere, pour m'en destourner :

«Comment, mon pere, me dict l'un : comment Monsieur, me dit l'autre, avez-vous mis en oubly vostre maladie? Vous n'estes plus ce qu'avez esté autrefois. Un an de vostre aage present en emporte dix du passé. Et vous chargé d'ans, vous sorty fraischement de vostre maladie, pensez obtenir contre les importunitez de l'hyver, ce qu'un jeune homme fort & plein de santé seroit bien empesché de gaigner : c'est trop vous flatter, c'est trop abuser de vostre aage. » La rencheute est plus à craindre à tout homme que la maladie premiere; mais au vieillard qui porte tousjours quant et soy une maladie incurable, c'est asseurance de mort. Me voyant combattu d'une si juste colere, je fus contraint d'obeïr non seulement au Medecin, ains à mes enfans. Medecine, du commencement, non moins amere à mon esprit, que celle du corps à la bouche. Mais entendez quelle operation elle a faite en moy. Vous sçavez qu'il y a trois ans passez, que je me suis banny de toutes affaires publiques, & que depuis quelques mois je me repose des domestiques sur Bussi. De sorte qu'estant maintenant reduit à ma chambre; voici l'économie que j'y garde. J'ay

d'un costé, mes Livres, ma plume, & mes pensers; d'un
autre, un bon feu, tel que pouvoit souhaiter Martial; quand
entre les felicitez humaines, il y mettoit ces deux mots,
*Focus Perennis.* Ainsi me dorelotant de corps, & d'esprit,
je fay de mon estude, une estuve, & de mon estuve, une
estude : & en l'un & l'autre subject, je donne ordre qu'il
n'y ait aucune fumée : au demeurant, estude de telle façon
composée, que je ne m'asservy aux Livres, ains les Livres à
moy : non que je les lise de propos deliberé pour les contredire; mais tout ainsi que l'Abeille sautelle d'une fleur à
l'autre, pour prendre sa petite pasture, dont elle forme son
miel, aussi ly-je ores l'un, ores un autre Autheur, comme
l'envie m'en prend, sans me lasser, ou opiniastrement
harasser en la lecture d'un seul. Car autrement ce ne seroit
plus estude, ains servitude penible. Ainsi meurissant par
eux mon penser, tantost assis, tantost debout, ou me
promenant, ils me donnent souvent des advis, ausquels
jamais ils ne penserent, dont j'enrichy mes papiers. Je vous
prie me dire si je serois repris de ce noble larcin en la
Republique des Lacedemoniens?

A la vérité, sur ce premier dessein, je fus quelque peu
visité par uns & autres miens amis : mais voyants, ce leur
sembloit, que je m'estois du tout voüé à une vie solitaire;
ils me payerent en mesme monnoye, que fit sainct Augustin,
le Poëte Perse. *Il ne veut estre entendu*, disoit-il, *aussi ne le
veux-je entendre.* En cas semblable, se faisants accroire
que je ne voulois estre veu, ils firent estat de ne me plus
voir. Chose qui du commencement me fut de difficile
digestion, mais enfin l'accoustumance me la fit trouver trés-
douce. Et comme d'une longue coustume on faict ordinairement une Loy, aussi m'entrerent plusieurs raisons en la teste
pour me persuader, que ce m'estoit une belle chose de
n'estre point visité. «Je ne suis visité, disois-je, doncques
non discommodé de mes estudes : doncques non destourné
de mes meilleures pensées, qui n'est pas un petit advantage

à celuy qui a la plume en la main : doncques non affligé des
nouvelles du temps, ny de la Seigneurie. » Et à vray dire ;
toutes les nouvelles dont on me repaist, c'est quand l'un
des miens me rapporte, qu'il pleut à verse, neige à foison,
gele à pierres fendantes ; & que je suis trés-heureux
d'estre confiné dans ma chambre, en laquelle fait un broüillas
si espais, qu'on le pourroit couper d'un cousteau, & par un
privilege special, je suis franc de toutes ces incommoditez.
Voylà comme mesnageant une santé à mon corps, &
tranquilité à mon esprit, le jour ne me dure qu'une heure,
& les heures, qu'un moment : & comme l'accoustumance
m'a faict tourner en nature, la solitude, que je craignois
auparavant sur toute chose : voire que gouvernant mes
pensées à part moy, si je me croyois, j'en ferois volontiers
deux braves paradoxes : l'un pour la prison, contre la
liberté : l'autre, en faveur de l'ancienne & accoustumée
tyrannie, contre le nouvel estat monarchique bien reglé.
Vous me direz, que tout ce discours est une belle follie :
mais bien, vous respondray-je, une belle philosophie. Vous
adjousterez, que je suis devenu Misanthrope & Lougarou.
Au contraire, une trop grande amitié que je me porte, me
fait tel. A Dieu.

*Lettres*

# JEAN BODIN

1530–1596

*58      Il faut que les tailles soyent réelles*

Si donc la necessité contraint de lever quelque impost
extraordinaire, il est besoin qu'il soit tel, que chacun en
porte sa part : comme est l'impost du sel, du vin, & autres
choses semblables : & les deniers communs pour les sub-
ventions que les villes levent. Et pour oster l'occasion des
seditions, qui souvent sont advenues pour les imposts des

choses vendues en detail, il est expedient de convertir
l'impost en quelque somme generale: comme on a fait des
aides en quelques lieux, qui fut mis par Charles V. du
consentement des estats, pour la delivrance du Roy Jean,
qui estoyent douze deniers pour livre sur toutes les marchandises vendues... Mais si on demande les moyens de
lever imposts qui soyent à l'honneur de Dieu, au profit de
la Republique, au souhait des gens de bien, au soulagement
des pauvres, c'est de les mettre sur les choses qui ne servent
sinon à gaster & corrompre les sujets: comme sont
toutes les friandises & toutes les sortes d'affiquets, perfuns,
draps d'or & d'argent, soyes, crespes, canetilles, passe-
ments, tissures, & tous ouvrages d'or, d'argent, & d'email:
& toutes sortes de vestemens superflus, & couleurs d'es-
carlate, cramoisi, couchenil, & autres semblables, qu'il
ne faut pas defendre: car le naturel des hommes est tel,
qu'ils ne trouvent rien plus doux, ny plus beau, que ce
qui leur est estroitement defendu: & plus les superfluitez
sont prohibées, plus elles sont desirées: mesmement des
hommes fols & mal nourris: il faut donc les encherir si
haut, par le moyen des imposts, qu'il n'y ait que les riches
& friands qui en puissent user. C'est pourquoy les Princes
de Septentrion chargent les vins de grands imposts: &
neantmoins quoy qu'ils soyent chers, les sujets en sont si
friands, qu'ils crevent à force d'en boire.

'Des Finances'

# FRANÇOIS DE LA NOUE

1531-1591

59        *Chacun mit les armes bas*

PEU après, la tresve se fit entre les deux armées, à laquelle
succéda la paix, qui fut occasion que chacun mit les armes
bas. Ce fut une grande fatigue d'avoir esté si long temps en

campagne par chaud, par froid & chemins difficiles, &
quasi tousjours en terres ennemies, où les propres païsans
faisoient autant la guerre que les soldats; qui sont incon-
veniens où se trouva plusieurs fois ce grand chef Annibal,
quand il fut en Italie. Alors est-ce une belle eschole de voir
comment on accommode les conseils à la necessité. Du
commencement tels labeurs sont si odieux, qu'ils font
murmurer les soldats contre leurs propres chefs; puis,
quand ils se sont un peu accoustumez & endurcis à ces
penibles exercices, ils viennent à entrer en bonne opinion
d'eux-mêmes, voyans qu'ils ont comme surmonté ce qui
espouvante tant de gens, & principalement les delicats.
Voilà quelles sont les belles galleries & les beaux prome-
noirs des gens de guerre, & puis leur lit d'honneur
est un fossé où une harquebusade les aura renversez. Mais
tout cela à la verité est digne de remuneration & de
loüange, mesmement quand ceux qui marchent par ces
sentiers, & souffrent ces travaux, maintiennent une cause
honneste, & en leurs procedures se monstrent pleins de
valeur & modestie.

*Discours politiques et militaires*

## 60        *Une affection loüable*

C'est pourtant une affection loüable de desirer la paix,
j'entend une bonne (car les mauvaises sont de vrays coupe-
gorges) d'autant que par icelle, il semble que la pieté &
la vertu reprennent vie, comme au contraire les guerres
civiles sont les boutiques de toutes meschancetez, qui font
horreur aux gens de bien. Autresfois il s'en est trouvé
de tous les deux partis qui ne prenoyent gueres de plaisir
à en ouyr parler, car les uns disoyent, Que c'estoit chose
indigne & injuste de faire paix avec des rebelles, heretiques
qui meriteroyent d'estre griefvement punis, & persistoyent

en leur dire jusques à ce que lon les guarist de ceste maladie en ceste sorte. Si c'estoyent gens d'espee, on leur enjoignoit d'aller les premiers à un assaut, ou à une rencontre, pour occire ces meschans huguenots, dequoy ils n'avoient pas tasté une couple de fois qu'ils ne changeassent vistement d'opinion. Quant aux autres qui estoyent d'Eglise, ou de robbe longue, en leur remonstrant qu'il estoit necessaire qu'ils baillassent la moitié de leurs rentes pour payer les gens de guerre, ils concluoyent à la paix. Bref, quelque couverture qu'ils prinssent, fust de pieté ou de justice, leurs passions estoyent inhumaines. Autres aussi y a eu parmi ceux de la Religion, qui ne rejettoyent pas moins la paix qu'eux, disans que ce n'estoyent que trahisons; mais quand elles eussent esté très-bonnes, ils en eussent dict autant, pource que la guerre estoit leur mere nourrice, & leur eslevement. Un bon moyen pour les ramener à raison estoit de proposer pour la necessité d'icelle de retrancher leurs gages, ou faire quelques emprunts sur eux. Alors en desiroyent-ils une prompte fin. Ostez à beaucoup de gens les profits & honneurs, alors jugeront-ils des choses plus sincerement. Et pour prendre conseil, en affaires de si grand poids, ceux qui plus craignent Dieu, & qui sont plus revestus de prudence, doivent estre choisis, d'autant qu'ils preferent tousjours l'utilité publique à leurs commoditez & affections particulieres.

Je representeray aussi une autre maniere de gens qui indifferemment trouvoyent toutes paix bonnes, & toutes guerres mauvaises; & quand on les asseuroit de les laisser en patience manger les choux de leur jardin & serrer leurs gerbes, ils couloyent aisément l'un&l'autre temps, deussent-ils encore aux quatre festes annuelles recevoir quelque demie douzaine de coups de baston. Ils avoient, à mon advis, empaqueté & caché leur honneur & leur conscience au fond d'un coffre. Le bon citoyen doit avoir zele aux choses publiques, & regarder plus loin qu'à vivoter en des servitudes honteuses. Pour conclusion, en ces affaires icy, la raison nous doit servir de guide, laquelle nous admoneste de ne venir jamais aux armes, si une juste cause & grande necessité n'y contraint.

*Discours politiques et militaires*

# MICHEL EYQUEM DE MONTAIGNE

1533–1592

*61     Une arrière-boutique toute nostre*

Certes l'homme d'entendement n'a rien perdu, s'il a soy mesme. Quand la ville de Nole fut ruinée par les Barbares, Paulinus, qui en estoit Evesque, y ayant tout perdu, et leur prisonnier, prioit ainsi Dieu : «Seigneur, garde moy de sentir cette perte, car tu sçais qu'ils n'ont encore rien touché de ce qui est à moy.» Les richesses qui le faisoyent riche, et les biens qui le faisoient bon, estoyent encore en leur entier. Voylà que c'est de bien choisir les thresors qui se puissent affranchir de l'injure, et de les cacher en lieu où personne n'aille, et lequel ne puisse estre trahi que par nous mesmes. Il faut avoir femmes, enfans, biens, et sur tout de la santé, qui peut ; mais non pas s'y attacher en manière que nostre heur en despende. Il se faut reserver une arriere boutique toute nostre, toute franche, en laquelle nous establissons nostre vraye liberté et principale retraicte et solitude. En cette-cy faut-il prendre nostre ordinaire entretien de nous à nous mesmes, et si privé que nulle acointance ou communication estrangiere y trouve place ; discourir et y rire comme sans femme, sans enfans et sans biens, sans train et sans valetz, afin que, quand l'occasion adviendra de leur perte, il ne nous soit pas nouveau de nous en passer. Nous avons une ame contournable en soy mesme ; elle se peut faire compaignie ; elle a dequoy assaillir et dequoy defendre, dequoy recevoir et dequoy donner; ne craignons pas en cette solitude nous croupir d'oisiveté ennuyeuse:

*in solis sis tibi turba locis.*

La vertu, dict Antisthenes, se contente de soy: sans disciplines, sans paroles, sans effects.

*Les Essais*

## 62    *Considerons donc l'homme seul*

CONSIDERONS donq pour cette heure l'homme seul, sans secours estranger, armé seulement de ses armes, et despourveu de la grace et cognoissance divine, qui est tout son honneur, sa force et le fondement de son estre. Voyons combien il a de tenue en ce bel equipage. Qu'il me face entendre par l'effort de son discours, sur quels fondemens il a basty ces grands avantages qu'il pense avoir sur les autres creatures. Qui luy a persuadé que ce branle admirable de la voute celeste, la lumiere eternelle de ces flambeaux roulans si fierement sur sa teste, les mouvemens espouvantables de cette mer infinie, soyent establis et se continuent tant de siecles pour sa commodité et pour son service? Est-il possible de rien imaginer si ridicule que cette miserable et chetive creature, qui n'est pas seulement maistresse de soy, exposée aux offences de toutes choses, se die maistresse et emperiere de l'univers, duquel il n'est pas en sa puissance de cognoistre la moindre partie, tant s'en faut de la commander? Et ce privilege qu'il s'atribue d'estre seul en ce grand bastimant, qui ayt la suffisance d'en recognoistre la beauté et les pieces, seul qui en puisse rendre graces à l'architecte et tenir conte de la recepte et mise du monde, qui lui a seelé ce privilege? Qu'il nous montre lettres de cette belle et grande charge.

*Les Essais*

*63*            *L'amitié dequoy je parle*

Au demeurant, ce que nous appellons ordinairement amis
et amitiez, ce ne sont qu'accoinctances et familiaritez
nouées par quelque occasion ou commodité, par le moyen
de laquelle nos ames s'entretiennent. En l'amitié dequoy
je parle, elles se meslent et confondent l'une en l'autre, d'un
melange si universel, qu'elles effacent et ne retrouvent plus
la couture qui les a jointes. Si on me presse de dire pourquoy
je l'aymois, je sens que cela ne se peut exprimer, qu'en
respondant: «Par ce que c'estoit luy; par ce que c'estoit
moy.»

Il y a, au delà de tout mon discours, et de ce que j'en
puis dire particulierement, ne sçay quelle force inexplicable
et fatale, mediatrice de cette union. Nous nous cherchions
avant que de nous estre veus, et par des rapports que nous
oyïons l'un de l'autre, qui faisoient en nostre affection
plus d'effort que ne porte la raison des rapports, je croy
par quelque ordonnance du ciel; nous nous embrassions
par noz noms. Et à nostre premiere rencontre, qui fut par
hazard en une grande feste et compagnie de ville, nous
nous trouvasmes si prins, si cognus, si obligez entre nous,
que rien dès lors ne nous fut si proche que l'un à l'autre.
Il escrivit une Satyre Latine excellente, qui est publiée, par
laquelle il excuse et explique la precipitation de nostre
intelligence, si promptement parvenue à sa perfection.
Ayant si peu à durer, et ayant si tard commencé, car nous
estions tous deux hommes faicts, et luy plus de quelque
année, elle n'avoit point à perdre temps et à se regler au
patron des amitiez molles et regulieres, ausquelles il faut
tant de precautions de longue et prealable conversation.
Cette cy n'a point d'autre idée que d'elle mesme, et ne se
peut rapporter qu'à soy. Ce n'est pas une speciale consideration, ny deux, ny trois, ny quatre, ny mille: c'est je
ne sçay quelle quinte essence de tout ce meslange, qui, ayant

saisi toute ma volonté, l'amena se plonger et se perdre dans
la sienne; qui, ayant saisi toute sa volonté, l'amena se
plonger et se perdre en la mienne, d'une faim, d'une concurrence pareille. Je dis perdre, à la verité, ne nous reser-
vant rien qui nous fut propre, ny qui fut ou sien, ou mien.

*Les Essais*

## 64    *Ce n'est pas proprement absence*

EN la vraye amitié, de laquelle je suis expert, je me donne
à mon amy plus que je ne le tire à moy. Je n'ayme pas seulement mieux luy faire bien que s'il m'en faisoit, mais encore
qu'il s'en face qu'à moy: il m'en faict lors le plus, quand
il s'en faict. Et si l'absence luy est ou plaisante ou utile,
elle m'est bien plus douce que sa presence: et ce n'est pas
proprement absence, quand il y a moyen de s'entr'advertir.
J'ay tiré autrefois usage de nostre esloignement, et commodité. Nous remplissions mieux et estandions la possession de la vie en nous separant; il vivoit, il jouissoit, il
voyoit pour moy, et moy pour luy, autant plainement que
s'il y eust esté. L'une partie demeuroit oisifve quand nous
estions ensemble: nous nous confondions. La separation
du lieu rendoit la conjonction de nos volontez plus riche.
Cette faim insatiable de la presence corporelle accuse un
peu la foiblesse en la jouyssance des ames.

*Les Essais*

## 65    *C'est chose mobile que le temps*

ET puis nous autres sottement craignons une espece de
mort, là où nous en avons desjà passé et en passons tant
d'autres. Car non seulement, comme disoit Heraclitus, la
mort du feu est generation de l'air, et la mort de l'air
generation de l'eau, mais encor plus manifestement le
pouvons nous voir en nous mesmes. La fleur d'aage se

meurt et passe quand la vieillesse survient, et la jeunesse
se termine en fleur d'aage d'homme faict, l'enfance en la
jeunesse, et le premier aage meurt en l'enfance, et le jour
d'hier meurt en celuy du jourd'huy, et le jourd'huy mourra
en celuy de demain; et n'y a rien qui demeure ne qui soit
tousjours un. Car, qu'il soit ainsi, si nous demeurons
tousjours mesmes et uns, comment est-ce que nous
nous esjouyssons maintenant d'une chose, et maintenant
d'une autre? Comment est-ce que nous aymons choses
contraires ou les haïssons, nous les louons ou nous les
blasmons? Comment avons nous differentes affections, ne
retenant plus le mesme sentiment en la mesme pensée?
Car il n'est pas vraysemblable que sans mutation nous
prenions autres passions; et ce qui souffre mutation ne
demeure pas un mesme, et, s'il n'est pas un mesme, il n'est
donc pas aussi. Ains, quant et l'estre tout un, change aussi
l'estre simplement, devenant tousjours autre d'un autre. Et
par consequent se trompent et mentent les sens de nature,
prenans ce qui apparoit pour ce qui est, à faute de bien
sçavoir que c'est qui est. Mais qu'est-ce donc qui est
véritablement? Ce qui est eternel, c'est à dire qui n'a
jamais eu de naissance, n'y aura jamais fin; à qui le temps
n'apporte jamais aucune mutation. Car c'est chose mobile
que le temps, et qui apparoit comme en ombre, avec la
matiere coulante et fluante tousjours, sans jamais demeurer
stable ny permanente; à qui appartiennent ces mots:
devant et après, et a esté ou sera, lesquels tout de prime
face montrent evidemment que ce n'est pas chose qui soit;
car ce seroit grande sottise et fauceté toute apparente de
dire que cela soit qui n'est pas encore en estre, ou qui
desja a cessé d'estre. Et quant à ces mots: present, instant,
maintenant, par lesquels il semble que principalement nous
soustenons et fondons l'intelligence du temps, la raison
le descouvrant le destruit tout sur le champ: car elle le
fend incontinent et le part en futur et en passé, comme le

voulant voir necessairement, desparty en deux. Autant en
advient-il à la nature qui est mesurée, comme au temps qui
la mesure. Car il n'y a non plus en elle rien qui demeure,
ne qui soit subsistant; ains y sont toutes choses ou nées,
ou naissantes, ou mourantes. Au moyen dequoy ce seroit
peché de dire de Dieu, qui est le seul qui est, qu'il fut ou
il sera. Car ces termes là sont declinaisons, passages ou
vicissitudes de ce qui ne peut durer, ny demeurer en estre.
Parquoy il faut conclurre que Dieu seul est, non poinct
selon aucune mesure du temps, mais selon une eternité
immuable et immobile, non mesurée par temps, ny
subjecte à aucune declinaison; devant lequel rien n'est, ny
ne sera après, ny plus nouveau ou plus recent, ains un
realement estant, qui, par un seul maintenant emplit le
tousjours; et n'y a rien qui veritablement soit que luy
seul, sans qu'on puisse dire: Il a esté, ou: Il sera; sans
commencement et sans fin.

*Les Essais*

## 66      *D'un defaut de nos polices*

FEU mon pere, homme, pour n'estre aydé que de l'experi-
ence et du naturel, d'un jugement bien net, m'a dict autrefois qu'il avoit desiré mettre en train qu'il y eust és villes
certain lieu designé, auquel ceux qui auroient besoin de
quelque chose, se peussent rendre et faire enregistrer leur
affaire à un officier estably pour cet effect, comme: Je
cherche à vendre des perles, je cherche des perles à vendre.
Tel veut compaignie pour aller à Paris; tel s'enquiert d'un
serviteur de telle qualité; tel d'un maistre; tel demande un
ouvrier; qui cecy, qui cela, chacun selon son besoing. Et
semble que ce moyen de nous entr'advertir apporteroit non
legiere commodité au commerce publique; car à tous
coups, il y a des conditions qui s'entrecherchent, et, pour
ne s'entr'entendre, laissent les hommes en extreme necessité.

J'entens, avec une grande honte de nostre siecle, qu'à nostre veüe deux tres-excellens personnages en sçavoir sont morts en estat de n'avoir pas leur soul à manger: Lilius Gregorius Giraldus[1] en Italie, et Sebastianus Castalio[2] en Allemagne; et croy qu'il y a mil'hommes qui les eussent appellez avec très-advantageuses conditions, ou secourus où ils estoient, s'ils l'eussent sçeu. Le monde n'est pas si generalement corrompu que je ne sçache tel homme qui souhaiteroit de bien grande affection que les moyens que les siens luy ont mis en main se peussent employer, tant qu'il plaira à la fortune qu'il en joüisse, à mettre à l'abry de la necessité les personnages rares et remarquables en quelque espece de valeur, que le mal'heur combat quelquefois jusques à l'extremité, et qui les mettroient pour le moins en tel estat, qu'il ne tiendroit qu'à faute de bons discours, s'ils n'estoyent contens.

En la police œconomique,[3] mon pere avoit cet ordre, que je sçay loüer, mais nullement ensuivre: c'est qu'outre le registre des negoces du mesnage où se logent les menus comptes, paiements, marchés, qui ne requierent la main du notaire, lequel registre un receveur a en charge, il ordonnoit à celuy de ses gens qui lui servoit à escrire, un papier journal à inserer toutes les survenances de quelque remarque, et jour par jour les memoires de l'histoire de sa maison, très-plaisante à veoir quand le temps commence à en effacer la souvenance, et très à propos pour nous oster souvent de peine: quand fut entamée telle besoigne? quand achevée? quels trains y ont passé? combien arresté? noz voyages, noz absences, mariages, morts, la reception des heureuses ou malencontreuses nouvelles; changement des serviteurs principaux; telles matieres. Usage ancien, que je trouve bon à refreschir, chacun en sa chacuniere. Et me trouve un sot d'y avoir failly. *Les Essais*

[1] 1479–1552; poet and archaeologist
[2] 1515–1563; scholar and translator  [3] l'économie domestique

*67        Elle a mon cueur dès mon enfance*

Je ne veux pas oublier cecy, que je ne me mutine jamais
tant contre la France que je ne regarde Paris de bon œil;
elle a mon cueur dès mon enfance. Et m'en est advenu
comme des choses excellentes; plus j'ay veu depuis d'autres
villes belles, plus la beauté de cette-cy peut et gaigne sur
mon affection. Je l'ayme par elle mesme, et plus en son
estre seul que rechargée de pompe estrangiere. Je l'ayme
tendrement, jusques à ses verrues et à ses taches. Je ne
suis françois que par cette grande cité; grande en peuples,
grande en felicité de son assiette, mais sur tout grande et
incomparable en variété et diversité de commoditez, la
gloire de la France, et l'un des plus nobles ornemens du
monde. Dieu en chasse loing nos divisions! Entiere et
unie, je la trouve deffendue de toute autre violence. Je
l'advise que de tous les partis le pire sera celuy qui la
mettra en discorde. Et ne crains pour elle qu'elle mesme.
Et crains pour elle autant certes que pour autre piece de
cet estat. Tant qu'elle durera, je n'auray faute de retraicte
où rendre mes abboys, suffisante à me faire perdre le
regret de tout'autre retraicte.

*Les Essais*

# JEAN DE LÉRY[1]

1534–1611

*68        La famine de Sancerre*

Or la famine s'augmentant de plus en plus à Sancerre, les
chats aussi eurent leur tour, et furent tous en peu de temps
mangez, tellement que l'engeance en faillit en moins de

---

[1] Protestant pastor. He was at the Protestant stronghold of Sancerre
when it was besieged and reduced to famine by the Catholics after the
massacre of Saint Bartholomew.

quinze jours. A cause aussi de la disette dont on estoit pressé, plusieurs se prindrent à chasser aux rats, taupes et souris (la faim qui les pressoit leur faisant incontinent trouver l'invention de toutes sortes de ratoires); mais surtout vous eussiez veu les pauvres enfans bien aises quand ils pouvoyent avoir quelque souris, lesquels ils faisoyent cuire sur les charbons (le plus souvent sans escorcher ni vuider) et d'une grande avidité les dévoroyent plustost qu'ils ne les mangeoyent; et n'y avoit queue, patte ni peau de rat, qui ne fust soudainement recueillie pour servir de nourriture à une grande multitude de pauvres souffreteux. Aucuns trouvoyent les rats rostis merveilleusement bons, mais encor estoyent-ils meilleurs à l'estuvée. Mais quoy? Les chiens (chose que je ne croy avoir esté auparavant pratiquée ou pour le moins bien rarement) ne furent pas espargnez, ains sans horreur ni appréhension furent tuez pour manger aussi ordinairement que les moutons en autre saison; et en a-[t]-on assommé et tué qui ont esté vendus, les uns cent sols, les autres six livres tournois, cela n'estant nouveau d'acheter le quartier de chien vingt et vingt-cinq sols; la teste et le reste se vendoit de mesmes. Plusieurs affermoyent trouver la chair fort bonne, faisant aussi grand cas des testes, pieds, fressures et ventres, cuits avec espices et herbes, que de testes de veaux, de cabris et d'aigneaux. Les cuisses de lévriers rosties estoyent trouvées tendres et mangées comme rables des lièvres; mais principalement les petits chiens de laict estoyent tenus pour marcassins et petits faons. Toutesfois, pour en dire ce que j'en say et pour en avoir tasté, la chair de chien est fort fade et douceastre.

*Discours de la famine de Sancerre mars 1573*

# PIERRE PITHOU

1539–1596

69        *O Paris qui n'es plus Paris*

Nous n'avons plus de volonté, ny de voix au chapitre.
Nous n'avons plus rien de propre que nous puissions dire
cela est mien : tout est à vous, messieurs qui nous tenez
le pied sur la gorge, et qui remplissez nos maisons de
garnisons. Nos privileges et franchises anciennes sont à
vau-l'eau : Nostre hostel de ville que i'ay veu estre l'asseuré
refuge du secours des Roys en leurs urgentes affaires, est à
la boucherie : nostre cour de Parlement est nulle : nostre
Sorbonne est au bourdel, et l'université devenuë sauvage.
Mais l'extremité de nos miseres est, qu'entre tant de
malheurs, et de necessitez, il ne nous est pas permis de
nous plaindre, ny demander secours : et faut qu'ayants la
mort entre les dents, nous disions que nous nous portons
bien, et que sommes trop heureux d'estre malheureux,
pour si bonne cause. O Paris qui n'es plus Paris, mais une
spelunque[1] de bestes-farouches, une citadelle d'Espagnols,
Wallons, et Napolitains : ung asyle, et seure retraicte de
voleurs, meurtriers, et assassinateurs : ne veux-tu iamais te
ressentir de ta dignité, et te souvenir qui tu as esté, au
pris de ce que tu es ? ne veux-tu iamais te guerir de ceste
frenesie, qui pour ung legitime et gracieux Roy, t'a
engendré cinquante roytelets, et cinquante tyrans ? Te
voila aux fers : te voila en l'inquisition d'Espagne, plus
intolerable mille fois, et plus dure à supporter aux esprits
nez libres et francs, comme sont les François, que les plus
cruelles morts, dont les Espagnols se sçauroient adviser : Tu
n'as peu supporter une legere augmentation de tailles, et
d'offices, et quelques nouveaux edicts qui ne t'importoient
nullement : mais tu endures qu'on pille tes maisons, qu'on te

[1] caverne

rançonne iusques au sang, qu'on emprisonne tes senateurs,
qu'on chasse et bannisse tes bons citoyens et conseillers :
qu'on pende, qu'on massacre tes principaux magistrats : tu
le vois, et tu l'endures : tu ne l'endures pas seulement, mais
tu l'approuves, et le louës, et n'oserois, et ne sçaurois faire
autrement. Tu n'as peu supporter ton Roy[1] si debonnaire,
si facile, si familler, qui s'estoit rendu comme concitoyen
et bourgeois de ta ville, qu'il a enrichie, qu'il a embellie de
sompteux bastiments, accreue de forts et superbes ram-
pars, ornee de privileges et exemptions honorables : que
dy-ie ? peu supporter ? c'est bien pis : tu l'as chassé de sa
ville, de sa maison, de son lict : quoy chassé ? tu l'as
poursuivy : quoy poursuivy ? tu l'as assassiné : canonizé
l'assassinateur, et faict des feux de joye de sa mort : Et tu
vois maintenant combien ceste mort t'a proufficté... Fut-il
iamais tyrannie et domination pareille à celle que nous
voyons et endurons ? Où est l'honneur de nostre université ?
où sont les colleges, où sont les escholiers, où sont les
leçons publiques où l'on accouroit de toutes les parties du
monde ? où sont les religieux estudiants aux couvents ?
ils ont pris les armes, les voyla touts soldats desbauchez...
Et neantmoins vous voulez qu'on croye que ce que vous
en faictes, n'est que pour la conservation de la religion
et de l'estat.

*La Satire Ménippée*

70  *Il n'y a plus de charmes qui nous*
*empeschent de veoir clair*

IL n'y a ni paradis bien tapissez et dorez, ny processions,
ny confrairies, ny quarantaines, ny predications ordinaires,
ou extraordinaires, qui nous donnent rien à manger. Les
pardons, stations, indulgences, brefs et bulles de Rome,

[1] Henri III, assassinated (1589) by Jacques Clément, a Dominican
friar.

sont toutes viandes creuses, qui ne rassasient que les
cerveaux evantez. Il n'y a ny Rodomontade d'Espagne,
ny bravacherie Napolitaine, ny mutinerie Walonne, ny
fort d'Anthonia, ny du temple, ou citadelle, dont on
nous menace, qui nous puisse empescher de desirer, et
demander la paix. Nous n'aurons plus peur que nos
femmes et nos filles soient violees, ou desbauchees par les
gens de guerre : et celles que la necessité a detournees de
l'honneur se remettront au droict chemin. Nous n'aurons
plus ces sangsuës d'exacteurs, et malestostiers : on ostera
ces lourds imposts qu'on a inventé à l'hostel de ville
sur les meubles et marchandises libres, et sur les vivres
qui entrent aux bonnes villes, où il se commet mille
abuz et concussions, dont le proffict ne revient pas au
public, mais à ceux qui manient les deniers, et s'en donnent
par les ioües. Nous n'aurons plus ces chenilles, qui succent
et rongent les plus belles fleurs des iardins de la France :
et s'en peignent de diverses couleurs, et en ung moment,
de petits vers rampants contre terre deviennent grands
papillons volans peinturez d'or et d'azur :... et [nous] ne
serons plus subiects aux gardes et sentinelles, où nous
perdons la moictié de nostre temps, consommons nostre
meilleur age, et acquerons des catarrhes, et maladies qui
ruinent nostre santé. Nous aurons ung Roy qui donnera
ordre à tout, et retiendra tous ces tyranneaux en crainte et
en devoir : qui chastiera les violents : punira les refractaires :
exterminera les voleurs et pillards : retranchera les aisles
aux ambitieux, fera rendre gorge à ses esponges, et larrons
des deniers publiques, fera contenir ung chascun aux
limites de sa charge, et conservera tout le monde en repos
et tranquilité. En fin, nous voulons ung Roy pour avoir
la paix.

*La Satire Menippée*

# PIERRE DE BOURDEILLES
# SIEUR DE BRANTÔME

*c.* 1540–1614

*71*      *Une vraye déesse en un corps mortel*

Eт, ainsi que son bel age croissoit, ainsy vit-on en elle sa
grande beauté, ses grandes vertus, croistre de telle sorte
que, venant sur les quinze ans, sa beauté commença à faire
paroistre sa lumière en son plain midy, et en effacer le
soleil lorsqu'il luisoit le plus fort, tant la beauté de son
corps estoit belle. Et pour celle de l'ame, elle estoit toute
pareille; car elle s'estoit faicte fort sçavante en latin : estant
en l'age de treize à quatorze ans, elle desclama devant le
roy Henry, la reyne, et toute la cour, publiquement en la
salle du Louvre, une oraison en latin qu'elle avoit faicte,
soubtenant et deffendant, contre l'opinion commune, qu'il
estoit bien séant aux femmes de sçavoir les lettres et arts
liberaux. Songez quelle rare chose c'estoit et admirable de
voir ceste sçavante et belle reyne ainsy orer en latin, qu'elle
entendoit et parloit fort bien; car je l'ay vue là...

Elle avoit encore ceste perfection pour faire mieux
embraser le monde : la voix très-douce et très-bonne; car
elle chantoit très-bien, accordant sa voix avecques le luth,
qu'elle touchoit bien joliment de ceste belle main blanche, et
de ces beaux doigts si bien façonnés, qui ne debvoient rien
à ceux de l'Aurore. Que reste-il davantage pour dire ses
beautés? sinon ce qu'on disoit d'elle : que le soleil de son
Ecosse estoit fort dissemblable à elle; car quelques jours de
l'an il ne luit pas cinq heures en son pays; et elle luisoit
tousjours si bien, que de ses clairs rayons elle en faisoit
part à sa terre et à son peuple, qui avoit plus besoin de
lumière que tout autre, pour estre son climat fort esloigné
du grand soleil du ciel. Ah! royaume d'Escosse, je crois
que maintenant vos jours sont encor bien plus courts

qu'ils n'estoient, et vos nuicts plus longues, puis que vous
avez perdu ceste princesse qui vous illuminoit!

*Vies des Dames illustres (Marie Stuart)*

## 72    *Pour venir donc à ceste mort piteuse*

LE lieu de l'exécution estoit dans la salle, au milieu de
laquelle on avoit dressé un eschaffaut large de douze pieds
en quarré, et haut de deux, tapissé de meschante revesche
noire.

Elle entra donc dans ceste salle, avecques pareille majesté
et grace comme si elle fut entrée dans une salle de bal, où
on l'avoit veue d'autresfois si excellemment paroistre,
sans jamais changer de contenance... Cela[1] faict, elle
appella ses femmes pour luy ayder à oster son voile noir, sa
coiffure et ses autres ornemens : et ainsy que le bourreau y
vouloit toucher, elle luy dit : «Ha! mon amy, ne me touche
point. » Toutesfois, elle ne peut engarder qu'il n'y touchast;
car après qu'on eut abbaissé sa robbe jusqu'à la ceinture,
ce villain la tira par le bras assez lourdement, et luy osta
son pourpoint, son corps de cotte, avecques le collet bas;
de manière que son col et sa belle gorge, plus blanche
qu' albastre, paroissoient nuds et descouverts.

Elle-mesme s'accommoda le plus diligemment qu'elle
pouvoit, disant qu'elle n'estoit pas accoustumée à se des-
pouiller devant le monde, ny en si grande compaignie (on
dit qu'il y pouvoit bien avoir quatre à cinq cens personnes),
ny se servir de tel valet de chambre.

*Vies des Dames illustres (Marie Stuart)*

[1] ses prières

# PIERRE DE L'ESTOILE

1546–1611

*73*         *Un festin de noces*

Le mardy 10 d'octobre, le Cardinal de Bourbon fit son festin des nôces du duc de Joyeuse en l'hôtel de son abbaye de Saint Germain, et fit faire à grands frais sur la riviere de Seine un grand et superbe appareil d'un grand bacq accommodé en forme de char triomphant, dans lequel le Roy, princes, princesses, et les mariés, devoient passer du Louvre au pré aux Clercs en pompe fort solemnelle : car ce beau char triomphant devoit être tiré pardessus l'eau par autres bateaux déguisés en chevaux marins, tritons, baleines, sirenes, et autres monstres marins, en nombre de vingt-quatre, en aucuns desquels étoient portés, à couvert au ventre desdits monstres, trompettes, clairons, violons, hautbois, et plusieurs musiciens d'excellence, même quelques tireurs de feux artificiels, qui pendant le trajet devoient donner maints passe-temps au Roy, et à cinquante mille personnes du peuple de Paris qui étoit sur les deux rivages. Mais le mystere ne fut pas bien joué, et ne put-on faire marcher les animaux, ainsi qu'on avoit projetté ; de façon, que le Roy ayant attendu depuis quatre heures du soir jusqu'à sept, aux Thuilleries, le mouvement et acheminement de ces animaux aquatiques, sans en appercevoir aucun effet, dépité, dit qu'il voyoit bien que c'étoient des bêtes qui commandoient à d'autres bêtes. Et étant monté en coche, s'en alla avec les reines et toute la suite au festin, qui fut le plus magnifique de tous, nommément en ce que ledit cardinal fit représenter un jardin artificiel garni de fleurs et de fruits, comme si c'eût été en may, ou en juillet et août.

*Journal* [1581]

*74*                              *Aoust 1590*

LE mardi 14 aoust 1590, veuille de la Nostre-Dame, sortist
de ceste ville de Paris ma femme grosse, preste d'accoucher;
et emmena avec elle Anne de Lestoille et mon petit Matthieu,
avec sa nourrisse et sa germaine; et se retira avec ma mere
à Corbeil, qui lui fust une chere sortie et à moi aussi,
toutefois comme necessitée et du conseil de son frere,
pour la grande famine qui estoit ici.

On m'acheta ce jour deux œufs vingt sols.

Le mecredi 15 aoust, jour de la Nostre-Dame, comme
j'estois à ma porte, sur les cinq heures du soir se vinst
presenter à moi un pauvre homme fort have, mourant de
faim, qui tenoit un sien enfant entre ses bras, d'environ
cinq ans, que je vis incontinent expirer entre les bras du
pauvre pere, qui lui ferma les yeux en ma presence, et
m'asseura qu'il y avoit trois jours que lui ni son enfant
n'avoient rien mangé, et plus de quinze jours qui n'avoient
veu pain. Ce qui me fit si grande pitié, qu'allant moimesmes
querir un pain (dont je n'ai jamais eu faute pendant la
necessité: de quoi je donne gloire à Dieu en m'humiliant),
le donnai à ce pauvre homme, avec une piece d'argent:
Dieu s'estant voulu servir de moi en cest endroit pour
possible lui sauver la vie, ou dumoins l'alonger: comme
j'eusse fait de bon cœur à son enfant, si Dieu me l'eust
plus tost adressé; mais quand il vinst à ma porte, le pauvre
enfant jettoit les derniers sanglots.

Le jeudi 16 aoust 1590, fust publié à Paris qu'il estoit
permis à toutes personnes de sortir la ville: car la famine
estoit tellement renforcée et la necessité accrue, que le
pain fait des os de nos peres, qu'on apeloit ici le pain de
madame de Montpensier pour ce qu'elle en exaltoit partout l'invention (sans toutefois en vouloir taster), commençoit d'estre en usage; mais lequel toutefois ne dura
gueres: car ceux qui en mangeoient en mouroient: comme

aussi il avoit esté fait pour cela, selon le dire de beaucoup.
On m'en donna un morceau que je gardai longtemps, et
jusques à la treusve, que je le donnai à un mien ami de
Tours qui me vinst voir.

Ce jour, un de mes amis, homme docte et fort aisé, me
vinst voir chez moi pour me demander du pain, me disant
qu'il mouroit de faim, et qu'il y avoit quatre jours que son
pain d'avoine lui estoit failli. Je l'en aidai de ce que je peu;
et sçachant que j'aimois la poësie, me donna des sonnets
qu'il avoit composés sur ce subject.

*Journal* [1590]

# JULIEN PELEUS[1]

16th cent.

*75      Une maison où il retourne des esprits*

PROCEZ s'est meu pardevant le Seneschal de Guyenne ou
son Lieutenant entre Robert de Vigne propriétaire de
certaine maison située en la rue de la Rousselle de la ville de
Bourdeaux, d'une part. Et le locataire Jean le Tapy d'autre.
Disant qu'ayant demeuré l'espace de quelque temps en
ceste maison, il trouva qu'elle estoit infectée par l'apparition
de quelques esprits qui se présentoient tantost en forme
de petits enfans, tantost en d'autres formes terribles &
espouvantables, qui opprimoient & inquiettoient les
personnes, remuoient les meubles & utensiles de la maison,
excitoient des bruits & tintamarres par tous les coings
d'icelles & avec force et violence déjectoient des licts ceux
qui y reposoient. A cause de quoy auroit esté contraint
quitter la maison & se retirer ailleurs [ailleurs], & partant

---

[1] An advocate at the Parlement de Paris, a member of the Conseil
d'État, and Historiographer to Henri IV. His *Œuvres* were a collection
of reports compiled by himself of cases in which he had been concerned. This extract is from an appeal-case heard at Bordeaux in 1595.

demande que le contrat de location soit cassé & rompu,
& que l'argent qu'il a avancé pour le temps de six mois
restant, soit rendu. A quoy parfaire le propriétaire ayant
esté condamné par sentence du Séneschal en a appellé, &
relevé son appel devers la Court, où la cause fut plaidée,
& sert de sujet à ceste solemnelle prononciation. Or d'autant
que tout ce doute est fondé sur l'apparition des Esprits, &
Démons, il en faut plus au long disputer, & amener les
causes qui se pourroient apporter, tant d'un costé que
d'autre pour donner le jour à la vérité.

L'appellant disoit pour ses raisons, que telles frayeurs, &
crainte des apparitions des Esprits n'estoient suffisans, ny
aucunement considerables pour rompre un contrat de
location, ains que l'on dit que ces spectres ne sont qu'illusions & fantosmes, vrais songes & fantaisies de nul
effet qui troublent le cerveau des hommes, leur font
concevoir mille imaginations, non moins vaines, que les
Hypocentaures, & chymeres, des Poëtes, alleguans à ce
propos l'opinion de quelques Philosophes anciens, qui
ont estimé que les Démons, & bons & mauvais, n'estoient
autre chose que les bonnes & mauvaises cupiditez de
nostre âme, qui nous induisent ou à bien ou à mal... Mais
pénétrant plus avant, & concédant ceste apparition, il
faudra dire que les esprits soient ou bons ou mauvais : que
si bons, que Dieu commet au gouvernement de ce monde
pour en exiler & bannir les mauvais, l'intimé n'a occasion
de se plaindre, ains devroit plustost s'estimer heureux &
fortuné d'avoir rencontré une maison que les Anges ont
choisie pour habitation ; que si au contraire ils sont terribles,
comme il maintient, ce n'est légitime excuse pour délaisser
les maisons : les pays Septentrionaux seroient dépeuplez
& déserts pour le nombre sans nombre des fantosmes
qu'on dit y estre : mais il se devroit accuser luy mesme,
cognoissant son infidélité & coüardise, d'autant que ces
esprits qui craignent & fuyent les maisons ausquelles ils

sçavent qu'il y a des hommes courageux ne s'attaquent
jamais qu'aux craintifs... Mais quelques esprits que ce
soient, s'il est vray qu'il en vienne en ceste maison, l'intimé
devoit plustost apporter tous les remedes pour y pourveoir,
que de descrier ceste maison au grand préjudice du propriétaire, dieu et nature nous ayans donné assez de moyens
pour ce faire. Que n'usoit-il de laurier, de la ruë plantée
ou de scel pétillant dans les flames & charbons ardents,
des plumes de la huppe; de la composition de l'herbe dite
Areolus Vetulus, avec la rubarbe avec du vin blanc, qui
soulage fort ceux qui sont agitez de ces passions, comme
remarquent les modernes: de souffre, d'eau marine,... de
l'herbe moly, laquelle Mercure ayant baillé à Ulysse, il se
servit comme d'antidote contre les charmes de Cyrces...

Et finalement quand cela auroit lieu, le nombre presque
infiny des remedes: tant de la nature, que de ceux qui nous
sont accordés du ciel, gardez de l'Église, pouvoient
délivrer de ce malheureux encombre, s'il y eust mis la
diligence requise: & que par ainsi accusant la perturbation
de son cerveau, sa coüardise, & lascheté, impiété, & peu
de compte d'exécuter les remedes & devoirs. L'appellant
demande qu'il plaise à la Cour en emendant la sentence du
Seneschal qu'il doit dit avoir esté mal jugé, & bien appellé,
& que partant l'intimé soit condamné aux peines contenuës
au contrat de location.

D'autre costé l'intimé respond... [que] ces apparitions
des esprits, visions espouventables spectres & fantosmes,
        *& simulachra modis palentia miris,*
ne sont illusions vaines, ny apparitions de nul effect, & ne
doivent estre referées à quelque autre cause, ou à la frayeur
& crainte, ou la fantaisie perturbée, ou finalement à
l'indigestion de l'estomac, veu leur ordinaire apparition.
Car si c'estoit quelque cause, ceste cause cessante l'effect
ne s'ensuivroit pas après. Mais la cause estant ordinaire
qu'on entend, qu'on void, qu'on manie, & palpe, il en

faut nécessairement tirer une conséquence certaine qu'il
est ainsi, selon la commune distinction qu'en baille Sainct
Thomas, & après luy les Docteurs Scolastiques. Et ne faut
croire que ce soient des Anges qui ayent voulu choisir ce
lieu pour leur habitation, veu qu'estans terribles & impor-
tuns ils ne prognostiquent rien de bon. Car les bons Anges
à leur apparition première donnent quelque atteinte de
frayeur à ceux ausquels ils se représentent : mais ils les
consolent, & les fortifient plus que devant : mais les malings
esprits les pressent, importunent, & troublent de plus en
plus, si bien qu'on ne leur peut résister, quoy qu'on soit
courageux & vaillant, il n'y a puissance sur la terre qui leur
puisse estre parangonnée. On ne doit donc accuser l'intimé
ny de coüardise, ny d'impiété : il ne s'est plainct dès
l'instant que le mal luy a esté cogneu, il a eu trop de patience
jusques à ce que mesme sa femme en est morte d'appréhension...

Surquoy la Cour auroit mis l'appellation, & ce dont
avoit esté appellé au néant, & cependant deputa Commissaires, qui seroient pour se transporter sur les lieux,
& visiter la maison, tant de l'intimé que des voisins, pour
estre juges occulaires du fait de la cause, par Arrest prononcé en Robbes Rouges le vingt-uniesme Mars, mil cinq
cens nonant cinq, par Monsieur de Nemond second Presi-
dent au Parlement de Bordeaux.

*Questions illustres décidées par Arrests*

# JEAN HÉROARD[1]
1550–1628

76    *Le petit roi*

LE 17 [octobre],[2] dimanche, à Reims. — Eveillé à cinq
heures, levé, mené et couché en son cabinet, dans son lit de

___
[1] Royal Physician        [2] 1610

parade, où MM. les pairs le sont venus trouver pour le mener à Notre-Dame pour le sacrer. Il entre en l'église à neuf heures et demie, est reçu par l'illustrissime François, cardinal de Joyeuse; MM. les princes de Condé, de Conty et comte de Soissons représentoient les ducs de Bourgogne, de Normandie et d'Aquitaine, MM. les ducs de Nevers, d'Elbeuf et d'Épernon les comtes de Flandre, de Champagne et de Toulouse. Sur les onze heures fut conduite la sainte ampoule par MM. les marquis de Sablé, baron de Biron, baron de Nangis et baron de Rabat, portée par Dom Lépagnol, grand prieur de Saint-Rémy; sur midi, il reçoit l'onction, est conduit sur le pupitre. Les pairs le baisent par deux diverses fois; il donne un petit soufflet à M. d'Elbeuf, gaiement, et essuie sa joue. Il fut remarqué que, aux deux fois qu'il fut baisé par M. d'Épernon, il porta ses deux mains à sa couronne pour l'assurer en sa tête. Il va à l'offrande, communie; en marchant il tâchoit d'attraper la queue du manteau de M. de la Châtre, qui marchoit devant lui, faisant l'office de connétable. Il supporta fort vertueusement toute la fatigue de cette cérémonie qui se termina à deux heures et un quart. Ramené, on le vouloit faire reposer dans un lit; encore qu'il fût un peu las, il dit qu'il avoit faim. A deux heures et demie dîné de la viande de MM. de la ville, apprêtée et servie par ses officiers, M. le maréchal de Lavardin faisant la charge de grand maître; bu du vin blanc, il boit à la santé de MM. les pairs. Il va en sa chambre, se fait mettre au lit, se fait apporter sa table percée et s'amuse à dresser des bataillons avec ses hommes de plomb, puis à faire des engins de cartes. A six heures M. de Souvré le fait lever et vêtir un habillement neuf, dont il entre en mauvaise humeur et s'apaise à la fin. Mené chez la Reine; à huit heures et demie mis au lit.

*Journal sur l'enfance et la jeunesse de Louis XIII (1601–1628)*

# HENRI IV

*77*                     *L'on s'y peut réjouir*

J'ARRIVAI arsoir[1] de Marans, où j'étois allé pour pourvoir à la garde d'icelui. Ha! que je vous y souhaitai! C'est
le lieu le plus selon votre humeur que j'aie jamais vu.
Pour ce seul respect suis-je après à l'échanger. C'est une île
renfermée de marais bocageux, où, de cent en cent pas, il y
a des canaux pour aller chercher le bois par bateau. L'eau
claire, peu courante; les canaux de toutes largeurs; les
bateaux de toutes grandeurs. Parmi ces déserts, mille
jardins où l'on ne va que par bateau. L'île a deux lieues de
tour, ainsi environnée; passe une rivière par le pied du
château, au milieu du bourg, qui est aussi logeable que
Pau. Peu de maisons qui n'entre de sa porte dans son petit
bateau. Cette rivière s'étend en deux bras qui portent, non-
seulement grands bateaux, mais les navires de cinquante
tonneaux y viennent. Il n'y a que deux lieues jusques à la
mer. Certes, c'est un canal, non une rivière. Contremont
vont les grands bateaux jusques à Niort, où il y a douze
lieues; infinis moulins et métairies insulées; tant de sortes
d'oiseaux qui chantent; de toute sorte de ceux de mer. Je
vous en envoie des plumes. De poisson, c'est une mon-
struosité que la quantité, la grandeur et le prix; une grande
carpe, trois sols, et cinq un brochet. C'est un lieu de grand
trafic, et tout par bateaux. La terre très-pleine de blés et
très-beaux. L'on y peut être plaisamment en paix, et
sûrement en guerre. L'on s'y peut réjouir avec ce que l'on
aime et plaindre une absence. Ha! qu'il y fait bon chanter!
... Mon âme, tenez-moi en votre bonne grâce; croyez
ma fidelité être blanche et hors de tache; il n'en fut jamais
sa pareille. Si cela vous apporte de contentement, vivez
heureuse...

*Lettre à Madame la Comtesse de Gramont,* 1586

[1] hier soir

*78*        *Je vous viens demander l'aumône*

MESSIEURS, ce n'est pas seulement le soin de pourvoir à
ma santé qui m'a fait revenir de la frontière de Picardie,
mais bien pour exciter un chacun de penser aux nécessités
qui paroissent; estimant que nul ne pouvoit ni mieux ni
avec plus de force représenter le mal et procurer les remèdes.
Vous avez par votre piété secouru l'année passée, infinis
pauvres souffreteux qui étoient dans votre ville; je vous
viens demander l'aumône pour ceux que j'ai laissés sur la
frontière. Vous avez secouru des personnes qui étoient dans
les rues sur les tabliers, ou accagnardés près du feu; je vous
demande l'aumône pour des gens qui ont servi, qui servent
nuit et jour, et emploient leur vie pour vous tenir en repos.
Je désire, Messieurs, qu'on tienne une assemblée générale
en cette ville mardi prochain, afin que, comme autrefois
en pareilles occasions, on a fait un effort pour secourir
l'Etat qui n'étoit si foible ni si alangui qu'il est à présent,
et, par conséquent, la charité plus aisée, chacun contribue
à ce besoin. J'ai été sur la frontière, j'ai fait ce que j'ai pu
pour assurer les peuples; j'ai trouvé, y arrivant, que ceux
de Beauvais s'en venoient en cette ville, ceux des environs
d'Amiens à Beauvais. J'ai encouragé ceux du plat pays;[1]
j'ai fait fortifier leurs clochers, et faut que je vous die,
Messieurs, que les oyant crier à mon arrivée *Vive le Roi!*
ce m'étoit autant de coups de poignard dans le sein,
voyant que je serois contraint de les abandonner au premier
jour. Il n'y fit jamais plus beau sur la frontière: nos gens
de guerre pleins de courage et d'ardeur, le peuple même,
qui est entre Amiens et Dourlens, plus voisin des ennemis,
plus résolu de s'opposer à leurs armes...
   Je vous prie, assemblez-vous, car, si on me donne une
armée, j'apporterai gaiement ma vie pour vous sauver
et relever l'Etat; sinon, il faudra que je recherche des

---

[1] de la campagne

occasions, en me perdant, de donner ma vie avec honneur, aimant mieux failli rà l'Etat que si l'Etat me failloit. J'ai assez de courage et pour l'un et pour l'autre.

*Harangue au Parlement*

## 79                *Votre peinture, que j'adore*

JE vous écris, mes chers amours, des pieds de votre peinture, que j'adore seulement pour ce qu'elle est faite pour vous, non qu'elle vous ressemble. J'en puis être juge compétent, vous ayant peinte en toute perfection dans mon âme, dans mon cœur, dans mes yeux.

*Lettre à Gabrielle d'Estrées*, 1594

# GUILLAUME DU VAIR

1556–1621

## 80              *La campagne pleure partout*

CE seroit horreur de raconter combien de voleries, de violemens, d'incestes, de sacrilèges, se commettent tous les jours. Bref la pauvre France est tellement désolée & défigurée, qu'elle commence à faire pitié à ses plus grands ennemis. Voylà une partie de son mal : car de penser le tout dire, ce seroit chose infinie... Doncques toutes considérations concurrent pour persuader Monsieur du Mayne & les Princes de mettre fin à tant de misères, & donner quelque moyen à tant de peuples affligez, & tantost tous consumez, de respirer soubs le faix d'une si estrange calamité. Mais quand toutes ces raisons-là cesseroient, & qu'autre chose ne les y pousseroit, voire forceroit, que la pitié & compassion qu'ils doivent avoir de ce pauvre Royaume qui les a tant aymé, chéry & honoré, si faudroit-il qu'ils le fissent. Ce ne sont plus maux que les nostres, ce sont ruines, & non point ruines particulières, ains ruines totales, & exterminations universelles, avec tant d'horribles misères, d'effroyables avantures, d'espouventables désolations, qu'il semble que la nature se soit vaincuë pour apporter à nostre peine des monstres et prodiges de meschancetez, & qu'elle ait abbruty les hommes qui devoient servir à dégrader & ravager nostre pauvre païs, pour d'une bestiale férocité sévir contre nous par nouveaux exemples de cruauté. Dieu a permis pour nos péchez que nous ayons tous presté nos mains à nostre peine, & que nous soyons tous coulpables des maux que nous avons jusques aujourd'huy endurez; n'en accusons personne que nous & nos pères qui ont vescu devant nous. Mais maintenant que la douleur nous a percé jusques aux entrailles, & que nos cœurs attendris par les durs fléaux de si rigoureuses afflictions souspirent si pitoyablement, & implorent d'un mesme vœu & consentement la bonté & miséricorde de Dieu, à ce qu'il lui plaise lier les mains à nostre fureur, & par la douceur de sa paix estancher les torrens de nos guerres civiles: Vous Roys, Princes & Seigneurs, que Dieu prépose au gouvernement de ses peuples, joignez vos souspirs aux leurs, & de la puissance & authorité que vous avez parmy eux, soulagez leur extrême calamité: Ils vous en prient, supplient & conjurent. Que si la jalousie, vostre particulière grandeur, & quelque ambitieuse passion ferme vos oreilles à leurs cris, faisant que leurs prières & remonstrances soient rejettées de vous en terre, craignez que leurs plaintes & leurs souspirs dressez au Ciel contre vous n'y soient receuz, & que Dieu avec compassion de leur mérite, & indignation de vostre cruauté, ne vienne à leur secours avec son bras de fureur, dont il brise et casse comme pots de terre les plus redoutables puissances du monde, & qu'il ne rende signalée la salvation de son peuple, par la ruine de ceux qui n'en ont point de pitié.

*Exhortation à la paix*

*81*          *L'usage des mots empruntez*

CERTAINEMENT, s'il y a endroit où ceux de nostre age
ayent besoin de l'exemple des anciens, comme d'une juste
reigle, pour redresser une affectation intemperee et in-
consideree, c'est en l'usage des mots empruntez. Car,
pource qu'ils voyent qu'ils apportent quelque enrichisse-
ment à l'oraison, ils en usent si debordement la plus part,
et avec si peu de jugement, qu'il leur semble que c'est
vice, ou au moins pauvreté de langage, d'user de mots
propres à signifier quelque chose : quelques uns mesmes
affectent d'en trouver que l'on n'entende point, et pensent
que c'est estre eloquent, quand ce qu'ils disent a besoin
d'estre interpreté. Les autres affectent une telle gravité
et exaggeration que rien ne leur plaist, s'il n'est plus
grand que le naturel. Or tout cela est egalement vicieux,
comme l'est tout artifice, depuis qu'il manque de jugement.
L'usage des translations orne le champ de l'oraison, mais
cest ornement doit estre temperé. Ce qui est beau de soy
ne l'est plus quand il est trop frequent : nous sommes ainsi
faits de nature que nous nous lassons de ce qui est trop
commun : tout ce qui frappe noz sens avec beaucoup
d'esclat nous lasse et nous ennuye. Il n'y a rien si beau en
l'homme que les yeux, mais si nostre corps en estoit tout
semé, non seulement ils empescheroient l'usage des autres
membres, ains aussi desplairoient à ceux qui les verroient.
Il faut doncques que la moderation conserve aux parolles
empruntees leur beauté. D'y rechercher l'obscurité, c'est
n'en sçavoir pas l'usage : elles n'ont esté du commancement
pratiquees que pour la necessité, non plus que les vestemens. Depuis, estant appliquees à l'ornement, il ne faut
pas que leur necessaire usage se perde par le voluptueux
auquel elles sont destournees. Quant à ces excez et en-
fleures de parolles, ce sont comme des goüestres et abcez
d'oraison. Qui est neantmoins l'endroit où choppent et se

laissent plus aisement tromper les plus habilles, ne plus ne moings que ceux qui ne sont pas instruits en la medecine, qui, voyant un corps bouffi, estiment que ce soit graisse ou en bon point. Il y a certes occasion d'avoir pitié de ceux qui prennent tant de peine à mal faire, et, laissant ce qu'ils ont de commode à la main, vont chercher bien loing des choses alienes de la nature. L'on ne sçauroit quasi donner un plus utile precepte en l'eloquence que celuy qui est le plus facile : c'est à sçavoir de ne rien forcer, ains suyvre le cours de la nature et laisser couler toutes choses par le plus aisé chemin.

*De l'éloquence françoise*

# NICOLAS PASQUIER[1]

?–?c. 1630

## 82   *Moyens pour paisiblement vivre en mariage*

J'AY receu vos deux lettres. Je suis grandement joyeux du plaisir que recevez en mariage. Tout mon souhait n'a jamais esté autre, que de vous voir aise & aisée. Mais tout ainsi que vostre belle-mère & vostre mary apportent ce qui est d'eux pour vostre contentement : aussi devez-vous contribuer ce que jugerez propre pour le leur. Quand chacun y apportera son talent, je me promets de vous autres un heureux mesnage. Il faut que la prudence engendre une vive affection reciproque de l'un envers l'autre. Je sçay qu'en mariage il est bien difficile (si les parties ne sont infiniment sages) d'estre sans quelques riotes, qui altèrent les esprits : mais c'est à celuy qui a le tort de caler la voile à la tempeste sans s'opiniastrer. Deux cailloux hurtez l'un contre l'autre, rendent du feu. Supportez de vostre mary,

[1] Son of Étienne Pasquier; sometime Maître des Requêtes de l'Hôtel du Roi.

luy de vous. Mais évitez du commencement toutes occasions
de discord : car il est aisé que l'amitié, qui n'est encores bien
jointe & collée, se desjoigne & désunisse. Et sur tout, ne
faites & ne remuez rien dehors ny dedans la maison, que
par son advis : il se faschera plustost de vous en le demandant, que vous ne vous ennuyrez en ne voulant rien faire
que par son commandement. C'est le moyen, en obeïssant,
d'apprendre à luy commander : je veux dire, que quand il
recognoistra ceste humble obeïssance, il ne fera plus rien
que ce que vous désirerez, & vous abandonnera la libre
disposition de tout le mesnage. Tout se doit faire en vostre
maison du consentement de vostre mary & de vous : mais
il faut qu'il apparoisse tousjours que ce soit de la conduite,
du conseil & de l'invention de vostre mary, quelque
surintendance qu'il vous abandonne du mesnagement.
Feuë vostre mère & moy demeurasmes cinq ans ensemble
vivans de la façon : aussi n'eusmes-nous jamais une parole
plus haute l'une que l'autre : le premier jour fut semblable
au dernier, & le dernier au premier. Dieu vous fasse la
grâce, & je l'en prie, que vostre mary & vous puissiez
aussi heureusement passer le reste de vos jours, qu'elle
& moy le fismes avec toute felicité & patience. Sur tout,
rendez vostre vie, vos moeurs & conditions conformes à
celle[s] de vostre mary, & n'ayez nulle propre & peculiere
passion & affection que pour luy, qu'à ce qui le touche,
soit en son entretien, soit en ses moeurs, soit en sa conversation, donnant ordre que vos façons de faire ne luy
soient dures, fascheuses, ny ennuyeuses, ains plaisantes,
agreables, & accordantes à tout ce qu'il voudra. Commencez à mesnager de bonne heure, afin que lors qu'il
faudra entrer en despense, vous le puissiez faire. Les
charges de mariage vont tous les jours en croissant. Et
reluisez plustost en moeurs vertueuses, qu'en habits
& autres superfluitez, qui traisnent quant & soy la ruyne
des maisons, quelque bien fondées qu'elles soient. Tenez

de moy ces préceptes, que le long-temps m'a appris;
& m'aimez tousjours. Adieu.

*Lettre à sa fille de la Brangelie*

# MAXIMILIEN DE BÉTHUNE,
# DUC DE SULLY

1560–1641

*83*        *Le retour d'un grand blessé*[1]

LE lendemain, ayant fait faire un brancard assez à la
hâte..., vous vous fîtes porter à Rosny... et votre équipage
était tel que s'ensuit:

Premièrement marchaient deux de vos grands chevaux,
menés en main par deux de vos palefreniers. Puis vos deux
pages montés sur deux autres de vos grands chevaux. Le
premier était votre grand coursier gris, sur lequel vous
aviez combattu la première fois. Il avait trois pieds de long
de la peau de l'épaule droite et des côtés fendus du coup
de lance qui vous avait emporté la botte et un morceau du
mollet de la jambe; une arquebusade lui avait traversé le
nez et une partie du col, et lui était venu sortir dans la
crinière près des panneaux de la selle. Après s'être relevé
sans selle, il s'en allait courant par le champ de bataille, et
enfin par un grand heur avait été repris par trois de vos
arquebusiers qui avaient servi d'enfants perdus au combat.
Ce page avait vêtu votre cuirasse, et portait la cornette
blanche des ennemis. L'autre portait vos brassards et
votre casque au bout d'un bris de lance, d'autant que pour
être tout fracassé et enfondré de coups, il était impossible
de le porter en tête.

Après ces pages venait le sieur de Maignan votre écuyer,
ayant la tête bandée et un bras en écharpe à cause de deux

[1] After the battle of Ivry, March 1590

plaies. Il était suivi de votre valet de chambre Moreines
monté sur votre haquenée anglaise, portant sur lui votre
casaque de velours orange à clinquant d'argent, et en la
main droite, comme un trousseau de trophées, tout cela
lié ensemble, divers morceaux de vos épées, pistolets et
panaches que l'on avait ramassés.

Après cela vous veniez dans votre brancard, couvert
d'un linceul seulement : mais, par-dessus, pour parade des
plus magnifiques, vos gens avaient fait étendre les quatre
casaques de vos prisonniers, qui étaient de velours ras noir,
toutes parsemées de croix de Lorraine sans nombre en broderie d'argent. Sur le haut d'icelles se trouvaient les quatre
casques de vos prisonniers avec leurs grands panaches
blancs et noirs tous brisés et dépenaillés de coups, et contre
les côtés des cercles étaient pendus leurs épées et pistolets,
aucuns brisés et fracassés.

Après votre brancard marchaient vos trois prisonniers,
montés sur des bidets, dont l'un, à savoir le sieur d'Aufre-
ville, était fort blessé... Après ces prisonniers marchait le
surplus de vos domestiques : puis le sieur de Vassan qui
voulut en arrivant porter votre cornette ; et à sa suite votre
compagnie de gens d'armes, et les deux compagnies
d'arquebusiers à cheval des sieurs Jammes et Badet, qui
avaient servi d'enfants perdus devant l'escadron du Roi,
lors du combat ; tout cela fort diminué de nombre (car
vous en aviez perdu plus de cinquante tant des uns que des
autres) mais grandement augmentés de gloire, aucuns d'eux
se faisant porter dans des brancards comme vous, d'autres
ayant les têtes bandées, ou les bras et les jambes en écharpe.

*Mémoires*

# SAINT FRANÇOIS DE SALES

1567–1622

## *84     Ne vous empressez point à la besogne*

LES fleuves qui vont doucement coulant en la plaine, portent les grands bateaux et riches marchandises, et les pluies qui tombent doucement en la campagne, la fécondent d'herbes et de graines; mais les torrents et rivières qui à grands flots courent sur la terre, ruinent leurs voisinages, et sont inutiles au trafic, comme les pluies véhémentes et tempêtueuses ravagent les champs et les prairies. Jamais besogne faite avec impétuosité et empressement ne fut bien faite : il faut dépêcher tout bellement (comme dit l'ancien proverbe). Celui qui se hâte, dit Salomon, court fortune de chopper et heurter des pieds; nous faisons toujours assez tôt quand nous faisons bien : les bourdons font bien plus de bruit, et sont bien plus empressés que les abeilles, mais ils ne font sinon la cire, et non point de miel; ainsi ceux qui s'empressent d'un souci cuisant et d'une sollicitude bruyante, ne font jamais ni beaucoup ni bien.

Les mouches ne nous inquiètent pas par leur effort, mais par la multitude; ainsi les grands affaires ne nous troublent pas tant comme les menus, quand ils sont en grand nombre. Recevez donc les affaires qui vous arriveront, en paix et tâchez de les faire par ordre, l'un après l'autre. Car si vous les voulez faire tout à coup, ou en désordre, vous ferez des efforts qui vous fouleront et alanguiront votre esprit; et pour l'ordinaire vous demeurerez accablée sous la presse, et sans effet.

Et en tous vos affaires, appuyez-vous totalement sur la providence de Dieu, par laquelle seule tous vos desseins doivent réussir : travaillez néanmoins de votre côté tout doucement pour coopérer avec icelle, et puis croyez que si vous vous êtes bien confiée en Dieu, le succès qui vous

arrivera sera toujours le plus profitable pour vous, soit
qu'il vous semble bon ou mauvais, selon votre jugement
particulier.

Faites comme les petits enfants, qui de l'une des mains
se tiennnent à leur père, et de l'autre cueillent des fraises, ou
des mûres le long des haies. Car de même amassant et
maniant les biens de ce monde de l'une de vos mains,
tenez toujours de l'autre la main du Père céleste, vous
retournant de temps en temps à lui, pour voir s'il a
agréable votre ménage ou vos occupations. Et gardez bien
sur toutes choses de quitter sa main et sa protection,
pensant d'amasser ou recueiller davantage : car s'il vous
abandonne, vous ne ferez point de pas, sans donner du
nez en terre. Je veux dire, ma Philothée, que quand vous
serez parmi les affaires et occupations communes, qui ne
requièrent pas une attention si forte et si pressante, vous
regardiez plus Dieu, que les affaires. Et quand les affaires
sont de si grande importance qu'ils requièrent toute votre
attention pour être bien faits, de temps en temps vous
regarderez à Dieu, comme font ceux qui naviguent en
mer, lesquels, pour aller à la terre qu'ils désirent, regardent
plus en haut au Ciel, que non pas en bas où ils voguent :
ainsi Dieu travaillera avec vous, en vous et pour vous, et
votre travail sera suivi de consolation.

*Introduction à la vie dévote*

## 85     *De la bienséance des habits*

LA femme mariée se peut et doit orner auprès de son mari,
quand il le désire : si elle en fait de même en étant éloignée,
on demandera quels yeux elle veut favoriser avec ce soin
particulier. On permet plus d'affiquets aux filles, parce
qu'elles peuvent loisiblement désirer d'agréer à plusieurs,
quoique ce ne soit qu'afin d'en gagner un par un saint
mariage. On ne trouve pas non plus mauvais que les
veuves à marier se parent aucunement, pourvu qu'elles

ne fassent point paraître de folâtrerie, d'autant qu'ayant
déjà été mères de famille, et passé par les regrets du veuvage,
on tient leur esprit pour mûr et attrempé. Mais quant aux
vraies veuves, qui le sont non seulement de corps mais
aussi de cœur, nul ornement ne leur est convenable, sinon
l'humilité, la modestie et la dévotion. Car si elles veulent
donner de l'amour aux hommes, elles ne sont pas vraies
veuves; et si elles n'en veulent pas donner, pourquoi en
portent-elles les outils? Qui ne veut recevoir les hôtes, il
faut qu'il ôte l'enseigne de son logis. On se moque toujours
des vieilles gens quand ils veulent faire les jolis: c'est une
folie qui n'est supportable qu'à la jeunesse... Tenez-vous
toujours tant qu'il vous sera possible, du côté de la simplicité et modestie, qui est sans doute le plus grand ornement
de la beauté, et la meilleure excuse pour la laideur. Saint
Pierre avertit principalement les jeunes femmes de ne porter
point leur cheveux tant crêpés, frisés, annellés et serpentés.
Les hommes qui sont si lâches que de s'amuser à ces
muguetteries sont par tous décriés comme hermaphrodites.
Et les femmes vaines sont tenues pour imbéciles en chasteté,
au moins si elles en ont, elle n'est pas visible parmi tant de
fatras et bagatelles. On dit qu'on n'y pense pas mal; mais
je réplique comme j'ai fait ailleurs: que le diable en y
pense toujours.

*Introduction à la vie dévote*

# ARMAND DU PLESSIS, CARDINAL
# DE RICHELIEU

1585–1642

*86*               *Des lettres*

COMME la connaissance des lettres est tout à fait nécessaire
à une république, il est certain qu'elles ne doivent pas être
indifféremment enseignées à tout le monde.

Ainsi qu'un corps, qui auroit des yeux en toutes ses parties, seroit monstrueux, de même un État le seroit-il, si tous les sujets étoient savants. On y verroit aussi peu d'obéissance que l'orgueil et la présomption y seroient ordinaires; le commerce des lettres banniroit absolument celui de la marchandise, qui comble les États de richesses; il ruineroit l'agriculture, vraie mère nourrice des peuples, et il déserteroit en peu de temps la pépinière des soldats, qui s'élèvent plutôt dans la rudesse de l'Ignorance que dans la politesse des sciences; il rempliroit enfin la France de chicaneurs plus propres à ruiner les familles et troubler le repos public qu'à procurer aucun bien aux États.

Si les lettres étoient profanées à toutes sortes d'esprits, on verroit plus de gens capables de former des doutes que de les résoudre, et beaucoup seroient plus propres à s'opposer aux vérités qu'à les défendre. C'est en cette considération que les politiques veulent, en un État bien réglé, plus de maîtres des arts mécaniques que de maîtres ès arts libéraux pour enseigner les lettres. J'ai souvent vu, pour la même raison, le Cardinal Du Perron, souhaiter ardemment la supression d'une partie des Collèges de ce Royaume: il désiroit en faire établir 4 ou 5 célèbres dans Paris et deux dans chaque ville métropolitaine des provinces; il ajoutoit à toutes les considérations, que j'ai rapportées, qu'il étoit impossible qu'on pût trouver, en chaque siècle, assez de gens savants pour former une multitude de collèges, au lieu que, si on se contentoit d'en avoir un nombre modéré, on les pourroit remplir de dignes sujets, qui conserveroient le feu du temple en sa pureté et qui transmettroient par succession non interrompue les sciences en leur perfection.

Il me semble, en effet, lorsque je considère le grand nombre de gens, qui font profession d'enseigner les lettres et la multitude des Enfants qu'on fait instruire, que je vois un nombre infini de malades, qui, n'ayant autre but

que de boire de l'eau pure et claire pour leur guérison, sont
pressés d'une soif si déréglée que, recevant indifféremment
toutes celles qui leur sont présentées, la plus grande partie
en boit d'Impures et souvent dans des vaisseaux em-
poisonnés, ce qui augmente leur soif et leur mal au lieu de
soulager l'un et l'autre.

Enfin, de ce grand nombre de collèges, indifféremment
établis en tous lieux, il arrive deux maux, l'un que je viens
de représenter par la médiocre capacité de ceux qu'on
contraint à enseigner, ne pouvant trouver assez de sujets
éminents pour remplir les chaires, l'autre le peu de disposition naturelle qu'ont aux lettres beaucoup de ceux, que
leurs parents font étudier à cause de la commodité qu'ils en
trouvent, sans que la portée de leur esprit soit examinée,
d'où vient que presque tous ceux qui étudient demeurent
avec une médiocre teinture des lettres, les uns pour n'être
pas capables de plus, les autres pour être mal instruits.

*Testament politique*

## 87   *L'application nécessaire aux affaires publiques*

Il n'y a rien de plus contraire à l'application, nécessaire
aux affaires publiques, que l'attachement que ceux qui en
ont l'administration peuvent avoir aux femmes. Je sais
bien qu'il y a certains esprits tellement supérieurs et
maîtres d'eux-mêmes que, bien qu'ils soient divertis de ce
qu'ils doivent à Dieu par quelques affections déréglées, ils
ne se divertissent pas pour cela, de ce qu'ils doivent à
l'État. Il s'en trouve qui, ne rendant pas maîtresses de
leur volonté celles qui le sont de leurs plaisirs, ne s'at-
tachent qu'aux choses, à quoi leur fonction les oblige.

Mais il y en a peu de cette nature et il faut avouer que,
comme une femme a perdu le monde, rien n'est plus capable
de nuire aux États que ce sexe, lorsque, prenant pied sur

ceux qui les gouvernent, il les fait souvent mouvoir comme
bon lui semble et mal, par conséquent, les meilleures
pensées des femmes étant presque toujours mauvaises en
celles qui se conduisent par leurs passions, qui tiennent
d'ordinaire lieu de raison en leur esprit, au lieu que la
raison est le seul et le vrai motif, qui doit animer et faire
agir ceux qui sont dans l'Emploi des affaires publiques.

Quelque force qu'ait un Conseiller d'État, il est impossible qu'il puisse bien s'appliquer à sa charge, s'il n'est
entièrement libre de tous semblables attachements. Il
peut bien avec eux ne pas manquer à son devoir; mais,
s'il en est exempt, il fera beaucoup mieux.

*Testament politique*

# HONORAT DE BUEIL,
## SEIGNEUR DE RACAN

1589–1670

*88            Touchant la poésie dragmatique*

JE me suis quelquefois estonné comment on y[1] pouvoit
souffrir qu'en la représentation d'un conseil de guerre on
y alléguoit l'histoire de Priam ou les travaux d'Hercule
plustost que des exemples tirés de l'histoire, et qu'au
récit d'une bataille l'on y meslast des descriptions ornées du
levant et du couchant du soleil, des rivières et des montagnes, qui donnoient les avantages et désavantages aux
ennemis; et que là où il suffiroit de dire que l'on commença
le combat devant ou après midy, au matin ou au soir, on y
ajoute que l'Aurore peignoit le ciel de roses et de lys, ou
que les chevaux du Soleil, lassez de leur pénible montée,
s'alloyent rafraîchir dans les eaux du Tage; et que l'on ne se
puisse contenter de dire que le camp étoit fermé et couvert

[1] au théâtre

d'un côté d'une rivière, et de l'autre d'une montagne, sans
en décrire les vagues fugitives d'elles-mesmes, et les
rochers qui exposent leurs testes nues à l'inclémence des
éclairs... Je vous en dirois autant des règles trop étroites que
l'antiquité vouloit établir pour la perfection du théâtre.
L'unité du lieu, du temps et de l'action, y sont sans doute
nécessaires; mais cette trop grande rigueur que l'on y
apporte met les plus beaux sujets dans les gesnes, et est
cause que les comédies ne sont pas aussi agréables aux
esprits médiocres qui remplissent le plus souvent les trois
parts de l'hostel de Bourgogne, et qui sont ceux, à mon
avis, que l'on doit le plus considérer si l'on veut acquérir
de la réputation en ce genre d'écrire.

Je vous confesse qu'en ma plus grande jeunesse je
ne pouvois souffrir que l'on fist paroître Alceste faisant
l'amour à la fille du roy son maître, et se résoudre à l'enlever
après en avoir été refusé; que l'on le fist voir, au second,
dans une forest, en habit de charbonnier, avec sa nouvelle
épouse; qu'il parust, au troisième acte, un fils âgé de
quatorze ou quinze ans, provenu de ce mariage, qui alloit
au marché, et qui, au lieu d'acheter du pain et de la viande
pour les nécessitez de leur famille, achetast des épées, des
plumes et des baudriers; qu'au quatrième acte ce même
enfant témoignast son courage dans les armées, et qu'au
cinquième, pour dénouer l'intrigue, il se fist reconnoître
digne de sa naissance, et ramenast son père et sa mère aux
pieds de son grand-père obtenir leur grâce.

Ce grand intervalle de temps représenté en deux heures
choquoit le sens des esprits bien faits. Cependant cette
pièce estoit estimée l'une des plus pathétiques de ce temps-
là, et le peuple en eust été pleinement satisfait s'ils eussent
pu vieillir les visages des acteurs à toutes les scènes, en
sorte que celui qui avoit paru au premier acte faisant
l'amour frisé et poudré, avec le premier coton qui ne
commençoit qu'à percer sur ses lèvres, parust, au dernier,

aux pieds du roy, avec une calote de travers et une barbe infolio.

Pour l'unité du lieu, l'on ne la connoissoit pas en ce temps là, et l'on souffroit la scène tantost dans le palais et dans la chambre du roy, tantost dans la forest et dans la heute du charbonnier. Et cependant, avecques toutes ces disparates, cette pièce estoit plus estimée que si elle eust esté dans les règles, où l'on eust fait toute la tragé-comédie du dernier acte, où l'on représente les amans aux pieds du roy, après avoir rapporté par épisodes ce qu'il y a de plus pathétique aux quatre premiers actes.

*Lettre à M. l'abbé Ménage*

# JEAN-LOUIS GUEZ DE BALZAC

1594-1654

*89*       *Virgile et moy vous y attendons*

NOUS sommes icy en un petit rond, tout couronné de montagnes, où il reste encore quelques grains de cet or dont les premiers siecles ont esté faits. Certainement, quand le feu s'allume aux quatre coins de la France, et qu'à cent pas d'icy la terre est toute couverte de troupes, les armées ennemies d'un commun consentement pardonnent tous-jours à nostre village, et le printemps, qui commence les sieges et les autres entreprises de la guerre, et qui depuis douze ans a esté moins attendu pour le changement des saisons que pour celuy des affaires, ne nous fait jamais rien voir de nouveau que des violettes et des roses. Nostre Peuple ne se conserve dans son innocence ny par la crainte des Loix ny par l'estude de la Sagesse; pour bien faire, il suit simplement la bonté de sa nature, et tire plus d'avantage de l'ignorance du vice, que nous n'en avons de la connois-sance de la Vertu. De sorte qu'en ce Royaume de demie

lieuë on ne sçait que tromper que les oyseaux et les bestes,
et le stile du Palais est une langue aussi inconnuë que celle
de l'Amerique ou de quelque autre nouveau monde, qui
s'est sauvé de l'avarice de Ferdinand et de l'ambition
d'Ysabelle. Les choses qui nuisent à la santé des hommes,
ou qui offensent leurs yeux, en sont generalement bannies :
il ne s'y vit jamais de lezars ny de coleuvres, et de toutes
les sortes de reptiles, nous ne connoissons que les melons
et les fraises. Je ne veux pas vous faire le portrait d'une
maison dont le dessein n'a pas esté conduit selon les règles
de l'architecture, et la matiere n'est pas si precieuse que le
marbre et le porphyre. Je vous diray seulement qu'à la
porte il y a vn bois où en plein midy il n'entre de jour que
ce qu'il en faut pour n'estre pas nuict, et pour empescher
que toutes les couleurs ne soient noires. Tellement que, de
l'obscurité et de la lumiere, il se fait un troisiesme temps,
qui peut estre supporté des yeux des malades et cacher les
defauts des femmes qui sont fardées. Les arbres y sont
verds jusques à la racine, tant de leurs propres feuilles
que de celles du lierre qui les embrasse, et pour le fruict
qui leur manque, leurs branches sont chargées de tourtres
et de faisans en toutes les saisons de l'année. De là, j'entre
en vne prairie, où je marche sur les tulipes et les anemones,
que j'ay fait mesler avec les autres fleurs... Je descends
aussi quelquefois dans cette vallée, qui est la plus secrette
partie de mon desert, et qui jusques icy n'avoit esté
connuë de personne. C'est vn pays à souhaiter et à
peindre, que j'ay choisi pour vacquer à mes plus cheres
occupations, et passer les plus douces heures de ma vie.
L'eau et les arbres ne le laissent jamais manquer de frais et
de verd. Les Cygnes, qui couvroient autrefois toute la
riviere, se sont retirez en ce lieu de seureté, et vivent dans
un canal qui fait resver les plus grands parleurs, aussitost
qu'ils s'en approchent, et au bord duquel je suis tousjours
heureux, soit que je sois joyeux, soit que je sois triste. Pour

peu que je m'y arreste, il me semble que je retourne en ma premiere innocence. Mes desirs, mes craintes et mes esperances cessent tout d'un coup. Tous les mouvemens de mon ame se relaschent, et je n'ay point de passions, ou si j'en ay, je les gouverne comme des bestes apprivoisées. Le Soleil envoye bien de la clarté jusques-là, mais il n'y fait jamais aller de chaleur; le lieu est si bas, qu'il ne sçauroit recevoir que les dernieres pointes de ses rayons, qui sont d'autant plus beaux qu'ils ont moins de force, et que leur lumiere est toute pure...

*Lettre du 4 septembre 1622 à Monsieur de Lamotte-Aigron*

## 90        *La principale science des roys*

IL est certain que la principale science des Roys doit avoir pour objet la Royauté. Leur Philosophie doit estre practique, et quitter l'ombre et les jardins, où l'on passe vne vie douce et obscure, pour se faire voir dans la lice et dans le grand Monde, toute couverte de sueur et de poussiere. Elle ne doit point s'occuper à chercher ces inutiles Veritez, qui ne rendent ceux qui les ont trouvées, ny meilleurs, ny plus heureux qu'ils estoient. Il faut qu'elle travaille à l'acquisition des vertus actives et necessaires au Monde: Il faut qu'elle opere la felicité de l'Estat, et non pas le simple contentement de l'esprit: Il faut qu'elle fasse des experiences d'une chose dont l'Eschole ne sçait faire que des discours.

*Le Prince*

# RENÉ DESCARTES

1596–1650

## 91        *La méthode que je m'étais prescrite*

COMME la multitude des lois fournit souvent des excuses aux vices, en sorte qu'un État est bien mieux réglé lorsque, n'en ayant que fort peu, elles y sont fort étroitement observées ; ainsi, au lieu de ce grand nombre de préceptes dont la logique est composée, je crus que j'aurais assez des quatre suivants, pourvu que je prisse une ferme et constante résolution de ne manquer pas une seule fois à les observer.

Le premier était de ne recevoir jamais aucune chose pour vraie que je ne la connusse évidemment être telle : c'est-à-dire d'éviter soigneusement la précipitation et la prévention, et de ne comprendre rien de plus en mes jugements que ce qui se présenterait si clairement et si distinctement à mon esprit, que je n'eusse aucune occasion de le mettre en doute.

Le second, de diviser chacune des difficultés que j'examinerais, en autant de parcelles qu'il se pourrait, et qu'il serait requis pour les mieux résoudre.

Le troisième, de conduire par ordre mes pensées, en commençant par les objets les plus simples et les plus aisés à connaître, pour monter peu à peu comme par degrés jusqu'à la connaissance des plus composés, et supposant même de l'ordre entre ceux qui ne se précèdent point naturellement les uns les autres.

Et le dernier, de faire partout des dénombrements si entiers et des revues si générales que je fusse assuré de ne rien omettre.

*Discours de la méthode*

## 92     *Je me formai une morale*

Et enfin,... je me formai une morale par provision qui ne consistait qu'en trois ou quatre maximes dont je veux bien vous faire part... Ma seconde maxime était d'être le plus ferme et le plus résolu en mes actions que je pourrais, et de ne suivre pas moins constamment les opinions les plus douteuses lorsque je m'y serais une fois déterminé,

que si elles eussent été très assurées : imitant en ceci les
voyageurs, qui se trouvant égarés en quelque forêt, ne
doivent pas errer en tournoyant tantôt d'un côté, tantôt
d'un autre, ni encore moins s'arrêter en une place, mais
marcher toujours le plus droit qu'ils peuvent vers un
même côté, et ne le changer point pour de faibles raisons,
encore que ce n'ait peut-être été au commencement que
le hasard seul qui les ait déterminés à le choisir ; car, par ce
moyen, s'ils ne vont justement où ils désirent, ils arrivent
au moins à la fin quelque part où vraisemblablement ils
seront mieux que dans le milieu d'une forêt. Et ainsi les
actions de la vie ne souffrant souvent aucun délai, c'est
une vérité très certaine que, lorsqu'il n'est pas en notre
pouvoir de discerner les plus vraies opinions, nous devons
suivre les plus probables ; et même qu'encore que nous
ne remarquions point davantage de probabilité aux unes
qu'aux autres, nous devons néanmoins nous déterminer à
quelques-unes, et les considérer après, non plus comme
douteuses en tant qu'elles se rapportent à la pratique, mais
comme très vraies et très certaines, à cause que la raison
qui nous y a fait déterminer se trouve telle. Et ceci fut
capable dès lors de me délivrer de tous les repentirs et les
remords qui ont coutume d'agiter les consciences de ces
esprits faibles et chancelants qui se laissent aller in-
constamment à pratiquer comme bonnes les choses qu'ils
jugent après être mauvaises.

*Discours de la méthode*

93                    *De l'instinct des bêtes*

POUR ce qui est de l'entendement ou de la pensée que
Montaigne et quelques autres attribuent aux bêtes, je ne
puis être de leur avis... Je sais bien que les bêtes font
beaucoup de choses mieux que nous, mais je ne m'en
étonne pas ; car cela même sert à prouver qu'elles agissent

naturellement et par ressorts, ainsi qu'une horloge, laquelle montre bien mieux l'heure qu'il est, que notre jugement ne nous l'enseigne. Et sans doute que, lorsque les hirondelles viennent au printemps, elles agissent en cela comme des horloges. Tout ce que font les mouches à miel est de même nature, et l'ordre que tiennent les grues en volant, et celui qu'observent les singes en se battant, s'il est vrai qu'ils en observent quelqu'un, et enfin l'instinct d'ensevelir leurs morts, n'est pas plus étrange que celui des chiens et des chats, qui grattent la terre pour ensevelir leurs excréments, bien qu'ils ne les ensevelissent presque jamais : ce qui montre qu'ils ne le font que par instinct, et sans y penser. On peut seulement dire que, bien que les bêtes ne fassent aucune action qui nous assure qu'elles pensent, toutefois, à cause que les organes de leurs corps ne sont pas fort différents des nôtres, on peut conjecturer qu'il y a quelque pensée jointe à ces organes, ainsi que nous expérimentons en nous, bien que la leur soit beaucoup moins parfaite. A quoi je n'ai rien à répondre, sinon que, si elles pensaient ainsi que nous, elles auraient une âme immortelle aussi bien que nous ; ce qui n'est pas vraisemblable, à cause qu'il n'y a point de raison pour le croire de quelques animaux, sans le croire de tous, et qu'il y en a plusieurs trop imparfaits pour pouvoir croire cela d'eux, comme sont les huitres, les éponges, etc.

*Lettre du 23 novembre 1646 au Marquis de Newcastle*

## 94        *Sur la mort d'un frère*

MONSIEUR,... je m'assure que vous me souffrirez mieux, si je ne m'oppose point à vos larmes, que si j'entreprenais de vous détourner d'un ressentiment que je crois juste. Mais il doit néanmoins y avoir quelque mesure ; et comme ce serait être barbare que de ne se point affliger du tout,

lorsqu'on en a du sujet, aussi serait-ce être trop lâche de
s'abandonner entièrement au déplaisir...

Enfin, Monsieur, toutes nos afflictions, quelles qu'elles
soient, ne dépendent que fort peu des raisons auxquelles
nous les attribuons, mais seulement de l'émotion et du
trouble intérieur que la nature excite en nous-mêmes; car
lorsque cette émotion est apaisée, encore que toutes les
raisons que nous avions auparavant demeurent les mêmes,
nous ne nous sentons plus affligés. Or je ne veux point vous
conseiller d'employer toutes les forces de votre résolution
et constance, pour arrêter tout d'un coup l'agitation
intérieure que vous sentez : ce serait peut-être un remède
plus fâcheux que la maladie; mais je ne vous conseille pas
aussi d'attendre que le temps seul vous guérisse, et beaucoup moins d'entretenir et prolonger votre mal par vos
pensées. Je vous prie seulement de tâcher peu à peu de
l'adoucir, en ne regardant ce qui vous est arrivé que du
biais qui vous le peut faire paraître le plus supportable,
et en vous divertissant le plus que vous pourrez par
d'autres occupations.

*Lettre à Alphonse Pollot* [janv. 1641]

## 95    *Je ne suis pas ici en mon élément*

... DEPUIS les lettres que j'ai eu l'honneur de vous écrire
le 8 décembre, je n'ai vu la Reine que quatre ou cinq fois,
et c'a toujours été le matin en sa bibliothèque, en la compagnie de Monsieur Freinshemius, où il ne s'est présenté
aucune occasion de parler de rien qui vous touche... Pour
d'autres visites, je n'en fais aucunes, et je n'entends parler
de rien, de façon qu'il me semble que les pensées des
hommes se gèlent ici pendant l'hiver aussi bien que les
eaux; mais le zèle que j'ai pour votre service ne saurait
jamais se refroidir pour cela. Je vous suis extrêmement

obligé de la bonne opinion qu'il vous a plu donner de moi
à Monsieur Salvius; je crains seulement que, si je suis
encore ici, lorsqu'il y viendra, il ne me trouve si différent
de l'homme que vous lui aurez représenté, que cela lui
fasse d'autant mieux voir mes défauts. Mais je vous jure
que le désir que j'ai de retourner en mon désert, s'augmente
tous les jours de plus en plus, et que je ne sais pas même
si je pourrai attendre ici le temps de votre retour. Ce n'est
pas que je n'aie toujours un zèle très parfait pour le service
de la Reine, et qu'elle ne me témoigne autant de bienveillance que j'en puis raisonnablement souhaiter. Mais je
ne suis pas ici en mon élément, et je ne désire que la
tranquillité et le repos, qui sont des biens que les plus
puissants rois de la terre ne peuvent donner à ceux qui
ne les savent pas prendre d'eux-mêmes. Je prie Dieu qu'il
vous fasse avoir ceux que vous désirez.

*Lettre du 15 janvier 1650 au vicomte de Brégy*

# VINCENT VOITURE

1598–1648

*96*          '*Car*'

En un temps où la fortune jouë des tragedies par tous les
endroits de l'Europe, je ne voy rien si digne de pitié que
quand je voy que l'on est prest de chasser et faire le procez
à un mot qui a si utilement servi cette monarchie, et qui,
dans toutes les brouïlleries du royaume, s'est toujours
monstré bon François. Pour moy, je ne puis comprendre
quelles raisons ils pourront alleguer contre une diction qui
marche tousjours à la teste de la raison et qui n'a point
d'autre charge que de l'introduire. Je ne sçay pour quel
interest ils taschent d'oster à *Car* ce qui luy appartient pour
le donner à *Pour-ce-que*, ny pourquoy ils veulent dire avec
trois mots ce qu'ils peuvent dire avec trois lettres. Ce qui

est le plus à craindre, Mademoiselle, c'est qu'après cette
injustice on en entreprendra d'autres; on ne fera point de
difficulté d'attaquer *Mais*, et je ne sçay si *Si* demeurera en
seureté: de sorte qu'après nous avoir osté toutes les
paroles qui lient les autres, les beaux esprits nous voudront
reduire au langage des anges, ou, si cela ne se peut, ils
nous obligeront au moins à ne parler que par signes.
Certes, j'avouë qu'il est vray ce que vous dites, qu'on ne
peut mieux connoistre par aucun autre exemple l'incertitude
des choses humaines. Qui m'eust dit, il y a quelques années,
que j'eusse deû vivre plus longtemps que *Car*, j'eusse creu
qu'il m'eust promis une vie plus longue que celle des
patriarches; cependant il se trouve qu'après avoir vescu
onze cens ans plein de force et de credit, après avoir esté
employé dans les plus importans traittez et assisté tousjours
honorablement dans le conseil de nos roys, il tombe tout
d'un coup en disgrace, et est menacé d'une fin violente. Je
n'attens plus que l'heure d'entendre en l'air des voix
lamentables qui diront: «Le grand *Car* est mort.» Et le
trespas du grand *Cam* ny du grand *Pan* ne sembleroit pas
si important ny si estrange. Je sçay que, si l'on consulte
là-dessus un des plus beaux esprits de nostre siècle, et que
j'ayme extrêmement, il dira qu'il faut condamner cette
nouveauté, qu'il faut user du *Car* de nos peres aussi bien
que de leur terre et de leur soleil, et que l'on ne doit point
chasser un mot qui a esté dans la bouche de Charlemagne
et de saint Louis... Parmy tout cela, je confesse que j'ay
esté estonné de voir combien vos bontez sont bizarres, et
que je trouve estrange que vous, Mademoiselle, qui laisseriez perir cent hommes sans en avoir pitié, ne puissiez voir
mourir une syllabe. Si vous eussiez eu autant de soin de
moy que vous en avez de *Car*, j'eusse esté bienheureux,
malgré ma mauvaise fortune. La pauvreté, l'exil et la douleur
ne m'auroient qu'a peine touché; et, si vous ne m'eussiez
pû oster ces maux, vous m'en eussiez au moins osté le

sentiment. Lors que j'esperois recevoir quelque consolation dans vostre lettre, j'ay trouvé qu'elle estoit plus pour *Car* que pour moy, et que son bannissement vous mettoit plus en peine que le nostre. J'avouë, Mademoiselle, qu'il est juste de le deffendre; mais vous deviez avoir soin de moy aussi bien que de luy, afin que l'on ne vous reproche pas que vous abandonnez vos amis pour un mot. Vous ne respondez rien à tout ce que je vous avois escrit; vous ne parlez point des choses qui me regardent. En trois ou quatre pages, à peine vous souvient-il une fois de moy, et la raison en est *Car*. Considerez-moy davantage une autre fois, s'il vous plaist; et, quand vous entreprendrez la deffense des affligez, souvenez-vous que je suis du nombre. Je me serviray tousjours de luy-mesme pour vous obliger à m'accorder cette grace, et je vous asseure que vous me la devez; *Car* je suis, Mademoiselle, vostre, etc.

*Lettre à Mademoiselle de Rambouillet* [c. 1635]

## 97 *Le chat que vous m'avez envoyé*

MADAME, j'estois desja si fort à vous que je pensois que vous deviez croire qu'il n'estoit pas besoin que vous me gagnassiez par des presens, ni que vous fissiez dessein de me prendre comme un rat avec un chat. Neantmoins j'avoüe que vostre liberalité n'a pas laissé de produire en moy quelque nouvelle affection, et, s'il y avoit encore quelque chose dans mon esprit qui ne fust pas à vous, le chat que vous m'avez envoyé a achevé de le prendre et vous l'a gagné entierement. C'est, sans mentir, le plus beau et le plus agreable qui fust jamais. Les plus beaux chats d'Espagne ne sont que des chats bruslez au prix de luy, et Rominagrobis mesme (vous sçavez bien, Madame, que Rominagrobis est prince des chats) ne sçauroit avoir meilleure mine et ne sentiroit pas mieux son bien. J'y

trouve seulement à dire qu'il est de très-difficile garde, et
que, pour un chat nourry en religion, il est fort mal disposé
à garder la closture. Il ne voit point de fenestre ouverte
qu'il ne s'y veüille jetter. Il aurait desja vingt-six fois
sauté les murailles si on l'avoit laissé faire, et il n'y a
point de chat seculier qui soit si libertin ni plus volon-
taire que luy. J'espere pourtant que je l'arresteray par le
bon traittement que je luy fais. Je ne le nourris que de
fromages et de biscuits. Peut-estre, Madame, qu'il n'estoit pas si bien traitté chez vous, car je pense que les
dames d'Yeres[1] ne laissent pas aller les chats aux fromages, et que l'austerité du couvent ne permet pas que
l'on leur fasse si bonne chere. Il commence desja à
s'apprivoiser : il me pensa hier emporter une main en se
joüant. C'est, sans mentir, la plus jolie beste du monde ; il
n'y a personne en mon logis qui ne porte de ses marques.
Mais, quelque aimable qu'il soit de sa personne, ce sera
tousjours en vostre consideration que j'en feray cas ; et je
l'aimeray tant, pour l'amour de vous, que j'espere que je
feray changer le proverbe, et que l'on dira d'oresnavant :
« Qui m'aime, aime mon chat ».

*Lettre à Madame l'Abbesse d'Yeres
pour la remercier d'un chat qu'elle lui avait envoyé*

# TRISTAN L'HERMITE
1602–1655
98     *D'un singe qui faisoit largesse*

On nourrissoit en nostre maison un grand Singe, qui
n'avoit pas plus de douze ou quatorze ans, mais qui estoit
assez malicieux pour son aage. Il ne se passoit gueres de
jours, qu'on ne descouvrit en ce maudit animal quelque
nouvelle meschanceté... Souvent il alloit se mettre au
guet dans la salle des gardes du Prince, lors qu'il y voyoit

[1] A Benedictine convent

joüer aux dez, pour ramasser subtilement l'argent, qui
tomboit quelquefois à terre, et s'enfuir au cabaret : car il
estoit fort grand yvrogne. Et comme cela ne luy reüssissoit
pas souvent, il cherchoit par tout d'autres moyens pour
avoir de quoy boire. Il s'offrit un jour une belle occasion
pour cet effet : le Prince estoit allé en une certaine expedition, accompagné de beaucoup de gens de guerre; il
s'arresta dans une petite ville pour faire faire montre à
son armée, et Maistre Robert qui suivoit par tout monté
sur un des chariots de bagage, descendit où l'on avoit
marqué les offices du General, et par mal-heur, ce fut fort
prés de la maison que prit le Payeur des gensdarmes. Ce
méchant animal, qui ne cherchoit que le moyen de pouvoir
aller s'enyvrer, entendit bien-tost que l'on contoit de
l'argent chez ce Thresorier, et se presenta deux ou trois
fois à la porte, pour essayer d'y faire quelque rafle et
s'enfuir; mais on luy ferma tousjours l'huys au nez; enfin
le Payeur et son Commis estans sortis pour quelque affaire,
aprés avoir bien fermé les portes de leur logis, Maistre
Robert prit fort bien son temps, et montant par un degré
qui estoit aux offices, jusques sur les tuilles de la maison,
trouva l'invention de descendre dans la chambre du Payeur,
dont les fenestres avoient été laissées ouvertes. La premiere
chose qu'il fit, ce fut de remplir ses bouges de pistoles qu'il
trouva estalées sur la table, comme cela parut aprés, et
s'estant muny de ce dont il s'imaginoit avoir besoin pour
trafiquer au cabaret, il prit un sac de pieces d'or et montant
sur la couverture de la maison, se mit à les jetter à poignées.
Au commencement ce n'estoit que pour avoir le plaisir
de les voir tomber, et faire bruit sur le pavé; mais en suite
ce fut pour avoir le divertissement de voir tout le monde
se battre à qui en auroit. Cela le fit rentrer dans la chambre,
pour aller querir d'autres sacs quand celuy-là fut vuidé, et
le nombre fut si grand des personnes qui se presserent
pour arriver à l'endroit où Maistre Robert faisoit largesse,

qu'on ne pouvoit plus entrer dans la ruë. Tellement que le
Payeur tout transi de douleur et son Commis fondant en
larmes, ne pûrent approcher de leur maison, et furent de
loin spectateurs du desastre, sans pouvoir jamais y donner
ordre : les gardes du Prince y vinrent pour faire retirer le
peuple, mais ils eurent beau crier, et commander au nom
du Prince que cette populace se retirast, cette foule de gens
ne connoissoit plus rien que Maistre Robert; et n'avoit
plus d'yeux que pour le regarder, ny de main que pour
essayer de prendre ce qu'il jettoit. La gendarmerie fut
mal payée pour ce jour-là; mais en revanche il y eut tel
simple soldat, qui receut par les mains de Maistre Robert
trente cinq et quarante pistoles.

*Le Page disgracié*

# PIERRE CORNEILLE

1606-1684

*99*      *L'utilité du poème dramatique*

LA seconde utilité du poème dramatique se rencontre en
la naïve peinture des vices et des vertus, qui ne manque
jamais à faire son effet, quand elle est bien achevée, et que
les traits en sont si reconnaissables qu'on ne les peut
confondre l'un dans l'autre, ni prendre le vice pour vertu.
Celle-ci se fait alors toujours aimer, quoique malheureuse;
et celui-là se fait toujours haïr, bien que triomphant. Les
anciens se sont fort souvent contentés de cette peinture,
sans se mettre en peine de faire récompenser les bonnes
actions, et punir les mauvaises. Clytemnestre et son
adultère tuent Agamemnon impunément; Médée en fait
autant de ses enfants, et Atrée de ceux de son frère Thyeste,
qu'il lui fait manger. Il est vrai qu'à bien considérer ces
actions qu'ils choisissaient pour la catastrophe de leurs
tragédies, c'étaient des criminels qu'ils faisaient punir,

mais par des crimes plus grands que les leurs. Thyeste
avait abusé de la femme de son frère; mais la vengeance
qu'il en prend a quelque chose de plus affreux que ce
premier crime. Jason était un perfide d'abandonner Médée,
à qui il devait tout; mais massacrer ses enfants à ses yeux
est quelque chose de plus. Clytemnestre se plaignait des
concubines qu'Agamemnon ramenait de Troie; mais il
n'avait point attenté sur sa vie, comme elle fait sur la
sienne; et ces maîtres de l'art ont trouvé le crime de son fils
Oreste, qui la tue pour venger son père, encore plus grand
que le sien, puisqu'ils lui ont donné des Furies vengeresses
pour le tourmenter, et n'en ont point donné à sa mère,
qu'ils font jouir paisiblement avec son Égisthe du royaume
d'un mari qu'elle avait assassiné.

*De l'utilité et des parties du poème dramatique*

## 100 *Le crime en son char de triomphe*

MONSIEUR,

Je vous donne *Médée* toute méchante qu'elle est, et ne
vous dirai rien pour sa justification. Je vous la donne pour
telle que vous la voulez prendre, sans tâcher à prévenir ou
violenter vos sentiments par un étalage des préceptes de
l'art, qui doivent être fort mal entendus et fort mal prati-
qués quand ils ne nous font pas arriver au but que l'art
se propose. Celui de la poésie dramatique est de plaire, et
les règles qu'elle nous prescrit ne sont que des adresses
pour en faciliter les moyens au poète, et non pas des raisons
qui puissent persuader aux spectateurs qu'une chose soit
agréable quand elle leur déplaît. Ici vous trouverez le crime
en son char de triomphe, et peu de personnages sur la
scène dont les mœurs ne soient plus mauvaises que bonnes;
mais la peinture et la poésie ont cela de commun, entre
beaucoup d'autres choses, que l'une fait souvent de beaux
portraits d'une femme laide, et l'autre de belles imitations

d'une action qu'il ne faut pas imiter. Dans la portraiture, il n'est pas question si un visage est beau, mais s'il ressemble; et dans la poésie, il ne faut pas considérer si les mœurs sont vertueuses, mais si elles sont pareilles à celles de la personne qu'elle introduit. Aussi nous décrit-elle indifféremment les bonnes et les mauvaises actions, sans nous proposer les dernières pour exemple; et si elle nous en veut faire quelque horreur, ce n'est point par leur punition, qu'elle n'affecte pas de nous faire voir, mais par leur laideur, qu'elle s'efforce de nous représenter au naturel. Il n'est pas besoin d'avertir ici le public que celles de cette tragédie ne sont pas à imiter: elles paraissent assez à découvert pour n'en faire envie à personne. Je n'examine point si elles sont vraisemblables ou non; cette difficulté, qui est la plus délicate de la poésie, et peut-être la moins entendue, demanderait un discours trop long pour une épître: il me suffit qu'elles sont autorisées ou par la vérité de l'histoire, ou par l'opinion commune des anciens. Elles vous ont agréé autrefois sur le théâtre; j'espère qu'elles vous satisferont encore aucunement sur le papier, et demeure,

Monsieur,

Votre très humble serviteur,
CORNEILLE

*Médée: Épître dédicatoire (1639) à Monsieur P.T.N.G.*

# MADELEINE DE SCUDÉRY

1607–1701

*101*     *La Carte de Tendre*

AFIN que vous compreniez mieux le dessein de Clelie, vous verrez qu'elle a imaginé qu'on peut avoir de la tendresse par trois causes différentes; ou par une grande estime, ou par reconnoissance, ou par inclination; & c'est ce qui l'a obligée d'establir ces trois Villes de Tendre, sur

trois Rivières qui portent ces trois noms, & de faire aussi
trois routes differentes pour y aller. Si bien que comme on
dit Cumes sur la Mer d'Ionie, & Cumes sur la Mer Thyr-
rene, elle fait qu'on dit Tendre sur Inclination, Tendre sur
Estime, & Tendre sur Reconnoissance. Cependant comme
elle a présupposé que la tendresse qui naist par inclination,
n'a besoin de rien autre chose pour estre ce qu'elle est;
Clelie, comme vous le voyez, Madame, n'a mis nul Village,
le long des bords de cette Riviere, qui va si viste, qu'on
n'a que faire de logement le long de ses Rives, pour aller
de Nouvelle Amitié à Tendre. Mais pour aller à Tendre
sur Estime, il n'en est pas de mesme : car Clelie a inge-
nieusement mis autant de Villages qu'il y a de petites &
de grandes choses, qui peuvent contribuer à faire naistre
par estime, cette tendresse dont elle entend parler. En
effet vous voyez que de Nouvelle Amitié on passe à un
lieu qu'elle appelle Grand esprit, parce que c'est ce qui
commence ordinairement l'estime : en suite vous voyez ces
agreables Villages de Jolis Vers, de Billet galant, & de
Billet doux, qui sont les opérations les plus ordinaires du
grand esprit dans les commencemens d'une amitié. En
suite pour faire un plus grand progrés dans cette route,
vous voyez Sincerité, Grand Cœur, Probité, Generosité,
Respect, Exactitude, & Bonté, qui est tout contre Tendre :
pour faire connoistre qu'il ne peut y avoir de veritable
estime sans bonté : & qu'on ne peut arriver à Tendre de
ce costé là, sans avoir cette precieuse qualité. Après cela,
Madame, il faut s'il vous plaist retourner à *Nouvelle
Amitié*, pour voir par quelle route on va de là à *Tendre sur
Reconnoissance*. Voyez donc je vous en prie, comment il
faut aller d'abord de Nouvelle Amitié à Complaisance :
en suitte à ce petit Village qui se nomme Soumission ; &
qui en touche un autre fort agreable, qui s'appelle Petits
Soins. Voyez, dis-je, que de là, il faut passer par Assiduité,
pour faire entendre que ce n'est pas assez d'avoir durant

quelques jours tous ces petits soins obligeans, qui donnent
tant de reconnoissance, si on ne les a assidûment. En suite
vous voyez qu'il faut passer à un autre Village qui s'appelle
Empressement : & ne faire pas comme certaines Gens
tranquiles, qui ne se hastent pas d'un moment, quelque
priere qu'on leur face : & qui sont incapables d'avoir cét
empressement qui oblige quelquesfois si fort. Après cela
vous voyez qu'il faut passer à Grands Services : & que
pour marquer qu'il y a peu de Gens qui en rendent de tels,
ce Village est plus petit que les autres. En suite, il faut passer
à Sensibilité, pour faire connoistre qu'il faut sentir jusques
aux plus petites douleurs de ceux qu'on aime. Apres il
faut pour arriver à Tendre, passer par Tendresse, car
l'amitié attire l'amitié. En suite il faut aller à Obeïssance :
n'y ayant presques rien qui engage plus le cœur de ceux à
qui on obeït, que de la faire aveuglément : & pour arriver
enfin où l'on veut aller : il faut passer à Constante Amitié,
qui est sans doute le chemin le plus seur, pour arriver à
Tendre sur Reconnoissance... Aussi cette sage Fille voulant
faire connoistre sur cette Carte, qu'elle n'avoit jamais eu
d'amour, & qu'elle n'auroit jamais dans le cœur que de la
tendresse, fait que la Riviere d'Inclination se jette dans
une Mer qu'on appelle la Mer dangereuse ; parce qu'il est
assez dangereux à une Femme, d'aller un peu au delà des
dernieres Bornes de l'amitié ; & elle fait en suitte qu'au
delà de cette Mer, c'est ce que nous appellons *Terres in-
connuës*, parce qu'en effet nous ne sçavons point ce qu'il y a,
& que nous ne croyons pas que personne ait esté plus loin
qu'Hercule ; de sorte que de cette façon elle a trouvé
lieu de faire une agreable Morale d'amitié, par un simple
jeu de son esprit ; &... quoy qu'on ne voulust montrer
cette Carte qu'à peu de personnes, elle fit pourtant un si
grand bruit par le monde, qu'on ne parloit que de la
Carte de Tendre.

*Clélie*

# JEAN-BAPTISTE DU TERTRE[1]

1610–1687

*102*        *Du bois de couleuvre*

LE bois de Couleuvre est si utile dans ces Isles, à cause de la quantité des Serpens, que je ne puis fermer ce Chapitre sans en parler. La pluspart des arbres que je viens de décrire luy servent d'appuy, comme le chesne fait au lierre : cette plante se plaist dans les lieux humides, & lors qu'elle y rencontre des arbres, elle s'y attache par des petites chevelures de racines, & s'élève en serpentant jusqu'au haut. Son bois qui n'a pour l'ordinaire qu'un pouce ou deux de grosseur, est verd en quelques endroits ; en d'autres il est gris meslé de noir, tortu, & si semblable à une couleuvre, que ses tronçons jettez dans un lieu obscur font peur, parce qu'on les prend pour des Serpens. Ses feüilles sont grandes comme celles de la serpentine. Elles n'ont au commencement aucune découpure ; mais il s'y fait de petites cicatrices, comme si on les avoit percées d'un coûteau, lesquelles venant à s'augmenter, divisent les bords de la feüille : les Autheurs asseurent qu'elle est très souveraine contre les morsures des serpens, & que son seul attouchement les fait mourir. En effet, il me souvient d'avoir veu au pied d'un arbre, tout couvert de cette plante, sur le bord de la riviere du fort saint Pierre, dans l'Isle de la Martinique, sept ou huit serpens de differentes grandeurs, dont quelques uns estoient aussi gros que le bras, morts sur les tiges de cette plante. Ce que je fis voir à un Chirurgien, nommé l'Auvergnat, & à quelques autres personnes, qui depuis en ont fait telle estime, que non seulement ils en conservoient à leur maison ; mais mesme en portoient tousiours sur eux, pour s'en servir au besoin.

*Histoire générale des Antilles*

[1] Dominican priest, a missionary in the Antilles from 1640 to 1658.

*103*        *Histoire d'un metis*

Le General Waernard, Contemporain de Monsieur le General de Poincy, eut un fils d'une Esclave Sauvage de l'Isle de la Dominique : il le reconnut pour son fils, luy fit porter son nom, & le fit élever dans sa maison avec ses autres enfans. Mais bien que ce Bâtard fust nay d'une femme sauvage & esclave, il ne paroissoit rien en luy de sauvage que la couleur du cuir & du poil, & quoy qu'il eût les cheveux fort noirs, il les avoit déliez, annelez & bouclez, contre l'ordinaire des autres sauvages : sa taille estoit mediocre, mais il estoit parfaitement proportionné de tous ses membres ; il avoit le visage longuet, un grand front, & le nez aquilin, les yeux clairs, longs & ouverts ; & l'on remarquoit une certaine gravité sur son visage qui faisoit connoistre la grandeur de son courage & de son esprit. Il perdit son pere en l'adolescence, & Madame Waernard qui ne l'aimoit pas, & ne l'avoit consideré qu'à cause de son pere, commença à le persecuter, à le traiter avec tant d'inhumanité, qu'elle le faisoit travailler à la terre avec les Esclaves de sa maison.

Waernard, qui avec les belles qualitez de son esprit & de son corps, estoit un homme fier & entreprenant, crevoit de dépit de se voir reduit à une condition si malheureuse & si abjecte ; il se rendit marom[1] avec d'autres Esclaves fugitifs : mais ayant ésté repris, Madame Waernard le fit enchaîner, & luy fit mettre une epouvantable paire de fers aux pieds, & mesme l'obligeoit de travailler en cet équipage. Sa captivité dura jusques à ce que Monsieur Waernard fils legitime du General Waernard, & qui commandoit dans l'Isle de Mont-Sara, vint à S. Christophle [*sic*], où l'ayant trouvé en cet estat, en eut compassion, le delivra des fers, & pria Madame Waernard de luy donner quelque commandement sur les autres domestiques.

---

[1] marron : i.e. he escaped

Ce pauvre malheureux affranchy n'eut presque de bonheur que la presence de son frere; car aussi tost qu'il fut party, la rage de cette femme redoubla, & elle le poussa avec tant de cruauté, qu'il fut contraint de suivre le conseil que sa propre mere luy avoit inspiré, qui estoit de se retirer parmy les sauvages de la Dominique.

Il y fut bien receu à cause de sa mere; & comme il avoit de l'esprit, il gagna incontinent les cœurs des Sauvages de son quartier, qui estoit la basterre de la Dominique, qui jusques à son arrivée avoient eu aussi bien que les autres, une grosse guerre avec les Anglois. Ce Waernard entreprit de les reconcilier, & y reüssit si heureusement, qu'il les mit bien ensemble, & se fit admirer des Sauvages, sur lesquels il prit un tel ascendant, qu'il les engageoit avec une facilité merveilleuse à entreprendre les choses les plus difficiles, & à exercer des cruautez conformes à son naturel, qui n'avoit presque rien d'humain, leur donnant en tout rencontre des preuves de sa valeur, & de sa conduite. Je le croy Autheur du massacre que les Sauvages firent des François dans l'Isle de Marigalande en l'année mil six cens cinquante trois, & M. du Lion dans une Lettre écrite à M. C. le fait autheur de plusieurs maux, & coupable de quantité de meurtres. Quoy qu'il en soit, il est constant que ce galand homme, ne se promettoit rien moins que de se faire Roy de tous les Sauvages, lesquels il nommoit neantmoins des bestes, des coquins, des gueux, & des miserables indignes de luy.

Le Milord Willoughby connoissant ce dont il estoit capable, luy fit faire un voyage en Angleterre, le fit paroistre à la Cour, où il vescut en Chrestien avec les Anglois, & s'habilloit comme eux; mais estant de retour il quitta ses vestemens, & vescut en Infidelle avec les Sauvages, & marchoit nud & roucoüé comme eux; mais il ne prit qu'une seule femme.

*Histoire générale des Antilles*

# PAUL DE GONDI,
# CARDINAL DE RETZ

1613–1679

*104*         *Euphorie générale*

QUAND l'on vit que le Cardinal avait arrêté celui qui, cinq ou six semaines devant, avait ramené le Roi à Paris avec un faste inconcevable, l'imagination de tous les hommes fut saisie d'un étonnement respectueux; et je me souviens que Chapelain, qui enfin avait de l'esprit, ne pouvait se lasser d'admirer ce grand événement. L'on se croyait bien obligé au Ministre de ce que, toutes les semaines, il ne faisait pas mettre quelqu'un en prison, et l'on attribuait à la douceur de son naturel les occasions qu'il n'avait pas de mal faire. Il faut avouer qu'il seconda fort habilement son bonheur. Il donna toutes les apparences nécessaires pour faire croire que l'on l'avait forcé à cette résolution; que les conseils de Monsieur et de Monsieur le Prince l'avaient emporté dans l'esprit de la Reine sur son avis. Il parut encore plus modéré, plus civil et plus ouvert le lendemain de l'action. L'accès était tout à fait libre, les audiences étaient aisées, l'on dînait avec lui comme avec un particulier; il relâcha même beaucoup de la morgue des cardinaux les plus ordinaires. Enfin il fit si bien qu'il se trouva sur la tête de tout le monde, dans le temps que tout le monde croyait l'avoir encore à ses côtés. Ce qui me surprend, est que les princes et les grands du royaume, qui pour leurs propres intérêts devaient être plus clair-voyants que le vulgaire, furent les plus aveugles. Monsieur se crut au-dessus de l'exemple; Monsieur le Prince, at-taché à la cour par son avarice, voulut s'y croire. Monsieur le Duc était d'un âge à s'endormir aisément à l'ombre des lauriers; M. de Longueville ouvrit les yeux, mais ce ne fut que pour les refermer; M. de Vendôme était trop heureux de n'avoir été que chassé; M. de Nemours n'était qu'un enfant; M. de Guise, revenu tout nouvellement de Bruxelles, était gouverné par Mlle de Pons, et croyait gouverner la cour; M. de Bouillon croyait de jour en jour que l'on lui rendrait Sedan; M. de Turenne était plus que satisfait de commander les armées d'Allemagne; M. d'Espernon était ravi d'être rentré dans son gouvernement et dans sa charge; M. de Schomberg avait toute sa vie été inséparable de tout ce qui était bien à la cour; M. de Gramont en était esclave; et MM. de Retz, de Vitry et de Bassompierre se croyaient, au pied de la lettre, en faveur, parce qu'ils n'étaient plus ni prisonniers ni exilés. Le Parlement, délivré du cardinal de Richelieu, qui l'avait tenu fort bas, s'imaginait que le siècle d'or serait celui d'un ministre qui leur disait tous les jours que la Reine ne se voulait conduire que par leurs conseils. Le clergé, qui donne toujours l'exemple de la servitude, la prêchait aux autres sous le titre d'obéissance. Voilà comme tout le monde se trouva en un instant Mazarin.

*Mémoires*

## 105 *L'illusion en matière d'Etat*

LE dernier point de l'illusion, en matière d'Etat, est une espèce de léthargie, qui n'arrive jamais qu'après de grands symptômes. Le renversement des anciennes lois, l'anéantissement de ce milieu qu'elles ont posé entre les peuples et les rois, l'établissement de l'autorité purement et absolument despotique, sont ceux qui ont jeté originairement la France dans les convulsions dans lesquelles nos pères l'ont vue. Le cardinal de Richelieu la vint traiter comme un empirique, avec des remèdes violents, qui lui firent paraître de la force, mais une force d'agitation qui en épuisa le corps et les parties. Le cardinal Mazarin, comme un médecin très inexpérimenté, ne connut point son abattement. Il ne le soutint point par les secrets chimiques de son prédécesseur; il continua de l'affaiblir par des saignées: elle tomba en léthargie, et il fut assez malhabile pour prendre ce faux repos pour une véritable santé. Les provinces, abandonnées à la rapine des surintendants, demeuraient abattues et assoupies sous la pesanteur de leurs maux, que les secousses qu'elles s'étaient données de temps en temps, sous le cardinal de Richelieu, n'avaient fait qu'augmenter et qu'aigrir. Les parlements, qui avaient tout fraîchement gémi sous sa tyrannie, étaient comme insensibles aux misères présentes, par la mémoire encore trop vive et trop récente des passées. Les grands, qui pour la plupart avaient été chassés du royaume, s'endormaient paresseusement dans leurs lits, qu'ils avaient été ravis de retrouver. Si cette indolence générale eût été ménagée, l'assoupissement eût peut-être duré plus longtemps; mais comme le médecin ne le prenait que pour un doux sommeil, il n'y fit aucun remède. Le mal s'aigrit; la tête s'éveilla: Paris se sentit, il poussa des soupirs; l'on n'en fit point de cas: il tomba en frénésie.

*Mémoires*

## *106*        *Anne d'Autriche*[1]

L A Reine avait, plus que personne que j'aie jamais vu, de cette sorte d'esprit qui lui était nécessaire pour ne pas paraître sotte à ceux qui ne la connaissaient pas. Elle avait plus d'aigreur que de hauteur, plus de hauteur que de grandeur, plus de manières que de fond, plus d'inapplication à l'argent que de libéralité, plus de libéralité que d'intérêt, plus d'intérêt que de désintéressement, plus d'attachement que de passion, plus de dureté que de fierté, plus de mémoire des injures que des bienfaits, plus d'intention de piété que de piété, plus d'opiniâtreté que de fermeté, et plus d'incapacité que de tout ce que dessus.

*Mémoires*

[1] 1601–1666. Mother of Louis XIV; Regent during his minority.

*107*          *Au donjon de Vincennes*

L'ON me mena dans une grande chambre, où il n'y avait
ni tapisserie, ni lit; celui que l'on y apporta, sur les onze
heures, était de taffetas de Chine, étoffe peu propre pour
un ameublement d'hiver. J'y dormis très bien, ce que l'on
ne doit pas attribuer à fermeté, parce que le malheur fait
naturellement cet effet en moi… Je fus obligé de me lever,
le lendemain, sans feu, parce qu'il n'y avait point de bois
pour en faire, et les trois exempts que l'on avait mis auprès
de moi eurent la bonté de m'assurer que je n'en man-
querais pas le lendemain. Celui qui demeura seul à ma
garde le prit pour lui, et je fus quinze jours, à Noël, dans
une chambre grande comme une église, sans me chauffer.
Cet exempt s'appelait Croisat; il était Gascon, et il avait été,
au moins à ce que l'on disait, valet de chambre de M.
Servien. Je ne crois pas que l'on eût pu trouver encore
sous le ciel un autre homme fait comme celui-là. Il me
vola mon linge, mes habits, mes souliers; et j'étais obligé
de demeurer quelquefois dans le lit huit ou dix jours,
faute d'avoir de quoi m'habiller. Je ne crus pas que l'on
me pût faire un traitement pareil sans un ordre supérieur
et sans un dessein formé de me faire mourir de chagrin.
Je m'armai contre ce dessein et je me résolus à ne pas
mourir, au moins de cette sorte de mort. Je me divertis,
au commencement, à faire la vie de mon exempt, qui, sans
exagération, était aussi fripon que Lazarille de Tormes et
que le Buscon.[1] Je l'accoutumai à ne me plus tourmenter,
à force de lui faire connaître que je ne me tourmentais de
rien. Je ne lui témoignai jamais aucun chagrin, je ne me
plaignis de quoi que ce soit, et je ne lui laissai pas seulement
voir que je m'aperçusse de ce qu'il disait pour me fâcher,
quoi qu'il ne proférât pas un mot qui ne fût à cette intention.
Il fit travailler à un petit jardin de deux ou trois toises, qui

---

[1] Heroes of the early Spanish picaresque romances.

était dans la cour du donjon; et comme je lui demandai ce qu'il en prétendait faire, il me répondit que son dessein était d'y planter des asperges: vous remarquerez qu'elles ne viennent qu'au bout de trois ans. Voilà l'une de ses plus grandes douceurs; il y en avait tous les jours une vingtaine de cette force. Je les buvais toutes avec douceur, et cette douceur l'effarouchait, parce qu'il disait que je me moquais de lui.

*Mémoires*

# FRANÇOIS, DUC DE LA ROCHEFOUCAULD

1613–1680

## *108*                     *Des goûts*

Il y a des personnes qui ont plus d'esprit que de goût, et d'autres qui ont plus de goût que d'esprit. Il y a plus de variété et de caprice dans le goût que dans l'esprit.

Ce terme de *goût* a diverses significations, et il est aisé de s'y méprendre. Il y a différence entre le goût qui nous porte vers les choses, et le goût qui nous en fait connaître et discerner les qualités en nous attachant aux règles.

On peut aimer la comédie sans avoir le goût assez fin et assez délicat pour en bien juger; et on peut avoir le goût assez bon pour bien juger de la comédie sans l'aimer. Il y a des goûts qui nous approchent imperceptiblement de ce qui se montre à nous et d'autres nous entraînent par leur force ou par leur durée.

Il y a des gens qui ont le goût faux en tout, d'autres ne l'ont faux qu'en certaines choses; et ils l'ont droit et juste dans tout ce qui est de leur portée. D'autres ont des goûts particuliers, qu'ils connaissent mauvais, et ne laissent pas de les suivre. Il y en a qui ont le goût incertain; le hasard en décide: ils changent par légèreté, et sont touchés de plaisir ou d'ennui sur la parole de leurs amis. D'autres sont toujours prévenus; ils sont esclaves de tous leurs goûts, et les respectent en toutes choses. Il y en a qui sont sensibles à ce qui est bon, et choqués de ce qui ne l'est pas : leurs vues sont nettes et justes, et ils trouvent la raison de leur goût dans leur esprit et dans leur discernement.

Il y en a qui, par une sorte d'instinct dont ils ignorent la cause, décident de ce qui se présente à eux, et prennent toujours le bon parti.

Ceux-ci font paraître plus de goût que d'esprit, parce que leur amour-propre et leur humeur ne prévalent point sur leurs lumières naturelles. Tout agit de concert en eux, tout y est sur un même ton. Cet accord leur fait juger sainement des objets, et leur en forme une idée véritable, mais, à parler généralement, il y a peu de gens qui aient le goût fixe et indépendant de celui des autres; ils suivent l'exemple et la coutume, et ils en empruntent presque tout ce qu'ils ont de goût.

Dans toutes ces différences de goûts qu'on vient de marquer, il est très rare, et presque impossible, de rencontrer cette sorte de bon goût qui sait donner le prix à chaque chose, qui en connaît toute la valeur et qui se porte généralement sur tout. Nos connaissances sont trop bornées, et cette juste disposition de qualités qui font bien juger ne se maintient d'ordinaire que sur ce qui ne nous regarde pas directement.

Quand il s'agit de nous, notre goût n'a plus cette justesse si nécessaire; la préoccupation la trouble; tout ce qui a du rapport à nous paraît sous une autre figure. Personne ne voit des mêmes yeux ce qui le touche et ce qui ne le touche pas. Notre goût n'est conduit alors que par la pente de l'amour-propre et de l'humeur, qui nous fournissent des vues nouvelles, et nous assujettissent à un nombre infini de changements et d'incertitudes. Notre goût n'est plus à nous, nous n'en disposons plus. Il change sans notre consentement; et les mêmes objets nous paraissent

par tant de côtés différents, que nous méconnaissons enfin
ce que nous avons vu et ce que nous avons senti.

*Réflexions ou Sentences et Maximes morales*

## *109* *La Conversation*

UNE des choses qui fait que l'on trouve si peu de gens
qui paraissent raisonnables et agréables dans la conversation, c'est qu'il n'y a presque personne qui ne pense
plutôt à ce qu'il veut dire, qu'à répondre précisément à
ce qu'on lui dit. Les plus habiles et les plus complaisants
se contentent de montrer seulement une mine attentive, au
même temps que l'on voit dans leurs yeux et dans leur
esprit un égarement pour ce qu'on leur dit, et une précipitation pour retourner à ce qu'ils veulent dire; au lieu de
considérer que c'est un mauvais moyen de plaire aux autres
ou de les persuader, que de chercher si fort à se plaire à
soi-même, et que bien écouter et bien répondre est une
des plus grandes perfections qu'on puisse avoir dans la
conversation.

*Réflexions ou Sentences et Maximes morales*

# L'ANCIEN TESTAMENT, *trad.*
# LOUIS-ISAAC LE MAISTRE DE SACY

1613–1684

## *110* *Judith s'en va trouver Holoferne*

JUDITH ayant cessé de crier au Seigneur, se leva du lieu
où alle étoit prosternée contre terre devant le Seigneur.

Et ayant appellé sa servante, elle descendit dans sa
maison, elle ôta son cilice, elle quitta ses habits de veuve.

Elle se lava le corps, se l'oignit d'un parfum précieux,
frisa ses cheveux, & se mit une coëffure magnifique sur
la tête, se revêtit des habits qu'elle avoit accoûtumé de

porter au temps de sa joie, prit une chaussure très-riche, des brasselets, des lis d'or, des pendans-d'oreilles, des bagues, se para enfin de tous ses ornemens.

Dieu même lui ajoûta encore un nouvel éclat, parceque tout cet ajustement n'avoit pour principe aucun mauvais desir; mais la vertu seule. Ainsi le Seigneur lui augmenta encore sa beauté, afin de la faire paroître aux yeux de tous avec un lustre incomparable.

Elle donna à sa servante à porter un petit vaisseau, où il y avoit du vin, un vase d'huile, de la farine, des figues seches, du pain, & du fromage, & partit ainsi.

Etant arrivée avec sa servante à la porte de la ville, elle trouva Ozias & les anciens de la ville qui l'attendoient.

Ils furent dans le dernier étonnement en la voyant, & ils ne pouvoient assez admirer son extraordinaire beauté.

Ils ne lui firent neanmoins aucune demande, mais ils la laisserent passer, en lui disant: Que le Dieu de nos peres vous donne sa grace, & qu'il affermisse par sa force toutes les résolutions de votre cœur, afin que Jerusalem se glorifie en vous, & que votre nom soit au nombre des saints & des justes.

Et ceux qui étoient presens répondirent tous d'une voix: Ainsi-soit-il, ainsi-soit-il.

Cependant Judith priant Dieu passa les portes, elle & sa servante.

Comme elle descendoit de la montagne vers le point-du-jour, les gardes avancées des Assyriens la rencontrerent, & la prirent, en lui disant: D'où venez-vous, & où allez-vous?

Elle leur répondit: Je suis une des filles des Hebreux: je m'en suis enfuye d'avec eux, ayant reconnu que vous devez prendre & piller leur ville, parcequ'ils vous ont méprisés & n'ont pas voulu se rendre à vous volontairement afin que vous leur fissiez miséricorde.

C'est pourquoi j'ai dit en moi-même: Je m'en irai trouver le Prince Holoferne pour lui découvrir leurs secrets,

& pour lui donner un moyen de les prendre sans perdre un seul homme de son armée.

Ces soldats ayant entendu ces paroles, consideroient son visage; & leurs yeux étoient tous surpris, tant ils admiroient sa rare beauté.

Et ils lui dirent: Vous avez sauvé votre vie, en prenant cette resolution de venir trouver notre Prince.

Et vous devez vous assurer que lorsque vous paroîtrez devant lui, il vous traitera parfaitement bien, & que vous lui gagnerez le cœur. Ils la menerent donc à la tente d'Holoferne, & lui firent savoir qu'elle étoit là.

Elle entra ensuite, & ayant paru devant Holoferne, il fut aussi-tôt pris par les yeux.

Ses officiers lui dirent: Qui pourroit mépriser le peuple des Hebreux, qui ont des femmes si belles; ne meritent-elles pas bien que pour les avoir nous leur fassions la guerre?

Et Judith voyant Holoferne assis sous son pavillon, qui étoit de pourpre en broderie d'or, relevé d'émeraudes & de pierres précieuses,

après avoir jetté les yeux sur son visage, elle se prosterna en terre, & l'adora; & les gens d'Holoferne la releverent par le commandement de leur maître.

*Judith,* x

# CHARLES DE MARQUETEL DE SAINT-DENIS, SIEUR DE SAINT-ÉVREMOND

1613–1703

*III    Le bon cheval de M. d'Hocquincourt*

On nous avertit que le convoi étoit déjà assez loin de la ville: ce qui nous fit prendre congé, plus tôt que nous n'aurions fait.

Le P. Canaye, qui se trouvoit sans monture, en demanda une qui le pût porter au camp. «Et quel cheval voulez-vous, mon Père? dit le maréchal. — *Je vous répondrai, Monseigneur, ce que répondit le bon P. Suarez au duc de Medina Sidonia, dans une pareille rencontre*: qualem me decet esse, mansuetum; *tel qu'il faut que je sois: doux, paisible.* Qualem me decet esse, mansuetum.»

«J'entends un peu de latin, dit le maréchal: *mansuetum* seroit meilleur pour des brebis que pour des chevaux. Qu'on donne mon cheval au Père! j'aime son ordre, je suis son ami: qu'on lui donne mon bon cheval!»

J'allai dépêcher mes petites affaires, et ne demeurai pas longtemps, sans rejoindre le convoi. Nous passâmes heureusement, mais ce ne fut pas sans fatigue pour le pauvre P. Canaye. Je le rencontrai, dans la marche, sur le bon cheval de M. d'Hocquincourt: c'étoit un cheval entier, ardent, inquiet, toujours en action; il mâchoit éternellement son mors, alloit toujours de côté, hennissoit de moment en moment; et, ce qui choquoit fort la modestie du Père, il prenoit indécemment tous les chevaux qui approchoient de lui pour des cavales. «Et que vois-je, mon Père, lui dis-je en l'abordant; quel cheval vous a-t-on donné là? Où est la monture du bon P. Suarez, que vous avez tant demandée?»

«Ah! monsieur, je n'en puis plus, je suis roué!...»

Il alloit continuer ses plaintes, lorsqu'il part un lièvre: cent cavaliers se débandent pour courir après, et on entend plus de coups de pistolet qu'à une escarmouche. Le cheval du Père, accoutumé au feu, sous le maréchal, emporte son homme, et lui fait passer, en moins de rien, tous ces débandés. C'étoit une chose plaisante de voir le jésuite à la tête de tous, malgré lui. Heureusement le lièvre fut tué, et je trouvai le Père au milieu de trente cavaliers qui lui donnoient l'honneur d'une chasse qu'on eût pu nommer une Occasion.

Le Père recevoit la louange avec une modestie apparente, mais, en son âme, il méprisoit fort le *mansuetum* du bon P. Suarez, et se savoit le meilleur gré du monde des merveilles qu'il pensoit avoir faites sur le barbe de M. le maréchal. Il ne fut pas longtemps sans se souvenir du beau dit de Salomon : *Vanitas vanitatum, et omnia vanitas.* A mesure qu'il se refroidissoit, il sentoit un mal que la chaleur lui avoit rendu insensible; et la fausse gloire cédant à de véritables douleurs, il regrettoit le repos de la société, et la douceur de la vie paisible qu'il avoit quittée. Mais toutes ses réflexions ne servoient de rien. Il falloit aller au camp; et il étoit si fatigué du cheval, que je le vis tout prêt d'abandonner Bucéphale, pour marcher à pied, à la tête des fantassins.

*Conversation du Maréchal d'Hocquincourt avec le P. Canaye*

## 112 *Mais toujours sottise*

LA langueur ordinaire où je tombe aux *Opéras*, vient de ce que je n'en ai jamais vu qui ne m'ait paru méprisable, dans la disposition du sujet et dans les vers. Or, c'est vainement que l'oreille est flattée et que les yeux sont charmés, si l'esprit ne se trouve pas satisfait...

Il y a une autre chose, dans les *Opéras*, tellement contre la nature, que mon imagination en est blessée: c'est de faire chanter toute la pièce depuis le commencement jusqu'à la fin, comme si les personnes qu'on représente s'étoient ridiculement ajustées pour traiter en musique et les plus communes et les plus importantes affaires de leur vie. Peut-on s'imaginer qu'un maître appelle son valet, ou qu'il lui donne une commission, en chantant; qu'un ami fasse, en chantant, une confidence à son ami; qu'on délibère, en chantant, dans un conseil; qu'on exprime avec du chant les ordres qu'on donne, et que mélodieusement on tue les hommes à coups d'épée et de javelot, dans un combat? C'est perdre l'esprit de la représentation, qui sans doute est préférable à celui de l'harmonie; car celui de l'harmonie ne doit être qu'un simple accompagnement; et les grands maîtres du théâtre l'ont ajoutée comme agréable, non pas comme nécessaire, après avoir réglé tout ce qui regarde le sujet et le discours... Je ne prétends pas néanmoins donner l'exclusion à toute sorte de chant, sur le théâtre. Il y a des choses qui doivent être chantées; il y en a qui peuvent l'être, sans choquer la bienséance ni la raison. Les vœux, les sacrifices, et généralement tout ce qui regarde le service des dieux, s'est chanté chez toutes les nations et dans tous les temps. Les passions tendres et douloureuses s'expriment naturellement par une espèce de chant: l'expression d'un amour que l'on sent naître, l'irrésolution d'une âme combattue de divers mouvements, sont des matières propres pour les Stances, et les stances le sont assez pour le chant... Si vous voulez savoir ce que c'est qu'un *Opéra*, je vous dirai que c'est *un travail bizarre de poésie et de musique, où le poëte et le musicien, également gênés l'un par l'autre, se donnent bien de la peine à faire un méchant ouvrage.*

*Sur les opéras*

# SAMUEL SORBIÈRE[1]

1615–1670

*113      De Douvres à Londres dans un coche*

La Province de Kent me parut très-belle et très-fertile, sur tout en pommes et en cerises; dont les arbres plantez à la ligne dans la Campagne font une suite continuelle de vergers. Le pays s'élève en petites collines, et en vallons couverts d'une éternelle verdure; et mesme il me sembla que l'herbe y avoit une plus belle couleur qu'ailleurs, et

---

[1] Physician, traveller, and writer. He visited England in 1663.

qu'elle y estoit plus menuë. C'est pourquoy elle est plus propre à faire ces parterres et ces nappes de gazon, dont quelques-unes sont si unies, qu'on y jouë à la boule, de mesme que l'on seroit sur le tapis d'un grand billard. Et comme c'est l'exercice ordinaire des Gentilshommes à la Campagne, ils ont de gros Cylindres de pierre, qu'ils font rouler sur l'herbe pour la tenir couchée. Tout le pays est semé de parcs, dont la veuë est fort agreable, et où les daims se promenent à grosses troupes. Mais les jardins n'ont point d'autre ornement que de ces tapis et de ces parterres de gazon; et les plus beaux Chasteaux que l'on rencontre ne peuvent pas entrer en comparaison avec la moindre de plus de quatre mille maisons de plaisance qu'il y a aux environs de Paris. Neantmoins il faut avoüer, que l'œil se trouve fort satisfait des beautez naturelles du pays, et de sa negligence. Et les Anglois ont raison de le trouver si beau, que lors que Clement VI donna les Isles Fortunées au fils de Louys de Baviere, et que l'on batit le tambour pour cela en Italie, l'Ambassadeur d'Angleterre, qui estoit à Rome, en prit l'épouvante, et partit en diligence, s'imaginant que cette expedition ne pouvoit point regarder aucun autre pays que le sien. Il est si couvert d'arbres, que mesme la campagne paroist une forest, quand on la regarde de quelque hauteur, à cause des vergers et des hayes vives, qui enferment les terres labourables, et les prairies.

*Relation d'un voyage en Angleterre*

# ROGER DE RABUTIN,
# COMTE DE BUSSY

1618–1693

*114* *Un portrait malveillant*

MADAME DE SÉVIGNÉ, continua-t-il, a d'ordinaire le plus beau teint du monde, les yeux petits et brillants, la bouche plate mais de belle couleur; le front avancé, le nez

seul semblable à soi, ni long ni petit, carré par le bout, la
mâchoire comme le bout du nez, et tout cela, qui en détail
n'est pas beau, est à tout prendre assez agréable. Elle a la
taille belle sans avoir bon air, elle a la jambe bien faite, la
gorge, les bras et les mains mal taillés; elle a les cheveux
blonds, déliés et épais; elle a bien dansé et a l'oreille encore
juste: elle a la voix agréable, elle sait un peu chanter:
voilà pour le dehors à peu près comme elle est faite. Il n'y
a point de femme qui ait plus d'esprit qu'elle et fort peu
qui en aient autant: sa manière est divertissante; il y en a
qui disent que pour une femme de qualité son caractère
est un peu trop badin: du temps que je la voyois, je
trouvais ce jugement-là ridicule et je sauvois son burlesque
sous le nom de gaieté. Aujourd'hui qu'en ne la voyant plus,
son grand feu ne m'éblouit pas, je demeure d'accord
qu'elle veut être trop plaisante. Si on a de l'esprit, et
particulièrement de cette sorte d'esprit qui est enjoué, on
n'a qu'à la voir, on ne perd rien avec elle; elle vous entend,
elle entre juste à tout ce que vous dites, elle vous devine,
et vous mène d'ordinaire bien plus loin que vous ne pensez
aller. Quelquefois aussi on lui fait bien voir du pays, la
chaleur de la plaisanterie l'emporte et en cet état elle
reçoit avec joie tout ce qu'on veut lui dire de libre, pourvu
qu'il soit enveloppé; elle y répond même avec mesure et
croit qu'il ira du sien, si elle n'alloit pas au delà de ce qu'on
lui a dit. Avec tant de feu, il n'est pas étrange que le
discernement soit médiocre; ces deux choses étant d'ordinaire incompatibles, la nature ne peut faire de miracle en
sa faveur; un sot éveillé l'emportera toujours auprès d'elle
sur un honnête homme sérieux. La gaité des gens la préoc-
cupe; elle ne jugera pas si on entend ce qu'elle dit, la plus
grande marque d'esprit qu'on lui peut donner, c'est d'avoir
de l'admiration pour elle; elle aime l'encens, elle aime
d'être aimée, et pour cela, elle sème afin de recueillir, elle
donne de la louange pour en recevoir; elle aime générale-

ment tous les hommes, quelque âge, quelque naissance et
quelque mérite qu'ils aient et de quelque profession qu'ils
soient : tout lui est bon, depuis le manteau royal jusqu'à
la soutane, depuis le sceptre jusqu'à l'écritoire. Entre
les hommes, elle aime mieux un amant qu'un ami, et
parmi les amants, les gais que les tristes ; les mélancoliques
flattent sa vanité, les éveillés son inclination ; elle se divertit
avec ceux-ci et se flatte de l'opinion qu'elle a bien du mérite
d'avoir pu causer de la langueur à ceux-là.

Elle est d'un tempérament froid, au moins si on en croit
feu son mari ; aussi lui avoit-il l'obligation de sa vertu,
comme il disoit. Toute sa chaleur est à l'esprit ; à la vérité,
elle récompense bien la froideur de son tempérament. Si
l'on s'en rapporte à ses actions, je crois que la foi conjugale
n'a point été violée ; si l'on regarde l'intention, c'est une
autre chose : pour en parler franchement, je crois que son
mari s'est tiré d'affaire devant les hommes, mais je le tiens
cocu devant Dieu. Cette belle, qui veut être à tous les plaisirs,
a trouvé un moyen sûr, à ce qu'il lui semble, pour se réjouir
sans qu'il en coûte rien à sa réputation : elle s'est faite amie
à quatre ou cinq prudes, avec lesquelles elle va en tous les
lieux du monde ; elle ne regarde pas tant ce qu'elle fait
qu'avec qui elle est. En ce faisant, elle se persuade que la
compagnie honnête rectifie toutes ses actions ; et pour moi je
pense que l'heure du berger, qui ne se rencontre d'ordinaire
que tête à tête avec toutes les femmes, se trouveroit plutôt
avec celle-ci au milieu de sa famille...

Pour avoir de l'esprit et de la qualité, elle se laisse un peu
trop éblouir aux grandeurs de la cour : le jour que la reine
lui aura parlé et peut-être demandé seulement avec qui elle
sera venue, elle sera transportée de joie, et longtemps après
elle trouvera moyen d'apprendre à tous ceux desquels
elle se voudra attirer le respect, la manière obligeante avec
laquelle la reine lui aura parlé.

*Histoire amoureuse des Gaules*

# CYRANO DE BERGERAC

1619–1655

*115*          *Où diable est ce potage?*

ON nous vint quérir là-dessus pour nous mettre à table, et je suivis mon conducteur dans une salle magnifiquement meublée, mais où je ne vis rien de préparé pour manger. Une si grande solitude de viande lorsque je périssois de faim, m'obligea de lui demander où l'on avait mis le couvert. Je n'écoutai point ce qu'il me répondit, car trois ou quatre jeunes garçons, enfans de l'hôte, s'approchèrent de moi dans cet instant, et avec beaucoup de civilité me dépouillèrent jusques à la chemise. Cette nouvelle cérémonie m'étonna si fort que je n'en osai pas seulement demander la cause à mes beaux valets de chambre, et je ne sais comment mon guide qui me demanda par où je voulais commencer put tirer de moi ces deux mots: «Un potage»; mais je les eus à peine proférés, que je sentis l'odeur du plus succulent mitonné qui frappa jamais le nez du mauvais riche. Je voulus me lever de ma place pour chercher à la piste la source de cette agréable fumée, mais mon porteur m'en empêcha: «Où voulez-vous aller? me dit-il, nous irons tantôt à la promenade, mais maintenant il est saison de manger, achevez votre potage, et puis nous ferons venir autre chose. — Et où diable est ce potage? (lui répondis-je presque en colère), avez-vous fait gageure de vous moquer de moi tout aujourd'hui? — Je pensois, me répliqua-t-il, que vous eussiez vu à la Ville d'où nous venons votre maître, ou quelque autre, prendre ses repas; c'est pourquoi je ne vous avois point dit de quelle façon on se nourrit ici. Puis donc que vous l'ignorez encore, sachez que l'on n'y vit que de fumée. L'art de cuisinerie est de renfermer dans de grands vaisseaux moulés exprès, l'exhalaison qui sort des viandes en les cuisant; et quand on en a ramassé de plusieurs sortes et de différens goûts, selon l'appétit de ceux

que l'on traite, on débouche le vaisseau où cette odeur est
assemblée, on en découvre après cela un autre, et ainsi
jusqu'à ce que la compagnie soit repue. A moins que vous
n'ayez déjà vécu de cette sorte, vous ne croirez jamais
que le nez, sans dents et sans gosier, fasse pour nourrir
l'homme, l'office de la bouche mais je vous le veux faire
voir par expérience.»

Il n'eut pas plutôt achevé, que je sentis entrer successivement dans la salle tant d'agréables vapeurs, et si nourris-
santes, qu'en moins de demi-quart d'heure je me sentis
tout à fait rassasié. Quand nous fûmes levés :... «Vous avez
possible été surpris [dit-il] lorsque avant le repas on vous
a déshabillé, parce que cette coutume n'est pas usitée en
votre pays; mais c'est la mode de celui-ci, et l'on en use
ainsi, afin que l'animal soit plus transpirable à la fumée. —
Monsieur, lui répartis-je, il y a très grande apparence à ce
que vous dites, et je viens moi-même d'en expérimenter
quelque chose; mais je vous avouerai que, ne pouvant pas
me débrutaliser si promptement, je serois bien aise de
sentir un morceau palpable sous mes dents.»

Les États de la Lune

## *116*     *Les grandes plaines du jour*

CETTE terre est semblable à des flocons de neige embrasée,
tant elle est lumineuse; cependant c'est une chose assez
incroyable, que je n'aie jamais su comprendre depuis que
ma boîte tomba, si je montai ou si je descendis au Soleil. Il
me souvient seulement quand j'y fus arrivé, que je marchois légèrement dessus; je ne touchois le plancher que
d'un point, et je roulois souvent comme une boule, sans
que je me trouvassse incommodé de cheminer avec la
tête, non plus qu'avec les pieds. Encore que j'eusse quelquefois les jambes vers le Ciel, et les épaules contre terre,

je me sentois dans cette posture aussi naturellement situé,
que si j'eusse eu les jambes contre terre, et les épaules vers le
Ciel. Sur quelque endroit de mon corps que je me plantasse,
sur le ventre, sur le dos, sur un coude, sur une oreille, je
m'y trouvois debout… Le respect avec lequel j'imprimois
de mes pas cette lumineuse campagne, suspendit pour un
temps l'ardeur dont je pétillois d'avancer mon voyage. Je
me sentois tout honteux de marcher sur le jour. Mon corps
même étonné se voulant appuyer de mes yeux, et cette
terre transparente qu'ils pénétroient, ne les pouvant soutenir, mon instinct malgré moi devenu maître de ma pensée,
l'entraînoit au plus creux d'une lumière sans fond. Ma raison
pourtant peu à peu désabusa mon instinct; j'appuyaï sur
la plaine des vestiges[1] assurés et non tremblans, et je comp-
tai mes pas si fièrement, que si les hommes avoient pu
m'apercevoir de leur Monde, ils m'auroient pris pour ce
grand Dieu qui marche sur les nues.

*Les États du Soleil*

## HENRI SAUVAL[2]

*c.* 1620–1670

*117*            *Le Droit des Roses*

[LE Roi lui-même] paye encore tous les ans un droit de
Roses au Parlement, & à toutes les Cours Souveraines de
Paris.

Les Pairs de France des derniers tems, devoient &
presentoient eux-mêmes des Roses au Parlement en Avril,
Mai & Juin, lorsqu'on appelloit leurs Rôles. Les Princes
étrangers, les Cardinaux, les Princes du Sang, les enfans de
France, même les Rois et les Reines de Navarre, dont les
Pairies se trouvoient dans son ressort, en faisoient autant,
& cette Auguste Compagnie étoit en telle consideration,

---

[1] pas            [2] Historian, notably of Paris, and antiquarian

que les Souverains se soûmettoient à son jugement, & la prenoient pour arbitre de leurs differends.

Ce que je dis du Parlement de Paris, il le faut entendre des autres, & sur-tout de celui de Toulouse... Avec tout cela nous ne savons point, ni la cause d'une telle sujettion, ni le tems qu'elle commença. Bien davantage, nous ne savons pas quand elle a cessé, quoique ç'ait été de nos jours, ou le siècle passé vers la fin : d'ailleurs, nous savons aussi peu comment elle s'observoit à Paris. Si c'étoit de même qu'à Toulouse, voici en deux mots comment la chose se passoit.

On choisissoit un jour qu'il y avoit Audiance en la grand'Chambre : ce jour-là, le Pair qui presentoit les Roses faisoit joncher de Roses, de fleurs & d'herbes odoriferantes toutes les Chambres du Parlement, avant l'Audiance. Il donnoit à déjeuner splendidement aux Présidens & aux Conseillers & même aux Greffiers & Huissiers de la Cour : ensuite il venoit dans chaque Chambre, faisant porter devant lui un grand bassin d'argent, non seulement plein d'autant de bouquets d'œillets, de roses & autres fleurs de soie & naturelles qu'il y avoit d'officiers ; mais aussi d'autant de couronnes de même rehaussées de ses armes ; après on lui donnoit audiance à la grand'Chambre, puis on disoit la Messe ; cependant les hautbois jouoient incessamment, hormis pendant l'audiance, & même alloient jouer chés les Présidens durant leur diné.

A cela je puis ajouter trois choses pratiquées à Paris : que celui qui écrivoit sous le Greffier avoit son droit de roses ; que le Parlement avoit son faiseur de roses, appelé le Rosier de la Cour ; & que les Pairs achetoient de lui celles dont ils faisoient leur present.

*Histoire et Recherches des Antiquités de la Ville de Paris*

# ANTOINE FURETIÈRE

1620–1688

### *118   Description d'une personne extraordinaire*

C'ESTOIT un homme qui, par les ressorts de la Providence inconnus aux hommes, avoit obtenu une charge importante de judicature. Et pour vous faire connoistre sa capacité, sçachez qu'il estoit né en Perigort, cadet d'une maison qui estoit noble, à ce qu'il disoit, mais qui pouvoit bien estre appelée une noblesse de paille, puis qu'elle estoit renfermée sous une chaumière. La pauvreté plustost que le courage l'avoit fait devenir soldat dans un régiment, et la fortune enfin l'avoit poussé jusqu'à l'avoir rendu cavalier quand elle le ramena à Paris. Du moins ceux qui estoient bons naturalistes appeloient cheval la beste sur laquelle il estoit monté; mais ceux qui ne regardoient que sa taille, son port et sa vivacité, ne la prenoient que pour un baudet. Il fut vendu vingt escus à un jardinier dés le premier jour de marché, et bien luy en prit, car il auroit fait pis que Saturne qui mange ses propres enfans : il se seroit consommé luy-mesme. Le laquais qui suivoit ce cheval (il faut me resoudre à l'appeler ainsi) estoit proportionné à sa taille et à son mérite. Il estoit Pigmée et barbu, sçavant à donner des nazardes et à ficher des épingles dans les fesses; en un mot, assez malicieux pour mériter d'estre page, s'il eut esté noble, supposé qu'on cherche tousjours de la noblesse dans ces messieurs. Pour bonnes qualitez, il avoit celle d'enchérir sur ceux qui jeusnent au pain et à l'eau, car il avoit appris à jeusner à l'eau et à la chastagne. Aussi cela lui estoit-il nécessaire pour vivre avec un tel maistre, puisque, pour peu qu'il eust esté goulu, il l'eust mangé jusqu'aux os; encore n'auroit-il pas fait grande chère, ce pauvre homme et sa bourse estant deux choses fort maigres. Si ce proverbe est véritable, tel maistre tel valet, vous pouvez juger (mon cher lecteur, qu'il y a, ce me semble, longtemps que je n'ay apostrophé) quel sera le maistre dont vous attendez sans doute que je vous fasse le portrait. Je vous en donneray du moins une esbauche. Il estoit aussi laid qu'on le puisse souhaitter, si tant est qu'on fasse des souhaits pour la laideur; mais je ne suis pas le premier qui parle ainsi. Il avoit la bouche de fort grande estenduë, témoignant de vouloir parler de prés à ses aureilles, qui estoient aussi de grande taille, témoins asseurez de son bel esprit. Ses dents estoient posées alternativement sur ses gencives, comme les creneaux sur les murs d'un chasteau. Sa langue estoit grosse et seiche comme une langue de bœuf; encore pouvoit-elle passer pour fumée, car elle essuyoit tous les jours la vapeur de six pippes de tabac. Il avoit les yeux petits et battus, quoy qu'ils fussent fort enfoncez, et vivans dans une grande retraite; le nez fort camus, le front éminent, les cheveux noirs et gras, la barbe rousse et seiche. Pour le peu qu'il avoit de cou, ce n'est pas la peine d'en parler; une espaule commandoit à l'autre comme une montagne à une colline, et sa taille étoit aussi courte que son intelligence. En un mot sa physionomie avoit toute sorte de mauvaises qualitez, horsmis qu'elle n'estoit pas menteuse. On le pouvoit bien appeler vaillant depuis les pieds jusqu'à la teste, car sa valeur paroissoit en ses mâchoires et en ses talons. Mais l'infortune l'avoit tellement talonné à l'armée qu'après vingt campagnes il n'avoit pas encore gagné autant que valoit sa légitime (l'on ne sçauroit rien dire de moins), et il estoit obligé de venir chercher sa subsistance à Paris, qui estoit son meilleur quartier d'hyver.

*Le Roman bourgeois*

# JEAN-BAPTISTE POQUELIN
# DE MOLIÈRE

1622–1673

*119*            *Sur la comédie du Tartuffe*

SIRE,

Le devoir de la comédie étant de corriger les hommes en les divertissant, j'ai cru que, dans l'emploi où je me trouve, je n'avais rien de mieux à faire que d'attaquer par des peintures ridicules les vices de mon siècle; et, comme l'hypocrisie, sans doute, en est un des plus en usage, des plus incommodes et des plus dangereux, j'avais eu, SIRE, la pensée que je ne rendrais pas un petit service à tous les honnêtes gens de votre royaume, si je faisais une comédie qui décriât les hypocrites, et mît en vue, comme il faut, toutes les grimaces étudiées de ces gens de bien à outrance, toutes les friponneries couvertes de ces faux monnayeurs en dévotion, qui veulent attraper les hommes avec un zèle contrefait et une charité sophistique.

Je l'ai faite, SIRE, cette comédie, avec tout le soin, comme je crois, et toutes les circonspections que pouvait demander la délicatesse de la matière; et, pour mieux conserver l'estime et le respect qu'on doit aux vrais dévots, j'en ai distingué le plus que j'ai pu le caractère que j'avais à toucher. Je n'ai point laissé d'équivoque, j'ai ôté ce qui pouvait confondre le bien avec le mal, et ne me suis servi dans cette peinture que des couleurs expresses et des traits essentiels qui font reconnaître d'abord un véritable et franc hypocrite.

Cependant toutes mes précautions ont été inutiles. On a profité, SIRE, de la délicatesse de votre âme sur les matières de religion, et l'on a su vous prendre par l'endroit seul que vous êtes prenable, je veux dire par le respect des choses saintes. Les tartuffes, sous main, ont eu l'adresse de trouver grâce auprès de VOTRE MAJESTÉ; et les originaux enfin

ont fait supprimer la copie, quelque innocente qu'elle
fût, et quelque ressemblante qu'on la trouvât.

Bien que ce m'eût été un coup sensible que la suppression de cet ouvrage, mon malheur, pourtant était adouci,
par la manière dont VOTRE MAJESTÉ s'était expliquée sur
ce sujet; et j'ai cru, SIRE, qu'elle m'ôtait tout lieu de me
plaindre, ayant eu la bonté de déclarer qu'elle ne trouvait
rien à dire dans cette comédie qu'elle me défendait de
produire en public.

Mais, malgré cette glorieuse déclaration du plus grand
roi du monde et du plus éclairé, malgré l'approbation encore
de M. le légat, et de la plus grande partie de nos prélats,
qui tous, dans les lectures particulières que je leur ai faites
de mon ouvrage se sont trouvés d'accord avec les sentiments de VOTRE MAJESTÉ; malgré tout cela, dis-je, on voit
un livre composé par le curé de ..., qui donne hautement
un démenti à tous ces augustes témoignages. VOTRE
MAJESTÉ a beau dire, et M. le légat et MM. les prélats ont
beau donner leur jugement, ma comédie, sans l'avoir vue,
est diabolique, et diabolique mon cerveau; je suis un démon
vêtu de chair et habillé en homme, un libertin, un impie
digne d'un supplice exemplaire. Ce n'est pas assez que le
feu expie en public mon offense, j'en serais quitte à trop
bon marché; le zèle charitable de ce galant homme de
bien n'a garde de demeurer là; il ne veut point que j'aie
de miséricorde auprès de Dieu; il veut absolument que
je sois damné. C'est une affaire résolue.

Ce livre, SIRE, a été présenté à VOTRE MAJESTÉ; et,
sans doute, elle juge bien elle-même combien il m'est
fâcheux de me voir exposé tous les jours aux insultes de
ces messieurs; quel tort me feront dans le monde de telles
calomnies, s'il faut qu'elles soient tolérées; et quel intérêt
j'ai enfin à me purger de son imposture, et à faire voir
au public que ma comédie n'est rien moins que ce qu'on
veut qu'elle soit. Je ne dirai point, SIRE, ce que j'aurais

à demander pour ma réputation et pour justifier à tout
le monde l'innocence de mon ouvrage: les rois éclairés
comme vous n'ont pas besoin qu'on leur marque ce qu'on
souhaite; ils voient, comme Dieu, ce qu'il nous faut, et
savent mieux que nous ce qu'ils nous doivent accorder. Il
me suffit de mettre mes intérêts entre les mains de VOTRE
MAJESTÉ; et j'attends d'elle, avec respect, tout ce qu'il lui
plaira d'ordonner là-dessus.

*Premier Placet au Roi*, août 1664

# BLAISE PASCAL

1623–1662

*120*        *Bornons ce respect que nous avons*
                   *pour les anciens*

CEPENDANT il est étrange de quelle sorte on révère leurs
sentiments. On fait un crime de les contredire et un attentat
d'y ajouter, comme s'ils n'avaient plus laissé de vérités à
connaître. N'est-ce pas traiter indignement la raison de
l'homme, et la mettre en parallèle avec l'instinct des
animaux, puisqu'on en ôte la principale différence, qui
consiste en ce que les effets du raisonnement augmentent
sans cesse, au lieu que l'instinct demeure toujours dans un
état égal? Les ruches des abeilles étaient aussi bien mesurées
il y a mille ans qu'aujourd'hui, et chacune d'elles forme cet
hexagone aussi exactement la première fois que la dernière.
Il en est de même de tout ce que les animaux produisent
par ce mouvement occulte. La nature les instruit à mesure
que la nécessité les presse; mais cette science fragile se
perd avec les besoins qu'ils en ont: comme ils la reçoivent
sans étude, ils n'ont pas le bonheur de la conserver; et
toutes les fois qu'elle leur est donnée, elle leur est nouvelle,
puisque, la nature n'ayant pour objet que de maintenir
les animaux dans un ordre de perfection bornée, elle

leur inspire cette science nécessaire, toujours égale, de
peur qu'ils ne tombent dans le dépérissement, et ne permet
pas qu'ils y ajoutent, de peur qu'ils ne passent les limites
qu'elle leur a prescrites. Il n'en est pas de même de l'homme,
qui n'est produit que pour l'infinité. Il est dans l'ignorance
au premier âge de sa vie; mais il s'instruit sans cesse dans
son progrès : car il tire avantage non seulement de sa
propre expérience, mais encore de celle de ses prédécesseurs,
parce qu'il garde toujours dans sa mémoire les connaissances
qu'il s'est une fois acquises, et que celles des anciens lui
sont toujours présentes dans les livres qu'ils en ont laissés.
Et comme il conserve ces connaissances, il peut aussi les
augmenter facilement.

*Préface pour un Traité du Vide*

### *121    Ce que c'est que diriger l'intention*

SACHEZ donc [dit le Père] que ce principe merveilleux est
notre grande méthode de *diriger l'intention*, dont l'importance
est telle dans notre morale, que j'oserais quasi la comparer
à la doctrine de la probabilité. Vous en avez vu quelques
traits en passant, dans de certaines maximes que je vous ai
dites. Car, lorsque je vous ai fait entendre comment les
valets peuvent faire en conscience de certains messages
fâcheux, n'avez-vous pas pris garde que c'était seulement
en détournant leur intention du mal dont ils sont les entre-
metteurs, pour la porter au gain qui leur en revient? 
Voilà ce que c'est que *diriger l'intention*. Et vous avez vu
de même que ceux qui donnent de l'argent pour des bénéfices
seraient de véritables simoniaques sans une pareille diver-
sion. Mais je veux maintenant vous faire voir cette grande
méthode dans tout son lustre sur le sujet de l'homicide,
qu'elle justifie en mille rencontres, afin que vous jugiez
par un tel effet tout ce qu'elle est capable de produire.
Je vois déjà, lui dis-je, que par là tout sera permis, rien

n'en échappera. Vous allez toujours d'une extrémité à
l'autre, répondit le Père : corrigez-vous de cela. Car, pour
vous témoigner que nous ne permettons pas tout, sachez
que, par exemple, nous ne souffrons jamais d'avoir l'intention formelle de pécher pour le seul dessein de pécher ;
et que quiconque s'obstine à n'avoir point d'autre fin dans
le mal que le mal même, nous rompons avec lui ; cela est
diabolique : voilà qui est sans exception d'âge, de sexe, de
qualité. Mais quand on n'est pas dans cette malheureuse
disposition, alors nous essayons de mettre en pratique notre
méthode de *diriger l'intention*, qui consiste à se proposer
pour fin de ses actions un objet permis. Ce n'est pas
qu'autant qu'il est en notre pouvoir nous ne détournions
les hommes des choses défendues ; mais, quand nous ne
pouvons pas empêcher l'action, nous purifions au moins
l'intention ; et ainsi nous corrigeons le vice du moyen par la
pureté de la fin.

*Lettres Provinciales*

## *122*          *L'Imagination*

CETTE superbe puissance, ennemie de la raison, qui se
plaît à la contrôler et à la dominer, pour montrer combien
elle peut en toutes choses, a établi dans l'homme une
seconde nature. Elle a ses heureux, ses malheureux, ses
sains, ses malades, ses riches, ses pauvres ; elle fait croire,
douter, nier la raison ; elle suspend les sens, elle les fait
sentir ; elle a ses fous et ses sages : et rien ne nous dépite
davantage que de voir qu'elle remplit ses hôtes d'une
satisfaction bien autrement pleine et entière que la raison.
Les habiles par imagination se plaisent tout autrement à
eux-mêmes que les prudents ne se peuvent raisonnablement
plaire. Ils regardent les gens avec empire ; ils disputent avec
hardiesse et confiance ; les autres, avec crainte et défiance :
et cette gaieté de visage leur donne souvent l'avantage dans
l'opinion des écoutants, tant les sages imaginaires ont de

faveur auprès des juges de même nature. Elle ne peut
rendre sages les fous; mais elle les rend heureux, à l'envi
de la raison qui ne peut rendre ses amis que misérables,
l'une les couvrant de gloire, l'autre de honte.

*Pensées*

## 123   *Les hommes n'évitent rien tant que le repos*

RIEN n'est si insupportable à l'homme que d'être dans un
plein repos, sans passions, sans affaire, sans divertissement,
sans application. Il sent alors son néant, son abandon, son
insuffisance, sa dépendance, son impuissance, son vide.
Incontinent il sortira du fond de son âme l'ennui, la
noirceur, la tristesse, le chagrin, le dépit, le désespoir...
Quand je m'y suis mis quelquefois, à considérer les diverses
agitations des hommes, et les périls et les peines où ils
s'exposent, dans la cour, dans la guerre, d'où naissent tant
de querelles, de passions, d'entreprises hardies et souvent
mauvaises, etc., j'ai découvert que tout le malheur des
hommes vient d'une seule chose, qui est de ne savoir pas
demeurer en repos, dans une chambre. Un homme qui a
assez de bien pour vivre, s'il savait demeurer chez soi avec
plaisir, n'en sortirait pas pour aller sur la mer ou au siège
d'une place. On n'achètera une charge à l'armée si cher,
que parce qu'on trouverait insupportable de ne bouger de
la ville; et on ne recherche les conversations et les divertissements des jeux que parce qu'on ne peut demeurer chez
soi avec plaisir.

Mais quand j'ai pensé de plus près, et qu'après avoir
trouvé la cause de tous nos malheurs, j'ai voulu en découvrir la raison, j'ai trouvé qu'il y en a une bien effective,
qui consiste dans le malheur naturel de notre condition
faible et mortelle, et si misérable, que rien ne peut nous
consoler, lorsque nous y pensons de près.

Quelque condition qu'on se figure, si l'on assemble tous

les biens qui peuvent nous appartenir, la royauté est le plus beau poste du monde, et cependant qu'on s'en imagine, accompagné de toutes les satisfactions qui peuvent le toucher, s'il est sans divertissement, et qu'on le laisse considérer et faire réflexion sur ce qu'il est, cette félicité languissante ne le soutiendra point, il tombera par nécessité dans les vues qui le menacent, des révoltes qui peuvent arriver, et enfin de la mort et des maladies, qui sont inévitables; de sorte que, s'il est sans ce qu'on appelle divertissement, le voilà malheureux, et plus malheureux que le moindre de ses sujets, qui joue et qui se divertit.

De là vient que le jeu et la conversation des femmes, la guerre, les grands emplois sont si recherchés. Ce n'est pas qu'il y ait en effet du bonheur, ni qu'on s'imagine que la vraie béatitude soit d'avoir l'argent qu'on peut gagner au jeu, ou dans le lièvre qu'on court: on n'en voudrait pas s'il était offert. Ce n'est pas cet usage mol et paisible, et qui nous laisse penser à notre malheureuse condition, qu'on recherche, ni les dangers de la guerre, ni la peine des emplois, mais c'est le tracas qui nous détourne d'y penser et nous divertit.

De là vient que les hommes aiment tant le bruit et le remuement; de là vient que la prison est un supplice si horrible; de là vient que le plaisir de la solitude est une chose incompréhensible. Et c'est enfin le plus grand sujet de félicité de la condition des rois, de [ce] qu'on essaie sans cesse à les divertir et à leur procurer toutes sortes de plaisirs.

Le roi est environné de gens qui ne pensent qu'à divertir le roi, et à l'empêcher de penser à lui. Car il est malheureux, tout roi qu'il est, s'il y pense.

Voilà tout ce que les hommes ont pu inventer pour se rendre heureux. Et ceux qui font sur cela les philosophes, et qui croient que le monde est bien peu raisonnable de passer tout le jour à courir après un lièvre qu'ils ne voudraient pas avoir acheté, ne connaissent guère notre nature. Ce lièvre ne nous garantirait pas de la vue de la mort et des misères, mais la chasse — qui nous en détourne — nous en garantit.

*Pensées*

## 124    *La place de l'homme dans la nature*

QUELLE chimère est-ce donc que l'homme? Quelle nouveauté, quel monstre, quel chaos, quel sujet de contradiction, quel prodige! Juge de toutes choses, imbécile ver de terre; dépositaire du vrai, cloaque d'incertitude et d'erreur; gloire et rebut de l'univers.

Que l'homme, étant revenu à soi, considère ce qu'il est au prix de ce qui est; qu'il se regarde comme égaré dans ce canton détourné de la nature; et que, de ce petit cachot où il se trouve logé, j'entends l'univers, il apprenne à estimer la terre, les royaumes, les villes et soi-même son juste prix. Qu'est-ce qu'un homme dans l'infini?

L'homme n'est qu'un roseau, le plus faible de la nature; mais c'est un roseau pensant. Il ne faut pas que l'univers entier s'arme pour l'écraser: une vapeur, une goutte d'eau, suffit pour le tuer. Mais, quand l'univers l'écraserait, l'homme serait encore plus noble que ce qui le tue, puisqu'il sait qu'il meurt, et l'avantage que l'univers a sur lui, l'univers n'en sait rien.

*Pensées*

# ANGÉLIQUE ARNAULD D'ANDILLY
# (LA MÈRE ANGÉLIQUE DE
# SAINT-JEAN)

1624-1684

*125*      *L'arrivée chez les Annonciades*

JE fus la première qui descendis du carrosse, après avoir
embrassé mes chères compagnes, qui demeurèrent à
attendre dans la rue l'ecclésiastique qui me venait introduire dans ce couvent de l'Annonciade, où mon obéissance
me destinait. Il me fit entrer seule avec lui dans le parloir
du dehors, cependant qu'on était allé avertir la supérieure
pour venir parler à lui. Il me dit qu'il espérait que je serais
bien dans cette maison, que c'étaient de bonnes religieuses.
Je lui répondis que je me trouvais fort bien partout où
Dieu serait avec moi, que je ne cherchais que lui...

Quand la chambre que l'on me préparait fut prête, la
Mère m'y mena. Je la suppliai de m'ordonner ce que j'aurais
à faire ; elle me dit que ce serait tout ce que je voudrais, que
je pouvais aller à l'office si je le désirais, ou n'y aller point
si je l'aimais mieux ; elle me fit voir aussi une sœur converse
qu'elle me dit qui aurait soin de moi, et qu'elle l'avait
choisie parce qu'elle avait cru que j'aurais peut-être plus de
liberté avec elle qu'avec une religieuse du chœur, et qu'elle
coucherait dans la même chambre si j'en avais besoin. Je
lui dis que non, et que je la remerciais très humblement.
Cet abord était beau. Aussitôt que je fus seule, je me pros-
ternai devant celui qui est présent partout et qui m'avait
conduite dans cette solitude pour ne vivre plus que pour
lui et avec lui. Je le remerciai de la grâce qu'il me faisait,
et lui recommandai le succès de mon combat.

C'était assez d'occupation pour ce qui restait de jour,
mais, quand ce vint à la nuit, et que, après avoir fini toutes
mes prières, je pensai me coucher pour prendre du repos,

je sentis comme si mon esprit eût été suspendu jusque-là et que tout d'un coup il fut tombé de fort haut, et que mon cœur eût été tout froissé de la chute. Car, tout en un moment, je me sentis accablée, déchirée de tous côtés de toutes les séparations que je venais de faire, et des peines de toutes les personnes que je laissais aussi affligées que moi. Je voulais ne point voir tout cela et je faisais tout mon possible pour m'en détourner; mais, quelque effort que je fisse pour fermer mes yeux à ces réflexions, je ne pouvais me rendre insensible à ma douleur. Il fallut la soulager en donnant cours à mes larmes, et, pour dire la vérité, j'en versai bien dans cette nuit, où je fus continuellement dans le combat de la grâce et de la nature, sans avoir d'autres armes pour me défendre que le bouclier de la vérité, qui repoussait toutes ces tendresses de la nature, par la persuasion qu'elle me donnait du bonheur que Dieu avait attaché à ces souffrances, et de l'avantage qu'il y avait à tout perdre pour acheter le royaume de Dieu et entrer en partage de la croix et de la gloire de Jésus-Christ.

*Relation de Captivité*

# MARIE DE RABUTIN-CHANTAL, MARQUISE DE SÉVIGNÉ

1626–1696

*126*        *Une clarté qui faisoit horreur*

Vendredi 20e février [1671]

VOUS saurez, ma petite, qu'avant-hier, mecredi, après être revenue de chez (M.) de Coulanges, où nous faisons nos paquets les jours d'ordinaire, je (revins) me coucher. Cela n'est pas extraordinaire; mais ce qui l'est beaucoup, c'est qu'à trois heures après minuit j'entendis crier au voleur, au feu, et ces cris si près de moi et si redoublés, que je ne doutai point que ce (ne) fût ici; je crus même entendre qu'on

parloit de ma petite-fille; je ne doutai pas qu'elle ne fût
brûlée. Je me levai dans cette crainte, sans lumière, avec un
tremblement qui m'empêchoit quasi de me soutenir. Je
courus à son appartement, qui est le vôtre: je trouvai tout
dans une grande tranquillité; mais je vis la maison de
Guitaut toute en feu; les flammes passoient par-dessus
la maison de Mme de Vauvineux. On voyoit dans nos
cours, et surtout chez M. de Guitaut, une clarté qui
faisoit horreur: c'étoient des cris, c'étoit une confusion,
c'étoient des bruits épouvantables, des poutres et des
solives qui tomboient. Je fis ouvrir ma porte, j'envoyai
mes gens au secours. M. de Guitaut m'envoya une cassette
de ce qu'il a de plus précieux; je la mis dans mon cabinet,
et puis je voulus aller dans la rue pour bayer comme les
autres; j'y trouvai M. et Mme de Guitaut quasi nus, Mme
de Vauvineux, l'ambassadeur de Venise, tous ses gens, la
petite Vauvineux qu'on portoit toute endormie chez
l'ambassadeur, plusieurs meubles et vaisselles d'argent
qu'on sauvoit chez lui. Mme de Vauvineux faisoit dé-
meubler. Pour moi, j'étois comme dans une île, mais j'avois
grand'pitié de mes pauvres voisins. Mme Guéton et son
frère donnoient de très bons conseils; nous étions tous
dans la consternation: le feu étoit si allumé qu'on n'osoit
en approcher, et l'on n'espéroit la fin de cet embrasement
qu'avec la fin de la maison de ce pauvre Guitaut. Il faisoit
pitié; il vouloit aller sauver sa mère qui brûloit au troisième
étage; sa femme s'attachoit à lui, qui le retenoit avec violence; il étoit entre la douleur de ne pas secourir sa mère
et la crainte de blesser sa femme, grosse de cinq mois: il
faisoit pitié. Enfin il me pria de tenir sa femme, je le fis: il
trouva que sa mère avoit passé au travers de la flamme et
qu'elle étoit sauvée. Il voulut aller retirer quelques papiers;
il ne put approcher du lieu où ils étoient. Enfin il revint
à nous dans cette rue où j'avois fait asseoir sa femme. Des
capucins, pleins de charité et d'adresse, travaillèrent si

bien, qu'ils coupèrent le feu. On jeta de l'eau sur les restes de l'embrasement, et enfin

> Le combat finit faute de combattants;[1]

c'est-à-dire après que le premier et le second étage de l'antichambre et de la petite chambre et du cabinet, qui sont à main droite du salon, eurent été entièrement (consommés)...

Vous m'allez demander comment le feu s'étoit mis à cette maison: on n'en sait rien; il n'y en avoit point dans l'appartement où il a pris. Mais si on avoit pu rire dans une si triste occasion, quels portraits n'auroit-on point faits de l'état où nous étions tous? Guitaut étoit nu en chemise, avec des chausses; Mme de Guitaut étoit [nue-jambe], et avoit perdu une de ses mules de chambre; Mme de Vauvineux étoit en petite jupe, sans robe de chambre; tous les valets, tous les voisins, en bonnets de nuit. L'ambassadeur étoit en robe de chambre et en perruque, et conserva fort bien la gravité de la Sérénissime. Mais son secrétaire étoit admirable; vous parlez de la poitrine d'Hercule! Vraiment, celle-ci étoit bien autre chose; on la voyoit toute entière: elle est blanche, grasse, potelée, et surtout sans aucune chemise, car le cordon qui la devoit attacher avoit été perdu à la bataille. Voilà les tristes nouvelles de notre quartier.

*Lettre à Madame de Grignan*

## *127*  *Je suis embarquée dans la vie*

A Paris [mercredi] 16e mars [1672]

VOUS me demandez, ma chère enfant, si j'aime toujours bien la vie. Je vous avoue que j'y trouve des chagrins cuisants; mais je suis encore plus dégoûtée de la mort: je me trouve si malheureuse d'avoir à finir tout ceci par elle,

---

[1] *Le Cid*, IV. iii

que si je pouvois retourner en arrière, je ne demanderois pas mieux. Je me trouve dans un engagement qui m'embarrasse : je suis embarquée dans la vie sans mon consentement ; il faut que j'en sorte, cela m'assomme ; et comment en sortirai-je ? Par où ? Par quelle porte ? Quand sera-ce ? En quelle disposition ? Souffrirai-je mille et mille douleurs qui me feront mourir désespérée ? Aurai-je un transport au cerveau ? Mourrai-je d'un accident ? Comment serai-je avec Dieu ? Qu'aurai-je à lui présenter ? La crainte, la nécessité, feront-elles mon retour vers lui ? N'aurai-je aucun autre sentiment que celui de la peur ? Que puis-je espérer ? Suis-je digne du paradis ? Suis-je digne de l'enfer ? Quelle alternative ! Quel embarras ! Rien n'est si fou que de mettre son salut dans l'incertitude ; mais rien n'est si naturel, et la sotte vie que je mène est la chose du monde la plus aisée à comprendre. Je m'abîme dans ces pensées, et je trouve la mort si terrible, que je hais plus la vie parce qu'elle m'y mène, que par les épines qui s'y rencontrent. Vous me direz que je veux vivre éternellement. Point du tout ; mais si on m'avoit demandé mon avis, j'aurois bien aimé à mourir entre les bras de ma nourrice : cela m'auroit ôté bien des ennuis et m'auroit donné le ciel bien sûrement et bien aisément ; mais parlons d'autre chose.

*A la même*

## 128        *La pièce admirable de la colique*

A Vichi 21e mai 1676

MADAME de Brissac avoit aujourd'hui la colique ; elle étoit au lit, belle et coiffée à coiffer tout le monde ; je voudrois que vous eussiez vu ce qu'elle faisoit de ses douleurs, et l'usage qu'elle faisoit de ses yeux, et des cris, et des bras, et des mains qui traînoient sur sa couverture, et les situations, et la compassion qu'elle vouloit qu'on eût : chamarrée de tendresse et d'admiration, j'admirai cette pièce et je la trouvai si belle, que mon attention a dû paroître un saisissement dont je crois qu'on me saura bon gré; et songez que c'étoit pour l'abbé Bayard, Saint-Hérem, Montjeu et Plancy, que la scène étoit ouverte. En vérité vous êtes une vraie *pitaude* : quand je songe avec quelle simplicité vous êtes malade, le repos que vous donnez à votre joli visage, et enfin quelle différence, cela me paroît plaisant...

*A la même*

### 129    *La cérémonie des chevaliers*

A Paris ce lundi 3ᵉ janvier [1689]

L A cérémonie de vos *frères* fut donc faite le jour de l'an à Versailles... L'on commença dès le vendredi, comme je vous l'ai dit : ceux-là étoient profès avec de beaux habits et leurs colliers et de fort bonne mine. Le samedi c'(étoit) tous les autres; deux maréchaux de France étoient demeurés : le maréchal de Bellefonds totalement ridicule, parce que, par modestie et par mine indifférente, il avait negligé de mettre ses rubans au bas de ses chausses de page, de sorte que c'étoit une véritable nudité. Toute la troupe étoit magnifique, M. de la Trousse des mieux : il y eut un embarras dans sa perruque qui lui fit passer ce qui étoit à côté assez longtemps derrière, de sorte que sa joue étoit fort découverte; il tiroit toujours; ce qui l'embarrassoit, ne vouloit pas venir : cela fut un petit chagrin. Mais, sur la même ligne, M. de Montchevreuil et M. de Villars s'accrochèrent l'un à l'autre d'une telle furie, les épées, les rubans, les dentelles, tous les clinquants, tout se trouva tellement mêlé, brouillé, embarrassé, toutes les petites parties crochues étoient si parfaitement entrelacées, que nulle main d'homme ne put les séparer : plus on y tâchoit, plus on brouilloit, comme les anneaux des armes de Roger; enfin toute la cérémonie, toutes les révérences, tout le manège demeurant arrêté, il fallut les arracher de force, et le plus

fort l'emporta. Mais ce qui déconcerta entièrement la
gravité de la cérémonie, ce fut la négligence du bon d'Hocquincourt, qui étoit tellement habillé comme les Proven-
çaux et les Bretons, que, ses chausses de page étant moins
commodes que celles qu'il a d'ordinaire, sa chemise ne
voulut jamais y demeurer, quelque prière qu'il lui en fît; car
sachant son état, il tâchoit incessamment d'y donner ordre,
et ce fut toujours inutilement; de sorte que Madame la
Dauphine ne put tenir plus longtemps les éclats de rire:
ce fut une grande pitié; la majesté du Roi en pensa être
ébranlée, et jamais il ne s'étoit vu, dans les registres de
l'ordre, l'exemple d'une telle aventure.

*A la même*

*130*                        *C'est du rouge*

Aux Rochers mecredi 19ᵉ avril 1690

JE reviens encore à vous, ma bonne, pour vous dire que
si vous avez envie de savoir en détail ce que c'est qu'un
printemps, il faut venir à moi. Je n'en connoissois moi-
même que la superficie; j'en examine cette année jusqu'aux
premiers petits commencements. Que pensez-vous donc
que ce soit que la couleur des arbres depuis huit jours?
Répondez. Vous allez dire: «Du vert.» Point du tout,
c'est du rouge. Ce sont de petits boutons, tout prêts à
partir, qui font un vrai rouge; et puis ils poussent tous une
petite feuille; et comme c'est inégalement, cela fait un
mélange trop joli de vert et de rouge. Nous couvons tout
cela des yeux; nous parions de grosses sommes — mais
c'est à ne jamais payer — que ce bout d'allée sera tout vert
dans deux heures; on dit que non: on parie. Les charmes
ont leur manière, les hêtres une autre. Enfin, je sais sur
cela tout ce que l'on peut savoir...

*A la même*

# JACQUES-BÉNIGNE BOSSUET

1627–1704

*131*               *Ce que c'est que l'homme*

LA nature d'un composé ne se remarque jamais plus distinctement que dans la dissolution de ses parties. Comme elles s'altèrent mutuellement par le mélange, il faut les séparer pour les bien connaître. En effet, la société de l'âme et du corps [fait que le corps] nous paraît quelque chose de plus qu'il n'est, et l'âme, quelque chose de moins; mais lorsque, venant à se séparer, le corps retourne à la terre et que l'âme aussi est mise en état de retourner au ciel, d'où elle est tirée, nous voyons l'un et l'autre dans sa pureté. Ainsi nous n'avons qu'à considérer ce que la mort nous ravit et ce qu'elle laisse en son entier; quelle partie de notre être tombe sous ses coups et quelle autre se conserve dans cette ruine; alors nous aurons compris ce que c'est que l'homme.

*Sermon sur la mort*[1]

*132*       *La recrue continuelle du genre humain*

AINSI, comme nous en voyons passer d'autres devant nous, d'autres nous verront passer, qui doivent à leurs successeurs le même spectacle. O Dieu! encore une fois, qu'est-ce que de nous? Si je jette la vue devant moi, quel espace infini où je ne suis pas! Si je la retourne en arrière, quelle suite effroyable où je ne suis plus, et que j'occupe peu de place dans cet abîme immense du temps! Je ne suis rien: un si petit intervalle n'est pas capable de me distinguer du néant; on ne m'a envoyé que pour faire nombre; encore n'avait-on que faire de moi, et la pièce n'en aurait pas été moins jouée, quand je serais demeuré derrière le théâtre.

*Sermon sur la mort*

[1] Lenten sermon, 1662

*133*            *Cette verte jeunesse*

Vous dirai-je en ce lieu ce que c'est qu'un jeune homme
de vingt-deux ans? Quelle ardeur! quelle impatience!
quelle impétuosité de désirs! Cette force, cette vigueur,
ce sang chaud et bouillant, semblable à un vin fumeux, ne
leur permet rien de rassis ni de modéré. Dans les âges
suivants on commence à prendre son pli, les passions
s'appliquent à quelques objets, et alors celle qui domine
ralentit du moins la fureur des autres; au lieu que cette
verte jeunesse n'ayant rien encore de fixe ni d'arrêté, en
cela même qu'elle n'a point de passion dominante pardessus
les autres, elle est agitée de toutes les passions avec violence.
Là les folles amours; là le luxe, l'ambition et le vain désir
de paraître exercent leur empire sans résistance. Tout s'y
fait par une chaleur inconsidérée; et comment accoutumer
à la règle, à la solitude, à la discipline, cet âge qui ne se
plaît que dans le mouvement et dans le désordre, et qui
n'est presque jamais dans une action composée!

*Panégyrique de Saint Bernard*

*134*            *Réflexions sur la comédie*

Je crois qu'il est assez démontré que la représentation des
passions agréables porte naturellement au péché quand ce
ne serait qu'en flattant et en nourrissant de dessein prémédité la concupiscence qui en est le principe. On répond
que, pour prévenir le péché, le théâtre purifie l'amour; la
scène toujours honnête dans l'état où elle paraît aujourd'hui,
ôte à cette passion ce qu'elle a de grossier et d'illicite; et ce
n'est, après tout, qu'une innocente inclination pour la
beauté, qui se termine au nœud conjugal. Du moins donc,
selon ses principes, il faudra bannir du milieu des chrétiens les prostitutions dont les comédies italiennes ont été
remplies, même de nos jours, et qu'on voit encore toutes

crues dans les pièces de Molière: on réprouvera les discours où ce rigoureux censeur des grands canons, ce grave
réformateur des mines et des expressions de nos précieuses,
étale cependant au plus grand jour les avantages d'une in-
fâme tolérance dans les maris, et sollicite les femmes à de
honteuses vengeances contre leurs jaloux. Il a fait voir à
notre siècle le fruit qu'on peut espérer de la morale du
théâtre qui n'attaque que le ridicule du monde, en lui
laissant cependant toute sa corruption. La postérité
saura peut-être la fin de ce poète comédien,[1] qui en jouant
son *Malade imaginaire*, ou son *Médecin par force*, reçut la
dernière atteinte de la maladie dont il mourut peu d'heures
après, et passa des plaisanteries du théâtre, parmi lesquelles
il rendit presque le dernier soupir, au tribunal de celui
qui dit: *Malheur à vous qui riez, car vous pleurerez.*

*Maximes et Réflexions sur la Comédie*

### *135*    *Madame se meurt...*

AU premier bruit d'un mal si étrange, on accourut à
Saint-Cloud de toutes parts; on trouve tout consterné,
excepté le cœur de cette princesse. Partout on entend des
cris; partout on voit la douleur et le désespoir, et l'image
de la mort. Le Roi, la Reine, Monsieur, toute la Cour,
tout le peuple, tout est abattu, tout est désespéré; et il me
semble que je vois l'accomplissement de cette parole du
prophète: *Le roi pleurera, le prince sera désolé, et les mains
tomberont au peuple, de douleur et d'étonnement.*

Mais et les princes et les peuples gémissaient en vain; en
vain Monsieur, en vain le Roi même tenait Madame serrée
par de si étroits embrassements. Alors ils pouvaient dire
l'un et l'autre avec saint Ambroise: *Stringebam brachia, sed
jam amiseram quam tenebam*: «Je serrais les bras, mais

[1] Molière, who was playing the part of Argan, was taken mortally
ill in the middle of the performance and died soon after.

j'avais déjà perdu ce que je tenais.» La princesse leur
échappait parmi des embrassements si tendres, et la mort
plus puissante nous l'enlevait entre ces royales mains.
Quoi donc! elle devait périr si tôt? Dans la plupart des
hommes les changements se font peu à peu, et la mort les
prépare ordinairement à son dernier coup. Madame cependant a passé du matin au soir, ainsi que l'herbe des champs.
Le matin elle fleurissait; avec quelles grâces, vous le savez:
le soir, nous la vîmes séchée; et ces fortes expressions,
par lesquelles l'Écriture sainte exagère l'inconstance des
choses humaines, devaient être pour cette princesse si
précises et si littérales. Hélas! nous composions son histoire
de tout ce qu'on peut imaginer de plus glorieux... et, pour
achever ces nobles projets, il n'y avait que la durée de sa
vie dont nous ne croyions pas devoir être en peine. Car
qui eût pu seulement penser que les années eussent dû
manquer à une jeunesse qui semblait si vive? Toutefois,
c'est par cet endroit que tout se dissipe en un moment.
Au lieu de l'histoire d'une belle vie, nous sommes réduits
à faire l'histoire d'une admirable, mais triste mort... La
voilà, malgré ce grand cœur, cette princesse si admirée
et si chérie! la voilà telle que la mort nous l'a faite; encore
ce reste tel quel va-t-il disparaître: cette ombre de gloire
va s'évanouir, et nous l'allons voir dépouillée même de
cette triste décoration. Elle va descendre à ces sombres
lieux, à ces demeures souterraines, pour y dormir dans la
poussière avec les grands de la terre, comme parle Job,
avec ces rois et ces princes anéantis, parmi lesquels à peine
peut-on la placer, tant les rangs y sont pressés, tant la mort
est prompte à remplir ces places. Mais ici notre imagination
nous abuse encore. La mort ne nous laisse pas assez de
corps pour occuper quelque place, et on ne voit là que les
tombeaux qui fassent quelque figure. Notre chair change
bientôt de nature. Notre corps prend un autre nom; même
celui de cadavre, dit Tertullien, parce qu'il nous montre

encore quelque forme humaine, ne lui demeure pas longtemps : il devient un je ne sais quoi, qui n'a plus de nom
dans aucune langue; tant il est vrai que tout meurt en lui,
jusqu'à ces termes funèbres par lesquels on exprimait ses
malheureux restes !

*Oraison funèbre*[1] *de Henriette-Anne d'Angleterre*

## 136        *Pleurez donc ce grand capitaine*

VENEZ, peuples, venez maintenant; mais venez plutôt,
princes et seigneurs, et vous qui jugez la terre, et vous qui
ouvrez aux hommes les portes du ciel; et vous, plus que
tous les autres, princes et princesses, nobles rejetons de
tant de rois, lumières de la France, mais aujourd'hui obscurcies et couvertes de votre douleur comme d'un nuage;
venez voir le peu qui nous reste d'une si auguste naissance,
de tant de grandeur, de tant de gloire. Jetez les yeux de
toutes parts : voilà tout ce qu'a pu faire la magnificence et
la piété pour honorer un héros; des titres, des inscriptions,
vaines marques de ce qui n'est plus; des figures qui semblent pleurer autour d'un tombeau, et de fragiles images
d'une douleur que le temps emporte avec tout le reste;
des colonnes qui semblent vouloir porter jusqu'au ciel le
magnifique témoignage de notre néant; et rien enfin ne
manque dans tous ces honneurs que celui à qui on les rend.
Pleurez donc sur ces faibles restes de la vie humaine,
pleurez sur cette triste immortalité que nous donnons aux
héros. Mais approchez en particulier, ô vous qui courez
avec tant d'ardeur dans la carrière de la gloire, âmes
guerrières et intrépides ! Quel autre fut plus digne de vous
commander? mais dans quel autre avez-vous trouvé le
commandement plus honnête? Pleurez donc ce grand
capitaine, et dites en gémissant : Voilà celui qui nous menait
dans les hasards; sous lui se sont formés tant de renommés

[1] 1670

Capitaines, que ses exemples ont élevés aux premiers
honneurs de la guerre : son ombre eût pu encore gagner
des batailles ; et voilà que dans son silence son nom même
nous anime, et ensemble il nous avertit que, pour trouver
à la mort quelque reste de nos travaux et n'arriver pas
sans ressource à notre éternelle demeure, avec le roi de la
terre il faut encore servir le roi du ciel.

*Oraison funèbre*[1] *de Louis de Bourbon, Prince de Condé*

# GABRIEL-JOSEPH DE LA VERGNE, VICOMTE DE GUILLERAGUES

1628–1685

*137*        *L'amour tout seul ne donne*
               *point de l'amour*

JE vous écris pour la dernière fois, et j'espère vous faire
connaître, par la différence des termes et de la manière de
cette lettre, que vous m'avez enfin persuadée que vous ne
m'aimiez plus, et qu'ainsi je ne dois plus vous aimer : Je
vous renverrai donc par la première voie tout ce qui me
reste encore de vous. Ne craignez pas que je vous écrive ;
je ne mettrai pas même votre nom au dessus du paquet ;
j'ai chargé de tout ce détail Dona Brites, que j'avais accoû-
tumée à des confidences bien éloignées de celle-ci ; ses
soins me seront moins suspects que les miens ; elle prendra
toutes les précautions nécessaires, afin de pouvoir m'assurer
que vous avez reçu le portrait et les bracelets que vous
m'avez donnés... L'orgueil ordinaire de mon sexe ne
m'a point aidée à prendre des résolutions contre vous.
Hélas ! j'ai souffert vos mépris, j'eusse supporté votre
haine et toute la jalousie que m'eût donnée l'attachement
que vous eussiez pu avoir pour une autre, j'aurais eu, au

[1] 1687

moins, quelque passion à combattre, mais votre indifférence m'est insupportable; vos impertinentes protestations
d'amitié, et les civilités ridicules de votre dernière lettre,
m'ont fait voir que vous aviez reçu toutes celles que je
vous ai écrites, qu'elles n'ont causé dans votre cœur aucun
mouvement, et que cependant vous les avez lues. Ingrat, je
suis encore assez folle pour être au désespoir de ne pouvoir
me flatter qu'elles ne soient pas venues jusques à vous, et
qu'on ne vous les ait pas rendues! Je déteste votre bonne
foi, vous avais-je prié de me mander sincèrement la vérité?
Que ne me laissiez-vous ma passion? Vous n'aviez qu'à ne
me point écrire; je ne cherchais pas à être éclaircie; ne suis-je
pas bien malheureuse de n'avoir pu vous obliger à prendre
quelque soin de me tromper et de n'être plus en état de vous
excuser? Sachez que je m'aperçois que vous êtes indigne de
tous mes sentiments, et que je connais toutes vos méchantes
qualités...

　　N'avez-vous jamais fait quelque réflexion sur la manière
dont vous m'avez traitée? ne pensez-vous jamais que vous
m'avez plus d'obligation qu'à personne du monde? je vous
ai aimé comme une insensée; que de mépris j'ai eu pour
toutes choses! Votre procédé n'est point d'un honnête
homme, il faut que vous ayez eu pour moi de l'aversion
naturelle, puis que vous ne m'avez pas aimée éperdument;
je me suis laissé enchanter par des qualités très-médiocres,
qu'avez-vous fait qui dût me plaire? quel sacrifice m'avez-
vous fait? n'avez-vous pas cherché mille autres plaisirs?
avez-vous renoncé au jeu et à la chasse? n'êtes-vous pas
parti le premier pour aller à l'armée? n'en êtes-vous pas
revenu après tous les autres?...

*Lettres portugaises* (1669)

# CHARLES PERRAULT

1628–1703

*138*            *Cendrillon*

LE lendemain, les deux sœurs furent au bal, et Cendrillon aussi, mais encore plus parée que la première fois. Le fils du roi fut toujours auprès d'elle, et ne cessa de lui conter des douceurs. La jeune demoiselle ne s'ennuyoit point, et oublia ce que sa marraine lui avoit recommandé, de sorte qu'elle entendit sonner le premier coup de minuit, lorsqu'elle ne croyoit pas qu'il fût encore onze heures : elle se leva, et s'enfuit aussi légèrement qu'auroit fait une biche. Le prince la suivit, mais il ne put l'attraper. Elle laissa tomber une de ses pantoufles de verre, que le prince ramassa bien soigneusement. Cendrillon arrive chez elle, bien essoufflée, sans carrosse, sans laquais, et avec ses méchans habits; rien ne lui étant resté de sa magnificence, qu'une de ses petites pantoufles, la pareille de celle qu'elle avoit laissée tomber. On demanda aux gardes de la porte du palais s'ils n'avoient point vu sortir une princesse : ils dirent qu'ils n'avoient vu sortir personne qu'une jeune fille fort mal vêtue, et qui avoit plus l'air d'une paysanne que d'une demoiselle.

Quand les deux sœurs revinrent du bal, Cendrillon leur demanda si elles s'étoient encore bien diverties, et si la belle dame y avoit été : elles lui dirent que oui, mais qu'elle s'étoit enfuie, lorsque minuit avoit sonné, et si promptement qu'elle avoit laissé tomber une de ses petites pantoufles de verre, la plus jolie du monde; que le fils du roi l'avoit ramassée et qu'il n'avoit fait que la regarder pendant tout le reste du bal, et qu'assurément il étoit fort amoureux de la belle personne à qui appartenoit la petite pantoufle.

Elles dirent vrai; car, peu de jours après, le fils du roi fit publier, à son de trompe, qu'il épouseroit celle dont le pied seroit bien juste à la pantoufle. On commença à l'essayer aux princesses, ensuite aux duchesses et à toute la cour, mais inutilement. On la porta chez les deux sœurs, qui firent tout leur possible pour faire entrer leur pied dans la pantoufle; mais elles ne purent en venir à bout. Cendrillon, qui les regardoit, et qui reconnut sa pantoufle, dit en riant: «Que je voie si elle ne me seroit pas bonne!» Ses sœurs se mirent à rire et à se moquer d'elle. Le gentilhomme qui faisoit l'essai de la pantoufle, ayant regardé attentivement Cendrillon, et la trouvant fort belle, dit que cela étoit très-juste, et qu'il avoit ordre de l'essayer à toutes les filles. Il fit asseoir Cendrillon, et, approchant la pantoufle de son petit pied, il vit qu'il y entroit sans peine, et qu'elle y étoit juste comme de cire. L'étonnement des deux sœurs fut grand, mais plus grand encore quand Cendrillon tira de sa poche l'autre petite pantoufle, qu'elle mit à son pied. Là-dessus arriva la marraine, qui, ayant donné un coup de sa baguette sur les habits de Cendrillon, les fit devenir encore plus magnifiques que tous les autres.

Alors ses deux sœurs la reconnurent pour la belle personne qu'elles avoient vue au bal. Elles se jetèrent à ses pieds pour lui demander pardon de tous les mauvais traitemens qu'elles lui avoient fait souffrir. Cendrillon les releva et leur dit, en les embrassant, qu'elle leur pardonnoit de bon cœur, et qu'elle les prioit de l'aimer bien toujours. On la mena chez le jeune prince, parée comme elle étoit. Il la trouva encore plus belle que jamais; et, peu de jours après, il l'épousa. Cendrillon, qui étoit aussi bonne que belle, fit loger ses deux sœurs au palais, et les maria, dès le jour même, à deux grands seigneurs de la cour.

*Cendrillon ou la Petite Pantoufle de Verre*

# PIERRE-DANIEL HUET

1630–1721

*139*            *De l'origine des romans*

AUTREFOIS, sous le nom de Roman, on comprenoit non
seulement ceux qui estoient écrits en prose, mais plus
souvent encore ceux qui estoient écrits en vers… Mais
aujourd'huy l'usage contraire a prévalu, & ce que l'on
appelle proprement Romans, sont *Des histoires feintes
d'aventures amoureuses, écrites en prose avec art, pour le plaisir &*
*l'instruction des lecteurs.* Je dis, des histoires feintes, pour
les distinguer des histoires veritables. J'ajouste, d'aventures
amoureuses, parce que l'amour doit estre le principal sujet
du Roman. Il faut qu'elles soient écrites en prose, pour
estre conformes à l'usage de ce siecle. Il faut qu'elles soient
écrites avec art, & sous de certaines regles; autrement ce
sera un amas confus, sans ordre & sans beauté. La fin
principale des Romans, ou du moins celle qui le doit estre,
& que se doivent proposer ceux qui les composent, est
l'instruction des lecteurs, à qui il faut toujours faire voir la
vertu couronnée, & le vice puni.

Enfin je mets aussi les Fables hors de mon sujet: car
les Romans sont des fictions de choses qui ont pû estre, &
qui n'ont point esté; & les Fables sont des fictions de
choses qui n'ont point esté, & qui n'ont pû estre.

Et parce que naturellement le travail nous rebute, l'ame
ne se porte à ces connoissances épineuses que dans la
veuë du fruit, ou dans l'esperance d'un plaisir éloigné, ou
par nécessité. Mais les connoissances qui l'attirent & la
flattent davantage, sont celles qu'elle acquiert sans peine,
& où l'imagination agit presque seule, & sur des matieres
semblables à celles qui tombent d'ordinaire sous nos sens;
particulierement si ces connoissances excitent nos passions,
qui sont les grands mobiles de tous les desirs, de toutes les

actions, & de tous les plaisirs de nostre vie. C'est ce que
font les Romans : il ne faut point de contention d'esprit
pour les comprendre; il n'y a point de grands raisonnemens
à faire; il ne faut point se fatiguer la memoire; il ne faut
qu'imaginer. Ils n'émeuvent nos passions, que pour les
appaiser; ils n'excitent nostre crainte, ou nostre compassion,
que pour nous faire voir hors du peril, ou de la misere,
ceux pour qui nous craignons, ou que nous plaignons; ils
ne touchent nostre tendresse, que pour nous faire voir
heureux ceux que nous aimons; ils ne nous donnent de la
haine, que pour nous faire voir miserables ceux que nous
haïssons; enfin toutes nos passions s'y trouvent agréablement excitées & calmées. C'est pourquoi ceux qui agissent
plus par passion que par raison, & qui travaillent plus de
l'imagination que de l'entendement, y sont les plus sensibles; quoy que les derniers le soient aussi, mais d'une
autre sorte. Ils sont touchez des beautez de l'art, & de ce
qui part de l'entendement; mais les premiers, tels que sont
les enfans & les simples, le sont seulement de ce qui
frappe leur imagination & agite leurs passions, & ils
aiment les fictions en elles-mesmes, sans aller plus loin.
Or les fictions n'estant que des narrations vrayes en apparence, & fausses en effet, les esprits des simples, qui ne
voyent que l'écorce, se contentent de cette apparence de
verité, & ils s'y plaisent : mais ceux qui penetrent plus
avant, & vont au solide, se dégoustent aisément de cette
fausseté. De sorte que les premiers aiment la fausseté, à
cause de la verité apparente qui la cache; & les derniers
se rebutent de cette image de verité, à cause de la fausseté
effective qu'elle cache; si cette fausseté n'est d'ailleurs
ingenieuse, mysterieuse, & instructive, & ne se soustient
par l'excellence de l'invention & de l'art.

*Traité de l'Origine des Romans*

# ESPRIT FLÉCHIER

1632–1710

*140*        *Une aventure plaisante*

CELA fit que nous parlâmes des romans de Sapho et d'une
aventure plaisante qui lui arriva à Lyon, lorsqu'elle
revenoit à Paris avec M. de Scudéri, son frère. On leur
avoit donné une chambre dans l'hôtellerie, qui n'étoit
séparée que d'une petite cloison d'une autre chambre où
l'on avoit logé un bon gentilhomme d'Auvergne, si bien
qu'on pouvoit les entendre discourir. Ces deux illustres
personnes n'avoient pas grand équipage, mais ils traînoient
partout avec eux une troupe de héros qui les suivoient
dans leur imagination; et quoiqu'ils allassent à petit bruit,
ils avoient toujours dans l'esprit des grandes aventures;
quoiqu'ils n'eussent qu'à compter avec leur hôte, ils
avoient de grandes affaires à démêler avec les plus grands
princes du monde; si bien que leur conversation la plus
ordinaire étoit un conseil d'État; et, sans s'émouvoir, ils
faisoient le procès aux plus redoutables princes. Durant
quinze jours qu'ils furent en chemin, ils firent donner je
ne sais combien de batailles. Qu'il est beau de voir toutes
les intrigues d'un siècle passer par l'imagination de deux
personnes qui font le destin de ceux qui faisoient autrefois
celui du monde! Dès qu'ils furent arrivés à Lyon, et qu'ils
eurent pris une chambre dans l'hôtellerie, ils reprirent leurs
discours sérieux, et tinrent conseil s'ils devoient faire
mourir un des héros de leur histoire; et, quoiqu'il n'y eût
qu'un frère et une sœur à opiner, les avis furent partagés.
Le frère, qui a l'humeur un peu plus guerrière, concluoit
d'abord à la mort; et la sœur, comme d'une complexion
plus tendre, prenoit le parti de la pitié, et vouloit bien
lui sauver la vie. Ils s'échauffèrent un peu sur ce différend,
et Sapho étant revenue à l'autre avis, la difficulté ne fut
plus qu'à choisir le genre de mort. L'un crioit qu'il falloit

le faire mourir très-cruellement, l'autre lui demandoit par grâce de ne le faire mourir que par le poison. Ils parloient si sérieusement et si haut, que le gentilhomme d'Auvergne logé dans la chambre voisine, crut qu'on délibéroit sur la vie du roi; et ne sachant pas le nom du personnage, prit innocemment le héros du temps passé pour celui du nôtre, et fit un attentat d'un divertissement imaginaire; il s'en va faire sa plainte à l'hôte, qui, ne prenant point ce fait pour une intrigue de roman, fit appeler les officiers de la justice pour informer sur la conjuration de ces deux inconnus. Ces Messieurs, qui croient qu'ils ont seuls le pouvoir de faire mourir, se saisirent de leurs personnes, et jugeant à leur mine et à la tranquillité de leur esprit qu'ils n'étoient point si entreprenants qu'on les figuroit, leur firent la grâce de les interroger sur-le-champ: s'ils n'avoient point eu dans l'esprit quelque grand dessein depuis leur arrivée? M. de Scudéri répondit que oui; s'ils n'avoient point menacé la vie du prince de mort cruelle ou de poison? il l'avoua; s'ils n'avoient pas concerté ensemble le temps et le lieu? il tomba d'accord; s'ils n'alloient point à Paris pour exécuter et pour mettre fin à leur dessein? il ne le nia point. Là-dessus on leur demande leurs noms, et ayant ouï que c'étoient M. et Mlle de Scudéri, ils connurent bien qu'ils parloient plutôt de Cyrus et d'Ibrahim que de Louis, et qu'ils n'avoient autre dessein que de faire mourir en idée des princes morts depuis longtemps. Ainsi leur innocence fut reconnue; ces Messieurs se retirèrent après leur avoir demandé pardon, chargés de honte et pleins de respect, et ceux qui faisoient le procès aux héros donnèrent grâce à ces hommes simples.

*Mémoires sur les Grands-Jours d'Auvergne en 1665*[1]

[1] Special Assizes held at Clermont by officials appointed and dispatched by Louis XIV.

# SÉBASTIEN LE PRESTRE,
# SEIGNEUR DE VAUBAN

1633–1707

*141*        *Les revenus du roy*

Il me semble aussi que les Revenus du Roy se doivent distinguer de ceux de ses Sujets, bien que tous proviennent de même source, suivant ce Système. Car on sçait bien que ce sont les Peuples qui cultivent, recuëillent, & amassent ceux du Roy; & que pour les percevoir, ses Officiers n'ont d'autre soin que de les imposer, & en faire la Recette, les Peuples faisans le reste. C'est pourquoy il me paroît qu'il seroit mieux de dire, que des fonds de Terre, du Commerce & de l'industrie, se tire le Revenu des hommes; mais que les veritables fonds du Revenu des Rois, ne sont autres que les hommes mêmes, qui sont ceux dont ils tirent non seulement tout leur Revenu, mais dont ils disposent pour toutes leurs autres affaires. Ce sont eux qui payent, qui sont toutes choses, & qui s'exposent librement à toutes sortes de dangers pour la conservation des biens & de la vie de leur Prince; qui n'ont ni tête ni bras; ni jambes qui ne s'employent à le servir, jusques-là qu'ils ne peuvent pas se Marier, ni faire des Enfans, sans que le Prince n'en profite, parce que ce sont autant de nouveaux Sujets qui lui viennent.

Ces fonds sont donc bien d'une autre nature que ceux des Particuliers, par leur Noblesse & leur utilité intelligente, toûjours agissante & appliquée à mil choses utiles à leur Maître. C'est de ce fonds-là dont il faut être bon ménager, afin d'en procurer l'Accroissement par toutes sortes de voyes legitimes, & le maintenir en bon état, sans jamais le commettre à aucune dissipation. Ce qui arrivera infailliblement quand les Impositions seront proportionnées aux forces d'un chacun, les Revenus bien administrez; & que les Peuples ne seront plus exposez aux mangeries

des Traitans, non plus qu'à la Taille arbitraire, aux Aydes
& aux Doüanes, aux friponneries des Gabelles, & à tant
d'autres Droits onereux qui ont donné lieu à des vexations
infinies exercées à tort & à travers sur le tiers et sur le quart,
lesquelles ont mis une infinité de gens à l'Hôpital et sur
le pavé, & en partie dépeuplé le Royaume. Ces Armées
de Traitans, Sous-Traitans, avec leurs Commis de toutes
espèces; ces Sang-suës d'Etat, dont le nombre seroit
suffisant pour remplir les Galeres, qui aprés mil friponneries punissables, marchent la tête levée dans Paris parez
des dépoüilles de leurs Concitoyens, avec autant d'orgueil
que s'ils avoient sauvé l'Etat. C'est de l'Oppression de
toutes ces Harpies dont il faut garantir ce précieux Fonds,
je veux dire ces Peuples, les meilleurs à leur Roy qui
soient sous le Ciel, en quelque partie de l'Univers que
puissent être les autres. Et pour conclusion, les [*sic*] Roy a
d'autant plus d'interest à les bien traiter & conserver, que
sa qualité de Roy, tout son bonheur & sa fortune, y sont
indispensablement attachez d'une maniere inseparable, qui
ne doit finir qu'avec sa vie.

*Projet d'une Dixme Royale*

# MARIE-MADELEINE, COMTESSE
# DE LAFAYETTE

1634–1693

*142*                    *Une passion se rallume*

APRÈS avoir traversé un petit bois, elle aperçut, au bout
d'une allée, dans l'endroit le plus reculé du jardin, une
espèce de cabinet ouvert de tous côtés, où elle adressa ses
pas. Comme elle en fut proche, elle vit un homme couché
sur des bancs, qui paroissoit enseveli dans une rêverie
profonde, et elle reconnut que c'étoit M. de Nemours.
Cette vue l'arrêta tout court; mais ses gens, qui la suivoient,

firent quelque bruit qui tira M. de Nemours de sa rêverie. Sans regarder qui avoit causé le bruit qu'il avoit entendu, il se leva de sa place pour éviter la compagnie qui venoit vers lui, et tourna dans une autre allée en faisant une révérence fort basse, qui l'empêcha même de voir ceux qu'il saluoit.

S'il eût su ce qu'il évitoit, avec quelle ardeur seroit-il retourné sur ses pas! Mais il continua à suivre l'allée, et madame de Clèves le vit sortir par une porte de derrière, où l'attendoit son carrosse. Quel effet produisit cette vue d'un moment dans le cœur de madame de Clèves! Quelle passion endormie se ralluma dans son cœur! et avec quelle violence! Elle alla s'asseoir dans le même endroit d'où venoit de sortir M. de Nemours; elle y demeura comme accablée. Ce prince se présenta à son esprit, aimable audessus de tout ce qui étoit au monde, l'aimant depuis longtemps avec une passion pleine de respect et de fidélité, méprisant tout pour elle, respectant jusqu'à sa douleur, songeant à la voir sans songer à en être vu, quittant la cour, dont il faisoit les délices, pour aller regarder les murailles qui la renfermoient, pour venir rêver dans les lieux où il ne pouvoit prétendre de la rencontrer; enfin un homme digne d'être aimé par son seul attachement, et pour qui elle avoit une inclination si violente, qu'elle l'auroit aimé quand il ne l'auroit pas aimée: mais, de plus, un homme d'une qualité élevée et convenable à la sienne. Plus de devoir, plus de vertu, qui s'opposassent à ses sentiments: tous les obstacles étoient levés, et il ne restoit de leur état passé que la passion de M. de Nemours pour elle, et que celle qu'elle avoit pour lui.

Toutes ces idées furent nouvelles à cette princesse. L'affliction de la mort de M. de Clèves l'avoit assez occupée pour avoir empêché qu'elle y eût jeté les yeux. La présence de M. de Nemours les amena en foule dans son esprit; mais, quand il en eut été pleinement rempli, et qu'elle se souvint aussi que ce même homme qu'elle regardoit comme pouvant l'épouser étoit celui qu'elle avoit aimé du vivant de son mari, et qui étoit la cause de sa mort; que même en mourant il lui avoit témoigné de la crainte qu'elle ne l'épousât, son austère vertu étoit si blessée de cette imagination, qu'elle ne trouvoit guère moins de crime à épouser M. de Nemours qu'elle en avoit trouvé à l'aimer pendant la vie de son mari. Elle s'abandonna à ces réflexions si contraires à son bonheur: elle les fortifia encore de plusieurs raisons qui regardoient son repos et les maux qu'elle prévoyoit en épousant ce prince. Enfin, après avoir demeuré deux heures dans le lieu où elle étoit, elle s'en revint chez elle, persuadée qu'elle devoit fuir sa vue comme une chose entièrement opposée à son devoir.

Mais cette persuasion, qui étoit un effet de sa raison et de sa vertu, n'entraînoit pas son cœur. Il demeuroit attaché à M. de Nemours avec une violence qui la mettoit dans un état digne de compassion, et qui ne lui laissa plus de repos. Elle passa une des plus cruelles nuits qu'elle eût jamais passées.

*La Princesse de Clèves*

# FRANÇOISE D'AUBIGNÉ,
# MARQUISE DE MAINTENON

1635–1719

*143*    *En attendant que Namur soit pris*

Dinant 28 mai 1692

IMAGINEZ-VOUS, madame, qu'hier après avoir marché six heures dans un assez beau chemin, nous vîmes un château bâti sur un roc qui nous parut inaccessible et si peu étendu, que nous ne comprenions pas que nous puissions y loger, quand même on nous y auroit guindés; nous en approchâmes fort près sans y voir aucun chemin habité, et nous vîmes enfin, au pied de ce château, dans un abîme et comme on verroit à peu près dans un puits fort profond, les toits d'un certain nombre de petites maisons qui nous parurent pour des poupées, et environnées de tous côtés de rochers affreux par leur hauteur et par leur couleur : ils paroissent de fer et sont tout à fait escarpés; il faut descendre dans cette horrible habitation par un chemin plus rude que je ne puis dire; tous les carrosses faisoient des sauts à rompre tous les ressorts, et les dames se tenoient à tout ce qu'elles pouvoient. Nous descendîmes après un quart d'heure de ce tourment, et nous nous trouvâmes dans une ville composée d'une rue qui s'appelle la grande, et où deux carrosses ne peuvent passer de front; il y en a de petites, où deux chaises à porteurs ne peuvent tenir; on n'y voit goutte, les maisons sont effroyables, et Mme de Villeneuve y auroit quelques vapeurs. L'eau y est mauvaise, le vin rare, les boulangers ont ordre de ne cuire que pour l'armée, de sorte que les domestiques ne peuvent trouver du pain; les poulets en plumes valent trente sous, la viande huit sous la livre et très-mauvaise; on porte tout au camp. Il y pleut à verse depuis que nous y sommes; et on nous assure que si le chaud vient, il est insupportable par la réverbération des rochers. Je n'ai encore vu que deux églises : elles sont au premier étage, et on n'y sauroit entrer que, par civilité, on ne vous dise un salut avec une très-mauvaise musique, et un encens si parfumé, si abondant et si continuel, qu'on ne se voit plus par la fumée, et il y a peu de têtes qui y puissent résister. D'ailleurs la ville est crottée à ne pouvoir s'en tirer, le pavé pointu à piquer les pieds; et les rues étroites où les carrosses ne sauroient passer tiennent, je crois, lieu de privés pour tout le monde; Suzon assure que le Roi a grand tort de prendre de pareilles villes, et qu'il faudroit ne les pas plaindre aux ennemis.

Le siége de Namur va fort bien; on avance, et jusqu'à cette heure on tue très-peu de monde; on espère que la

ville sera prise vers le 4 ou le 5 de ce mois; le château
tiendra apparemment davantage. M. le prince d'Orange
assure qu'il viendra secourir la place, mais il y a lieu de
croire qu'il viendra trop tard. Le Roi a la goutte aux deux
pieds, et je vous assure que je n'en suis pas fâchée; un
boulet rouge de l'ennemi est tombé dans des poudres au
quartier de M. de Boufflers, et en a fait sauter sept milliers;
cette belle ville ici trembla du bruit qui se fit, car pour
comble d'agrément, on entend le canon du siége. Après
cette belle description, ne soyez pas en peine de moi: je
me porte fort bien, je suis des mieux logées, très-bien servie,
et voulant bien être où Dieu me met. Je vous embrasse,
mes chères filles, toutes en général et en particulier. Il y a
d'ici quatre cent degrés pour monter au château dont je
vous ai parlé.

*Lettre à Madame de Veilhan*

*144*          *Lettre pieuse*

Lundi 6 mai 1714

JE crois, ma chère fille, qu'être trop attachée à son corps,
c'est de craindre trop les incommodités, c'est de rechercher
trop les commodités et les aises, c'est d'être trop propre,
c'est d'être aisément dégoûtée des autres, c'est de s'habiller
avec trop de soin, c'est d'appréhender trop le froid, le
chaud, la fumée, la poussière, en un mot toutes les petites
mortifications de providence; c'est de désirer de contenter
ses sens, c'est de chercher le plaisir, être trop attachée à sa
santé, c'est d'en prendre trop de soin, c'est de s'inquiéter
sur les remèdes, c'est de s'occuper de tout ce que l'on croit
de bon pour votre soulagement, c'est de raffiner sur ce que
l'on désire, ou sur ce que l'on craint; c'est de s'examiner
là-dessus avec trop de soin. Être trop attachée à son esprit,
c'est de croire en avoir, et s'en savoir bon gré; c'est de
vouloir l'augmenter, c'est de le montrer, c'est de tourner

la conversation selon notre goût, c'est de chercher celles
qui ont le plus d'esprit, c'est de mépriser celles à qui on
n'en trouve point, c'est de parler avec affectation, c'est
d'écrire de même... Je suis obligée de finir, ma chère fille.

*A une dame de Saint-Louis*

*145*                    *Je m'éloigne du monde*

Saint-Cyr, le 27 décembre 1715

IL est vrai, madame, que je m'éloigne du monde le plus
qu'il m'est possible, et que, si mes amis avoient un peu
moins de bonté pour moi, je ne verrois plus personne;
mais il est vrai aussi que je n'oublie pas ceux que j'ai
estimés, aimés et honorés, et que je pense très souvent à
vous, en vous désirant ce que je crois qu'il y a de meilleur.
J'aurois cru, madame, que vous iriez à Rome, et j'en
étois bien aise par rapport à vos yeux; les miens ont un
sort bien différent: j'ai quitté les lunettes que j'avois prises
il y a trente-cinq ans, et je travaille en tapisserie jour et
nuit, car je dors peu; ma retraite est paisible et très complète. Quant à la société, on ne peut en avoir avec des
personnes qui n'ont nulle connoissance de ce que j'ai vu,
et qui ont été élevées dans cette maison, dont elles savent
uniquement les règles.

Il n'y a point d'état sur la terre, madame, qui n'ait ses
peines; votre bon esprit, votre courage et la douceur
de votre sang ont toujours diminué les vôtres... Croyez,
madame, que je ne puis oublier les marques de votre
bonté pour moi, et que je mourrai avec le même attachement pour vous. Ces termes ne sont point assez respectueux,
mais vous en connoissez le fond.

*A Madame la Princesse des Ursins*

# NICOLAS BOILEAU-DESPRÉAUX

1636–1711

*146*     *Les inscriptions doivent estre simples*

LES Inscriptions doivent estre simples, courtes, et familieres. La pompe, ni la multitude des paroles n'y valent rien, et ne sont propres au stile grave, qui est le vray stile des Inscriptions. Il est absurde de faire une déclamation autour d'une medaille, ou au bas d'un Tableau; sur tout lors qu'il s'agit d'actions comme celles du Roy, qui estant d'elles-mesmes toutes grandes et toutes merveilleuses, n'ont pas besoin d'estre exaggerées.

Il suffit d'énoncer simplement les choses pour les faire admirer. *Le passage du Rhin* dit beaucoup plus, que *le merveilleux passage du Rhin*. L'Epithete de *merveilleux* en cet endroit, bien loin d'augmenter l'action, la diminuë, et sent son declamateur qui veut grossir de petites choses. C'est à l'Inscription à dire, *voilà le passage du Rhin*; et celuy qui lit, sçaura bien dire sans elle, *Le passage du Rhin est une des plus merveilleuses actions qui ayent jamais esté faites dans la guerre*. Il le dira mesme d'autant plus volontiers, que l'Inscription ne l'aura pas dit avant luy; les hommes naturellement ne pouvant souffrir qu'on prévienne leur jugement, ny qu'on leur impose la necessité d'admirer ce qu'ils admireront assez d'eux-mesmes... Au reste cette simplicité d'Inscriptions est extrémement du goust des Anciens, comme on le peut voir dans les Medailles, où ils se contentoient souvent de mettre pour toute explication la date de l'action qui est figurée, ou le Consulat sous lequel elle a esté faite, ou tout au plus deux mots, qui apprennent le sujet de la Medaille.

Il est vray que la langue Latine dans cette simplicité a une noblesse et une energie qu'il est difficile d'attraper en nostre langue. Mais si l'on n'y peut atteindre, il faut s'efforcer d'en approcher; et tout du moins ne pas charger nos Inscriptions d'un verbiage et d'une enflûre de paroles, qui estant fort mauvaise par tout ailleurs, devient sur tout insupportable en ces endroits.

*Discours*[1] *sur le stile des Inscriptions*

# NICOLAS MALEBRANCHE

1638–1715

*147*        *L'ordre se rencontre partout*

POURQUOI penses-tu que tous les hommes aiment naturellement la beauté? C'est que toute beauté, du moins celle qui est l'objet de l'esprit, est visiblement une imitation de l'ordre. Si un peintre habile dans son art a disposé de telle manière toutes les figures d'un tableau, que le principal personnage y soit le plus en vue, que les couleurs de son vêtement soient les plus vives, que l'air du visage et la posture du corps de tous ceux qui l'environnent portent à le considérer, et marquent les mouvements de l'âme dont ils doivent être agités à son occasion, tout plaira dans l'ouvrage de ce peintre, à cause de l'ordre qui s'y rencontre. Lorsque dans une assemblée chacun prend la place qui lui est due, et observe avec soin de plaire et de rendre honneur à la personne qui a le plus de qualité ou de mérite connu, rien ne choque; mais si un malhonnête homme, ou par ses manières, ou par ses discours, veut s'attirer l'attention ou le respect qu'il doit lui-même à quelqu'autre, il déplaira nécessairement à ceux mêmes qui n'y ont point d'intérêt, parce qu'il blesse l'ordre. On doit remarquer l'ordre en toutes choses, car il se rencontre partout; et ceux qui le connaissent et qui en font la règle de leurs actions se rendent

---

[1] Occasioned by a proposal to substitute French for the Latin inscriptions on the historical pictures in the Grande Galerie at Versailles.

toujours aimables, parce qu'ils sont conformes à ce que
l'on aime par une impression naturelle et invincible.

*Méditations chrétiennes*

## *148*                    *Des faux savants*

LA principale cause qui engage les hommes dans de fausses
études, c'est qu'ils ont attaché l'idée de savant à des
connaissances vaines et infructueuses, au lieu de ne l'attacher qu'aux sciences solides et nécessaires. Car quand un
homme se met en tête de devenir savant, et que l'esprit de
polymathie commence à l'agiter, il n'examine guère quelles
sont les sciences qui lui sont les plus nécessaires, soit pour
se conduire en honnête homme, soit pour perfectionner
sa raison; il regarde seulement ceux qui passent pour
savants dans le monde et ce qu'il y a en eux qui les rend
considérables. Toutes les sciences les plus solides et les
plus nécessaires étant assez communes, elles ne font point
admirer ni respecter ceux qui les possèdent; car on regarde
sans attention et sans émotion les choses communes, quelque belles et quelque admirables qu'elles soient en elles-
mêmes. Ceux qui veulent devenir savants ne s'arrêtent
donc guère aux sciences nécessaires à la conduite de la vie
et à la perfection de l'esprit. Ces sciences ne réveillent point
en eux cette idée des sciences qu'ils se sont formée, car ce
ne sont pas ces sciences qu'ils ont admirées dans les autres
et qu'ils souhaitent qu'on admire en eux.

L'Évangile et la morale sont des sciences trop communes
et trop ordinaires; ils souhaitent de savoir la critique de
quelques termes qui se rencontrent dans les philosophes
anciens ou dans les poètes grecs. Les langues, et principalement celles qui ne sont point en usage dans leur pays,
comme l'arabe et le rabbinage ou quelques autres semblables, leur paraissent dignes de leur application et de
leur étude. S'ils lisent l'Écriture sainte, ce n'est pas pour

y apprendre la religion et la piété; les points de chronologie, de géographie, et les difficultés de grammaire, les occupent tout entiers; ils désirent avec plus d'ardeur la connaissance de ces choses que les vérités salutaires de l'Évangile... Les histoires les plus rares et les plus anciennes sont celles qu'ils font gloire de savoir. Ils ne savent pas la généalogie des princes qui règnent présentement, et ils recherchent avec soin celle des hommes qui sont morts il y a quatre mille ans. Ils négligent d'apprendre les histoires de leur temps les plus communes, et ils tâchent de savoir exactement les fables et les fictions des poètes. Ils ne connaissent pas même leurs propres parents; mais si vous le souhaitez, ils vous apporteront plusieurs autorités pour vous prouver qu'un citoyen romain était allié d'un empereur, et d'autres choses semblables.

*La Recherche de la Vérité*

## 149 *L'importunité des gens*

THÉODORE. — Quand Ariste est quelque part on le sait bientôt. C'est que tout le monde veut l'avoir. Voilà ce que c'est que d'être bel esprit et d'avoir tant de qualités brillantes : il faut se trouver partout pour ne chagriner personne. On n'est plus à soi.

ARISTE. — Quelle servitude !

THÉODORE. — En voulez-vous être délivré ? Devenez méditatif, et tout le monde vous laissera bientôt là. Le grand secret de se délivrer de l'importunité de bien des gens, c'est de leur parler raison. Ce langage qu'ils n'entendent pas les congédie pour toujours, sans qu'ils aient sujet de s'en plaindre.

*Entretiens sur la Métaphysique*

# LOUIS XIV

*150*                         *Ce qui est à corriger*

Saint-Germain-en-Laye, le 20 octobre 1666

MON COUSIN,[1] j'espère que cette lettre vous fera encore mieux connoître que toutes les grâces que vous avez reçues de moi jusqu'à présent, la bonté que j'ai pour vous. Comme mon intention est de vous confier toujours le commandement de mes armées de mer, lesquelles j'ai dessein de rendre plus considérables que celles de tous les rois mes prédécesseurs, je ne puis que je ne souhaite, de vous voir de plus en plus capable de me servir, par l'augmentation des talens que vous possédez pour cet effet, et par la cessation des défauts qu'il peut y avoir dans votre conduite, n'y ayant point d'homme si parfait qui ne manque en quelque chose. Je vous dirai donc, que j'ai une entière satisfaction de la chaleur avec laquelle vous vous appliquez en toutes rencontres, à vous mettre en état de faire quelqu'action qui puisse me plaire; que j'approuve fort la manière dont vous avez agi dans votre navigation, et même que j'ai fort estimé, et la prompte résolution que vous prîtes d'entrer dans la Manche, et les ordres que vous donnâtes dans les places maritimes et le long de la côte; que j'ai considéré ce qui s'est passé dans une conjoncture si délicate, non-seulement comme une suite du bonheur dont il plaît à Dieu d'accompagner mes armes, mais aussi comme un effet de votre fermeté et de votre zèle pour ma gloire; qu'enfin, sans m'arrêter à l'obligation indispensable d'un vaisseau portant mon pavillon, de régler sa diligence sur celle des navires qu'il conduit (à moins qu'il soit contraint par la tempête d'en user autrement), je veux rejeter toute la faute des quatorze vaisseaux qui vous quit-

---

[1] François de Vendôme, duc de Beaufort (1616–1669), naval commander

tèrent dans votre route, sur ceux qui les commandoient, et croire que vous avez fait ce qui dépendoit de vous pour leur donner lieu de vous rejoindre; mais après vous avoir rendu justice sur ce qui mérite approbation ou excuse, il est bon de vous avertir de ce qui est à corriger. Votre inclination naturelle vous portant à vouloir faire toutes choses vous-même, et votre zèle pour mon service vous faisant tout entreprendre, il semble que vous ayez peine à souffrir que les officiers qui sont sous votre autorité, fassent les fonctions de leur charges, et principalement les intendans, comme si votre but étoit de les rendre inutiles, et les frustrer de l'avantage de mériter par leurs services. Vous savez que vous n'avez pu vous accommoder du sieur de Laguette, et je l'ai rappelé par cette raison. Le sieur d'Infreville que j'ai mis en sa place, tout consommé qu'il est dans les choses de son emploi, n'a pas mieux réussi avec vous; il est vrai qu'en même temps que vous ne l'avez pu souffrir, pour déguiser cette incompatibilité, vous avez fort relevé la suffisance du sieur Arnoult; mais je ne sais si celui-ci vous seroit plus agréable, s'il avoit la commission de l'autre. Vous avez aussi été bien aise que Brodard ne s'embarquât pas sur mon armée navale, pour vous délivrer encore de ce qui pouvoit porter le nom ou avoir quelque fonction ou apparence d'intendant. Mais cette aversion d'intendance a eu des suites bien plus considérables; elle redoubla à la rade de la Rochelle, par la résolution que j'avois prise de mettre sur l'*Amiral* le sieur Colbert du Terron, pour assister à tous les conseils qui s'y seroient tenus; et ces deux mouvemens joints à la pensée que vous avez eue, qu'il auroit peine à quitter le séjour de la Rochelle, et que ce seul attachement lui faisoit préférer la rivière de Charente au port de Brest, ont pro-duit une infinité d'effets dans votre esprit: vous avez condamné d'abord la Charente, et pour vous tirer plutôt de ce lieu-là, vous m'avez écrit et fait dire par Etemart qu'il

ne vous manquoit rien, et qu'en trois jours vous seriez en
état de remettre à la voile; sur quoi j'envoyai porter parole
aux États des Provinces-Unies, que vous seriez incontinent
dans la Manche avec toute ma flotte, et néanmoins vous
fûtes encore seize ou dix-huit jours dans la Charente; et à
votre arrivée à Belle-Ile, le marquis de Bellefonds m'écrivit
qu'il vous manquoit beaucoup de choses... J'ai été bien
aise de m'étendre sur toutes ces particularités, pour vous
faire voir qu'il est inutile de se cacher de moi; et j'ajouterai
en même temps, que le bien de mon service veut absolument qu'un intendant autorisé, expérimenté et habile, soit
toujours au principal port où mes armées navales séjour-
nent, que lui-même ou un commissaire-général de pareille
expérience les suive toujours à la mer; que vous ne trouverez
en la personne dudit sieur Colbert du Terron, aucune
prévention pour un lieu plutôt qu'un autre, et qu'il n'aura
en vue que mon service et l'exécution de vos ordres:
mais il est nécessaire aussi que vous l'appuyiez et souteniez
en toutes occasions, que vous lui disiez vos sentimens, que
vous lui ordonniez ce qu'il devra faire, et il vous obéira
ponctuellement, et vous rendra compte de tout. Songez
donc qu'autant de momens que vous employez à vouloir
faire la fonction des autres charges, sont autant de temps
dérobé au soin que vous devez avoir de vous bien instruire
de la vôtre, qui est si importante et si difficile, que les plus
grands hommes, après y avoir blanchi, ont avoué que c'est
un métier où il y a toujours à apprendre. Je ne doute
point que vous ne profitiez de l'avis que je vous donne,
et que vous ne reconnoissiez que vous m'êtes d'autant plus
obligé de cette marque de ma bienveillance qu'il y a peu
d'exemples de rois qui en aient usé de la sorte.

*Au duc de Beaufort*

# JEAN RACINE

1639–1699

*151*              *Deux Abbesses*

DE tous les monastères que je viens de nommer, il n'y en
eut point où la Mère Angélique trouvât plus à travailler
que dans celui de Maubuisson, dont l'abbesse, sœur de
Mme Gabrielle d'Estrées, après plusieurs années d'une vie
toute scandaleuse, avait été interdite, et renfermée à Paris
dans les Filles pénitentes. A peine la Mère Angélique
commençait à faire connaître Dieu dans cette maison, que
Mme d'Estrées, s'étant échappée des Filles pénitentes,
revint à Maubuisson avec une escorte de plusieurs jeunes
gentilshommes, accoutumés à y venir passer leur temps;
et une des portes lui fut ouverte par une des anciennes
religieuses. Aussitôt le confesseur de l'abbaye, qui était un
moine, grand ennemi de la réforme, voulut persuader à la
Mère Angélique de se retirer. Il y eut même un de ces
gentilshommes qui lui appuya le pistolet sur la gorge pour
la faire sortir. Mais tout cela ne l'étonnant point, l'Abbesse,
le confesseur, et ces jeunes gens, la prirent par force, et la
mirent hors du couvent avec les religieuses qu'elle y avait
amenées, et avec toutes les novices à qui elle avait donné
l'habit. Cette troupe de religieuses, destituée de tout
secours, et ne sachant où se retirer, s'achemina en silence
vers Pontoise, et en traversa tout le faubourg et une partie
de la ville, les mains jointes et leur voile sur le visage,
jusqu'à ce qu'enfin quelques habitants du lieu, touchés de
compassion, leur offrirent de leur donner retraite chez eux.
Mais elles n'y furent pas longtemps; car, au bout de deux ou
trois jours, le Parlement, à la requête de d'abbé de Cîteaux,
ayant donné un arrêt pour renfermer de nouveau Mme
d'Estrées, le prévôt de l'Isle fut envoyé avec main-forte pour
se saisir de l'Abbesse, du confesseur, et de la religieuse ancienne qui étoit de leur cabale. L'Abbesse s'enfuit de bonne

heure par une porte du jardin; la religieuse fut trouvée dans
une grande armoire pleine de hardes, où elle s'était cachée;
et le confesseur, ayant sauté par-dessus les murs, s'alla
réfugier chez les jésuites de Pontoise. Ainsi la Mère
Angélique demeura paisible dans Maubuisson, et y continua sa sainte mission pendant cinq années.

*Abrégé de l'histoire de Port-Royal*


*152*                *Les avis d'un père*

à Fontainebleau, le 3 oct. 1694

Il me paraît, par votre lettre, que vous portez un peu
d'envie à Mlle de La Chapelle de ce qu'elle a lu plus de
comédies et plus de romans que vous. Je vous dirai, avec
la sincérité avec laquelle je suis obligé de vous parler, que
j'ai un extrême chagrin que vous fassiez tant de cas de
toutes ces niaiseries, qui ne doivent servir tout au plus
qu'à délasser quelquefois l'esprit, mais qui ne devraient
point vous tenir autant à cœur qu'elles font. Vous êtes
engagé dans des études très sérieuses qui doivent attirer
votre principale attention, et pendant que vous y êtes
engagé et que nous payons des maîtres pour vous en
instruire, vous devez éviter tout ce qui peut dissiper votre
esprit et vous détourner de votre étude. Non seulement
votre conscience et la religion vous y obligent, mais vous-
même [devez] avoir assez de considération pour moi, et
assez d'égard, pour vous conformer un peu à mes sentiments pendant que vous êtes en un âge où vous devez vous
laisser conduire. Je ne dis pas que vous ne lisiez quelquefois des choses qui puissent vous divertir l'esprit, et vous
voyez que je vous ai mis moi-même entre les mains assez
de livres français capables de vous amuser; mais je serais
inconsolable si ces sortes de livres vous inspiraient du
dégoût pour des lectures plus utiles, et surtout pour les

livres de piété et de morale, dont vous ne parlez jamais, et pour lesquels il semble que vous n'ayez plus aucun goût, quoique vous soyez témoin du véritable plaisir que j'y prends préférablement à toute autre chose. Croyez-moi, quand vous saurez parler de comédies et de romans, vous n'en serez guère plus avancé pour le monde, et ce ne sera pas par cet endroit-là que vous serez le plus estimé...

Vous jugez bien que je ne cherche pas à vous chagriner et que je n'ai autre dessein que de contribuer à vous rendre l'esprit solide, et à vous mettre en état de ne me point faire de déshonneur quand vous viendrez à paraître dans le monde. Je vous assure qu'après mon salut, c'est la seule chose dont je suis le plus occupé. Ne regardez point tout ce que je vous dis comme une réprimande, mais comme les avis d'un père qui vous aime tendrement, et qui ne songe qu'à vous donner des marques de son amitié. Écrivez-moi le plus souvent que vous pourrez, et faites mes compliments à votre mère. Il n'y a ici aucune nouvelle, sinon que le roi a toujours la goutte, et que tous les princes reviennent de l'armée de Flandre.

*   *   *

à Paris, le 24 juillet 1698

... J'oubliais à vous dire que j'appréhende que vous ne soyez un trop grand acheteur de livres. Outre que la multitude ne sert qu'à dissiper et à faire voltiger de connaissances en connaissances, souvent assez inutiles, vous prendriez même l'habitude de vous laisser tenter de tout ce que vous trouveriez. Je me souviens toujours d'un passage des *Offices* de Cicéron, que M. Nicole me citait souvent pour me détourner de la fantaisie d'acheter des livres : *Non esse emacem, vectigal est.* «C'est un grand revenu que de n'aimer point à acheter.»

*Lettres à son fils*

# JEAN DE LA BRUYÈRE

1645–1696

*153*          *Giton et Phédon*

*Giton* a le teint frais, le visage plein et les joues pendantes, l'œil fixe et assuré, les épaules larges, l'estomac haut, la démarche ferme et délibérée. Il parle avec confiance; il fait répéter celui qui l'entretient, et il ne goûte que médiocrement tout ce qu'il lui dit. Il déploie un ample mouchoir, et se mouche avec grand bruit; il crache fort loin, et il éternue fort haut. Il dort le jour, il dort la nuit, et profondément; il ronfle en compagnie. Il occupe à table et à la promenade plus de place qu'un autre; il tient le milieu en se promenant avec ses égaux; il s'arrête, et l'on s'arrête; il continue de marcher, et l'on marche: tous se règlent sur lui. Il interrompt, il redresse ceux qui ont la parole: on ne l'interrompt pas; on l'écoute aussi longtemps qu'il veut parler; on est de son avis, on croit les nouvelles qu'il débite. S'il s'assied, vous le voyez s'enfoncer dans un fauteuil, croiser les jambes l'une sur l'autre, froncer le sourcil, abaisser son chapeau sur ses yeux pour ne voir personne, ou le relever ensuite, et découvrir son front par fierté et par audace. Il est enjoué, grand rieur, impatient, présomptueux, colère, libertin, politique, mystérieux sur les affaires du temps; il se croit des talents et de l'esprit. Il est riche.

*Phédon* a les yeux creux, le teint échauffé, le corps sec et le visage maigre; il dort peu, et d'un sommeil fort léger; il est abstrait, rêveur, et il a avec de l'esprit l'air d'un stupide: il oublie de dire ce qu'il sait, ou de parler d'événements qui lui sont connus; et s'il le fait quelquefois, il s'en tire mal, il croit peser à ceux à qui il parle, il conte brièvement, mais froidement; il ne se fait pas écouter, il ne fait point rire. Il applaudit, il sourit à ce que les autres lui disent, il est de leur avis; il court, il vole pour leur rendre de petits services. Il est complaisant, flatteur, empressé; il est mystérieux sur ses affaires, quelquefois menteur; il est superstitieux, scrupuleux, timide. Il marche doucement et légèrement, il semble craindre de fouler la terre; il marche les yeux baissés, et il n'ose les lever sur ceux qui passent. Il n'est jamais du nombre de ceux qui forment un cercle pour discourir; il se met derrière celui qui parle, recueille furtivement ce qui se dit, et il se retire si on le regarde. Il n'occupe point de lieu, il ne tient point de place; il va les épaules serrées, le chapeau abaissé sur ses yeux pour n'être point vu; il se replie et se renferme dans son manteau; il n'y a point de rues ni de galeries si embarrassées et si remplies de monde, où il ne trouve moyen de passer sans effort, et de se couler sans être aperçu. Si on le prie de s'asseoir, il se met à peine sur le bord d'un siège; il parle bas dans la conversation, et il articule mal; libre néanmoins sur les affaires publiques, chagrin contre le siècle, médiocrement prévenu des ministres et du ministère. Il n'ouvre la bouche que pour répondre; il tousse, il se mouche sous son chapeau, il crache presque sur soi, et il attend qu'il soit seul pour éternuer, ou, si cela lui arrive, c'est à l'insu de la compagnie: il n'en coûte à personne ni salut ni compliment. Il est pauvre.

*Des Biens de Fortune*

*154*        *La Liberté*

LA liberté n'est pas oisiveté; c'est un usage libre du temps, c'est le choix du travail et de l'exercice: être libre en un mot n'est pas ne rien faire, c'est être seul arbitre de ce qu'on fait ou de ce qu'on ne fait point: quel bien en ce sens que la liberté.

*Des Jugements*

# ANTHONY HAMILTON

(?)1646–1720

*155*        *Tunbridge Wells*[1]

L A cour partit un mois après pour en passer près de
deux dans le lieu de l'Europe le plus simple et le plus
rustique, mais le plus agréable et le plus divertissant.

Tunbridge est à la même distance de Londres que
Fontainebleau l'est de Paris. Ce qu'il y a de beau et de
galant dans l'un et dans l'autre sexe s'y rassemble au temps
des eaux. La compagnie, toujours nombreuse, y est toujours choisie. Comme ceux qui ne cherchent qu'à se
divertir l'emportent toujours sur le nombre de ceux qui
n'y vont que par nécessité, tout y respire les plaisirs et
la joie. La contrainte en est bannie, la familiarité établie
dès la première connoissance, et la vie qu'on y mène est
délicieuse.

On a pour logement de petites habitations propres et
commodes, séparées les unes des autres, et répandues
partout à une demi-lieue des eaux. On s'assemble le matin
à l'endroit où sont les fontaines. C'est une grande allée
d'arbres touffus, sous lesquels on se promène en prenant
les eaux. D'un côté de cette allée règne une longue suite
de boutiques, garnies de toutes sortes de bijoux, de dentelles, de bas et de gants, où l'on va jouer comme on fait à
la foire. De l'autre côté de l'allée se tient le marché; et,
comme chacun y va choisir et marchander ses provisions,
on n'y voit point d'étalage qui soit dégoûtant. Ce sont de
petites villageoises blondes, fraîches, avec du linge bien
blanc, de petits chapeaux de paille, et proprement chaussées,
qui vendent du gibier, des légumes, des fleurs et du fruit.
On y fait aussi bonne chère qu'on veut. On y joue gros jeu,
et les tendres commerces y vont leur train. Dès que le soir

[1] *c.* 1670

arrive, chacun quitte son petit palais pour s'assembler au boulingrin. C'est là qu'en plein air on danse, si l'on veut, sur un gazon plus doux et plus uni que les plus beaux tapis du monde.

*Mémoires du comte de Gramont*

# PIERRE BAYLE

1647–1706

*156*          *De l'autorité des poëtes*

POUR commencer par les Poëtes, vous n'ignorez pas, Monsieur, qu'ils sont si entêtez de parsemer leurs Ouvrages de plusieurs descriptions pompeuses, comme sont celles des prodiges et de donner du merveilleux aux avantures de leurs Héros, que pour arriver à leurs fins ils supposent mille choses étonnantes. Ainsi bien loin de croire sur leur parole que le bouleversement de la République Romaine ait été l'effect de deux ou trois comètes, je ne croirois pas seulement, si d'autres qu'eux ne le disoient, qu'il en ait paru en ce tems là. Car enfin il faut s'imaginer qu'un homme qui s'est mis dans l'esprit de faire un poëme s'est emparé de toute la Nature en même temps. Le Ciel et la Terre n'agissent plus que par son ordre; il arrive des Eclipses ou des Naufrages si bon lui semble; tous les Elements se remuënt selon qu'il le trouve à propos. On voit des armées dans l'air et des Monstres sur la terre tout autant qu'il en veut; les Anges et les Démons paroissent toutes les fois qu'il l'ordonne; les Dieux mêmes montez sur des machines se tiennent prêts pour fournir à ses besoins et comme, sur toutes choses, il luy faut des comètes à cause du préjugé où l'on est à leur égard, s'il s'en trouve de toutes faites dans l'Histoire, il s'en saisit à propos; s'il n'en trouve pas, il en fait lui même et leur donne la couleur et la figure la plus capable de faire paroitre que le Ciel

s'est intéressé d'une manière très distinguée dans l'affaire
dont il est question.

*Pensées diverses sur la Comète*

## *157*      *Les témoignages des historiens*

AVEC tout cela, Monsieur, je ne suis pas d'avis que l'on
chicane l'autorité des Historiens ; je consens que sans avoir
égard à leur crédulité, on croye qu'il a paru des Comètes
tout autant qu'ils en marquent et qu'il est arrivé, dans les
années qui ont suivi l'apparition des Comètes, tout autant
de malheurs qu'ils nous en rapportent. Je donne les mains
à tout cela : mais aussi c'est tout ce que je vous accorde et
tout ce que vous devez raisonnablement prétendre. Voyons
maintenant à quoi aboutira tout cecy. Je vous défie avec
toute votre subtilité d'en conclurre, que les Comètes ont
été ou la cause ou le signe des malheurs qui ont suivi leur
apparition. Ainsi les témoignages des Historiens se rédui-
sent à prouver uniquement qu'il a paru des Comètes et
qu'en suitte il y a bien eu des désordres dans le monde ;
ce qui est bien éloigné de prouver que l'une de ces deux
choses est la cause ou le pronostic de l'autre, à moins
qu'on ne veuille qu'il soit permis à une femme qui ne met
jamais la tête à sa fenêtre, à la rue Saint Honoré, sans voir
passer des Carrosses, de s'imaginer qu'elle est la cause
pourquoi ces Carrosses passent, ou du moins qu'elle doit
être un présage à tout le quartier, en se montrant à sa
fenêtre, qu'il passera bien tôt des Carrosses.

*Pensées diverses sur la Comète*

## *158*      *Que l'homme n'agit pas selon* *ses principes*

QUE l'homme soit une créature raisonnable, tant qu'il vous
plaira ; il n'en est pas moins vrai, qu'il n'agit presque jamais
conséquemment à ses Principes. Il a bien la force dans les

choses de spéculation, de ne point tirer de mauvaises conséquences, car dans cette sorte de matières, il pèche beaucoup plus par la facilité qu'il a de recevoir de faux Principes, que par les fausses conclusions qu'il en infère. Mais c'est tout autre chose quand il est question des bonnes mœurs. Ne donnant presque jamais dans des faux Principes, retenant presque toujours dans sa conscience les idées de l'équité naturelle, il conclut néanmoins presque toûjours à l'avantage de ses désirs déreiglez. D'où vient, je vous prie, qu'encore qu'il y ait parmi les hommes une prodigieuse diversité d'opinions touchant la manière de servir Dieu, et de vivre selon les loix de la bienséance, on voit néanmoins certaines passions régner constamment dans tous les Pays, et dans tous les siècles? Que l'ambition, l'avarice, l'envie, le désir de se venger, l'impudicité, et tous les crimes qui peuvent satisfaire ces passions se voyent par tout? Que le Juif et le Mahométan, le Turc et More, le Chrétien et l'Infidèle, l'Indien et le Tartare, l'habitant de terre ferme et l'habitant des Isles, le Noble et le Roturier, toutes ces sortes de gens qui dans le reste ne conviennent, pour ainsi dire, que dans la notion générale d'homme, sont si semblables à l'égard de ces passions, que l'on diroit qu'ils se copient les uns les autres? D'où vient tout cela, sinon de ce que le véritable principe des actions de l'homme (j'excepte ceux en qui la grâce du St. Esprit se déploye avec toute son efficace) n'est autre chose que le tempérament, l'inclination naturelle pour le plaisir, le goût que l'on contracte pour certains objets, le désir de plaire à quelqu'un, une habitude gagnée dans le commerce des amis, ou quelque autre disposition qui résulte du fond de nôtre nature, en quelque Pays que l'on naisse, et de quelques connoissances que l'on nous remplisse l'esprit?

*Pensées diverses sur la Comète*

*159*          *Amour filial*

A Roüen, le 16 d'Avril 1675

MA TRÉS-HONORÉE MÈRE, J'avois fait mon compte de
vous envoier tout à la fois, et le Portrait de mon Cœur,
et celui de mon Visage; mais il ne m'a pas été possible de
trouver des expressions assez fortes pour représenter la
grandeur de ma tendresse et de mon respect; si bien que
pour ne pas faire tort à mon Cœur, j'ai pris le parti de vous
envoier seulement l'ouvrage du Peintre. J'espérois qu'il
me seroit aussi facile de bien représenter ce qui se passe
dans mon âme, qu'il lui a été facile de me portraire d'après
la naturel. Il me sembloit déjà que mille termes propres
et significatifs s'empressoient à qui viendroit le premier
au bout de ma plume. Cependant lorsqu'il a été question
de venir au fait, je n'ai rien trouvé dans mon imagination
de ce qui m'étoit nécessaire, et il m'a fallu abandonner
cette entreprise malgré moi.

Pour suppléer à cela, ma très-honnorée Mère, imaginez-
vous ce qu'il y a au monde de plus reconnoissant, de plus
tendre, et de plus respectueux; et vous aurez l'idée de ce
que je suis à votre égard, et que je n'ai pu exprimer dans
une Lettre. Il m'est bien doux que vous ayez tant souhaité
mon Portrait: il me le seroit beaucoup, si vous étiez
persuadée que je suis innocent de vous l'avoir tant fait
attendre. Si je ne puis avoir le vôtre, du moins vous aurai-
je toujours peinte dans mon cœur; sur lequel vous avez
été mise comme un cachet.

Puisse le bon Dieu, qui a toujours déploié ses gratuitez
sur nous, favoriser de plus en plus notre Maison, vous
accordant à vous, ma très-honorée Mère, une vie longue,
et exempte de soucis, de chagrins et de maladies, et à moi
une protection qui vous laisse goûter les joies et les douceurs, que le bonheur des personnes qui nous sont chères a
coûtume de nous apporter.

Je suis d'un naturel à ne pas craindre la mauvaise fortune, et à ne faire pas de vœux ardens pour la bonne. Néanmoins cet équilibre et cette indifférence cessent dans mon esprit, dès que je viens à faire réflexion que votre amitié pour moi vous fait sentir tout ce qui m'arrive. C'est pourquoi dans la pensée que mon malheur vous seroit un tourment, je voudrois être heureux : et quand je songe que mon bonheur feroit toute votre joie, je serois fâché que ma mauvaise fortune me continuât ses persécutions, auxquelles pour mon intérêt particulier j'ose me promettre de n'être jamais trop sensible. Je suis avec la plus ardente passion, ma très-honorée Mère, Votre, &c

*Lettre à sa Mère*

# FRANÇOIS DE SALIGNAC DE LA MOTHE-FÉNELON

1651–1715

*160*  *Le char d'Amphitrite*

PENDANT qu'Hasaël et Mentor parlaient, nous aperçûmes des dauphins couverts d'une écaille qui paraissait d'or et d'azur. En se jouant, ils soulevaient les flots avec beaucoup d'écume. Après eux venaient les Tritons, qui sonnaient de la trompette avec leurs conques recourbées. Ils environnaient le char d'Amphitrite, traîné par des chevaux marins, plus blancs que la neige, et qui, fendant l'onde salée, laissaient loin derrière eux un vaste sillon dans la mer. Leurs yeux étaient enflammés et leurs bouches étaient fumantes. Le char de la déesse était une conque d'une merveilleuse figure; elle était d'une blancheur plus éclatante que l'ivoire, et les roues étaient d'or. Ce char semblait voler sur la face des eaux paisibles. Une troupe de nymphes couronnées de fleurs nageaient en foule derrière le char; leurs beaux cheveux pendaient sur leurs épaules et flottaient

au gré du vent. La déesse tenait d'une main un sceptre
d'or pour commander aux vagues, de l'autre elle portait
sur ses genoux le petit dieu Palémon, son fils, pendant à
sa mamelle. Elle avait un visage serein et une douce
majesté qui faisait fuir les vents séditieux et toutes les noires
tempêtes. Les Tritons conduisaient les chevaux, et tenaient
les rênes dorées. Une grande voile de pourpre flottait dans
l'air au-dessus du char; elle était à demi enflée par le souffle
d'une multitude de petits zéphyrs qui s'efforçaient de la
pousser par leurs haleines. On voyait au milieu des airs
Éole empressé, inquiet et ardent. Son visage ridé et
chagrin, sa voix menaçante, ses sourcils épais et pendants,
ses yeux pleins d'un feu sombre et austère tenaient en
silence les fiers aquilons et repoussaient tous les nuages.
Les immenses baleines et tous les monstres marins, faisant
avec leurs narines un flux et reflux de l'onde amère,
sortaient à la hâte des grottes profondes, pour voir la
déesse.

*Les Aventures de Télémaque*

*161*  *Ni le difficile, ni le rare,*
*ni le merveilleux*

JE conviens d'un autre côté, qu'on ne doit jamais hasarder
aucune locution ambiguë; j'irai même d'ordinaire avec
Quintilien jusqu'à éviter toute phrase que le lecteur entend,
mais qu'il pourrait ne pas entendre s'il ne suppléait pas ce
qui y manque. Il faut une diction simple, précise et dégagée,
où tout se développe de soi-même, et aille au-devant du
lecteur. Quand un auteur parle au public, il n'y a aucune
peine qu'il ne doive prendre, pour en épargner à son lecteur.
Il faut que tout le travail soit pour lui seul, et tout le plaisir,
avec tout le fruit, pour celui dont il veut être lu. Un auteur
ne doit laisser rien à chercher dans sa pensée. Il n'y a que

les faiseurs d'énigmes qui soient en droit de présenter un
sens enveloppé. Auguste voulait qu'on usât de répétitions
fréquentes plutôt que de laisser quelque péril d'obscurité
dans le discours. En effet le premier de tous les devoirs
d'un homme qui n'écrit que pour être entendu est de
soulager son lecteur, en se faisant d'abord entendre... Un
auteur qui a trop d'esprit, et qui en veut toujours avoir,
lasse et épuise le mien : je n'en veux point avoir tant.
S'il en montrait moins, il me laisserait respirer et me
ferait plus de plaisir : il me tient trop tendu, la lecture
de ses vers me devient une étude. Tant d'éclairs m'éblou-
issent, je cherche une lumière douce qui soulage mes
faibles yeux. Je... veux un sublime si familier, si doux et
si simple, que chacun soit d'abord tenté de croire qu'il
l'aurait trouvé sans peine, quoique peu d'hommes soient
capables de le trouver. Je préfère l'aimable au surprenant
et au merveilleux.

*Lettre à l'Académie*

## *162        Avis à une personne de la cour*

Vous ne devez point, ce me semble, vous embarrasser sur
les divertissements où vous ne pouvez éviter de prendre
part. Il y a bien des gens qui veulent qu'on gémisse de
tout, et qu'on se gêne continuellement en excitant en soi le
dégoût des amusements auxquels on est assujetti. Pour moi,
j'avoue que je ne saurais m'accommoder de cette rigidité.
J'aime mieux quelque chose de plus simple, et je crois que
Dieu même l'aime beaucoup mieux. Quand les divertissements sont innocents en eux-mêmes, et qu'on y entre par
les règles de l'état où la Providence nous met, alors je crois
qu'il suffit d'y prendre part avec modération, et dans la
vue de Dieu. Des manières plus sèches, plus réservées,
moins complaisantes et moins ouvertes, ne serviraient

qu'a donner une fausse idée de la piété aux gens du monde,
qui ne sont déjà que trop préoccupés contre elle, et qui
croiraient qu'on ne peut servir Dieu que par une vie
sombre et chagrine.

Je conclus donc que quand Dieu met dans certaines
places qui engagent à être de tout, au lieu où vous êtes, il
n'y a qu'à y demeurer en paix sans se chicaner continuellement soi-même sur les motifs secrets qui peuvent insensiblement se glisser dans le cœur. On ne finirait jamais si
on voulait continuellement sonder le fond de son cœur...

La plupart des gens, quand ils veulent se convertir ou
se réformer, songent bien plus à remplir leur vie de certaines actions difficiles et extraordinaires, qu'à purifier
leurs intentions, et à mourir à leurs inclinations naturelles
dans les actions les plus communes de leur état : en quoi ils
se trompent fort souvent. Il vaudrait beaucoup mieux
changer moins les actions, et changer davantage la disposition du cœur qui les fait faire.

*Manuel de Piété*

## *163*     *Une imagination toujours errante*

LES filles mal instruites et inappliquées ont une imagination toujours errante. Faute d'aliment solide, leur curiosité
se tourne en ardeur vers les objets vains et dangereux.
Celles qui ont de l'esprit s'érigent souvent en précieuses,
et lisent tous les livres qui peuvent nourrir leur vanité ;
elles se passionnent pour des romans, pour des comédies,
pour des récits d'aventures chimériques, où l'amour pro-
fane est mêlé. Elles se rendent l'esprit visionnaire, en s'ac-
coutumant au langage magnifique des héros de romans :
elles se gâtent même par là pour le monde ; car tous ces
beaux sentiments en l'air, toutes ces passions généreuses,
toutes ces aventures que l'auteur du roman a inventées pour
le plaisir, n'ont aucun rapport avec les vrais motifs qui

font agir dans le monde, et qui décident des affaires, ni avec les mécomptes qu'on trouve dans tout ce qu'on entreprend.

Une pauvre fille, pleine du tendre et du merveilleux qui l'ont charmée dans ses lectures, est étonnée de ne trouver point dans le monde de vrais personnages qui ressemblent à ces héros : elle voudrait vivre comme ces princesses imaginaires, qui sont, dans les romans, toujours charmantes, toujours adorées, toujours au-dessus de tous les besoins. Quel dégoût pour elle de descendre de l'héroïsme jusqu'au plus bas détail du ménage!

*De l'Éducation des Filles*

## *164    Le hasard ne peut avoir formé ce tout*

Qui croira que l'Iliade d'Homère, ce poëme si parfait, n'ait jamais été composé par un effort du génie d'un grand poëte, et que les caractères de l'alphabet ayant été jetés en confusion, un coup de pur hasard, comme un coup de dés, ait rassemblé toutes les lettres précisément dans l'arrangement nécessaire pour décrire, dans des vers pleins d'harmonie et de variété, tant de grands événements, pour les placer et pour les lier si bien tous ensemble, pour peindre chaque objet avec tout ce qu'il a de plus gracieux, de plus noble et de plus touchant; enfin pour faire parler chaque personne selon son caractère, d'une manière si naïve et si passionnée? Qu'on raisonne et qu'on subtilise tant qu'on voudra, jamais on ne persuadera à un homme sensé que l'*Iliade* n'ait point d'autre auteur que le hasard... Pourquoi donc cet homme sensé croirait-il de l'univers, sans doute encore plus merveilleux que l'*Iliade*, ce que son bon sens ne lui permettra jamais de croire de ce poëme?

*Traité de l'Existence de Dieu*

*165*                *De la nécessité des alliances*

QUAND une puissance monte à un point que toutes les autres puissances voisines ensemble ne peuvent plus lui résister, toutes ces autres sont en droit de se liguer pour prévenir cet accroissement, après lequel il ne serait plus temps de défendre la liberté commune. Mais, pour faire légitimement ces sortes de ligues qui tendent à prévenir un trop grand accroissement d'un État, il faut que le cas soit véritable et pressant : il faut se contenter d'une ligue défensive, ou du moins ne la faire offensive qu'autant que la juste et nécessaire défense se trouvera renfermée dans les desseins d'une agression... Toutes les nations voisines sont tellement liées par leurs intérêts les unes aux autres et au gros de l'Europe, que les moindres progrès particuliers peuvent altérer ce système général qui fait l'équilibre, et qui peut seul faire la sûreté publique. Ôtez une pierre d'une voûte, tout l'édifice tombe, parce que toutes les pierres se soutiennent en se contrepoussant.

L'humanité met donc un devoir mutuel de défense du salut commun entre les nations voisines contre un État voisin qui devient trop puissant, comme il y a des devoirs mutuels entre les concitoyens pour la liberté de la patrie... Pour une ligue offensive, elle dépend des circonstances ; il faut qu'elle soit fondée sur des infractions de paix, ou sur la détention de quelque pays des alliés, ou sur la certitude de quelque autre fondement semblable. Encore même faut-il toujours, comme je l'ai déjà dit, borner de tels traités à des conditions qui empêchent ce qu'on voit souvent : c'est qu'une nation se sert de la nécessité d'en rabattre une autre qui aspire à la tyrannie universelle, pour y aspirer elle-même à son tour. L'habileté, aussi bien que la justice et la bonne foi, en faisant des traités d'alliance, est de les faire très précis, très éloignés de toutes équivoques, et exactement bornés à un certain bien que vous en voulez

tirer prochainement. Si vous n'y prenez garde, les engage-
ments que vous prenez se tourneront contre vous, en
abattant trop vos ennemis et en élevant trop votre allié : il
vous faudra, ou souffrir ce qui vous détruit, ou manquer
à votre parole, choses presque également funestes.

*Examen de Conscience sur les Devoirs de la Royauté*

# MARC-RENÉ DE VOYER, COMTE
# D'ARGENSON[1]

1652–1721

*166      Deux ou trois femmes extravagantes*

[le 16 octobre 1701]

IL m'est tombé sous la main deux ou trois femmes extravagantes, qui ont la fureur de se donner au diable pour avoir
de l'argent ; mais dont le diable ne veut point du tout. Une
de ces femmes se nomme Berthemet d'Estrade, et a un
mari ; l'autre est veuve de Fenouillet et n'a point d'enfants ;
la première veut être riche, et sa fantaisie dominante est de
se faire aimer de M. Berthemet, le maître des requêtes ;
la deuxième fait consister sa souveraine félicité à entreprendre des procès et à les gagner... Quoiqu'il en soit, après
avoir eu quelque légère teinture de science diabolique, elles
ont tant persécuté un pauvre maître d'école, nommé
Protain, qu'elles lui ont fait croire qu'il était sorcier. Sur
cette assurance, il leur a écrit les pactes que je prends la
liberté de vous envoyer ; l'un est écrit sur du parchemin
vierge, s'il en fut jamais, et signé de la Berthemet ; l'autre
n'est qu'en papier, et c'est pour madame veuve Fenouillet
qui l'a souscrit. J'y joins la copie d'un contrat indifférent,

---

[1] Lieutenant-Général de Police (an office created by Louis XIV)
from 1699 to 1718

que j'ai fait transcrire à Protain, maître d'école, pour
justifier que le pacte de Fenouillet est aussi de sa main. Il
me semble que de pareilles extravagances ne méritent pas
d'être approfondies davantage; mais que le parti le plus
convenable que l'on puisse prendre, c'est d'envoyer
Protain à l'hôpital pour cinq ou six mois, et la veuve
Fenouillet jusqu'à nouvel ordre. Je vous proposerais la
même chose à l'égard de la demoiselle Berthemet de
l'Estrade, si elle n'avait des enfants et un mari d'une
honnête famille, qui vit fort bien avec elle, et qu'il est bon
de ne pas instruire de ses égarements; je ne laisserai pas
néanmoins de faire connaître à cette folle que le Roi en
est informé, et que si S. M. a bien voulu lui faire grâce,
c'est en considération de son mari, sur qui la peine qu'elle
a justement méritée réfléchirait nécessairement.

*Lettre à Pontchartrain*

# BERNARD LE BOVIER
# DE FONTENELLE

1657–1757

*167*            *Descartes et Newton*

LES deux grands hommes qui se trouvent dans une si
grande opposition ont eu de grands rapports. Tous deux
ont été des génies du premier ordre, nés pour dominer sur
les autres esprits et pour fonder des empires. Tous deux,
géomètres excellens, ont vu la nécessité de transporter la
géométrie dans la physique. Tous deux ont fondé leur
physique sur une géométrie qu'ils ne tenoient presque que
de leurs propres lumières. Mais l'un, prenant un vol hardi,
a voulu se placer à la source de tout, se rendre maître des
premiers principes par quelques idées claires et fondamentales, pour n'avoir plus qu'à descendre aux phénomènes de
la nature comme à des conséquences nécessaires. L'autre,

plus timide ou plus modeste, a commencé sa marche par s'appuyer sur les phénomènes pour remonter aux principes inconnus, résolu de les admettre quels que les pût donner l'enchaînement des conséquences. L'un part de ce qu'il entend nettement pour trouver la cause de ce qu'il voit. L'autre part de ce qu'il voit pour en trouver la cause, soit claire, soit obscure. Les principes évidens de l'un ne le conduisent pas toujours aux phénomènes tels qu'ils sont. Les phénomènes ne conduisent pas toujours l'autre à des principes assés évidens. Les bornes qui dans ces deux routes contraires ont pu arrêter deux hommes de cette espèce, ce ne sont pas les bornes de leur esprit, mais celles de l'esprit humain.

*Éloge de M. Newton*

## *168      Que la lune est une terre habitée*

LA Marquise et moi nous nous retrouvâmes libres le soir. Nous allâmes encore dans le parc, et la conversation ne manqua pas de tourner aussitôt sur nos systèmes. Elle les avait si bien conçus qu'elle dédaigna d'en parler une seconde fois, et elle voulut que je la menasse à quelque chose de nouveau.

— Eh bien donc! lui dis-je, puisque le soleil qui est présentement immobile a cessé d'être planète, et que la terre qui se meut autour de lui a commencé d'en être une, vous ne serez pas si surprise d'entendre dire que la lune est une terre comme celle-ci, et qu'apparemment elle est habitée.

— Je n'ai pourtant jamais ouï parler de la lune habitée, dit-elle, que comme d'une folie et d'une vision.

— C'en est peut-être une aussi, répondis-je. Je ne prends parti dans ces choses-là que comme on en prend dans les guerres civiles, où l'incertitude de ce qui peut arriver fait qu'on entretient toujours des intelligences dans le parti opposé, et qu'on a des ménagements avec ses ennemis mêmes. Pour moi, quoique je croie la lune habitée, je ne laisse pas de vivre civilement avec ceux qui ne le croient pas, et je me tiens toujours en état de me pouvoir ranger à leur opinion avec honneur, si elle avait le dessus.

*Entretiens sur la Pluralité des Mondes*

### *169*       *Ni l'aurore ni les crépuscules*

LES pauvres habitants n'ont donc point cette lumière de faveur, qui, en se fortifiant peu à peu, les préparerait agréablement à l'arrivée du soleil, ou qui, en s'affaiblissant comme de nuance en nuance, les accoutumerait à sa perte. Ils sont dans des ténèbres profondes, et tout d'un coup il semble qu'on tire un rideau; voilà leurs yeux frappés de tout l'éclat qui est dans le soleil; ils sont dans une lumière vive et éclatante, et tout d'un coup les voilà tombés dans des ténèbres profondes. Le jour et la nuit ne sont point liés par un milieu qui tienne de l'un et de l'autre. L'arc-en-ciel est encore une chose qui manque aux gens de la lune; car si l'aurore est un effet de la grossièreté de l'air et des vapeurs, l'arc-en-ciel se forme dans les pluies qui tombent en certaines circonstances, et nous devons les plus belles choses du monde à celles qui le sont le moins. Puisqu'il n'y a autour de la lune ni vapeurs assez grossières, ni nuages pluvieux, adieu l'arc-en-ciel avec l'aurore; et à quoi ressembleront les belles de ce pays-là? Quelle source de comparaisons perdue!

— Je n'aurais pas grand regret à ces comparaisons-là, dit la Marquise, et je trouve qu'on est assez bien recompensé dans la lune, de n'avoir ni aurore ni arc-en-ciel; car on ne doit avoir, par la même raison, ni foudres ni tonnerres, puisque ce sont aussi des choses qui se forment dans les nuages. On a de beaux jours toujours sereins, pendant lesquels on ne perd point le soleil de vue. On n'a point de

nuits où toutes les étoiles ne se montrent; on ne connaît ni
les orages, ni les tempêtes, ni tout ce qui paraît être un
effet de la colère du ciel. Trouvez-vous qu'on soit tant à
plaindre?

— Vous me faites voir la lune comme un séjour enchanté,
répondis-je; cependant je ne sais s'il est si délicieux d'avoir
toujours sur la tête, pendant des jours qui en valent quinze
des nôtres, un soleil ardent dont aucun nuage ne modère
la chaleur. Peut-être aussi est-ce à cause de cela que la
nature a creusé dans la lune des espèces de puits qui sont
assez grands pour être aperçus par nos lunettes : car ce ne
sont point des vallées qui soient entre des montagnes, ce
sont des creux que l'on voit au milieu de certains lieux
plats et en très grand nombre. Que sait-on si les habitants
de la lune, incommodés par l'ardeur perpétuelle du soleil,
ne se réfugient point dans ces grands puits? Ils n'habitent
peut-être point ailleurs, c'est là qu'ils bâtissent leurs
villes... Tout un peuple est dans un puits.

*Entretiens sur la Pluralité des Mondes*

# JEAN-BAPTISTE MASSILLON

1663–1742

*170*            *La nécessité de la foi*

NOTRE corps seul est un mystère où l'esprit humain se
perd et se confond, et dont on n'approfondira jamais tous
les secrets, et il n'est que celui qui a présidé à sa formation
qui puisse les connoître.

Ce souffle de la Divinité qui nous anime, cette portion de
nous-mêmes qui nous rend capables d'aimer et de connoître,
ne nous est pas moins inconnue; nous ne savons comment
se forment ses désirs, ses craintes, ses espérances, ni
comment elle peut se donner a elle-même ses idées et ses
images. Personne jusqu'ici n'a pu comprendre comment

cet être spirituel, si éloigné par sa nature de la matière, a pu
lui être uni en nous par des liens si indissolubles que ces
deux substances ne forment plus que le même tout, et que
les biens et les maux de l'une deviennent ceux de l'autre.
Nous sommes donc un mystère à nous-mêmes, comme
disoit saint Augustin; et cette vaine curiosité même qui
veut tout savoir, nous serions en peine de dire ce qu'elle
est, et comment elle s'est formée dans notre âme.

Au dehors nous ne trouvons encore que des énigmes;
nous vivons comme étrangers sur la terre, et au milieu des
objets que nous ne connoissons pas. La nature est pour
l'homme un livre fermé; et le Créateur, pour confondre, ce
semble, l'orgueil humain, s'est plu à répandre des ténèbres
sur la face de cet abîme.

Levez les yeux, ô homme! considérez ces grands corps
de lumière qui sont suspendus sur votre tête, et qui
nagent, pour ainsi dire, dans ces espaces immenses où
votre raison se confond. Qui a formé le soleil, dit Job, et
donné le nom à la multitude infinie des étoiles? Comprenez,
si vous le pouvez, leur nature, leur usage, leurs propriétés,
leur situation, leur distance, leurs apparitions, l'égalité ou
l'inégalité de leurs mouvements. Notre siècle en a découvert quelque chose, c'est-à-dire, il a un peu mieux con-
jecturé que les siècles qui nous ont précédés; mais qu'est-ce
qu'il nous en a appris, si nous le comparons à ce que nous
ignorons encore?

Descendez sur la terre et dites-nous, si vous le savez,
qui tient les vents dans les lieux où ils sont enfermés; qui
règle le cours des foudres et des tempêtes; quel est le point
fatal qui met des bornes à l'impétuosité des flots de la mer,
et comment se forme le prodige si régulier de ses mouvements? Expliquez-nous les effets surprenants des plantes,
des métaux, des éléments; cherchez comment l'or se
purifie dans les entrailles de la terre; démêlez, si vous le
pouvez, l'artifice infini qui entre dans la formation des

insectes qui rampent à nos yeux; rendez-nous raison des
différents instincts des animaux; tournez-vous de tous les
côtés; la nature de toutes parts ne vous offre que des
énigmes. O homme! vous ne connoissez pas les objets
que vous avez sous l'œil, et vous voulez voir clair dans
les profondeurs éternelles de la foi? La nature est pour
vous un mystère, et vous voudriez une religion qui n'en
eût point? Vous ignorez les secrets de l'homme, et vous
voudriez connoître les secrets de Dieu? Vous ne vous
connoissez pas vous-même, et vous voudriez approfondir
ce qui est si fort au-dessus de vous? L'univers que Dieu a
livré à votre curiosité et à vos disputes est un abîme où
vous vous perdez; et vous voulez que les mystères de la
foi, qu'il n'a exposés qu'à votre docilité et à votre respect,
n'aient rien qui échappe à vos foibles lumières. O
égarement! Si tout étoit clair, hors la religion, vous
pourriez, avec quelque apparence de raison, vous défier de
ses ténèbres; mais puisqu'au dehors même tout est obscurité pour vous, le secret de Dieu, dit saint Augustin,
doit vous rendre plus respectueux et plus attentif, mais non
pas plus incrédule.

*Sur la Vérité de la Religion*

## 171      *Un éclair qui s'éteint en naissant*

CAR, mes frères, si nous avions à vivre une longue suite
de siècles sur la terre, ce temps, il est vrai, seroit encore trop
court pour être employé à mériter un bonheur immortel;
mais du moins, nous pourrions regagner sur la longueur
ces pertes passagères; du moins, les jours et les moments
perdus ne formeroient que comme un point imperceptible
dans cette longue suite de siècles que nous aurions à passer
ici-bas. Mais hélas! toute notre vie n'est elle-même qu'un
point imperceptible; la plus longue dure si peu; nos jours
et nos années ont été renfermés dans des bornes si étroites,

qu'on ne voit pas ce que nous pouvons encore en perdre
dans un espace si court et si rapide. Nous ne sommes, pour
ainsi dire, qu'un instant sur la terre; semblables à ces
feux errants qu'on voit dans les airs au milieu d'une nuit
obscure, nous ne paroissons que pour disparoître en un
clin d'œil, et nous replonger pour toujours dans des
ténèbres éternelles : le spectacle que nous donnons au
monde n'est qu'un éclair qui s'éteint en naissant; nous le
disons tous les jours nous-mêmes.

*Sur l'Emploi du Temps*

# ALAIN-RENÉ LESAGE

1668–1747

## 172   *Gil Blas prend possession de son château*

APRÈS avoir bien examiné toutes ces choses, nous revînmes,
mon secrétaire et moi, dans la salle où était dressée une
table sur laquelle étaient deux couverts; nous nous y
assîmes, et dans le moment on nous servit une *olla podrida*
si délicieuse, que nous plaignîmes l'archevêque de Valence
de n'avoir plus le cuisinier qui l'avait faite. Nous avions
à la vérité beaucoup d'appétit, ce qui ne nous la faisait
pas trouver plus mauvaise. A chaque morceau que nous
mangions, mes laquais de nouvelle date nous présentaient
de grands verres, qu'ils remplissaient jusqu'aux bords
d'un vin de la Manche exquis. Scipion en était charmé;
mais, n'osant devant eux faire éclater la satisfaction intérieure qu'il ressentait, il me la témoignait par des regards
parlants, et je lui faisais connaître par les miens que
j'étais aussi content que lui. Un plat de rôti, composé de
deux cailles grasses, qui flanquaient un petit levraut d'un
fumet admirable, nous fit quitter le pot-pourri, et acheva
de nous rassasier. Lorsque nous eûmes mangé comme

deux affamés, et bu à proportion, nous nous levâmes de table pour aller au jardin faire voluptueusement la sieste dans quelque endroit frais et agréable.

Si mon secrétaire avait paru jusque-là fort satisfait de ce qu'il avait vu, il le fut encore davantage quand il vit le jardin. Il le trouva comparable à celui de l'Escurial. Il ne pouvait se lasser de le parcourir des yeux. Il est vrai que don César, qui venait de temps en temps à Lirias, prenait plaisir à le faire cultiver et embellir. Toutes les allées bien sablées et bordées d'orangers, un grand bassin de marbre blanc, au milieu duquel un lion de bronze vomissait de l'eau à gros bouillons, la beauté des fleurs, la diversité des fruits, tous ces objets ravirent Scipion; mais il fut particulièrement enchanté d'une longue allée qui conduisait, en descendant toujours, au logement du fermier, et que des arbres touffus couvraient de leur épais feuillage. En faisant l'éloge d'un lieu si propre à servir d'asile contre la chaleur, nous nous y arretâmes, et nous nous assîmes au pied d'un ormeau, où le sommeil eut peu de peine à surprendre deux gaillards qui venaient de bien dîner.

Nous nous réveillâmes en sursaut deux heures après, au bruit de plusieurs coups d'escopette, lesquels se firent entendre si près de nous, que nous en fûmes effrayés. Nous nous levâmes brusquement; et, pour nous informer de la cause de ce bruit, nous nous rendîmes à la maison du fermier. Nous y trouvâmes huit ou dix villageois, tous habitants du hameau, qui, s'étant assemblés là, tiraient et dérouillaient leurs armes à feu pour célébrer mon arrivée, dont ils venaient d'être avertis. Ils me connaissaient la plupart, pour m'avoir vu plus d'une fois dans le château exercer l'emploi d'intendant. Ils ne m'aperçurent pas plus tôt, qu'ils crièrent tous ensemble: Vive notre nouveau seigneur, qu'il soit le bienvenu à Lirias! Ensuite, ils rechargèrent leurs escopettes, et me régalèrent d'une décharge générale. Je leur fis l'accueil le plus gracieux qu'il me fut possible, avec gravité pourtant, ne jugeant pas devoir trop me familiariser avec eux. Je les assurai de ma protection : je leur lâchai même une vingtaine de pistoles, et ce ne fut pas, je crois, celle de mes manières qui leur plut le moins. Après cela, je leur laissai la liberté de jeter encore de la poudre au vent, et je me retirai avec mon secrétaire dans le bois, où nous nous promenâmes jusqu'à la nuit, sans nous lasser de voir des arbres : tant la possession d'un bien nouvellement acquis a d'abord de charmes pour nous !

*Histoire de Gil Blas*

# LOUIS DE ROUVROY, DUC DE SAINT-SIMON

1675-1755

### *173*          *Le duc de Vendôme*

Il étoit d'une taille ordinaire pour la hauteur, un peu gros, mais vigoureux, fort, et alerte; un visage fort noble et l'air haut, de la grâce naturelle dans le maintien et dans la parole, beaucoup d'esprit naturel, qu'il n'avoit jamais cultivé, une énonciation facile, soutenue d'une hardiesse naturelle, qui se tourna depuis en audace la plus effrénée; beaucoup de connoissance du monde, de la cour, des personnages successifs, et, sous une apparente incurie, un soin et une adresse continuelle à en profiter en tout genre; surtout admirable courtisan, et qui sut tirer avantage jusque de ses plus grands vices à l'abri du foible du Roi pour sa naissance; poli par art, mais avec un choix et une mesure avare, insolent à l'excès dès qu'il crut le pouvoir oser impunément, et, en même temps, familier et populaire avec le commun par une affectation qui voiloit sa vanité et le faisoit aimer du vulgaire; au fonds, l'orgueil même, et un orgueil qui vouloit tout, qui dévoroit tout. A mesure

que son rang s'éleva et que sa faveur augmenta, sa hauteur,
son peu de ménagement, son opiniâtreté jusqu'à l'entêtement, tout cela crût à proportion, jusqu'à se rendre
inutile toute espèce d'avis, et se rendre inaccessible qu'à
un nombre très-petit de familiers, et à ses valets. La
louange, puis l'admiration, enfin l'adoration, furent le canal
unique par lequel on pût approcher ce demi-dieu, qui
soutenoit des thèses ineptes sans que personne osât, non
pas contredire, mais ne pas approuver. Il connut et abusa
plus que personne de la bassesse du François. Peu à peu il
accoutuma les subalternes, puis, de l'un à l'autre, toute son
armée, à ne l'appeler plus que *Monseigneur* et *Votre Altesse*.
En moins de rien, cette gangrène gagna jusqu'aux
lieutenants généraux et aux gens les plus distingués, dont
pas un, comme des moutons à l'exemple les uns des autres,
n'osa plus lui parler autrement, et qui, d'usage ayant passé
en droit, y auroient hasardé l'insulte, si quelqu'un d'eux
se fût avisé de lui parler autrement. Ce qui est prodigieux
à qui a connu le Roi galand aux dames une si longue partie
de sa vie, dévôt l'autre, souvent avec importunité pour
autrui, et, dans toutes ces deux parties de sa vie, plein d'une
juste, mais d'une singulière horreur pour tous les habitants
de Sodome, et jusqu'au moindre soupçon de ce vice,
M. de Vendôme y fut plus salement plongé toute sa vie
que personne, et si publiquement, que lui-même n'en faisoit
pas plus de façon que de la plus légère et de la plus ordinaire
galanterie, sans que le Roi, qui l'avoit toujours su, l'eût
jamais trouvé mauvais, ni qu'il en eût été moins bien avec
lui. Ce scandale le suivit toute sa vie à la cour, à Anet, aux
armées... Sa paresse étoit à un point qui ne se peut concevoir: il a pensé être enlevé plus d'une fois pour s'être
opiniâtré dans un logement plus commode, mais trop
éloigné, et risqué les succès de ses campagnes, donné
même des avantages considérables à l'ennemi, par ne se
pouvoir résoudre à quitter un camp où il se trouvoit logé

à son aise. Il voyoit peu à l'armée par lui-même ; il s'en fioit
à ses familiers, que très-souvent encore il n'en croyoit pas.
Sa journée, dont il ne pouvoit troubler l'ordre ordinaire, ne
lui permettoit guères de faire autrement. Sa saleté étoit
extrême ; il en tiroit vanité : les sots le trouvoient un homme
simple. Il étoit plein de chiens et de chiennes dans son lit,
qui y faisoient leurs petits à ses côtés. Lui-même ne s'y con-
traignoit de rien. Une de ses thèses étoit que tout le monde
en usoit de même, mais n'avoit pas la bonne foi d'en convenir comme lui... Il soupoit avec ses familiers largement :
il étoit grand mangeur, d'une gourmandise extraordinaire,
ne se connoissoit à aucun mets, aimoit fort le poisson, et
mieux le passé, et souvent le puant, que le bon. La table
se prolongeoit en thèses, en disputes, et, par-dessus tout,
louanges, éloges, hommages toute la journée et de toutes
parts. Il n'auroit pardonné le moindre blâme à personne :
il vouloit passer pour le premier capitaine de son siècle, et
parloit indécemment du prince Eugène et de tous les autres ;
la moindre contradiction eût été un crime. Le soldat et le
bas officier l'adoroient pour sa familiarité avec eux et la
licence qu'il toléroit pour s'en gagner les cœurs, dont il se
dédommageoit par une hauteur sans mesure avec tout ce
qui étoit élevé en grade ou en naissance.

*Mémoires* (année 1706)

## 174 *Madame de Castries*

Mme de Castries étoit un quart de femme, une espèce de
biscuit manqué, extrêmement petite, mais bien prise, et
auroit passé dans un médiocre anneau : ni derrière, ni
gorge, ni menton ; fort laide, l'air toujours en peine et
étonné ; avec cela une physionomie qui éclatoit d'esprit et
qui tenoit encore plus parole. Elle savoit tout : histoire,
philosophie, mathématiques, langues savantes, et jamais il
ne paroissoit qu'elle sût mieux que parler françois ; mais son

# ERRATA

p. 225, f.n. : infanta *should read* Infanta
p. 322, item 245, l. 1 : le *should read* la
p. 404, para. 2, last line : transversales *should read* transversale

parler avoit une justesse, une énergie, une éloquence, une
grâce jusque dans les choses les plus communes, avec ce
tour unique qui n'est propre qu'aux Mortemarts. Aimable,
amusante, gaie, sérieuse, toute à tous, charmante quand
elle vouloit plaire, plaisante naturellement avec la dernière
finesse, sans la vouloir être, et asténant aussi les ridicules
à ne les jamais oublier; glorieuse de mille choses avec un
ton plaintif qui emportoit la pièce; cruellement méchante
quand il lui plaisoit, et fort bonne amie, polie, gracieuse,
obligeante en général; sans aucune galanterie, mais délicate
sur l'esprit et amoureuse de l'esprit où elle le trouvoit à son
gré; avec cela, un talent de raconter qui charmoit, et,
quand elle vouloit faire un roman sur-le-champ, une source
de production, de variété et d'agrément qui étonnoit. Avec
sa gloire, elle se croyoit bien mariée par l'amitié qu'elle
eut pour son mari; elle l'étendit sur tout ce qui lui appartenoit, et elle étoit aussi glorieuse pour lui que pour elle.
Elle en recevoit le réciproque et toutes sortes d'égards et
de respects.

*Mémoires* (année 1696)

*175*                    *Mort de Monseigneur*[1]

LÀ, dans la chambre, et par tout l'appartement, on lisoit
apertement sur les visages. Monseigneur n'étoit plus; on le
savoit, on le disoit; nulle contrainte ne retenoit plus à son
égard, et ces premiers moments étoient ceux des premiers
mouvements peints au naturel, et pour lors affranchis de
toute politique, quoique avec sagesse, par le trouble,
l'agitation, la surprise, la foule, le spectacle confus de cette
nuit si rassemblée. Les premières pièces offroient les
mugissements contenus des valets, désespérés de la perte
d'un maître si fait exprès pour eux, et pour les consoler

───────

[1] 'Le Grand Dauphin' (1661–1711), only son of Louis XIV and
the infanta Maria Teresa, eldest daughter of Philip IV of Spain

d'une autre qu'ils ne prévoyoient qu'avec transissement, et qui, par celle-ci, devenoit la leur propre. Parmi eux s'en remarquoient d'autres des plus éveillés de gens principaux de la cour, qui étoient accourus aux nouvelles, et qui montroient bien, à leur air, de quelle boutique ils étoient balayeurs. Plus avant commençoit la foule des courtisans de toute espèce. Le plus grand nombre, c'est-à-dire les sots, tiroient des soupirs de leurs talons, et, avec des yeux égarés et secs, louoient Monseigneur, mais toujours de la même louange, c'est-à-dire de bonté, et plaignoient le Roi de la perte d'un si bon fils. Les plus fins d'entre eux, ou les plus considérables, s'inquiétoient déjà de la santé du Roi; ils se savoient bon gré de conserver tant de jugement parmi ce trouble, et n'en laissoient pas douter par la fréquence de leurs répétitions. D'autres, vraiment affligés, et de cabale frappée, pleuroient amèrement, ou se contenoient avec un effort aussi aisé à remarquer que les sanglots. Les plus forts de ceux-là, ou les plus politiques, les yeux fichés à terre, et reclus en des coins, méditoient profondément aux suites d'un événement si peu attendu, et bien davantage sur eux-mêmes. Parmi ces diverses sortes d'affligés, point ou peu de propos, de conversation nulle, quelque exclamation parfois échappée à la douleur, et parfois répondue par une douleur voisine, un mot en un quart d'heure, des yeux sombres ou hagards, des mouvements de mains moins rares qu'involontaires, immobilité du reste presque entière; les simples curieux et peu soucieux presque nuls, hors les sots qui avoient le caquet en partage; les questions et le redoublement du désespoir des affligés, et l'importunité pour les autres. Ceux qui déjà regardoient cet événement comme favorable avoient beau pousser la gravité jusqu'au maintien chagrin et austère; le tout n'étoit qu'un voile clair, qui n'empêchoit pas de bons yeux de remarquer et de distinguer tous leurs traits. Ceux-ci se tenoient aussi tenaces en place que les plus touchés,

en garde contre l'opinion, contre la curiosité, contre leur
satisfaction, contre leurs mouvements; mais leurs yeux
suppléoient au peu d'agitation de leurs corps. Des changements de posture, comme des gens peu assis ou mal
debout; un certain soin de s'éviter les uns les autres, même
de se rencontrer des yeux; les accidents momentanés qui
arrivoient de ces rencontres; un je ne sais quoi de plus
libre en toute la personne, à travers le soin de se
tenir et de se composer; un vif, une sorte d'étincelant
autour d'eux, les distinguoit malgré qu'ils en eussent. Les
deux princes et les deux princesses assises à leurs côtés,
prenant soin d'eux, étoient les plus exposés à la pleine vue.
Mgr le duc de Bourgogne pleuroit d'attendrissement et
de bonne foi, avec un air de douceur, des larmes de nature,
de religion, de patience. M. le duc de Berry, tout d'aussi
bonne foi, en versoit en abondance, mais des larmes pour
ainsi dire sanglantes, tant l'amertume en paroissoit grande,
et poussoit non des sanglots, mais des cris, mais des hurlements. Il se taisoit parfois, mais de suffocation, puis éclatoit,
mais avec un tel bruit, et un bruit si fort, la trompette
forcée du désespoir, que la plupart éclatoient aussi à ces
redoublements si douloureux, ou par un aiguillon d'amertume, ou par un aiguillon de bienséance. Cela fut au point
qu'il fallut le déshabiller là même, et se précautionner de
remèdes et de gens de la Faculté... Madame,[1] rhabillée en
grand habit, arriva hurlante, ne sachant bonnement pourquoi ni l'un ni l'autre, les inonda tous de ses larmes en les
embrassant, fit retentir le château d'un renouvellement de
cris, et fournit un spectacle bizarre d'une princesse qui se
remet en cérémonie en pleine nuit pour venir pleurer et
crier parmi une foule de femmes en déshabillé de nuit,
presque en mascarades. Mme la duchesse d'Orléans s'étoit
éloignée des princes, et s'étoit assise le dos à la galerie, vers

[1] Charlotte-Élisabeth de Bavière, Princesse Palatine (1652–1722),
second wife of Philippe d'Orléans ('Monsieur'), brother of Louis XIV

la cheminée, avec quelques dames. Tout étant fort silencieux autour d'elle, ces dames peu à peu se retirèrent
d'auprès elle, et lui firent grand plaisir. Il n'y resta que
la duchesse Sforze, la duchesse de Villeroy, Mme de Castries,
sa dame d'atour, et Mme de Saint-Simon. Ravies de leur
liberté, elles s'approchèrent en un tas, tout le long d'un lit
de veille à pavillon, et le joignant, et, comme elles étoient
toutes affectées de même à l'égard de l'événement qui
rassembloit là tant de monde, elles se mirent à en deviser
tout bas ensemble dans ce groupe avec liberté. Dans la
galerie et dans ce salon il y avoit plusieurs lits de veille,
comme dans tout le grand appartement, pour la sûreté, où
couchoient des Suisses de l'appartement et des frotteurs, et
ils y avoient été mis à l'ordinaire avant les mauvaises nouvelles de Meudon. Au fort de la conversation de ces dames,
Mme de Castries, qui touchoit au lit, le sentit remuer, et en
fut fort effrayée, car elle l'étoit de tout, quoique avec
beaucoup d'esprit. Un moment après elles virent un gros
bras presque nu relever tout à coup le pavillon, qui leur
montra un bon gros Suisse entre deux draps, demi-éveillé
et tout ébahi, très long à reconnoître son monde, qu'il
regardoit fixement l'un après l'autre, qui, enfin, ne jugeant
pas à propos de se lever en si grande compagnie, se ren-
fonça dans son lit et ferma son pavillon. Le bonhomme
s'étoit apparemment couché avant que personne eût rien
appris, et avoit assez profondément dormi depuis pour ne
s'être réveillé qu'alors.

Mémoires (année 1711)

## 176          *L'exactitude et la vérité*

ME voici enfin parvenu au terme jusqu'auquel je m'étois
proposé de conduire ces *Mémoires*. Il n'y en peut avoir de
bons que de parfaitement vrais, ni de vrais qu'écrits par
qui a vu et manié lui-même les choses qu'il écrit, ou qui

les tient de gens dignes de la plus grande foi, qui les ont vues et maniées; et de plus, il faut que celui qui écrit aime la vérité jusqu'à lui sacrifier toutes choses...

Reste à toucher l'impartialité, ce point si essentiel et tenu pour si difficile, je ne crains point de le dire, impossible à qui écrit ce qu'il a vu et manié. On est charmé des gens droits et vrais; on est irrité contre les fripons dont les cours fourmillent; on l'est encore plus contre ceux dont on a reçu du mal. Le stoïque est une belle et noble chimère. Je ne me pique donc pas d'impartialité; je le ferois vainement. On trouvera trop, dans ces *Mémoires,* que la louange et le blâme coulent de source à l'égard de ceux dont je suis affecté, et que l'un et l'autre est plus froid sur ceux qui me sont plus indifférents, mais néanmoins vif toujours pour la vertu, et contre les malhonnêtes gens, selon leurs degrés de vices ou de vertu. Toutefois, je me rendrai encore ce témoignage, et je me flatte que le tissu de ces *Mémoires* ne me le rendra pas moins, que j'ai été infiniment en garde contre mes affections et mes aversions, et encore plus contre celles-ci, pour ne parler des uns et des autres que la balance à la main, non seulement ne rien outrer, mais ne rien grossir, m'oublier, me défier de moi comme d'un ennemi, rendre une exacte justice, et faire surnager à tout la vérité la plus pure. C'est en cette manière que je puis assurer que j'ai été entièrement impartial, et je crois qu'il n'y a point d'autre manière de l'être... Dirois-je enfin un mot du style, de sa négligence, de répétitions trop prochaines des mêmes mots, quelquefois de synonymes trop multipliés, surtout de l'obscurité qui naît souvent de la longueur des phrases, peut-être de quelques répétitions? J'ai senti ces défauts; je n'ai pu les éviter, emporté toujours par la matière, et peu attentif à la manière de la rendre, sinon pour la bien expliquer. Je ne fus jamais un sujet académique, je n'ai pu me défaire d'écrire rapidement. De rendre mon style plus correct et plus agréable en le corrigeant, ce seroit refondre tout l'ouvrage, et ce travail passeroit mes forces; il courroit risque d'être ingrat. Pour bien corriger ce qu'on a écrit, il faut savoir bien écrire; on verra aisément ici que je n'ai pas dû m'en piquer. Je n'ai songé qu'à l'exactitude et à la vérité. J'ose dire que l'une et l'autre se trouvent étroitement dans mes *Mémoires*, qu'il en sont la loi et l'âme, et que le style mérite en leur faveur une bénigne indulgence.

*Mémoires* (année 1723)

# PIERRE CARLET DE CHAMBLAIN DE MARIVAUX
1688–1763

### 177  *Un mélange de trouble, de plaisir et de peur*

ENFIN on me porta chez Valville, c'était le nom du jeune homme en question, qui fit ouvrir une salle où l'on me mit sur un lit de repos.

J'avais besoin de secours, je sentais beaucoup de douleur à mon pied, et Valville envoya sur-le-champ chercher un chirurgien, qui ne tarda pas à venir. Je passe quelques petites excuses que je lui fis dans l'intervalle sur l'embarras que je lui causais; excuses communes que tout le monde sait faire, et auxquelles il répondit à la manière ordinaire.

Ce qu'il y eut pourtant de particulier entre nous deux, c'est que je lui parlais de l'air d'une personne qui sent qu'il y a bien autre chose sur le tapis que des excuses; et qu'il me répondit d'un ton qui me préparait à voir entamer la matière.

Nos regards même l'entamaient déjà; il n'en jetait pas un sur moi qui ne signifiât: *Je vous aime*; et moi, je ne savais que faire des miens, parce qu'ils lui en auraient dit autant.

Nous en étions, lui et moi, à ce muet entretien de nos cœurs, quand nous vîmes entrer le chirurgien, qui, sur le

récit que lui fit Valville de mon accident, débuta par dire
qu'il fallait voir mon pied.

A cette proposition, je rougis d'abord par un sentiment
de pudeur; et puis, en rougissant, pourtant je songeai que
j'avais le plus joli petit pied du monde; que Valville allait
le voir, que ce ne serait point ma faute, puisque la nécessité
voulait que je le montrasse devant lui; ce qui était une
bonne fortune pour moi, bonne fortune honnête et faite
à souhait: car on croyait qu'elle me faisait de la peine;
on tâchait de m'y résoudre, et j'allais en avoir le profit
immodeste, en conservant tout le mérite de la modestie,
puisqu'il me venait d'une aventure dont j'étais innocente:
c'était ma chute qui avait tort.

Combien dans le monde y a-t-il d'honnêtes gens qui me
ressemblent, et qui, pour pouvoir garder une chose qu'ils
aiment, ne fondent pas mieux leur droit d'en jouir que je
faisais le mien dans cette occasion-là!

On croit souvent avoir la conscience délicate, non pas à
cause des sacrifices qu'on lui fait, mais à cause de la peine
qu'on prend avec elle pour s'exempter de lui en faire.

Ce que je dis là peint surtout beaucoup de bigots qui
voudraient bien gagner le ciel, sans rien perdre à la terre, et
qui croient avoir de la piété, moyennant les cérémonies
pieuses qu'ils font toujours avec eux-mêmes, et dont ils
bercent leur conscience. Mais n'admirez-vous pas, au reste,
cette morale que mon pied amène?

Je fis quelque difficulté de le montrer, et je ne voulais
ôter que le soulier; mais ce n'était pas assez. Il faut absolument que je voie le mal, disait le chirurgien, qui y allait
tout uniment; je ne saurais rien dire sans cela; et là-dessus
une femme de charge, que Valville avait chez lui, fut
sur-le-champ appelée pour me déchausser; ce qu'elle fit
pendant que Valville et le chirurgien se retirèrent un peu à
l'écart.

Quand mon pied fut en état, voilà le chirurgien qui

l'examine et le tâte. Le bon homme, pour mieux juger du mal, se baissait beaucoup parce qu'il était vieux ; et Valville, en conformité de geste, prenait sensiblement la même attitude, et se baissait beaucoup aussi, parce qu'il était jeune ; car il ne connaissait rien à mon mal, mais il se connaissait à mon pied, et m'en paraissait aussi content que je l'avais espéré.

Pour moi, je ne disais mot et ne donnais aucun signe des observations clandestines, que je faisais sur lui ; il n'aurait pas été modeste de paraître soupçonner l'attrait qui l'attirait ; et d'ailleurs j'aurais tout gâté si je lui avais laissé apercevoir que je comprenais ces petites façons : cela m'aurait obligée moi-même d'en faire davantage, et peut-être aurait-il rougi des siennes ; car le cœur est bizarre : il y a des moments où il est confus et choqué d'être pris sur le fait quand il se cache ; cela l'humilie ; et ce que je dis là, je le sentais par instinct.

J'agissais donc en conséquence ; de sorte qu'on pouvait bien croire que la présence de Valville m'embarrassait un peu, mais simplement à cause qu'il me voyait, et non pas à cause qu'il aimait à me voir.

Dans quel endroit sentez-vous le mal ? me disait le chirurgien en me tâtant. Est-ce là ? Oui, lui répondis-je, en cet endroit même. Aussi est-il un peu enflé, ajoutait Valville en y mettant le doigt d'un air de bonne foi. Allons, ce n'est rien que cela, dit le chirurgien ; il n'y a qu'à ne pas marcher aujourd'hui ; un linge trempé dans de l'eau-de-vie et un peu de repos vous guériront. Aussitôt le linge fut apporté avec le reste ; la compresse fut mise, on me chaussa, le chirurgien sortit, et je restai seule avec Valville, à l'exception de quelques domestiques qui allaient et venaient.

Je me doutais bien que je serais là quelque temps, et qu'il voulait me retenir à dîner ; mais je ne devais pas paraître m'en douter.

*La Vie de Marianne*

# CHARLES DE SECONDAT, BARON DE MONTESQUIEU

1689–1755

*178*      *Une chose bien extraordinaire*

A Paris, le 6 de la lune de Chalval, 1712

Les habitans de Paris sont d'une curiosité qui va jusqu'à l'extravagance. Lorsque j'arrivai, je fus regardé comme si j'avois été envoyé du Ciel: vieillards, hommes, femmes, enfants, tous vouloient me voir. Si je sortois, tout le monde se mettoit aux fenêtres; si j'étois aux Tuileries, je voyois aussitôt un cercle se former autour de moi: les femmes mêmes faisoient un arc-en-ciel, nuancé de mille couleurs, qui m'entouroit; si j'étois aux spectacles, je trouvois d'abord cent lorgnettes dressées contre ma figure: enfin jamais homme n'a tant été vu que moi. Je souriois quelquefois d'entendre des gens qui n'étoient presque jamais sortis de leur chambre, qui disoient entr'eux: «Il faut avouer qu'il a l'air bien persan.» Chose admirable! je trouvois de mes portraits partout; je me voyois multiplié dans toutes les boutiques, sur toutes les cheminées: tant on craignoit de ne m'avoir pas assez vû.

Tant d'honneurs ne laissent pas d'être à charge: je ne me croyois pas un homme si curieux et si rare; et, quoique j'aie très-bonne opinion de moi, je ne me serois jamais imaginé que je dusse troubler le repos d'une grande ville où je n'étois point connu. Cela me fit résoudre à quitter l'habit persan et à en endosser un à l'européenne, pour voir s'il resteroit encore dans ma physionomie quelque chose d'admirable. Cet essai me fit connoître ce que je valois réellement: libre de tous les ornemens étrangers, je me vis apprécié au plus juste. J'eus sujet de me plaindre de mon tailleur, qui m'avoit fait perdre en un instant l'attention et l'estime publique: car j'entrai tout à coup dans un néant affreux. Je demeurois quelquefois une heure dans une compagnie sans qu'on m'eût regardé, et qu'on m'eût mis en occasion d'ouvrir la bouche. Mais, si quelqu'un, par hazard, apprenoit à la compagnie que j'étois Persan, j'entendois aussitôt autour de moi un bourdonnement: «Ah! ah! Monsieur est Persan? c'est une chose bien extraordinaire! Comment peut-on être Persan?»

*Lettres persanes*

## *179   Aussi différents que deux héros de roman*

Un homme qui a de l'imagination et un homme qui n'en a pas voient les choses aussi différemment que deux héros de roman, dont l'un seroit enchanté, et l'autre, non: le premier verroit des murs de cristal, des toits de rubis, des ruisseaux d'argent, des tables de diamants; celui-ci ne verroit que des rochers affreux et des campagnes arides.

*Les Causes qui peuvent affecter les Esprits et les Caractères*

## *180       Ce que c'est qu'un homme d'esprit*

Un homme a de l'esprit lorsque les choses font sur lui l'impression qu'elles doivent faire, soit pour le mettre en état de juger, soit pour le mettre en état de plaire. De là, deux sortes d'éducations: celle que nous recevons de nos maîtres, et celle que nous recevons des gens du monde. Il faut les recevoir toutes les deux, parce que toutes les choses ont deux valeurs: une valeur intrinsèque, et une valeur d'opinion. Ces deux éducations nous font connoître, au juste, ces deux valeurs, et l'esprit nous fait mettre l'une ou l'autre en usage selon le temps, selon les personnes, selon le lieu.

Un homme d'esprit connoît et agit de la manière momentanée dont il faut qu'il connoisse et qu'il agisse; il se crée, pour ainsi dire, à chaque instant, sur le besoin actuel; il

sait et il sent le juste rapport qui est entre les choses et lui.
Un homme d'esprit sent ce que les autres ne font que savoir.
Tout ce qui est muet pour la plupart des gens lui parle
et l'instruit. Il y en a qui voient le visage des hommes;
d'autres, des physionomies; les autres voient jusqu'à
l'âme. On peut dire qu'un sot ne vit qu'avec les corps; les
gens d'esprit vivent avec les intelligences.

*Les Causes qui peuvent affecter les Esprits et les Caractères*

## *181   De la corruption du principe de la monarchie*

COMME les démocraties se perdent lorsque le peuple
dépouille le sénat, les magistrats et les juges de leurs fonctions, les monarchies se corrompent lorsqu'on ôte peu à
peu les prérogatives des corps ou les privilèges des villes.
Dans le premier cas, on va au despotisme de tous; dans
l'autre, au despotisme d'un seul.

«Ce qui perdit les dynasties de Tsin et de Souï, dit un
auteur chinois, c'est qu'au lieu de se borner, comme les
anciens, à une inspection générale, seule digne du souverain, les princes voulurent gouverner tout immédiatement
par eux-mêmes.» L'auteur chinois nous donne ici la cause
de la corruption de presque toutes les monarchies.

La monarchie se perd, lorsqu'un prince croit qu'il
montre plus sa puissance en changeant l'ordre des choses
qu'en le suivant; lorsqu'il ôte les fonctions naturelles des
uns pour les donner arbitrairement à d'autres, et lorsqu'il
est plus amoureux de ses fantaisies que de ses volontés.

La monarchie se perd, lorsque le prince, rapportant tout
uniquement à lui, appelle l'État à sa capitale, la capitale à
sa cour, et la cour à sa seule personne.

Enfin elle se perd, lorsqu'un prince méconnoît son autorité, sa situation, l'amour de ses peuples; et lorsqu'il ne
sent pas bien qu'un monarque doit se juger en sûreté,
comme un despote doit se croire en péril.

*De l'Esprit des Lois*

## 182     *De l'esprit d'égalité extrême*

AUTANT que le ciel est éloigné de la terre, autant le véritable esprit d'égalité l'est-il de l'esprit d'égalité extrême.
Le premier ne consiste point à faire en sorte que tout le
monde commande, ou que personne ne soit commandé,
mais à obéir et à commander à ses égaux. Il ne cherche pas
à n'avoir point de maître, mais à n'avoir que ses égaux
pour maîtres.

Dans l'état de nature, les hommes naissent bien dans
l'égalité; mais ils n'y sauroient rester. La société la leur
fait perdre, et ils ne redeviennent égaux que par les lois.

Telle est la différence entre la démocratie réglée et celle
qui ne l'est pas, que, dans la première, on n'est égal que
comme citoyen, et que, dans l'autre, on est encore égal
comme magistrat, comme sénateur, comme juge, comme
père, comme mari, comme maître.

La place naturelle de la vertu est auprès de la liberté;
mais elle ne se trouve pas plus auprès de la liberté extrême
qu'auprès de la servitude.

*De l'Esprit des Lois*

## 183     *Mes lectures ont affoibli mes yeux*

J'AVOIS conçu le dessein de donner plus d'étendue et plus
de profondeur à quelques endroits de cet ouvrage; j'en suis
devenu incapable. Mes lectures ont affoibli mes yeux, et il
me semble que ce qui me reste encore de lumière n'est
que l'aurore du jour où ils se fermeront pour jamais.

Je touche presque au moment où je dois commencer et
finir, au moment qui dévoile et dérobe tout, au moment
mêlé d'amertume et de joie, au moment où je perdrai
jusqu'à mes foiblesses mêmes.

Pourquoi m'occuperois-je encore de quelques écrits
frivoles? Je cherche l'immortalité, et elle est dans moi-

même. Mon âme, agrandissez-vous! Précipitez-vous dans l'immensité: Rentrez dans le grand Être!...

Dans l'état déplorable où je me trouve, il ne m'a pas été possible de mettre à cet ouvrage la dernière main, et je l'aurois brûlé mille fois, si je n'avois pensé qu'il étoit beau de se rendre utile aux hommes jusqu'aux derniers soupirs mêmes...

Dieu immortel! le Genre humain est votre plus digne ouvrage. L'aimer, c'est vous aimer, et, en finissant ma vie, je vous consacre cet amour.

*Pensées et Fragments inédits*

# FRANÇOIS-MARIE AROUET,
## *dit* VOLTAIRE

1694-1778

*184*      *Martin ne s'en étonnait pas*

CANDIDE ne s'arrêta dans Bordeaux qu'autant de temps qu'il en fallait pour vendre quelques cailloux du Dorado, et pour s'accommoder d'une bonne chaise à deux places: car il ne pouvait plus se passer de son philosophe Martin; il fut seulement très fâché de se séparer de son mouton, qu'il laissa à l'Académie des sciences de Bordeaux, laquelle proposa pour le sujet du prix de cette année de trouver pourquoi la laine de ce mouton était rouge; et le prix fut adjugé à un savant du Nord, qui démontra par A, plus B, moins C divisé par Z, que le mouton devait être rouge, et mourir de la clavelée.

Cependant tous les voyageurs que Candide rencontra dans les cabarets de la route lui disaient: «Nous allons à Paris.» Cet empressement général lui donna enfin l'envie de voir cette capitale; ce n'était pas beaucoup se détourner du chemin de Venise.

Il entra par le faubourg Saint-Marceau, et crut être dans le plus vilain village de la Vestphalie.

A peine Candide fut-il dans son auberge, qu'il fut attaqué d'une maladie légère, causée par ses fatigues. Comme il avait au doigt un diamant énorme, et qu'on avait aperçu dans son équipage une cassette prodigieusement pesante, il eut aussitôt auprès de lui deux médecins qu'il n'avait pas mandés, quelques amis intimes qui ne le quittèrent pas, et deux dévotes qui faisaient chauffer ses bouillons. Martin disait: «Je me souviens d'avoir été malade aussi à Paris dans mon premier voyage; j'étais fort pauvre: aussi n'eus-je ni amis, ni dévotes, ni médecins et je guéris.»

Cependant, à force de médecines et de saignées, la maladie de Candide devint sérieuse. Un habitué du quartier vint avec douceur lui demander un billet payable au porteur pour l'autre monde: Candide n'en voulut rien faire. Les dévotes lui assurèrent que c'était une nouvelle mode; Candide répondit qu'il n'était point homme à la mode. Martin voulut jeter l'habitué par les fenêtres. Le clerc jura qu'on n'enterrerait point Candide. Martin jura qu'il enterrerait le clerc s'il continuait à les importuner. La querelle s'échauffa: Martin le prit par les épaules, et le chassa rudement; ce qui causa un grand scandale, dont on fit un procès-verbal.

Candide guérit; et pendant sa convalescence il eut très bonne compagnie à souper chez lui. On jouait gros jeu. Candide était tout étonné que jamais les as ne lui vinssent; et Martin ne s'en étonnait pas.

*Candide*

## 185 *Les Bêtes*

QUELLE pitié, quelle pauvreté, d'avoir dit que les bêtes sont des machines privées de connaissance et de sentiment, qui font toujours leurs opérations de la même manière, qui n'apprennent rien, ne perfectionnent rien, etc.!

Quoi! cet oiseau qui fait son nid en demi-cercle quand il l'attache à un mur, qui le bâtit en quart de cercle quand il est dans un angle, et en cercle sur un arbre: cet oiseau fait tout de la même façon. Ce chien de chasse que tu as discipliné pendant trois mois n'en sait-il pas plus au bout de ce temps qu'il n'en savait avant tes leçons? Le serin à qui tu apprends un air le répète-t-il dans l'instant? n'emploies-tu pas un temps considérable à l'enseigner? n'as-tu pas vu qu'il se méprend et qu'il se corrige?

Est-ce parce que je te parle que tu juges que j'ai du sentiment, de la mémoire, des idées? Eh bien! je ne te parle pas; tu me vois entrer chez moi l'air affligé, chercher un papier avec inquiétude, ouvrir le bureau où je me souviens de l'avoir enfermé, le trouver, le lire avec joie. Tu juges que j'ai éprouvé le sentiment de l'affliction et celui du plaisir, que j'ai de la mémoire et de la connaissance.

Porte donc le même jugement sur ce chien qui a perdu son maître, qui l'a cherché dans tous les chemins avec des cris douloureux, qui entre dans la maison, agité, inquiet, qui descend, qui monte, qui va de chambre en chambre, qui trouve enfin dans son cabinet le maître qu'il aime, et qui lui témoigne sa joie par la douceur de ses cris, par ses sauts, par ses caresses.

*Dictionnaire philosophique*

## 186      *Du goût des connaisseurs*

EN général le goût fin et sûr consiste dans le sentiment prompt d'une beauté parmi des défauts, et d'un défaut parmi des beautés.

Le gourmet est celui qui discernera le mélange de deux vins, qui sentira ce qui domine dans un mets, tandis que les autres convives n'auront qu'un sentiment confus et égaré.

Ne se trompe t on pas quand on dit que c'est un malheur

d'avoir le goût trop délicat, d'être trop connaisseur;
qu'alors on est trop choqué des défauts, et trop insensible
aux beautés; qu'enfin on perd à être trop difficile? N'est-il
pas vrai au contraire qu'il n'y a véritablement de plaisir
que pour les gens de goût? ils voient, ils entendent, ils
sentent ce qui échappe aux hommes moins sensiblement
organisés, et moins exercés.

Le connaisseur en musique, en peinture, en architecture,
en poésie, en médailles, etc., éprouve des sensations que
le vulgaire ne soupçonne pas; le plaisir même de découvrir
une faute le flatte, et lui fait sentir les beautés plus vivement. C'est l'avantage des bonnes vues sur les mauvaises.
L'homme de goût a d'autres yeux, d'autres oreilles, un
autre tact que l'homme grossier. Il est choqué des draperies
mesquines de Raphaël, mais il admire la noble correction
de son dessin. Il a le plaisir d'apercevoir que les enfants
de Laocoon n'ont nulle proportion avec la taille de leur
père; mais tout le groupe le fait frissonner, tandis que
d'autres spectateurs sont tranquilles.

Le célèbre sculpteur, homme de lettres et de génie, qui a
fait la statue colossale de Pierre Ier à Pétersbourg, critique
avec raison l'attitude du *Moïse* de Michel-Ange, et sa petite
veste serrée qui n'est pas même le costume oriental; en
même temps il s'extasie en contemplant l'air de tête.

*Questions sur l'Encyclopédie*

## *187*     *Les Délices mériteront leur nom*

Aux Délices, près de Genève, 18 avril 1755

J'AI reçu, mon cher correspondant, de quoi me purger et
de quoi boire. J'ai commencé par le vin de Saint-Laurent
et je doute que la rhubarbe soit aussi bonne. Mais j'en ai
malheureusement plus besoin que de vin.

Vous devez avoir reçu de moi deux lettres de change
sur M. de Laleu, l'une de 14.000 livres, l'autre de 1.000

livres. Les Délices seront chères, mais elles mériteront leur nom. Il faudra du temps et des soins. Ce qui me pique, c'est que le nécessaire manque. Je vous l'ai déjà dit. Le pressoir est avec l'orangerie, les chevaux avec les vaches, la serre sous ma chambre à coucher, le potager auprès du parterre, et cela s'appelait avoir du goût! Les meubles ne sont pas plus élégants. Il a fallu faire venir trente caisses de Paris, et nous n'avons pas le tiers de ce qu'il faut. Ayez donc toujours bien pitié de nous. Figurez-vous, monsieur, qu'on ne connaît point ici les sangles pour les lits et pour les fauteuils. La propreté et la commodité sont les dernières choses qui s'établissent chez les hommes. Je vous fais cette déclamation pour vous préparer à la prière de nous faire avoir quatre cents aunes de sangle pour vous bien coucher et pour vous asseoir aux Délices, vous et tous les Tronchin, et nous aussi qui nous comptons Tronchin.

Je vous parlai, en qualité de bostangi, d'œilletons d'artichauts et il se trouve que vous m'avez envoyé des fleurs au lieu de légumes. Joignez *utile dulci* : œilletons d'artichauts à replanter, s'il vous plaît, pieds de fraisier si votre bonté n'est pas rebutée et si la facilité s'y trouve, et tout ce qu'on peut mettre dans un jardin au mois de mai, et mes habits, et deux pièces de velours d'Utrecht cramoisi, et une pièce [de] velours d'Utrecht mêlé. Allez, allez, courage! Vous n'êtes pas au bout!

Et un sixain d'épingles no. 4 et un sixain no. 18, et un douzain no. 9, et un douzain no. 14! Et puis vous m'enverrez une douzaine de fois au diable!...

*Lettre à Jean-Robert Tronchin*

*188*        *Prière à Dieu*

CE n'est donc plus aux hommes que je m'adresse; c'est à toi, Dieu de tous les êtres, de tous les mondes, et de tous les temps : S'il est permis à de faibles créatures perdues dans

l'immensité, et imperceptibles au reste de l'univers, d'oser
te demander quelque chose, à toi qui as tout donné, à toi
dont les décrets sont immuables comme éternels, daigne
regarder en pitié les erreurs attachées à notre nature; que
ces erreurs ne fassent point nos calamités. Tu ne nous as
point donné un cœur pour nous haïr, et des mains pour nous
égorger; fais que nous nous aidions mutuellement à supporter le fardeau d'une vie pénible et passagère; que les
petites différences entre les vêtements qui couvrent nos
débiles corps, entre tous nos langages insuffisants, entre
tous nos usages ridicules, entre toutes nos lois imparfaites,
entre toutes nos opinions insensées, entre toutes nos conditions si disproportionnées à nos yeux, et si égales devant
toi; que toutes ces petites nuances qui distinguent les
atomes appelés *hommes*, ne soient pas des signaux de haine
et de persécution; que ceux qui allument des cierges en
plain midi pour te célébrer, supportent ceux qui se contentent de la lumière de ton soleil; que ceux qui couvrent leur
robe d'une toile blanche pour dire qu'il faut t'aimer, ne
détestent pas ceux qui disent la même chose sous un manteau de laine noire; qu'il soit égal de t'adorer dans un jargon
formé d'une ancienne langue, ou dans un jargon plus
nouveau; que ceux dont l'habit est teint en rouge ou en
violet, qui dominent sur une petite parcelle d'un petit tas
de la boue de ce monde, et qui possèdent quelques fragments arrondis d'un certain métal, jouissent sans orgueil de
ce qu'ils appellent *grandeur* et *richesse*, et que les autres
les voient sans envie: car tu sais qu'il n'y a dans ces
vanités ni de quoi envier, ni de quoi s'enorgueillir.

Puissent tous les hommes se souvenir qu'ils sont frères!
qu'ils aient en horreur la tyrannie exercée sur les âmes,
comme ils ont en exécration le brigandage qui ravit par la
force le fruit du travail et de l'industrie paisible! Si les
fléaux de la guerre sont inévitables, ne nous haïssons pas,
ne nous déchirons pas les uns les autres dans le sein de la

paix, et employons l'instant de notre existence à bénir également en mille langages divers, depuis Siam jusqu'à la Californie, ta bonté qui nous a donné cet instant.

*Traité sur la tolérance*

# ANTOINE-FRANÇOIS PRÉVOST
# [L'ABBÉ PRÉVOST]

1697–1763

*189*     *L'aveuglement d'un amour fatal*

IL me demanda, comme une marque d'amitié, de lui raconter sans déguisement ce qui m'était arrivé depuis mon départ de Saint-Sulpice. Je le satisfis; et, loin d'altérer quelque chose à la vérité ou de diminuer mes fautes pour les faire trouver plus excusables, je lui parlai de ma passion avec toute la force qu'elle m'inspirait. Je la lui représentai comme un de ces coups particuliers du destin, qui s'attache à la ruine d'un misérable, et dont il est aussi impossible à la vertu de se défendre, qu'il l'a été à la sagesse de les prévoir. Je lui fis une vive peinture de mes agitations, de mes craintes, du désespoir où j'étais deux heures avant que de le voir, et de celui dans lequel j'allais retomber, si j'étais abandonné par mes amis aussi impitoyablement que par la Fortune; enfin, j'attendris tellement le bon Tiberge, que je le vis aussi affligé par la compassion que je l'étais par le sentiment de mes peines.

Il ne se lassait point de m'embrasser et de m'exhorter à prendre du courage et de la consolation; mais, comme il supposait toujours qu'il fallait me séparer de Manon, je lui fis entendre nettement que c'était cette séparation même que je regardais comme la plus grande de mes infortunes, et que j'étais disposé à souffrir non-seulement le dernier excès de la misère, mais la mort la plus cruelle, avant que

de recevoir un remède plus insupportable que tous mes
maux ensemble.

« Expliquez-vous donc, me dit-il; quelle espèce de secours
suis-je capable de vous donner, si vous vous révoltez
contre toutes mes propositions?» Je n'osais lui déclarer
que c'était de sa bourse que j'avais besoin. Il le comprit
pourtant à la fin... Il me mena aussitôt chez un banquier
de sa connaissance qui m'avança cent pistoles sur son billet:
car il n'était rien moins qu'en argent comptant. J'ai déjà
dit qu'il n'était pas riche. Son bénéfice valait mille écus;
mais comme c'était la première année qu'il le possédait, il
n'avait encore rien touché de revenu: c'était sur les fruits
futurs qu'il me faisait cette avance.

Je sentis tout le prix de sa générosité. J'en fus touché
jusqu'au point de déplorer l'aveuglement d'un amour fatal
qui me faisait violer tous les devoirs. La vertu eut assez de
force pendant quelques moments pour s'élever dans mon
cœur contre ma passion, et j'aperçus du moins, dans cet
instant de lumière, la honte et l'indignité de mes chaînes;
mais ce combat fut léger et dura peu. La vue de Manon
m'aurait fait précipiter du ciel, et je m'étonnai, en me retrouvant près d'elle, que j'eusse pu traiter un moment de
honteuse une tendresse si juste pour un objet si charmant.

Manon était une créature d'un caractère extraordinaire.
Jamais fille n'eut moins d'attachement qu'elle pour l'argent;
mais elle ne pouvait être tranquille un moment avec la
crainte d'en manquer. C'était du plaisir et des passe-temps
qu'il lui fallait; elle n'eût jamais voulu toucher un sou
si l'on pouvait se divertir sans qu'il en coûte. Elle ne s'in-
formait pas même quel était le fond de nos richesses, pourvu
qu'elle pût passer agréablement la journée; de sorte que,
n'étant ni excessivement livrée au jeu, ni capable d'être
éblouie par le faste des grandes dépenses, rien n'était plus
facile que de la satisfaire en lui faisant naître tous les jours
des amusements de son goût. Mais c'était une chose si

nécessaire pour elle d'être ainsi occupée par le plaisir, qu'il
n'y avait pas le moindre fonds à faire sans cela sur son humeur et sur ses inclinations. Quoiqu'elle m'aimât tendrement, et que je fusse le seul, comme elle en convenait
volontiers, qui pût lui faire goûter parfaitement les douceurs de l'amour, j'étais presque certain que sa tendresse
ne tiendrait point contre de certaines craintes. Elle m'aurait préféré à toute la terre avec une fortune médiocre;
mais je ne doutais nullement qu'elle ne m'abandonnât pour
quelque nouveau B... lorsqu'il ne me resterait que de la
constance et de la fidélité à lui offrir.

*Manon Lescaut*

# MARIE, MARQUISE DU DEFFAND

1697–1780

*190*        *La métaphysique à quatre deniers*

Paris, ce samedi 23 mai 1767

Vous voulez que j'espère vivre quatre-vingt-dix ans? Ah!
bon Dieu, quelle maudite espérance! Ignorez-vous que je
déteste la vie, que je me désole d'avoir tant vécu, et que je
ne me console point d'être née? Je ne suis point faite pour
ce monde-ci; je ne sais pas s'il y en a un autre; en cas que
celui-ci soit, tel qu'il puisse être, je le crains. On ne peut
être en paix ni avec les autres, ni avec soi-même; on
mécontente tout le monde: les uns, parce qu'ils croient
qu'on ne les estime ni ne les aime pas assez, les autres par
la raison contraire; il faudrait se faire des sentiments à la
guise de chacun, ou du moins les feindre, et c'est ce dont
je ne suis pas capable; on vante la simplicité et le naturel,
et on hait ceux qui le sont; on connaît tout cela, et malgré
tout cela on craint la mort, et pourquoi la craint-on? Ce
n'est pas seulement par l'incertitude de l'avenir, c'est par
une grande répugnance qu'on a pour sa destruction, que

la raison ne saurait détruire. Ah! la raison, la raison!
Qu'est-ce que c'est que la raison? quel pouvoir a-t-elle?
quand est-ce qu'elle parle? quand est-ce qu'on peut l'écouter? quel bien procure-t-elle? Elle triomphe des passions?
cela n'est pas vrai; et si elle arrêtait les mouvements de notre
âme, elle serait cent fois plus contraire à notre bonheur que
les passions ne peuvent l'être; ce serait vivre pour sentir le
néant, et le néant (dont je fais grand cas) n'est bon que parce
qu'on ne le sent pas. Voilà de la métaphysique à quatre
deniers, je vous en demande très-humblement pardon;
vous êtes en droit de me dire: «Contentez-vous de vous
ennuyer, abstenez-vous d'ennuyer les autres.» Oh! vous
avez raison; changeons de conversation...

*Lettres à Horace Walpole*

### *191*        *Des plaisirs discutables*

Ce 9 décembre 1776

Il y a quelques changements aux jours où je vous écris;
vos lettres ne me sont pas toujours rendues le dimanche,
je les attends pour y repondre, et cela me mène au mercredi;
je le préviens aujourd'hui, parce que je me trouve seule et
que je ne peux faire un meilleur emploi de mon temps que
de causer avec vous; tant pis pour vous, vous vous passeriez
bien de remplir les lacunes de ma journée; mais n'êtes-
vous pas mon ami? Et quel agrément peut-on trouver dans
un ami, si l'on n'y a pas une parfaite confiance, et s'il faut
être toujours dans la crainte de l'ennuyer?

Je suis sûre que vous êtes persuadé que je m'amuse
beaucoup, et que le retour de Chanteloup me cause des
plaisirs ineffables. Il y a beaucoup à en rabattre. *Je suis
contente*, comme disait à Mme de Montespan la Carmélite
la Vallière, *mais je ne suis pas bien aise.*

Mes parents soupiront jeudi chez moi pour la troisième
et dernière fois; ils ouvriront leur maison dimanche pro-

chain, et c'est où j'irai fort rarement; ils se tiennent dans leur
galerie; je ne sais si vous la connaissez, elle est infiniment
grande, il faut soixante-dix ou douze bougies pour l'éclairer;
la cheminée est au milieu, il y a toujours un feu énorme et
des poêles aux deux bouts; eh bien! malgré cela on y gèle,
ou on y brûle si l'on se tient auprès de la cheminée ou des
poêles; toutes les autres places dans les intervalles sont des
glacières; on trouve un monde infini, toutes les belles et
jeunes dames et les grands et petits seigneurs; une grande
table au milieu, où l'on joue toutes sortes de jeux, et cela
s'appelle une macédoine;[1] des tables de whisk, de piquet, de
comète;[1] trois ou quatre trictracs[2] qui cassent la tête. Peut-
être vos assemblées ressemblent-celles à cela; en ce cas je
crois que vous vous y trouvez rarement: il n'y a que d'être
seule que je trouve pis que cette cohue. Cette maison est
ouverte depuis le dimanche jusqu'au jeudi inclusivement;
le vendredi et le samedi, je suis dévouée à la grand'maman.
Je lui fis hier vos compliments, et l'assurai de votre sincère
attachement: elle me répéta qu'elle vous aimait beaucoup,
et qu'elle était bien fâchée que vous prissiez si mal votre
temps pour vos voyages ici, et d'être privée du plaisir de
vous voir. Je lui dis qu'à l'avenir elle n'aurait à envier
personne. L'Abbé prétend vous aimer beaucoup; et sur
ce que je lui ai dit de votre part il pourra prétendre que
vous l'aimez beaucoup aussi; et de toutes ces prétentions
il en résulte fort peu de propriétés.

*Lettres à Horace Walpole*

*192*                    *Tonton*[3]

Ce 25 janvier 1780

JE fis hier mon testament, j'en avais déjà fait plusieurs,
je compte que celui-ci sera le dernier. J'y parle de vous
comme vous l'avez permis. Je joins à votre article une

---

[1] card-games          [2] backgammon          [3] her little dog

boîte sur laquelle est le portrait de mon petit chien, je
voudrais vous le laisser lui-même, je suis sûre que vous
l'aimeriez et en auriez grand soin. Si cela pouvait être
possible, faites-vous l'apporter...

*Lettres à Horace Walpole*

# GEORGES-LOUIS LECLERC,
# COMTE DE BUFFON

1707–1788

*193     Le style doit graver des pensées*

POURQUOI les ouvrages de la Nature sont-ils si parfaits ?
c'est que chaque ouvrage est un tout, & qu'elle travaille
sur un plan éternel dont elle ne s'écarte jamais ; elle prépare
en silence les germes de ses productions ; elle ébauche par
un acte unique la forme primitive de tout être vivant : elle
la développe, elle la perfectionne par un mouvement
continu & dans un temps prescrit. L'ouvrage étonne,
mais c'est l'empreinte divine dont il porte les traits qui
doit nous frapper. L'esprit humain ne peut rien créer, il ne
produira qu'après avoir été fécondé par l'expérience & la
méditation ; ses connoissances sont les germes de ses productions : mais s'il imite la Nature dans sa marche & dans
son travail, s'il s'élève par la contemplation aux vérités les
plus sublimes, s'il les réunit, s'il les enchaîne, s'il en forme
un tout, un système par la réflexion, il établira sur des
fondements inébranlables, des monumens immortels.

C'est faute de plan, c'est pour n'avoir pas assez réfléchi
sur son objet, qu'un homme d'esprit se trouve embarrassé, & ne sait par où commencer à écrire : il aperçoit à
la fois un grand nombre d'idées ; & comme il ne les a ni
comparées ni subordonnées, rien ne le détermine à préférer
les unes aux autres ; il demeure donc dans la perplexité ; mais
lorsqu'il se sera fait un plan, lorsqu'une fois il aura rassemblé & mis en ordre toutes les pensées essentielles à son

sujet, il s'apercevra aisément de l'instant auquel il doit
prendre la plume, il sentira le point de maturité de la
production de l'esprit, il sera pressé de la faire éclore, il
n'aura même que du plaisir à écrire : les idées se succéderont
aisément, & le style sera naturel & facile; la chaleur naîtra
de ce plaisir, se répandra partout & donnera de la vie à
chaque expression; tout s'animera de plus en plus; le
ton s'élèvera, les objets prendront de la couleur; & le
sentiment se joignant à la lumière, l'augmentera, la portera
plus loin, la fera passer de ce que l'on dit, à ce que l'on va
dire, & le style deviendra intéressant & lumineux...

Les ouvrages bien écrits seront les seuls qui passeront à
la postérité : la quantité des connoissances, la singularité des
faits, la nouveauté même des découvertes, ne sont pas de
sûrs garans de l'immortalité; si les ouvrages qui les contiennent ne roulent que sur de petits objets, s'ils sont écrits
sans goût, sans noblesse & sans génie, ils périront, parce
que les connoissances, les faits & les découvertes s'enlèvent
aisément, se transportent, & gagnent même à être mis en
œuvre par des mains plus habiles. Ces choses sont hors de
l'homme, le style est l'homme même : le style ne peut donc
ni s'enlever, ni se transporter, ni s'altérer : s'il est élevé,
noble, sublime, l'auteur sera également admiré dans tous
les temps; car il n'y a que la vérité qui soit durable et même
éternelle.

*Discours sur le style*

*194*     *Du système de M. Whiston*

CET Auteur commence son Traité de la Théorie de la
Terre[1] par une dissertation sur la création du monde; il
prétend qu'on a toûjours mal entendu le texte de la Genèse,
qu'on s'est trop attaché à la lettre & au sens qui se présente
à la première vûe, sans faire attention à ce que la Nature,

---

[1] *A New Theory of the Earth* (1696), by William Whiston (1667–
1752)

la raison, la Philosophie, & même la décence exigeoient de
l'Écrivain pour traiter dignement cette matière... Voilà
donc l'histoire de la création, les causes du déluge universel,
celles de la longueur de la vie des premiers hommes, &
celles de la figure de la terre; tout cela semble n'avoir rien
coûté à notre auteur, mais l'arche de Noé paroît l'inquiéter
beaucoup: comment imaginer en effet qu'au milieu d'un
désordre aussi affreux, au milieu de la confusion de la
queue d'une comète avec le grand abyme, au milieu des
ruines de l'orbe terrestre, & dans ces terribles momens où
non seulement les élemens de la terre étoient confondus,
mais où il arrivoit encore du ciel & du tartare de nouveaux
élemens pour augmenter le cahos, comment imaginer que
l'arche voguât tranquillement avec sa nombreuse cargaison
sur la cime des flots? Ici notre auteur rame & fait de grands
efforts pour arriver & pour donner une raison physique de
la conservation de l'arche; mais comme il m'a paru qu'elle
étoit insuffisante, mal imaginée & peu orthodoxe, je ne la
rapporterai point; il me suffira de faire sentir combien il
est dur pour un homme qui a expliqué de si grandes choses
sans avoir recours à une puissance surnaturelle ou au miracle, d'être arrêté par une circonstance particulière; aussi
notre auteur aime mieux risquer de se noyer avec l'arche,
que d'attribuer, comme il le devoit, à la bonté immédiate
du Tout-puissant la conservation de ce précieux vaisseau.

*Preuves de la théorie de la terre*

# JEAN-JACQUES ROUSSEAU

1712–1778

*195*    *L'origine de la société et des lois*

Le premier qui ayant enclos un terrain s'avisa de dire *Ceci
est à moi*, et trouva des gens assez simples pour le croire,
fut le vrai fondateur de la société civile. Que de crimes, de

guerres, de meurtres, que de misères et d'horreurs n'eût
point épargnés au genre humain celui qui, arrachant les
pieux ou comblant le fossé, eût crié à ses semblables : «Gardez-vous d'écouter cet imposteur; vous êtes perdus si
vous oubliez que les fruits sont à tous, et que la terre n'est
à personne!» Mais il y a grande apparence qu'alors les
choses en étoient déjà venues au point de ne pouvoir
plus durer comme elles étoient... Tant que les hommes
se contentèrent de leurs cabanes rustiques, tant qu'ils se
bornèrent à coudre leurs habits de peaux avec des épines
ou des arêtes, à se parer de plumes et de coquillages, à se
peindre le corps de diverses couleurs, à perfectionner ou
embellir leurs arcs et leurs flèches, à tailler avec des pierres
tranchantes quelques canots de pêcheurs ou quelques
grossiers instrumens de musique : en un mot, tant qu'ils
ne s'appliquèrent qu'à des ouvrages qu'un seul pouvoit
faire, et qu'à des arts qui n'avoient pas besoin du concours
de plusieurs mains, ils vécurent libres, sains, bons et heureux
autant qu'ils pouvoient l'être par leur nature et continuèrent
à jouir entre eux des douceurs d'un commerce indépendant :
mais dès l'instant qu'un homme eut besoin du secours d'un
autre, dès qu'on s'aperçut qu'il étoit utile à un seul d'avoir
des provisions pour deux, l'égalité disparut, la propriété
s'introduisit, le travail devint nécessaire et les vastes forêts
se changèrent en des campagnes riantes qu'il fallut arroser
de la sueur des hommes, et dans lesquelles on vit bientôt
l'esclavage et la misère germer et croître avec les moissons.

*Discours sur l'Origine de l'Inégalité parmi les Hommes*

*196*            *Dans la forêt*

A Montmorency, le 26 janvier 1762
L'or des genêts et la pourpre des bruyères frappoient mes
yeux d'un luxe qui touchoit mon cœur; la majesté des
arbres qui me couvroient de leur ombre, la délicatesse des

arbustes qui m'environnoient, l'étonnante variété des
herbes et des fleurs que je foulois sous mes pieds tenoient
mon esprit dans une alternative continuelle d'observation
et d'admiration : le concours de tant d'objets intéressans
qui se disputoient mon attention, m'attirant sans cesse de
l'un à l'autre, favorisoit mon humeur rêveuse et paresseuse,
et me faisoit souvent redire en moi-même : Non, Salomon
dans toute sa gloire ne fut jamais vêtu comme l'un d'eux.

Mon imagination ne laissoit pas longtemps déserte la
terre ainsi parée. Je la peuplois bientôt d'êtres selon mon
cœur, et, chassant bien loin l'opinion, les préjugés, toutes les
passions factices, je transportois dans les asiles de la nature
des hommes dignes de les habiter. Je m'en formois une
société charmante, dont je ne me sentois pas indigne ; je
me faisois un siècle d'or à ma fantaisie, et remplissant ces
beaux jours de toutes les scènes de ma vie qui m'avoient
laissé de doux souvenirs, et de toutes celles que mon cœur
pouvoit désirer encore, je m'attendrissois jusqu'aux larmes
sur les vrais plaisirs de l'humanité, plaisirs si délicieux,
si purs, et qui sont désormais si loin des hommes. O si dans
ces momens quelque idée de Paris, de mon siècle et de ma
petite gloriole d'auteur, venoit troubler mes rêveries, avec
quel dédain je la chassois à l'instant pour me livrer, sans
distraction, aux sentimens exquis dont mon âme étoit
pleine ! Cependant au milieu de tout cela, je l'avoue, le
néant de mes chimères venoit quelquefois la contrister
tout à coup. Quand tous mes rêves se seroient tournés
en réalités, ils ne m'auroient pas suffi : j'aurois imaginé,
rêvé, désiré encore. Je trouvois en moi un vuide inexplicable, que rien n'auroit pu remplir, un certain élancement
de cœur vers une autre sorte de jouissance, dont je n'avois
pas d'idée et dont pourtant je sentois le besoin. Hé bien,
Monsieur, celà même étoit jouissance, puisque j'en étois
pénétré d'un sentiment très vif et d'une tristesse attirante
que je n'aurois pas voulu ne pas avoir.

Bientôt de la surface de la terre j'élevois mes idées à tous les êtres de la nature, au système universel des choses, à l'Etre incompréhensible qui embrasse tout. Alors, l'esprit perdu dans cette immensité, je ne pensois pas, je ne raisonnois pas, je ne philosophois pas : je me sentois, avec une sorte de volupté, accablé du poids de cet univers, je me livrois avec ravissement à la confusion de ces grandes idées, j'aimois à me perdre en imagination dans l'espace; mon cœur resserré dans les bornes des êtres s'y trouvoit trop à l'étroit, j'étouffois dans l'univers, j'aurois voulu m'élancer dans l'infini. Je crois que, si j'eusse dévoilé tous les mystères de la nature, je me serois senti dans une situation moins délicieuse que cette étourdissante extase, à laquelle mon esprit se livroit sans retenue, et qui, dans l'agitation de mes transports, me faisoit écrier quelquefois : O grand Être! O grand Être! sans pouvoir dire ni penser rien de plus.

*Lettre à M. de Malesherbes*

## 197    *Je ne daignerois pas faire un pas*

Si la matière mue me montre une volonté, la matière mue selon de certaines lois me montre une intelligence : c'est mon second article de foi. Agir, comparer, choisir, sont des opérations d'un être actif et pensant : donc cet être existe. Où le voyez-vous exister, m'allez-vous dire? Non-seulement dans les Cieux qui roulent, dans l'astre qui nous éclaire; non-seulement dans moi-même, mais dans la brebis qui paît, dans l'oiseau qui vole, dans la pierre qui tombe, dans la feuille qu'emporte le vent.

Je juge de l'ordre du monde quoique j'en ignore la fin, parce que pour juger de cet ordre il me suffit de comparer les parties entr'elles, d'étudier leur concours, leurs rapports, d'en remarquer le concert. J'ignore pourquoi l'Univers existe; mais je ne laisse pas de voir comment il est modifié;

je ne laisse pas d'appercevoir l'intime correspondance par
laquelle les êtres qui le composent se prêtent un secours
mutuel. Je suis comme un homme qui verroit, pour la
première fois, une montre ouverte, et qui ne laisseroit pas
d'en admirer l'ouvrage, quoiqu'il ne connût pas l'usage de la
machine et qu'il n'eût point vu le cadran. Je ne sais, diroit-
il, à quoi le tout est bon; mais je vois que chaque pièce est
faite pour les autres; j'admire l'ouvrier dans le détail de
son ouvrage, et je suis bien sûr que tous ces rouages ne
marchent ainsi de concert, que pour une fin commune
qu'il m'est impossible d'appercevoir.

Comparons les fins particulières, les moyens, les rapports
ordonnés de toute espèce, puis écoutons le sentiment intérieur; quel esprit sain peut se refuser à son témoignage;
à quels yeux non prévenus l'ordre sensible de l'Univers
n'annonce-t-il pas une suprême intelligence, et que de
sophismes ne faut-il point entasser pour méconnoître
l'harmonie des êtres, et l'admirable concours de chaque
pièce pour la conservation des autres? Qu'on me parle tant
qu'on voudra de combinaisons et de chances; que vous
sert de me réduire au silence, si vous ne pouvez m'amener
à la persuasion, et comment m'ôterez-vous le sentiment
involontaire qui vous dément toujours malgré moi? Si
les corps organisés se sont combinés fortuitement de mille
manières avant de prendre des formes constantes, s'il s'est
formé d'abord des estomacs sans bouches, des pieds sans
têtes, des mains sans bras, des organes imparfaits de toute
espèce qui sont péris faute de pouvoir se conserver, pourquoi nul de ces informes essais ne frappe-t-il plus nos regards; pourquoi la Nature s'est-elle enfin prescrit des loix
auxquelles elle n'étoit pas d'abord assujettie? Je ne dois
point être surpris qu'une chose arrive lorsqu'elle est possible, et que la difficulté de l'événement est compensée
par la quantité des jets, j'en conviens. Cependant si l'on me
venoit dire que des caractères d'imprimerie, projettés au

hazard, ont donné l'Énéide toute arrangée, je ne daignerois
pas faire un pas pour aller vérifier le mensonge.

*Profession de foi du Vicaire savoyard*

## *198*          *L'Île de Saint-Pierre*

L'ÎLE, dans sa petitesse, est tellement variée dans ses terrains et ses aspects, qu'elle offre toutes sortes de sites, et
souffre toutes sortes de cultures. On y trouve des champs,
des vignes, des bois, des vergers, de gras pâturages om-
bragés de bosquets, et bordés d'arbrisseaux de toute espèce,
dont le bord des eaux entretient la fraîcheur; une haute
terrasse plantée de deux rangs d'arbres borde l'île dans sa
longueur, et dans le milieu de la terrasse on a bâti un
joli salon où les habitans des rives voisines se rassemblent
et viennent danser les dimanches durant les vendanges.

C'est dans cette île que je me réfugiai... Quand le soir
approchoit, je descendois des cimes de l'île, et j'allois
volontiers m'asseoir au bord du lac, sur la grève, dans
quelque asile caché; là, le bruit des vagues et l'agitation de
l'eau, fixant mes sens et chassant de mon âme toute autre
agitation, la plongeoient dans une rêverie delicieuse, où la
nuit me surprenoit souvent sans que je m'en fusse aperçu.
Le flux et le reflux de cette eau, son bruit continu, mais
renflé par intervalles, frappant sans relâche mon oreille et
mes yeux, suppléoient aux mouvemens internes que la
rêverie éteignoit en moi, et suffisoient pour me faire sentir avec plaisir mon existence, sans prendre la peine de
penser. De temps à autre naissoit quelque foible et
courte réflexion sur l'instabilité des choses de ce monde,
dont la surface des eaux m'offroit l'image; mais bientôt
ces impressions légères s'effaçoient dans l'uniformité du
mouvement continu qui me berçoit, et qui, sans aucun
concours actif de mon âme, ne laissoit pas de m'attacher

au point qu'appelé par l'heure et par le signal convenu je ne pouvois m'arracher de là sans effort.

*Les Rêveries du Promeneur solitaire*

## *199*     *La botanique et les idées médicinales*

UNE autre chose contribue encore à éloigner du règne végétal l'attention des gens de goût : c'est l'habitude de ne chercher dans les plantes que des drogues et des remèdes. Théophraste s'y était pris autrement, et l'on peut regarder ce philosophe comme le seul botaniste de l'antiquité : aussi n'est-il presque point connu parmi nous; mais, grâce à un certain Dioscoride, grand compilateur de recettes, et à ses commentateurs, la médecine s'est tellement emparée des plantes transformées en simples, qu'on n'y voit que ce qu'on n'y voit point, savoir les prétendues vertus qu'il plaît au tiers et au quart de leur attribuer. On ne conçoit pas que l'organisation végétale puisse par elle-même mériter quelque attention; des gens qui passent leur vie à arranger savamment des coquilles se moquent de la botanique comme d'une étude inutile, quand on n'y joint pas, comme ils disent, celle des propriétés; c'est-à-dire quand on n'abandonne pas l'observation de la nature, qui ne ment point, et qui ne nous dit rien de tout cela, pour se livrer uniquement à l'autorité des hommes, qui sont menteurs et qui nous affirment beaucoup de choses qu'il faut croire sur leur parole, fondée elle-même le plus souvent sur l'autorité d'autrui. Arrêtez-vous dans une prairie émaillée à examiner successivement les fleurs dont elle brille; ceux qui vous verront faire, vous prenant pour un frater, vous demanderont des herbes pour guérir la rogne des enfants, la gale des hommes, ou la morve des chevaux.

Ce dégoûtant préjugé est détruit en partie dans les autres pays, et surtout en Angleterre, grâce à Linnaeus, qui a un peu tiré la botanique des écoles de pharmacie pour la rendre

à l'histoire naturelle et aux usages économiques; mais en
France, où cette étude a moins pénétré chez les gens du
monde, on est resté sur ce point tellement barbare qu'un
bel esprit de Paris, voyant à Londres un jardin de curieux,
plein d'arbres et de plantes rares, s'écria, pour tout éloge:
«Voilà un fort beau jardin d'apothicaire!» A ce compte,
le premier apothicaire fut Adam, car il n'est pas aisé d'imaginer un jardin mieux assorti de plantes que celui d'Eden.

Ces idées médicinales ne sont assurément guères propres
à rendre agréable l'étude de la botanique; elles flétrissent
l'émail des prés, l'éclat des fleurs, dessèchent la fraîcheur des
bocages, rendent la verdure et les ombrages insipides et
dégoûtants; toutes ces structures charmantes et gracieuses
intéressent fort peu quiconque ne veut que piler tout cela
dans un mortier, et l'on n'ira pas chercher des guirlandes
pour les bergères parmi des herbes pour les lavements.

*Les Rêveries du Promeneur solitaire*

# DENIS DIDEROT

1713 1784

*200*      *Il quittait la partie du chant*

ET puis le voilà qui se met à se promener en murmurant
dans son gosier quelques-uns des airs de l'*Ile des fous*, du
*Peintre amoureux de son modèle*, du *Maréchal ferrant*, de la
*Plaideuse*; et de temps en temps, il s'écriait en levant les
mains et les yeux au ciel: «Si cela est beau, mordieu! si cela
est beau! Comment peut-on porter à sa tête une paire
d'oreilles et faire une pareille question?» Il commençait à
entrer en passion et à chanter tout bas; il élevait le ton
à mesure qu'il se passionnait davantage. Vinrent ensuite
les gestes, les grimaces du visage et les contorsions du
corps... Il entassait et brouillait ensemble trente airs italiens,
français, tragiques, comiques, de toutes sortes de caractères.

Tantôt avec une voix de bassetaille, il descendait jusqu'aux enfers; tantôt s'égosillant et contrefaisant le fausset, il déchirait le haut des airs, imitant de la démarche, du maintien, du geste, les différents personnages chantants; successivement furieux, radouci, impérieux, ricaneur. Ici, c'est une jeune fille qui pleure, et il en rend toute la minauderie; là il est prêtre, il est roi, il est tyran, il menace, il commande, il s'emporte, il est esclave, il obéit. Il s'apaise, il se désole, il se plaint, il rit; jamais hors de ton, de mesure, du sens des paroles et du caractère de l'air...

Mais vous vous seriez échappé en éclats de rire à la manière dont il contrefaisait les différents instruments. Avec des joues renflées et bouffies, et un son rauque et sombre, il rendait les cors et les bassons; il prenait un son éclatant et nasillard pour les hautbois; précipitant sa voix avec une rapidité incroyable pour les instruments à cordes dont il cherchait les sons les plus approchés; il sifflait les petites flûtes, il recoulait les traversières, criant, chantant, se démenant comme un forcené, faisant lui seul les danseurs, les danseuses, les chanteurs, les chanteuses, tout un orchestre, tout un théâtre lyrique, et se divisant en vingt rôles divers, courant, s'arrêtant avec l'air d'un énergumène, étincelant des yeux, écumant de la bouche... Que ne lui vis-je pas faire? Il pleurait, il criait, il soupirait; il regardait ou attendri, ou tranquille, ou furieux; c'était une femme qui se pâme de douleur; c'était un malheureux livré à tout son désespoir; un temple qui s'élève; des oiseaux qui se taisent au soleil couchant; des eaux ou qui murmurent dans un lieu solitaire et frais, ou qui descendent en torrent du haut des montagnes; un orage, une tempête, la plainte de ceux qui vont périr, mêlée au sifflement des vents, au fracas du tonnerre. C'était la nuit avec ses ténèbres; c'était l'ombre et le silence, car le silence même se peint par des sons.

*Le Neveu de Rameau*

*201*        *La conspiration des mouvements*

Cent fois j'ai été tenté de dire aux jeunes élèves que je trouvais sur le chemin du Louvre, avec leur portefeuille sous le bras : «Mes amis, combien y a-t-il que vous dessinez là ? Deux ans. Eh bien ! c'est plus qu'il ne faut. Laissez-moi cette boutique de *manière*. Allez-vous-en aux Chartreux ; et vous y verrez la véritable attitude de la piété et de la componction. C'est aujourd'hui veille de grande fête : allez à la paroisse, rôdez autour des confessionnaux, et vous y verrez la véritable attitude du recueillement et du repentir. Demain, allez à la guinguette, et vous verrez l'action vraie de l'homme en colère. Cherchez les scènes publiques ; soyez observateurs dans les rues, dans les jardins, dans les marchés, dans les maisons, et vous y prendrez des idées justes du vrai mouvement dans les actions de la vie. Tenez, regardez vos deux camarades qui disputent ; voyez comme c'est la dispute même qui dispose à leur insu de la position de leurs membres. Examinez-les bien, et vous aurez pitié de la leçon de votre insipide professeur et de l'imitation de votre insipide modèle...

«Autre chose est une attitude, autre chose une action. Toute attitude est fausse et petite ; toute action est belle et vraie.»

*Essai sur la Peinture*

*202*            *Le Goût*

Qu'est-ce donc que le goût ? Une facilité acquise par des expériences réitérées, à saisir le vrai ou le bon, avec la circonstance qui le rend beau, et d'en être promptement et vivement touché.

Si les expériences qui déterminent le jugement sont présentes à la mémoire, on aura le goût éclairé ; si la mémoire en est passée, et qu'il n'en reste que l'impression on aura le tact, l'instinct.

*Essai sur la Peinture*

*203*      *Il faut que l'âme soit calme*

EST-CE au moment où vous venez de perdre votre ami ou votre maîtresse que vous composez un poème sur sa mort? Non. Malheur à celui qui jouit alors de son talent! C'est lorsque la grande douleur est passée, quand l'extrême sensibilité est amortie, lorsqu'on est loin de la catastrophe, que l'âme est calme, qu'on se rappelle son bonheur éclipsé, qu'on est capable d'apprécier la perte qu'on a faite, que la mémoire se réunit à l'imagination, l'une pour retracer, l'autre pour exagérer la douceur d'un temps passé; qu'on se possède et qu'on parle bien. On dit qu'on pleure, mais on ne pleure pas lorsqu'on poursuit une épithète énergique qui se refuse; on dit qu'on pleure, mais on ne pleure pas lorsqu'on s'occupe à rendre son vers harmonieux: ou si les larmes coulent, la plume tombe des mains, on se livre à son sentiment et l'on cesse de composer.

*Paradoxe sur le Comédien*

*204*      *Réflexions sur l'Angleterre*

LE BARON[1] est de retour d'Angleterre: il est parti pour ce païs, prévenu; il y a reçu l'accueil le plus agréable, il y a joui de la plus belle santé, cependant il en est revenu mécontent; mécontent de la contrée qu'il ne trouve ni aussi peuplée, ni aussi bien cultivée qu'on le disoit; mécontent des bâtiments qui sont presque tous bizarres et gothiques; mécontent des jardins où l'affectation d'imiter la nature est pire que la monotone symétrie de l'art; mécontent du goût qui entasse dans les palais l'excellent, le bon, le mauvais, le détestable, pêle-mêle; mécontent des amusements qui ont l'air de cérémonies religieuses; mécontent des hommes sur le visage desquels on ne voit jamais la confiance, l'amitié, la gaieté, la sociabilité, mais

[1] d'Holbach

qui portent tous cette inscription : Qu'est-ce qu'il y a de commun entre vous et moi ? mécontent des grands qui sont tristes, froids, hauts, dédaigneux et vains, et des petits qui sont durs, insolents et barbares ; mécontent des repas d'amis où chacun se place selon son rang, et où la formalité et la cérémonie sont à côté de chaque convive ; mécontent des repas d'auberge où l'on est bien et promptement servi, mais sans aucune affabilité. Je ne lui ai entendu louer que la facilité de voyager ; il dit qu'il n'y a aucun village, même sur une route de traverse, où l'on ne trouve quatre ou cinq chaises de poste et vingt chevaux prêts à partir... Il n'y a point d'éducation publique. Les collèges, somptueux bâtiments, palais comparables à notre château des Tuileries, sont occupés par de riches fénéants qui dorment et s'ennyvrent une partie du jour, dont ils employent l'autre à façonner grossièrement quelques maussades apprentis ministres. L'or qui afflue dans la capitale et des provinces et de toutes les contrées de la terre porte la main-d'œuvre à un prix exorbitant, encourage la contrebande et fait tomber les manufactures. Soit effet du climat, soit effet de l'usage de la bière et des liqueurs fortes, des grosses viandes, des brouillards continuels, de la fumée du charbon de terre qui les enveloppe sans cesse, ce peuple est triste et mélancolique. Ses jardins sont coupés d'allées tortueuses et étroites ; partout on y reconnoît un hôte qui se dérobe et qui veut être seul... Mais ce qu'il y a de singulier, c'est que ce dégoût de la vie, qui les promène de contrée en contrée, ne les quitte pas ; et qu'un Anglois qui voyage n'est souvent qu'un homme qui sort de son pays pour s'aller tuer ailleurs. N'en voilà-t-il pas un qui vient tout à l'heure de se jetter dans la Seine ? On l'a pêché vivant ; on l'a conduit au Grand-Châtelet, et il a fallu que l'ambassadeur interposât toute son autorité pour empêcher qu'on ne fît justice. M. Hume[1] nous disoit, il y a quelques jours,

---

[1] The philosopher David Hume (1711–1766)

qu'aucune négociation politique ne l'avoit autant intrigué
que cette affaire, et qu'il avoit été obligé d'aller vingt foix
chez le premier président avant que d'avoir pu lui faire
entendre qu'il n'y avoit dans aucun des traités de la France
et de l'Angleterre aucun article qui stipulât défense à un
Anglois de se noyer dans la Seine sous peine d'être pendu ;
et il ajoutoit que, si son compatriote avoit été malheureusement écroué, il auroit risqué de perdre la vie ignominieuse-
ment, pour s'être ou ne s'être pas noyé. Si les Anglois sont
bien insensés, vous conviendrez que les François aussi sont
bien ridicules.

*Lettres à Sophie Volland*

## 205  *Toutes de la plus parfaite inutilité*

MADEMOISELLE DE L'ESPINASSE. — Docteur, qu'est-ce
que c'est que le sophisme de l'éphémère ?

BORDEU.[1] — C'est celui d'un être passager qui croit à
l'immortalité des choses.

MADEMOISELLE DE L'ESPINASSE. — La rose de Fontenelle
qui disait que de mémoire de rose on n'avait vu mourir un
jardinier ?

BORDEU. — Précisement ; cela est léger et profond.

MADEMOISELLE DE L'ESPINASSE. — Pourquoi vos philosophes ne s'expriment-ils pas avec la grâce de celui-ci ? nous
les entendrions.

BORDEU. — Franchement, je ne sais si ce ton frivole
convient aux sujets graves.

MADEMOISELLE DE L'ESPINASSE. — Qu'appelez-vous un
sujet grave ?

BORDEU. — Mais la sensibilité générale, la formation de
l'être sentant, son unité, l'origine des animaux, leur durée,
et toutes les questions auxquelles cela tient.

MADEMOISELLE DE L'ESPINASSE. — Moi, j'appelle cela
des folies auxquelles je permets de rêver quand on dort,

[1] The physician Théophile de Bordeu, 1722–1776

mais dont un homme de bon sens qui veille ne s'occupera jamais.

BORDEU. — Et pourquoi cela, s'il vous plaît?

MADEMOISELLE DE L'ESPINASSE. — C'est que les unes sont si claires qu'il est inutile d'en chercher la raison, d'autres si obscures qu'on n'y voit goutte, et toutes de la plus parfaite inutilité.

BORDEU. — Croyez-vous, mademoiselle, qu'il soit indifférent de nier ou d'admettre une intelligence suprême?

MADEMOISELLE DE L'ESPINASSE. — Non.

BORDEU. — Croyez-vous qu'on puisse prendre parti sur l'intelligence suprême, sans savoir à quoi s'en tenir sur l'éternité de la matière et ses propriétés, la distinction des deux substances, la nature de l'homme et la production des animaux?

MADEMOISELLE DE L'ESPINASSE. — Non.

BORDEU. — Ces questions ne sont donc pas aussi oiseuses que vous les disiez.

MADEMOISELLE DE L'ESPINASSE. — Mais que me fait à moi leur importance, si je ne saurais les éclaircir?

BORDEU. — Et comment le saurez-vous, si vous ne les examinez point? Mais pourrais-je vous demander celles que vous trouvez si claires que l'examen vous en paraît superflu?

MADEMOISELLE DE L'ESPINASSE. — Celles de mon unité, de mon moi, par exemple. Pardi, il me semble qu'il ne faut pas tant verbiager pour savoir que je suis moi, que j'ai toujours été moi, et que je ne serai jamais une autre.

*Rêve de d'Alembert*

## 206 *La vie innocente, tranquille et saine*

[au Grandval, le 28] septembre 1767

JE suis toujours au Grandval.[1] D'Amilaville s'étoit engagé à venir me reprendre aujourd'huy lundi; mais n'ayant pu

[1] Residence of d'Holbach

former une carossée, c'est partie remise à mercredi. Mercredi donc je serai à Paris, où vous pourriez bien être arrivées avant moi. Je ne vous dirai pas un mot de la vie que nous menons ici. Un peu de travail le matin, une partie de billard, ou un peu de causerie au coin du feu en attendant le dîner; un dîner qui ne finit point; et puis des promenades qui m'auroient conduit à Isle et par-delà, si, depuis huit à neuf jours que je suis ici, elles avoient été mises l'une au bout de l'autre. Nous avons aujourd'huy visité la maison et les jardins de M. d'Ormesson d'Amboile. Il a dépensé des sommes immenses pour se faire la plus triste et la plus maussade demeure qu'il y ait à vingt lieues à la ronde. Imaginez un château gothique enfoncé dans des fossés, et masqué de tous côtés par des hauteurs; des terrasses sans vues; des allées sans ombres; partout l'image du cahos. Si jamais je rencontre cet homme ou son intendant, je ne pourrai jamais m'empêcher de le ruiner par un projet qui embelliroit certainement cette demeure, mais qui ne coûteroit pas moins de sept à huit cent mille francs. Il y a en face du château une petite montagne; au-dessus de cette montagne, une plaine et des eaux tant qu'on en veut. Mon conseil ruineux seroit donc de ramasser ces eaux, de les amener au haut de la montagne et d'en former une cascade comme vous en avez une à Brunoi. Ces eaux seroient reçues au pied de la montagne dans un beau canal qu'il semble qu'on ait creusé tout exprès pour elles.

Le Baron, qui met de la morale à tout, jure qu'il ne me pardonneroit de sa vie, si cette cascade se faisoit; à moins que je ne prisse les enfants de M. d'Ormesson, et que je ne les noyasse tous les deux dans le canal. Après ces énormes promenades dont nous trompons la longueur par une variété de conversations politiques, littéraires et métaphysiques, nous nous mettons à notre aise; nous commençons un piquet à écrire que nous finissons après souper; et puis, le bougeoir à la main, chacun reprend le chemin de

son dortoir. Je ne sçaurois vous dire combien cette vie
innocente, tranquille et saine m'accommode! Aujourd'huy,
comme nous rentrions à la maison, nous avons trouvé
Cohault, étendu sur le même canapé à côté de la Baronne;
il étoit parti de Paris dans un fiacre qui l'avoit conduit
à Charenton. De Charenton, il avoit achevé son voyage à
pied. Il étoit arrivé à six heures et demie. Il montera le luth
de la Baronne, il lui donnera leçon et à ses enfants; il
soupera avec nous, et demain il partira pour l'Isle-Adam.
S'il est amoureux, c'est comme j'aurois fait; s'il ne l'est
pas, cela est fort beau.

*Lettres à Sophie Volland*

# LUC DE CLAPIERS, MARQUIS DE VAUVENARGUES

1715-1747

207            *Vivacité*

La vivacité consiste dans la promptitude des opérations
de l'esprit. Elle n'est pas toujours unie à la fécondité. Il y a
des esprits lents, fertiles; il y en a de vifs, stériles. La lenteur des premiers vient quelquefois de la faiblesse de leur
mémoire, ou de la confusion de leurs idées, ou enfin de
quelque défaut dans leurs organes, qui empêche leurs esprits
de se répandre avec vitesse. La stérilité des esprit vifs dont
les organes sont bien disposés, vient de ce qu'ils manquent
de force pour suivre une idée, ou de ce qu'ils sont sans
passions; car les passions fertilisent l'esprit sur les choses
qui leur sont propres, et cela pourrait expliquer de certaines
bizarreries: un esprit vif dans la conversation, qui s'éteint
dans le cabinet; un génie perçant dans l'intrigue, qui s'ap-
pesantit dans les sciences, etc.

C'est aussi par cette raison que les personnes enjouées,
que les objets frivoles intéressent, paraissent les plus vives
dans le monde. Les bagatelles qui soutiennent la

conversation, étant leur passion dominante, elles excitent
toute leur vivacité, leur fournissent une occasion continuelle de paraître. Ceux qui ont des passions plus sérieuses,
étant froids sur ces puérilités, toute la vivacité de leur
esprit demeure concentrée.

*De l'Esprit humain*

## 208  *Les moyens de vivre en paix avec les hommes*

VOULEZ-VOUS avoir la paix avec les hommes ? ne leur
contestez pas les qualités dont ils se piquent : ce sont celles
qu'ils mettent ordinairement à plus haut prix ; c'est un point
capital pour eux. Souffrez donc qu'ils se fassent un mérite
d'être plus délicats que vous, de se connaître mieux en bonne
chère, d'avoir des insomnies ou des vapeurs : laissez-leur
croire aussi qu'ils sont aimables, amusants, plaisants,
singuliers ; et s'ils avaient des prétentions plus hautes,
passez-leur encore. La plus grande de toutes les imprudences
est de se piquer de quelque chose : le malheur de la plupart
des hommes ne vient que de là : je veux dire de s'être en-
gagés publiquement à soutenir un certain caractère, ou à
faire fortune, ou à paraître riches, ou à faire métier d'esprit.
Voyez ceux qui se piquent d'être riches : le dérangement
de leurs affaires les fait croire souvent plus pauvres qu'ils
ne sont ; et enfin ils le deviennent effectivement, et passent
leur vie dans une tension d'esprit continuelle, qui découvre
la médiocrité de leur fortune et l'excès de leur vanité. Cet
exemple se peut appliquer à tous ceux qui ont des prétentions ; s'ils y dérogent, s'ils se démentent, le monde
jouit avec ironie de leur chagrin ; et confondus dans les
choses auxquelles ils se sont attachés, ils demeurent sans
ressource en proie à la raillerie la plus amère. Qu'un autre
homme échoue dans les mêmes choses, on peut croire que
c'est par paresse, ou pour les avoir négligées ; enfin, on
n'a pas son aveu sur le mérite des avantages qui lui manquent ; mais s'il réussit, quels éloges ! Comme il n'a pas mis

ce succès au prix de celui qui s'en pique, on croit lui
accorder moins et l'obliger cependant davantage; car ne
paraissant pas prétendre à la gloire qui vient à lui, on espère
qu'il la recevra en pur don, et l'autre nous la demandait
comme une dette.

*Conseils à un jeune homme*

*209*          *Un atome presque invisible*

O Soleil! O cieux! Qu'êtes-vous? Nous avons surpris
le secret et l'ordre de vos mouvements. Dans la main de
l'Être des êtres, instruments aveugles et ressorts peut-
être insensibles, le monde, sur qui vous régnez mériterait-il
nos hommages? Les révolutions des empires, la diverse
face des temps, les nations qui ont dominé, et les hommes
qui ont fait la destinée de ces nations mêmes, les principales
opinions et les coutumes qui ont partagé la créance des
peuples dans la religion, les arts, la morale et les sciences,
tout cela, que peut-il paraître? Un atome presque invisible,
qu'on appelle l'homme, qui rampe sur la face de la terre,
et qui ne dure qu'un jour, embrasse en quelque sorte d'un
coup d'œil le spectacle de l'univers dans tous les âges.

*Réflexions et Maximes*

# LE PARLEMENT DE PARIS[1]

*210*          *Le pouvoir absolu*

Le 2 février 1766

LE bien du service de V. M.,[2] l'intérêt de sa justice et de
son autorité, le salut de l'État, tout exige de votre parlement de porter à V. M. la juste réclamation de la magistrature accablée par la continuité d'actes irréguliers dont le

[1] Before registering a royal edict the Parlement de Paris had a right
to make remonstrances signifying disapproval or the need for modifica-
tion. The King could over-rule the Parlement by himself presiding

dernier achève de caractériser le pouvoir absolu, la subversion de l'autorité des lois et l'infraction ouverte des
droits les plus sacrés de l'État;... Suivant les termes précis
d'une loi de l'État, *aucun des pairs, chanceliers, présidents,*
*maîtres des Requêtes, conseillers et autres du corps de la Cour de*
*Parlement ne peut être distrait pour être jugé ne convenu ailleurs ni*
*pardevant autres juges et commissaires au cas qu'il s'agit de son*
*honneur, de sa personne et de son état.*

Si cette loi, Sire, peut être enfreinte, tout ordre de
naissance et de distinction, tout corps, tout rang, toute
dignité n'a plus qu'à redouter la force impérieuse du pouvoir absolu et à porter sans cesse des yeux effrayés sur tous
les mouvements d'un petit nombre de personnes qu'un
mot transporte aux extrémités du Royaume, qu'un mot
érige en tribunal, qu'un mot met en action, qu'un mot
suspend et fait disparaître et qu'un mot met aussitôt, sous
un autre appareil, en possession du pouvoir unique auquel
seraient sacrifiés tous les pouvoirs légitimement établis
dans l'État...

Il n'est point de circonstance, Sir, où ces lois invariables
et ces maximes de droit public puissent être éludées; tel est
l'ordre essentiel d'une monarchie bien réglée que la loi ne
manque, ni dans aucun temps ni pour aucun lieu, de minis-

over a session and enforcing registration. In the case quoted the King
had appointed special commissioners to conduct criminal proceedings
against certain magistrates who were also members of provincial
parliaments (Pau and Rennes). These parliaments appealed to the
Parlement de Paris, which addressed *remontrances* to the King on
various dates in 1765 and 1766, pointing out that his action was
contrary to both law and prerogative, since magistrates held office
for life and could be tried only by their peers. The King made no
reply, but on 3 March 1766 he arrived unheralded at the Palais de
Justice and presided over that morning's proceedings. In the result,
the minutes relevant to the *remontrances* were deleted from the records
of the Parlement and replaced by a note that this had been done at
the King's command and in his presence.

² Louis XV

tres légitimes; comme la communication de son autorité est irrévocable, elle est aussi indivisible et par conséquent solidaire; il est dans la constitution de l'État un ordre et une gradation de juridiction préparée pour tous les cas possibles, et toujours capable de répondre d'une manière régulière aux prérogatives et aux droits inviolables de chaque classe de citoyens prévenus de délits.

Cet ordre, Sire, et cette gradation excluent toute commission formée illégalement, composée arbitrairement, subsistant précairement, dont les membres, s'ils ne sont pas magistrats, ne peuvent oser se rendre juges de magistrats, et, s'ils le sont, compromettent, par leur association irrégulière et leur entreprise sur votre parlement, la prérogative de leur propre état, leur propre sûreté et celle de toute la magistrature à laquelle ils appartiennent : la première règle, Sire, de l'autorité véritablement monarchique est la conservation des anciens droits, des prérogatives immémoriales attachées aux ordres les plus distingués de l'État, et surtout de celles qui constituent et affermissent le caractère auguste de tous les membres du Parlement, *dont la dignité fait partie*, suivant les termes de Louis le Grand, de celle dudit seigneur Roi lui-même...

le 13 février 1766

... Il n'est donc, Sire, ni compatible avec les vrais intérêts de V. M. et de votre pouvoir suprême, ni possible, dans l'économie de la constitution politique, que des commissaires momentanés, amovibles, prétendent, sous quelque prétexte que ce soit, former, suppléer, représenter le Parlement; il est plus attentatoire encore aux lois de la Monarchie que, sans prétendre ni former, ni suppléer, ni représenter le Parlement, ces hommes, sans autre titre qu'un ordre reçu de s'assembler, prétendent se constituer en corps de tribunal; qu'avant d'avoir acquis aucun caractère ils procèdent à l'acte le plus solennel de toutes les fonctions des plus augustes tribunaux : l'enregistrement des lettres patentes de V. M. ... de telles procédures, Sire, sont le comble de l'illusion et de la témérité : elles sont une tache ineffaçable sur ceux qui les entreprennent, un acte d'infidélité envers le Souverain même, un monument d'infraction des lois et d'esclavage dont il est impossible qu'aucun magistrat légitime autorise jamais le moindre vestige...

### Réponse du Roi

le 3 mars 1766 [séance dite *De la flagellation*]

CE qui s'est passé dans mes parlements de Pau et de Rennes ne regarde pas mes autres parlements ; j'en ai usé à l'égard de ces deux cours comme il importait à mon autorité, et je n'en dois compte à personne... La magistrature ne forme point un corps, ni un ordre séparé des trois ordres du Royaume ; les magistrats sont mes officiers chargés de m'acquitter du devoir vraiment royal de rendre la justice à mes sujets, fonction qui les attache à ma personne et qui les rendra toujours recommandables à mes yeux. Je connais l'importance de leurs services : c'est donc une illusion, qui ne tend qu'à ébranler la confiance par de fausses alarmes, que d'imaginer un projet formé d'anéantir la magistrature et de lui supposer des ennemis auprès du trône ; ses seuls, ses vrais ennemis sont ceux qui, dans son propre sein, lui font tenir un langage opposé à ses principes ; qui lui font dire que tous les parlements ne font qu'un seul et même corps, distribué en plusieurs classes ; que ce corps, nécessairement indivisible, est de l'essence de la Monarchie et qu'il lui sert de base ; qu'il est le siège, le tribunal, l'organe de la Nation ; qu'il est le protecteur et le dépositaire essentiel de sa liberté, de ses intérêts, de ses droits ; qu'il lui répond de ce dépôt, et serait criminel envers elle s'il l'abandonnait ; qu'il est comptable de toutes les parties du bien public, non seulement au Roi, mais

aussi à la Nation; qu'il est juge entre le Roi et son
peuple; que, gardien respectif, il maintient l'équilibre
du gouvernement, en réprimant également l'excès de
la liberté et l'abus du pouvoir; que les parlements
coopèrent avec la puissance souveraine dans l'établissement des lois; qu'ils peuvent quelquefois par leur seul
effort s'affranchir d'une loi enregistrée et la regarder à
juste titre comme non existante; qu'ils doivent opposer
une barrière insurmontable aux décisions qu'ils attribuent
à l'autorité arbitraire et qu'ils appellent des actes illégaux,
ainsi qu'aux ordres qu'ils prétendent surpris, et que, s'il
en résulte un combat d'autorité, il est de leur devoir
d'abandonner leurs fonctions et de se démettre de leurs
offices, sans que leurs démissions puissent être reçues.
Entreprendre d'ériger en principe des nouveautés si per-
nicieuses, c'est faire injure à la magistrature, démentir son
institution, trahir ses intérêts et méconnaître les véritables
lois fondamentales de l'État; comme s'il était permis
d'oublier que c'est en ma personne seule que réside la
puissance souveraine, dont le caractère propre est l'esprit
de conseil, de justice et de raison; que c'est de moi seul
que mes cours tiennent leur existence et leur autorité;
que la plénitude de cette autorité, qu'elles n'exercent qu'en
mon nom, demeure toujours en moi, et que l'usage n'en
peut jamais être tourné contre moi; que c'est à moi seul
qu'appartient le pouvoir législatif sans dépendance et sans
partage; que c'est par ma seule autorité que les officiers
de mes cours procèdent, non à la formation, mais à
l'enregistrement, à la publication, à l'exécution de la loi,
et qu'il leur est permis de me remontrer ce qui est du
devoir de bons et utiles conseillers; que l'ordre public
tout entier émane de moi et que les droits et les intérêts de
la Nation, dont on ose faire un corps séparé du Monarque,
sont nécessairement unis avec les miens et ne reposent qu'en
mes mains... Mais si, après que j'ai examiné ces remontrances

et qu'en connaissance de cause j'ai persisté dans mes volontés, mes cours persévéraient dans le refus de s'y soumettre, au lieu d'enregistrer du très exprès commandement du Roi, formule usitée pour exprimer le devoir de l'obéissance, si elles entreprenaient d'anéantir par leur seul effort des lois enregistrées solennellement, si enfin, lorsque mon autorité a été forcée de se déployer dans toute son étendue, elles osaient encore lutter en quelque sorte contre elle, par des arrêts de défense, par des oppositions suspensives ou par des voies irrégulières de cessations de service ou de démissions, la confusion et l'anarchie prendraient la place de l'ordre légitime, et le spectacle scandaleux d'une contradiction rivale de ma puissance souveraine me réduirait à la triste nécessité d'employer tout le pouvoir que j'ai reçu de Dieu pour préserver mes peuples des suites funestes de ces entreprises...

*Remontrances*[1] *du Parlement de Paris*

# JEAN LE ROND D'ALEMBERT

1717–1783

*211*     *L'imitation de la Nature*

Il est une autre espèce de connaissances réfléchies, dont nous devons maintenant parler. Elles consistent dans les idées que nous nous formons à nous-mêmes, en imaginant et en composant des êtres semblables à ceux qui sont l'objet de nos idées directes : c'est ce qu'on appelle l'imitation de la Nature, si connue et si recommandée par les anciens. Comme les idées directes qui nous frappent le plus vivement sont celles dont nous conservons le plus aisément le souvenir, ce sont aussi celles que nous cherchons le plus à réveiller en nous par l'imitation de leurs objets... A la tête des connaissances qui consistent dans l'imitation, doivent être

_____

[1] See note 1, p. 267

placées la Peinture et la Sculpture, parce que ce sont celles de
toutes où l'imitation approche le plus des objets qu'elle représente, et parle le plus directement aux sens. On peut y joindre
cet art, né de la nécessité et perfectionné par le luxe, l'Architecture, qui s'étant élevée par degrés des chaumières aux
palais, n'est aux yeux du philosophe, si on peut parler ainsi,
que le masque embelli d'un de nos plus grands besoins.
L'imitation de la belle Nature y est moins frappante et plus
resserrée que dans les deux autres arts dont nous venons de
parler; ceux-ci expriment indifféremment et sans restriction
toutes les parties de la belle Nature, et la représentent telle
qu'elle est, uniforme ou variée; l'Architecture au contraire
se borne à imiter par l'assemblage et l'union des différents
corps qu'elle emploie, l'arrangement symétrique que la
nature observe plus ou moins sensiblement dans chaque
individu, et qui contraste si bien avec la belle variété du
tout ensemble.

La Poésie qui vient après la Peinture et la Sculpture,
et qui n'emploie pour l'imitation que les mots disposés
suivant une harmonie agréable à l'oreille, parle plutôt à
l'imagination qu'aux sens; elle lui représente d'une manière
vive et touchante les objets qui composent cet univers, et
semble plutôt les créer que les peindre, par la chaleur, le
mouvement, et la vie qu'elle sait leur donner. Enfin la
Musique, qui parle à la fois à l'imagination et aux sens, tient
le dernier rang dans l'ordre de l'imitation; non que son
imitation soit moins parfaite dans les objets qu'elle se
propose de représenter, mais parce qu'elle semble bornée
jusqu'ici à un plus petit nombre d'images; ce qu'on doit
moins attribuer à sa nature, qu'à trop peu d'invention et de
ressources dans la plupart de ceux qui la cultivent. Il ne
sera pas inutile de faire sur cela quelques réflexions. La
musique, qui dans son origine n'était peut-être destinée à
représenter que du bruit, est devenue peu à peu une espèce
de discours ou même de langue, par laquelle on exprime

les différents sentiments de l'âme, ou plutôt ses différentes passions : mais pourquoi réduire cette expression aux passions seules, et ne pas l'étendre, autant qu'il est possible, jusqu'aux sensations mêmes ? Quoique les perceptions que nous recevons par divers organes diffèrent entre elles autant que leurs objets, on peut néanmoins les comparer sous un autre point de vue qui leur est commun, c'est-à-dire par la situation de plaisir ou de trouble où elles mettent notre âme. Un objet effrayant, un bruit terrible, produisent chacun en nous une émotion par laquelle nous pouvons jusqu'à un certain point les rapprocher, et que nous désignons souvent dans l'un et l'autre cas, ou par le même nom, ou par des noms synonymes. Je ne vois donc pas pourquoi un musicien qui aurait à peindre un objet effrayant, ne pourrait pas y réussir en cherchant dans la nature l'espèce de bruit qui peut produire en nous l'émotion la plus semblable à celle que cet objet y excite. J'en dis autant des sensations agréables. Penser autrement, ce serait vouloir resserrer les bornes de l'art et de nos plaisirs. J'avoue que la peinture dont il s'agit, exige une étude fine et approfondie des nuances qui distinguent nos sensations, mais aussi ne faut-il pas espérer que ces nuances soient démêlées par un talent ordinaire. Saisies par l'homme de génie, senties par l'homme de goût, aperçues par l'homme d'esprit, elles sont perdues pour la multitude. Toute musique qui ne peint rien, n'est que du bruit; et sans l'habitude qui dénature tout, elle ne ferait guère plus de plaisir qu'une suite de mots harmonieux et sonores dénués d'ordre et de liaison. Il est vrai qu'un musicien attentif à tout peindre, nous présenterait dans plusieurs circonstances des tableaux d'harmonie qui ne seraient point faits pour des sens vulgaires; mais tout ce qu'on en doit conclure, c'est qu'après avoir fait un art d'apprendre la musique, on devrait bien en faire un de l'écouter.

*Discours préliminaire de l'Encyclopédie*

# CHRÉTIEN-GUILLAUME DE LAMOIGNON DE MALESHERBES

1721-1794

212 *Je suis prêt à m'y dévouer*

Paris, 11 decembre 1792, an I<sup>er</sup> de la République

CITOYEN président, j'ignore si la Convention donnera à Louis XVI un conseil pour le défendre, et si elle lui en laissera le choix : dans ce cas-là je désire que Louis XVI sache que s'il me choisit pour cette fonction je suis prêt à m'y dévouer. Je ne vous demande pas de faire part à la Convention de mon offre, car je suis bien éloigné de me croire un personnage assez important pour qu'elle s'occupe de moi : mais j'ai été appelé deux fois au conseil de celui qui fut mon maître dans le temps que cette fonction était ambitionnée par tout le monde : je lui dois le même service lorsque c'est une fonction que bien des gens trouvent dangereuse. Si je connaissais un moyen pour lui faire connaître mes dispositions je ne prendrais pas la liberté de m'adresser à vous. J'ai pensé que dans la place que vous occupez vous auriez plus de moyens que personne pour lui faire passer cet avis. Je suis avec respect, etc.

*Lettre au Président de la Convention Nationale*

# PAUL THIRY, BARON D'HOLBACH

1723-1789

213 *Le vrai philosophe*

EN un mot, le vrai philosophe n'affecte rien ; de bonne foi avec lui-même, et sincère avec les autres, il ne se fait pas un point d'honneur de cesser d'être un homme, de fuir ce qui doit lui plaire, de mépriser ce qui lui est avantageux : il s'applaudit de ses lumières, et se croit digne de l'estime et de l'affection des autres quand il en a bien mérité. Est-il dans l'indigence, il tâchera d'en sortir; mais il se respecte trop pour en sortir par des voies dont il aurait à rougir. Est-il dans le mépris, il cherche à se venger des injustes dédains par des talens, par d'utiles découvertes. Est-il dans l'affliction, il a plus de ressources et de motifs qu'un autre pour distraire son esprit par la réflexion; il se consolera dans les bras de l'étude. Est-il opulent, il sait l'art de jouir. Est-il assis sur le trône, il s'applaudira des moyens que le destin lui fournit de travailler à son propre bonheur, à sa propre gloire, à son propre plaisir, en répandant à pleines mains le bonheur sur tout un peuple qui bénira son zèle et chérira la source de sa félicité.

Ce n'est donc ni la singularité, ni la misanthropie, ni l'arrogance qui constitue la philosophie; c'est l'esprit observateur, c'est l'amour de la vérité, c'est l'affection du genre humain, c'est l'indignation et la pitié des calamités qu'il éprouve; en un mot, c'est l'humanité qui caractérise le sage. Si la philosophie ne lui procure point un bonheur complet, elle le met au moins sur la route pour l'obtenir; si elle ne le mène point toujours à la connaissance entière de la vérité, elle dissipe au moins une portion des nuages qui empêchent de l'apercevoir; si elle ne lui montre point toujours des réalités, elle sert au moins à détruire pour lui un grand nombre d'illusions dont les autres mortels sont les jouets infortunés.

*Essai sur les Préjugés*

## 214  *Il n'est point de patrie sans bien-être*

Les Loix, pour être justes doivent avoir pour but invariable l'intérêt général de la société, c'est-à-dire, assurer au plus grand nombre des citoyens les avantages pour lesquels ils se sont associés. Ces avantages sont la liberté, la propriété, la sûreté. La *liberté* est la faculté de faire pour

son propre bonheur tout ce qui ne nuit pas au bonheur de
ses associés; en s'associant chaque individu a renoncé à
l'exercice de la portion de sa liberté naturelle qui pourroit
préjudicer à celle des autres. L'exercice de la liberté
nuisible à la société se nomme *licence*. La *propriété* est la
faculté de jouir des avantages que le travail & l'industrie
ont procurés à chaque membre de la société. La *sûreté* est
la certitude que chaque membre doit avoir de se jouir de sa
personne, & de ses biens sous la protection des Loix tant
qu'il observera fidèlement ses engagemens avec la société...
Une société dont les chefs & les Loix ne procurent aucuns
biens à ses membres, perd évidemment ses droits sur eux;
les chefs qui nuisent à la société perdent le droit de lui
commander. Il n'est point de patrie sans bien-être; une
société sans équité ne renferme que des ennemis, une société
opprimée ne contient que des oppresseurs et des esclaves;
des esclaves ne peuvent être citoyens; c'est la liberté, la
propriété, la sûreté qui rendent la patrie chère, & c'est
l'amour de la patrie qui fait le citoyen.

*Système de la Nature*

# LOUISE-FLORENCE,
# MADAME D'ÉPINAY

1726–1783

*215*     *Depuis guignon guignonant*

A la Briche, 29 octobre 1770

NON, en vérité, depuis guignon guignonant, comme dit
madame Geoffrin des gens malheureux, il n'y a rien eu de
pareil à mon aventure de la semaine dernière : cela est si
désastreux qu'il en faut mourir de rire.

Je reçois, le matin, un avis que, par la faute de mon
notaire, par sa négligence enfin, je me trouve forcée à
faire un remboursement de dix mille livres, sur lequel je

ne comptais pas, et dont je n'ai pas le premier sou; et cela
sous huit jours. Je fais mettre mes chevaux et je pars pour
Paris pour trouver la chose impossible. Dix mille francs
à présent! J'arrive: tandis qu'on change de chevaux, je
m'avise d'ouvrir une armoire, où j'avais serré toutes mes
provisions pendant qu'on travaille à réparer la maison;
les souris s'y étaient réfugiées aussi, et s'étaient si bien
accommodées desdites provisions, que de vingt pots de
confiture et de quatre pains de sucre, il n'en reste pas
vestige, mais ce qui s'appelle rien. Je jure, cela soulage,
et je fais mettre des souricières: c'est par où j'aurais dû
commencer; mais enfin, comme il y reste du linge et des
livres, il faut bien les garantir. Je remonte en carrosse et
me voilà à courir, répétant: de l'argent! de l'argent! Ne
voilà-t-il pas qu'un cheval se déferre, et que me voilà
restée une heure à la porte d'un maréchal. J'ai beau grincer
les dents, tirer la langue à tous les passants, je n'en étais
pas plus avancée. Enfin, j'achève mes courses sans trouver
de l'argent, mais bien en ayant perdu, car (je crois vous
avoir mandé cela déjà), en rentrant chez moi, je m'aperçois
que j'ai perdu ma bourse avec cinq louis dedans, et un
anneau d'or. J'ai eu beau la chercher partout où j'avais été,
elle est perdue sans ressource.

Je reviens à la Briche, excédée de froid, de fatigue et
d'impatience, et, en y arrivant, je casse ma montre. Oh!
ma foi, je fus me coucher sans souper, car j'eus peur de
m'étrangler en mangeant. Je vous demande, l'abbé, s'il
y a rien de fait comme cela...

Je retourne demain à Paris; mes réparations sont finies, et
je dis adieu à la Briche sans miséricorde et sans retour. Elle
est louée pour neuf ans sans clauses; et dans neuf ans,
qui sait si je serai au monde? Au reste, il fait un temps
depuis huit jours, très propre à faire quitter la campagne
sans regret; des pluies continuelles, un froid d'une humidité
insupportable: mais je me porte bien, et lorsque je vous

écris, et que je reçois vos lettres, mon cher abbé, je suis
tout aussi contente que si j'avais trouvé mes dix mille
francs, et que si mes confitures n'eussent pas été mangées,
que si mon cheval n'eût pas été déferré, que si ma bourse
ne fût pas perdue, et que ma montre ne fût pas cassée.
Après l'histoire de mes vingt-six infortunes, il ne man-
querait plus que de ne pas avoir de lettres de vous cette
semaine. Je m'en prends au [*sic*] Fontainebleau, et j'espère
en trouver une demain en arrivant. Adieu, mon cher abbé,
je vous embrasse.

*Lettre à l'abbé Galiani*

# ANDRÉ MORELLET
# (L'ABBÉ MORELLET)

1727–1819

*216*     *Qu'est-ce que cette philosophie*
*du dix-huitième siècle?*

Est-ce celle de Fontenelle, de Vauvenargues, de Montesquieu, de Voltaire, de Rousseau, de Buffon, de Condillac,
de Mably, de d'Alembert, de Thomas, de Turgot, de Saint-
Lambert, etc.? Tous ces écrivains sont en effet des philosophes du dix-huitième siècle, mais, comme dans ce nombre
il n'y en a pas deux qui aient eu exactement les mêmes opinions, il est impossible, si l'on veut s'entendre et être entendu, de trouver en eux une philosophie commune à tous.
Mais je me trompe. Oui, tous ces hommes ont eu une même
philosophie; c'est cette ardeur de savoir, cette activité de
l'esprit qui ne veut pas laisser un effet sans en rechercher la
cause, un phénomène sans explication, une assertion sans
preuves, une objection sans réponse, une erreur sans la
combattre, un mal sans en chercher le remède, un bien
possible sans tâcher d'y atteindre; c'est ce mouvement
général des esprits qui a marqué le dix-huitième siècle et
qui fera à jamais sa gloire; c'est par-là que ces hommes
utiles se ressemblent tous; voilà la philosophie qui leur

est commune... Oui, je le dirai sans détour, lorsque dans
l'âge où l'âme a sa première énergie, où tous les penchans
sont bons, où la vérité a pour nous des charmes si puissans,
on a été témoin de ce grand et beau mouvement, de cette
tendance vers le bien et la vérité, universelle sans être
concertée, lorsqu'on a connu et pratiqué les principaux
moteurs de cette noble entreprise, lorsqu'on a partagé
leur enthousiasme et secondé leurs efforts selon la mesure
de ses talens, on ne saurait lire et entendre, je ne dis pas
sans indignation, parce que le mépris l'empêche de naître,
mais sans dégoût, ces injures grossières qui n'avilissent que
ceux qui les profèrent, et ces déclamations vagues dont
l'effet véritable n'est autre que de détourner l'esprit humain
de la recherche de la vérité, ou de retarder sa marche vers ce
noble but. Si quelques philosophes ont enseigné quelques
erreurs, le plus souvent métaphysiques et spéculatives, et
par-là nécessairement étrangères à la multitude, combattez-
les dans des ouvrages que le peuple ne lira pas plus que
les leurs; mais reconnaissez dans l'ensemble de leurs travaux, dans le but qu'ils se sont proposé, dans le mouvement qu'ils ont imprimé à leur siècle, un des plus grands
bienfaits qu'ait jamais reçus le genre humain.

*Éloge de Marmontel*

# FERDINANDO GALIANI
# (L'ABBÉ GALIANI)

1728–1787

*217*　　　　　*Un livre dans la tête*

Naples, 22 décembre 1770

J'AI un livre dans la tête qui échauffe bien mon imagination; je voudrais le faire, mais je n'en ai pas les bras. Il
aura pour titre: *Instructions morales et politiques d'une Chatte
à ses petits. Traduit du Chat en Français, par M. d'Egrattigny,
interprète de la langue Chatte, à la Bibliothèque du Roi.*

Comme je n'ai d'autre société que celle de ma chatte ici, je rêve toujours à cet ouvrage, qui sera bien original. La chatte apprend d'abord à ses petits la crainte des Dieux hommes. Ensuite elle leur explique la théologie et les deux principes, le Dieu homme bon, et le Démon chien mauvais : puis elle leur dicte la morale, la guerre aux rats et aux moineaux, etc. ; enfin elle leur parle de la vie future et de la Ratapolis céleste, qui est une ville dont les murailles sont de parmesan, les planchers de mou, les colonnes d'anguilles, etc., et qui est remplie de rats destinés à leur amusement. Elle leur inculque le respect pour les chats châtrés, qui sont des chats prédestinés, appelés à cet état par le Dieu homme, pour être heureux dans ce monde et dans l'autre, témoin comme ils sont gras ; et c'est pour cela qu'ils sont dispensés de prendre des souris. Enfin elle leur recommande la plus parfaite résignation en cas que le Dieu homme les appelle à cet état de perfection, etc., etc. Y a-t-il rien au monde de plus fou que cet ouvrage !

*Lettre à Madame D'Épinay*

*218*                  *La Curiosité*

Naples, 31 août 1771

J'AVOUE que le morceau *curiosité* de Voltaire est superbe, sublime, neuf et vrai. J'avoue qu'il a raison en tout, si ce n'est qu'il a oublié de sentir que la curiosité est une passion, ou si vous voulez une sensation qui ne s'excite en nous que lorsque nous nous sentons dans une parfaite sécurité de tout risque. Le moindre péril nous ôte toute curiosité, et nous ne nous occupons plus que de nous-mêmes et de notre individu. Voilà l'origine de tous les spectacles. Commencez par assurer des places sûres aux spectateurs, ensuite exposez à leurs yeux un grand risque à voir. Tout le monde court et s'occupe. Cela conduit à une autre idée vraie, c'est que plus le spectateur est sûr, plus le risque qu'il voit est grand,

plus il s'intéresse au spectacle, et ceci est la clef de tout
le secret de l'art tragique, comique, épique, etc. Il faut
présenter des gens dans la position la plus embarrassante à
des spectateurs qui ne le sont pas. Il est si vrai qu'il faut
commencer par mettre bien à leur aise les spectateurs, que
s'il pleuvait dans les loges, si le soleil donnait sur l'amphi-
théâtre, le spectacle est abandonné. Voilà pourquoi il faut
dans tout poème dramatique, épique, etc., que la versi-
fication soit heureuse, le langage naturel, la diction pure.
Tout mauvais vers, obscur, entortillé, est un vent coulis
dans une loge. Il fait souffrir le spectateur, et alors le plaisir
de la curiosité cesse tout à fait...

*Lettre à Madame D'Épinay*

## 219    *Quel plaisir au sein de sa famille!*

Naples, 20 juillet 1776

VOUS avez raison, madame; une petite lettre de votre
main équivaut à une très bonne nouvelle; aussi je suis
content de ce courrier. Cependant vous parlez des chagrins
que vous causent les absents. Ah! si je commençais à vous
parler de ceux que causent les présents, il me faudrait vous
parler de cinq sœurs, trois nièces, un neveu, la femme et les
enfants de ce neveu, une tante maternelle et sa famille, les
maris de mes deux nièces, ma belle-sœur, son mari, sa
mère, et puis à peu près trente cousins et une centaine de
parents plus éloignés. Il est vrai, au pied de la lettre et sans
exagération, que tout ce monde est sur mes bras; tous ont
recours à moi; aucun n'est en état ni en charge à m'appuyer, à me faire quelque bien, à m'étayer : tous me pèsent;
tous, à mon neveu près, sont dévots à brûler; et tous, y compris mon neveu, sont ennuyeux à périr. Toujours quelqu'un
de cet essaim de parents dîne avec moi ou vient loger chez
moi. Ils m'ôtent la solitude sans me donner la compagnie.
Je ne me suis étendu sur cela que pour vous consoler et

vous prouver que, à la santé près (qui est un grand article), mon état est bien pire que le vôtre, et pour vous faire convenir qu'il n'y a rien de bon dans le meilleur des mondes possibles. Ah! si le bon Dieu eût voulu créer un monde impossible, comme nous y serions heureux!

*Lettre à Madame D'Épinay*

# PIERRE-AUGUSTIN CARON
# DE BEAUMARCHAIS

1732–1799

220          *Le monologue de Figaro*

FIGARO, *seul, se promenant dans l'obscurité, dit du ton le plus sombre*:

O Femme! femme! femme! créature faible et décevante! ... nul animal créé ne peut manquer à son instinct; le tien est-il donc de tromper?... Après m'avoir obstinément refusé quand je l'en pressais devant sa maîtresse; à l'instant qu'elle me donne sa parole; au milieu même de la cérémonie... Il riait en lisant, le perfide! et moi comme un benêt!... Non, Monsieur le Comte, vous ne l'aurez pas... vous ne l'aurez pas. Parce que vous êtes un grand Seigneur, vous vous croyez un grand génie!... noblesse, fortune, un rang, des places; tout cela rend si fier! Qu'avez-vous fait pour tant de biens? vous vous êtes donné la peine de naître, et rien de plus. Du reste, homme assez ordinaire! tandis que moi, morbleu! perdu dans la foule obscure, il m'a fallu déployer plus de science et de calculs pour subsister seulement, qu'on n'en a mis depuis cent ans à gouverner toutes les Espagnes; et vous voulez jouter... On vient... c'est elle... ce n'est personne. — La nuit est noire en diable, et me voilà faisant le sot métier de mari, quoique je ne le sois qu'à moitié! (*Il s'assied sur un banc.*) Est-il rien de plus bizarre que ma destinée! fils de

je ne sais pas qui; volé par des bandits, élevé dans leurs
mœurs, je m'en dégoûte et veux courir une carrière honnête;
et partout je suis repoussé! J'apprends la Chimie, la Pharmacie, la Chirurgie, et tout le crédit d'un grand Seigneur
peut à peine me mettre à la main une lancette vétérinaire!
— Las d'attrister des bêtes malades, et pour faire un métier
contraire, je me jette à corps perdu dans le Théâtre; me
fussé-je mis une pierre au cou! Je broche une comédie
dans les mœurs du sérail; auteur espagnol, je crois pouvoir
y fronder Mahomet sans scrupule: à l'instant un Envoyé...
de je ne sais où se plaint que j'offense dans mes vers la
Sublime Porte, la Perse, une partie de la Presqu'île de l'Inde,
toute l'Égypte, les royaumes de Barca, de Tripoli, de Tunis,
d'Alger et de Maroc: et voilà ma comédie flambée, pour
plaire aux princes mahométans, dont pas un, je crois, ne
sait lire, et qui nous meurtrissent l'omoplate, en nous
disant: *chiens de chrétiens!* — Ne pouvant avilir l'esprit, on
se venge en le maltraitant. — Mes joues creusaient; mon
terme était échu; je voyais de loin arriver l'affreux recors,
la plume fichée dans sa perruque; en frémissant je m'éver-
tue. Il s'élève une question sur la nature des richesses; et
comme il n'est pas nécessaire de tenir les choses pour en
raisonner, n'ayant pas un sol, j'écris sur la valeur de l'argent
et sur son produit net; sitôt je vois, du fond d'un fiacre,
baisser pour moi le pont d'un château fort, à l'entrée duquel
je laissai l'espérance et la liberté. (*Il se lève.*) Que je voudrais
bien tenir un de ces Puissants de quatre jours, si légers sur
le mal qu'ils ordonnent, quand une bonne disgrâce a cuvé
son orgueil! je lui dirais... que les sottises imprimées
n'ont d'importance, qu'aux lieux où l'on en gêne le cours;
que sans la liberté de blâmer, il n'est point d'éloge flatteur;
et qu'il n'y a que les petits hommes qui redoutent les petits
écrits. (*Il se rassied.*) Las de nourrir un obscur pensionnaire,
on me met un jour dans la rue; et comme il faut dîner,
quoiqu'on ne soit plus en prison, je taille encore ma plume,

et demande à chacun de quoi il est question : on me dit que,
pendant ma retraite économique, il s'est établi dans Madrid
un système de liberté sur la vente des productions, qui
s'étend même à celles de la presse; et que, pourvu que je
ne parle en mes écrits, ni de l'autorité, ni du culte, ni de la
politique, ni de la morale, ni des gens en place, ni des corps
en crédit, ni de l'Opéra, ni des autres spectacles, ni de personne qui tient à quelque chose, je puis tout imprimer
librement, sous l'inspection de deux ou trois Censeurs.
Pour profiter de cette douce liberté, j'annonce un écrit
périodique, et croyant n'aller sur les brisées d'aucun
autre, je le nomme *Journal inutile*. Pou-ou ! je vois s'élever
contre moi mille pauvres diables à la feuille; on me supprime; et me voilà derechef sans emploi ! — Le désespoir
m'allait saisir; on pense à moi pour une place, mais par
malheur j'y étais propre : il fallait un calculateur, ce fut un
danseur qui l'obtint. Il ne me restait plus qu'à voler; je
me fais banquier de pharaon; alors, bonnes gens ! je soupe
en ville, et les personnes dites *comme il faut* m'ouvrent poliment leur maison, en retenant pour elles les trois quarts
du profit. J'aurais bien pu me remonter; je commençais
même à comprendre que pour gagner du bien, le savoir-
faire vaut mieux que le savoir. Mais comme chacun pillait
autour de moi, en exigeant que je fusse honnête, il fallut
bien périr encore. Pour le coup, je quittais le monde, et
vingt brasses d'eau m'en allaient séparer, lorsqu'un Dieu
bienfaisant m'appelle à mon premier état. Je reprends ma
trousse et mon cuir anglais; puis laissant la fumée aux sots
qui s'en nourrissent, et la honte au milieu du chemin,
comme trop lourde à un piéton, je vais rasant de ville en
ville, et je vis enfin sans souci. Un grand Seigneur passe
à Séville; il me reconnaît, je le marie; et pour prix d'avoir
eu par mes soins son épouse, il veut intercepter la mienne !
intrigue, orage à ce sujet. Prêt à tomber dans un abîme,
au moment d'épouser ma mère, mes parents m'arrivent à

la file. (*Il se lève en s'échauffant.*) On se débat; c'est vous, c'est
lui, c'est moi, c'est toi; non, ce n'est pas nous; ah! mais
qui donc? (*Il retombe assis.*) O bizarre suite d'événements!
Comment cela m'est-il arrivé? Pourquoi ces choses et non
pas d'autres? Qui les a fixées sur ma tête? Forcé de parcourir
la route où je suis entré sans le savoir, comme j'en sortirai
sans le vouloir, je l'ai jonchée d'autant de fleurs que ma
gaieté me l'a permis; encore je dis ma gaieté, sans savoir
si elle est à moi plus que le reste, ni même quel est ce *Moi*
dont je m'occupe: un assemblage informe de parties inconnues; puis un chétif être imbécile; un petit animal folâ-
tre; un jeune homme ardent au plaisir, ayant tous les goûts
pour jouir, faisant tous les métiers pour vivre; maître ici,
valet là, selon qu'il plaît à la fortune! ambitieux par vanité,
laborieux par nécessité; mais paresseux... avec délices!
orateur selon le danger; poète par délassement; musicien
par occasion; amoureux par folles bouffées; j'ai tout vu,
tout fait, tout usé...

*Le Mariage de Figaro*

# NICOLAS-EDMÉ RESTIF
# DE LA BRETONNE

1734-1806

221                    *L'auberge à six sous*

J'ENTRAI donc, et je vis une grosse femme, qui avait été
fort bien, assise pour recevoir l'argent. Deux jeunes filles
assez jolies, dont une surtout, que j'entendis appeler Julie,
était également bien faite, gracieuse et modeste, portaient
les plats à mesure qu'ils étaient garnis par le découpeur,
frère de Julie. C'étaient le neveu et la nièce de la grosse
femme; Thérèse était leur cousine. Les deux jeunes filles
étaient d'une admirable activité; elles faisaient tout avec
aisance et la plus appétissante propreté. J'observais leur

conduite : elle était réservée sans grossièreté. Julie et Thérèse repoussaient les fréquentes libertés d'un air tout à la fois imposant et de bonne humeur; ce qui veut dire qu'elles n'y donnaient que l'attention nécessaire pour s'en garantir. Toutes deux étaient mises en justes fort lestes; elles glissaient comme des poissons entre les mains libertines des mangeurs. Cela se faisait sans bruit, on n'entendait ni cri, ni *finissez!* Les seules demandes des arrivants frappaient l'oreille, après la liste des mets à servir : rôti veau et mouton, bœuf à la mode, ragoût, lentilles au lard, salade. Quand un homme honnête leur parlait, elles lui répondaient avec une modeste rougeur, embellie par un sourire agréable. Il y avait en outre une laveuse et un petit porteur en ville... Julie et sa compagne vinrent à moi, quoique je ne me fisse pas attendre. — Monsieur, me dit Julie, que voulez-vous que je vous serve? C'est votre tour. — Elle répéta la carte. Je choisis le rôti et des lentilles au lard; car, pour six sous, l'on avait deux plats; ajoutez un sou de pain, et le demi-setier de trois sous. Le rôti était excellent, et l'autre mets flattait mon goût villageois : ainsi, j'avais, pour dix-huit sous, tout ce que mon appétit et ma sensualité pouvaient désirer. Je dis à Julie : — C'est un plaisir d'être servi par une jolie personne comme vous, décente, polie, appétissante! — Monsieur, me dit la grosse tante à demi-bas, je ne sonne mot quand j'entends des grossièretés partir d'une bouche grossière; cela est sans danger pour ma nièce et sa cousine; mais je ne souffre pas les compliments! — J'estimai cette femme. Je vis beaucoup de jeunes ouvriers qui soupiraient pour les deux serveuses, et ceux-là étaient polis. J'entrevis aussi quelques sourires de préférences, mais si voilées qu'elles ne paraissaient que de la politesse. C'était un goût imperceptible, qui n'était jamais éclairé par un entretien; la tante ne perdait pas un instant de vue Julie et Thérèse, à ce que me dit un maître-menuisier, qui soupait là quelquefois parce qu'il recherchait Thérèse, au refus de

Julie. Il ajouta : — Lorsqu'il y a des impertinences, c'est la
tante seule qui répond, et brièvement, par un fi! ou quelque
autre expression semblable, à laquelle elle ne donne pas de
suite. Il est bien défendu au frère de Julie de prononcer un
mot pour sa sœur ou pour sa cousine. Le bon ordre ne
coûte rien ici, par un seul moyen : on n'y dit, on n'y fait
rien avec humeur, même dans les cas les plus graves; aussi
préféré-je ces trois femmes à tout le reste de leur sexe. —
Je fus très satisfait. J'admirais la décence et la règle, dans
une espèce de cloaque; car la bonne nourriture, à bon
marché, attirait ici les joueurs de billard, les escrocs, les
espions, et toute cette canaille, vermine de la société,
qui cherche à peu dépenser, faute de subsistance assurée.
J'observai encore qu'on mangeait en silence et vite. Un
causeur agréable du moyen étage s'avisa, un soir, de tenir
la conversation : il disait des choses plaisantes; toutes les
mâchoires s'arrêtèrent; François le découpeur demeurait
le couteau en l'air et la bouche béante; les deux jolies serveuses étaient à mi-chemin, un pied levé, les traits animés
par la rougeur et par un demi-sourire; la grosse tante elle-
même était gravement attentive; mais, dix garçons tailleurs
affamés étant entrés à la fois, ils coupèrent le charme par
leurs cris; la grosse tante se secoua; étonnée d'avoir cédé
aux paroles magiques, elle grommela; puis elle proféra
ces paroles sentencieuses : — Monsieur, ce que vous dites
est joli, spirituel, mais c'est tant pis! Les mâchoires s'arrêtent, les morceaux ne s'avalent pas, et les arrivants ne
trouvent point de places vides. Avec l'esprit que vous avez,
il faut aller prendre vos repas chez un fermier-général, et
non dans une auberge à six sous! — La bonne Torel avait
raison : elle nourrissait cent-vingt individus en une heure;
ses tables en contenaient trente à quarante; c'était un quart
d'heure pour chacun. Il faut voir comme ce discours redoubla l'activité!

*Les Nuits de Paris*

# JACQUES-HENRI BERNARDIN
# DE SAINT-PIERRE

1737–1814

*222      Un objet digne d'une éternelle pitié*

TOUT le monde s'écria : « Voilà l'ouragan ! » et dans l'instant
un tourbillon affreux de vent enleva la brume qui couvrait
l'île d'Ambre et son canal. Le Saint-Géran parut alors à
découvert avec son pont chargé de monde, ses vergues et
ses mâts de hune amenés sur le tillac, son pavillon en berne,
quatre câbles sur son avant, et un de retenue sur son
arrière. Il était mouillé entre l'île d'Ambre et la terre, en
deçà de la ceinture de récifs qui entoure l'Île de France, et
qu'il avait franchie par un endroit où jamais vaisseau n'avait
passé avant lui. Il présentait son avant aux flots qui venaient
de la pleine mer, et à chaque lame d'eau qui s'engageait
dans le canal, sa proue se soulevait tout entière, de sorte
qu'on en voyait la carène en l'air ; mais dans ce mouvement,
sa poupe venant à plonger, disparaissait à la vue jusqu'au
couronnement, comme si elle eût été submergée. Dans
cette position où le vent et la mer le jetaient à terre, il lui
était également impossible de s'en aller par où il était venu,
ou, en coupant ses câbles, d'échouer sur le rivage, dont il
était séparé par de hauts-fonds semés de récifs. Chaque
lame qui venait briser sur la côte, s'avançait en mugissant
jusqu'au fond des anses, et y jetait des galets à plus de
cinquante pieds dans les terres ; puis, venant à se retirer,
elle découvrait une grande partie du lit du rivage, dont elle
roulait les cailloux avec un bruit rauque et affreux. La mer,
soulevée par le vent, grossissait à chaque instant, et tout le
canal compris entre cette île et l'île d'Ambre, n'était qu'une
vaste nappe d'écumes blanches, creusées de vagues noires et
profondes. Ces écumes s'amassaient dans le fond des anses à
plus de six pieds de hauteur, et le vent qui en balayait la
surface, les portait par dessus l'escarpement du rivage à plus

d'une demi-lieue dans les terres. A leurs flocons blancs et
innombrables qui étaient chassés horizontalement jusqu'au
pied des montagnes, on eût dit d'une neige qui sortait de la
mer. L'horizon offrait tous les signes d'une longue tempête;
la mer y paraissait confondue avec le ciel. Il s'en détachait
sans cesse des nuages d'une forme horrible, qui traversaient
le Zénith avec la vitesse des oiseaux, tandis que d'autres
y paraissaient immobiles comme de grands rochers. On
n'apercevait aucune partie azurée du firmament; une lueur
olivâtre et blafarde éclairait seule tous les objets de la terre,
de la mer et des cieux.

Dans les balancemens du vaisseau, ce qu'on craignait
arriva. Les câbles de son avant rompirent; et comme il
n'était plus retenu que par une seule ansière, il fut jeté sur
les rochers à une demi-encâblure du rivage. Ce ne fut qu'un
cri de douleur parmi nous. Paul allait s'élancer à la mer,
lorsque je le saisis par le bras. «Mon fils, lui dis-je, voulez-
vous périr? — Que j'aille à son secours, s'écria-t-il, ou
que je meure!» Comme le désespoir lui ôtait la raison, pour
prévenir sa perte, Domingue et moi nous lui attachâmes
à la ceinture une longue corde dont nous saisîmes l'une
des extrémités. Paul alors s'avança vers le Saint-Géran,
tantôt nageant, tantôt marchant sur les récifs. Quelquefois
il avait l'espoir de l'aborder; car la mer, dans ses mouvemens irréguliers, laissait le vaisseau presque à sec, de manière
qu'on en eût pu faire le tour à pied: mais bientôt après,
revenant sur ses pas avec une nouvelle furie, elle le couvrait d'énormes voûtes d'eau qui soulevaient tout l'avant
de sa carène, et rejetaient bien loin sur le rivage le malheureux Paul, les jambes en sang, la poitrine meurtrie,
et à demi noyé. A peine ce jeune homme avait-il repris
l'usage de ses sens, qu'il se relevait, et retournait avec une
nouvelle ardeur vers le vaisseau, que la mer cependant
entr'ouvrait par d'horribles secousses. Tout l'équipage
désespérant alors de son salut, se précipitait en foule à

la mer, sur des vergues, des planches, des cages à poules,
des tables et des tonneaux. On vit alors un objet digne d'une
éternelle pitié : une jeune demoiselle parut dans la galerie
de la poupe du Saint-Géran, tendant les bras vers celui
qui faisait tant d'efforts pour la joindre. C'était Virginie.
Elle avait reconnu son amant à son intrépidité. La vue de
cette aimable personne, exposée à un si terrible danger,
nous remplit de douleur et de désespoir. Pour Virginie,
d'un port noble et assuré, elle faisait des signes de la main,
comme nous disant un éternel adieu. Tous les matelots
s'étaient jetés à la mer. Il n'en restait plus qu'un sur le pont,
qui était tout nu et nerveux comme Hercule. Il s'approcha
de Virginie avec respect : nous le vîmes se jeter à ses genoux,
et s'efforcer même de lui ôter ses habits ; mais elle, le re-
poussant avec dignité, détourna de lui sa vue. On entendit
aussitôt ces cris redoublés des spectateurs : «Sauvez-la,
sauvez-la ; ne la quittez pas ! » Mais dans ce moment, une montagne d'eau d'une effroyable grandeur s'engouffra entre
l'île d'Ambre et la côte, et s'avança en rugissant vers le
vaisseau, qu'elle menaçait de ses flancs noirs et de ses
sommets écumans. A cette terrible vue, le matelot s'élança
seul à la mer ; et Virginie, voyant la mort inévitable, posa
une main sur ses habits, l'autre sur son cœur, et levant en
haut des yeux sereins, parut un ange qui prend son vol vers
les cieux.

O jour affreux ! hélas ! tout fut englouti.

*Paul et Virginie*

## 223          *Les traces de l'objet aimé*

ENFIN, pendant huit jours, il [Paul] se rendit dans tous
les lieux où il s'était trouvé avec la compagne de son
enfance. Il parcourut le sentier par où elle avait été demander la grâce de l'esclave de la Rivière-Noire ; il revit
ensuite les bords de la rivière des Trois-Mamelles, où elle

s'assit ne pouvant plus marcher, et la partie du bois où elle s'était égarée. Tous les lieux qui lui rappelaient les inquiétudes, les jeux, les repas, la bienfaisance de sa bien-aimée; la rivière de la Montagne-Longue, ma petite maison, la cascade voisine, le papayer qu'elle avait planté, les pelouses où elle aimait à courir, les carrefours de la forêt où elle se plaisait à chanter, firent tour à tour couler ses larmes; et les mêmes échos qui avaient retenti tant de fois de leurs cris de joie communs, ne répétaient plus maintenant que ses mots douloureux: «Virginie! ô ma chère Virginie!»

*Paul et Virginie*

# LOUIS-SÉBASTIEN MERCIER
1740–1814

*224* *Les heures du jour*

Les différentes heures du jour offrent tour à tour, au milieu d'un tourbillon bruyant et rapide, la tranquillité et le mouvement. Ce sont des scènes mouvantes et périodiques, séparées par des temps à-peu-près égaux.

A sept heures du matin, tous les jardiniers, paniers vides, regagnent leurs marais, affourchés sur leurs haridelles. On ne voit guère rouler de carrosses. On ne rencontre que des commis de bureaux qui soient habillés et frisés à cette heure-là.

Sur les neuf heures, on voit courir les perruquiers sau-poudrés des pieds à la tête, (ce qui les a fait appeler *merlans*) tenant d'une main le fer à toupet, et de l'autre la perruque. Les garçons limonnadiers, toujours en veste, portent du café et des bavaroises dans les chambres garnies. On voit en même-temps des apprentifs écuyers, suivis d'un laquais, qui, montés sur des chevaux, courent battre les Boulevards, et font payer quelquefois aux passants leur malheureuse inexpérience.

Sur les dix heures, une nuée noire des suppôts de la

justice s'achemine vers le châtelet et vers le Palais. Vous ne voyez que des rabats, des robes, des sacs, et des plaideurs qui courent après.

A midi, tous les agents de change et les agioteurs se rendent en foule à la Bourse, et les oisifs au Palais-Royal. Le quartier Saint-Honoré, quartier des financiers et des hommes en place, est très-battu, et le pavé n'est rien moins que libre. C'est l'heure des sollicitations et des demandes de toute espèce.

A deux heures, les dîneurs en ville, coëffés, poudrés, arrangés, marchant sur la pointe du pied de peur de salir leurs bas blancs, se rendent dans les quartiers les plus éloignés. Tous les fiacres roulent à cette heure, il n'y en a plus sur la place; on se les dispute, et il arrive quelquefois que deux personnes ouvrent en même-temps la portière, montent et se placent. Il faut aller chez le Commissaire, pour qu'il décide à qui il restera.

A trois heures, on voit peu de monde dans les rues, parce que chacun dîne : c'est un temps de calme, mais qui ne doit pas durer long-temps.

A cinq heures et un quart, c'est un tapage affreux, infernal. Toutes les rues sont embarrassées, toutes les voitures roulent en tous sens, volent aux différents spectacles, ou se rendent aux promenades, les cafés se remplissent.

A sept heures, le calme recommence : calme profond et presque universel. Tous les chevaux frappent en vain du pied le pavé. La ville est silencieuse, et le tumulte paroît enchaîné par une main invisible. C'est en même-temps l'heure la plus dangereuse, vers le milieu de l'Automne, parce que le guet n'est pas encore à son poste; et plusieurs violences se sont commises à l'entrée de la nuit.

Le jour tombe; et tandis que les décorations de l'Opéra sont en mouvement, la foule des manœuvres, des charpentiers, des tailleurs de pierre, regagnent en bandes épaisses les fauxbourgs qu'ils habitent. Le plâtre de leurs souliers blanchit le pavé, et on les reconnoît à leurs traces. Ils vont se coucher, lorsque les Marquises et les Comtesses se mettent à leur toilette.

A neuf heures du soir, le bruit recommence : c'est le défilé des spectacles. Les maisons sont ébranlées par le roulis des voitures; mais ce bruit est passager. Le beau monde fait de courtes visites en attendant le souper.

C'est l'heure aussi où toutes les prostituées, la gorge découverte, la tête haute, le visage enluminé, l'œil aussi hardi que le bras, malgré la lumière des boutiques et des réverbères, vous poursuivent dans les boues en bas de soie et en souliers plats : leurs propos répondent à leurs gestes...

A onze heures, nouveau silence. C'est l'heure où l'on achève de souper. C'est l'heure aussi où les cafés renvoyent les oisifs, les désœuvrés et les rimailleurs dans leurs mansardes. Les filles publiques qui vaguoient, n'osent plus se montrer que sur le bord de leurs allées, dans la crainte du guet, qui, à cette heure indue, *les ramasse*. C est le terme usité.

A minuit et un quart, on entend les voitures de ceux qui ne jouent pas et qui se retirent. La ville alors ne paroît pas déserte : le petit bourgeois qui dort déjà est réveillé dans son lit, et sa moitié ne s'en plaint pas...

La Halle est l'endroit où jamais Morphée n'a secoué ses pavots. Là, point de silence, point de repos, point d'entr'acte. Aux marayeurs succèdent les poissonniers, et aux poissonniers les coquetiers, et à ceux-ci les *détailleurs*; car tous les marchés de Paris ne tirent leurs denrées que de la Halle : c'est l'entrepôt universel. La hotte qui s'élève en pyramide, transporte tout ce qui se mange d'un bout de la ville à l'autre. Des millions d'œufs sont dans des paniers qui montent, qui descendent, qui circulent, et, ô miracle! il ne s'en casse pas un seul.

*Tableau de Paris*

# PIERRE CHODERLOS DE LACLOS

1741–1803

*225*　　　　　*Une liaison dangereuse*

[Madame de Volanges à la Présidente de Tourvil]

VOUS voulez donc, Madame, que je croie à la vertu de M.
de Valmont? J'avoue que je ne puis m'y résoudre, et que
j'aurois autant de peine à le juger honnête, d'après le seul
fait que vous me racontez, qu'à croire vicieux un homme
de bien reconnu, dont j'apprendrois une faute. L'humanité
n'est parfaite dans aucun genre, pas plus dans le mal que
dans le bien. Le scélérat a ses vertus, comme l'honnête
homme a ses foiblesses. Cette vérité me paraît d'autant
plus nécessaire à croire, que c'est d'elle que dérive la
nécessité de l'indulgence pour les méchans comme pour
les bons, et qu'elle préserve ceux-ci de l'orgueil, et sauve
les autres du découragement. Vous trouverez sans doute
que je pratique bien mal, dans ce moment, cette indulgence
que je prêche; mais je ne vois plus en elle qu'une foiblesse
dangereuse, quand elle nous mène à traiter de même le
vicieux et l'homme de bien.

Je ne me permettrai point de scruter les motifs de
l'action de M. de Valmont; je veux croire qu'ils sont
louables comme elle: mais en a-t-il moins passé sa vie à
porter dans les familles le trouble, le déshonneur et le
scandale? Écoutez, si vous voulez, la voix du malheureux
qu'il a secouru, mais qu'elle ne vous empêche pas d'entendre
les cris de cent victimes qu'il a immolées. Quand il ne seroit,
comme vous le dites, qu'un exemple du danger des liaisons,
en seroit-il moins lui-même une liaison dangereuse? Vous
le supposez susceptible d'un retour heureux? allons plus
loin; supposons ce miracle arrivé. Ne resteroit-il pas contre
lui l'opinion publique, et ne suffit-elle pas pour régler
votre conduite? Dieu seul peut absoudre au moment du
repentir; il lit dans les cœurs: mais les hommes ne peuvent

juger les pensées que par les actions; et nul d'entr'eux, après avoir perdu l'estime des autres, n'a droit de se plaindre de la méfiance nécessaire, qui rend cette perte si difficile à réparer. Songez surtout, ma jeune amie, que quelquefois il suffit, pour perdre cette estime, d'avoir l'air d'y attacher trop peu de prix; et ne taxez pas cette sévérité d'injustice : car, outre qu'on est fondé à croire qu'on ne renonce pas à ce bien précieux quand on a droit d'y prétendre, celui-là est en effet plus près de mal faire, qui n'est plus contenu par ce frein puissant. Tel seroit cependant l'aspect sous lequel vous montreroit une liaison intime avec M. de Valmont, quelqu'innocente qu'elle pût être.

Effrayée de la chaleur avec laquelle vous le défendez, je me hâte de prévenir les objections que je prévois... Quant à ce qui me regarde, je ne me justifierai pas plus que les autres. Sans doute je reçois M. de Valmont, et il est reçu partout; c'est une inconséquence de plus à ajouter à mille autres qui gouvernent la société. Vous savez, comme moi, qu'on passe sa vie à les remarquer, à s'en plaindre et à s'y livrer. M. de Valmont, avec un beau nom, une grande fortune, beaucoup de qualités aimables, a reconnu de bonne heure que pour avoir l'empire dans la société, il suffisoit de manier, avec une égale adresse, la louange et le ridicule. Nul ne possède comme lui ce double talent : il séduit avec l'un, et se fait craindre avec l'autre. On ne l'estime pas; mais on le flatte. Telle est son existence au milieu d'un monde qui, plus prudent que courageux, aime mieux le ménager que le combattre.

Mais ni Mme de Merteuil elle-même, ni aucune autre femme, n'oseroit sans doute aller s'enfermer à la campagne, presque en tête-à-tête avec un tel homme. Il étoit réservé à la plus sage, à la plus modeste d'entr'elles, de donner l'exemple de cette inconséquence; pardonnez-moi ce mot, il échappe à l'amitié. Ma belle amie, votre honnêteté même vous trahit, par la sécurité qu'elle vous inspire. Songez donc que vous aurez pour juges, d'une part, des gens frivoles, qui ne croiront pas à une vertu dont ils ne trouvent pas le modèle chez eux; et de l'autre, des méchans qui feindront de n'y pas croire, pour vous punir de l'avoir eue. Considérez que vous faites, dans ce moment, ce que quelques hommes n'oseroient pas risquer. En effet, parmi les jeunes gens, dont M. de Valmont ne s'est que trop rendu l'oracle, je vois les plus sages craindre de paroître liés trop intimement avec lui; et vous, vous ne le craignez pas! Ah! revenez, revenez, je vous en conjure... Si mes raisons ne suffisent pas pour vous persuader, cédez à mon amitié; c'est elle qui me fait renouveller mes instances, c'est à elle à les justifier. Vous la trouvez sévère, et je désire qu'elle soit inutile; mais j'aime mieux que vous ayez à vous plaindre de sa sollicitude que de sa négligence.

*De ... ce 24 août 17\*\**

*Les Liaisons dangereuses*

# BARTHÉLEMY FAUJAS DE SAINT-FOND

1741–1819

*226*     *Un concours de musique*

ADAM SMITH, ce vénérable philosophe,... me demanda un jour si j'aimois la musique? Je lui répondois qu'elle faisoit mes délices lorsque j'avois le plaisir d'en entendre de la bonne. «Tant mieux, me dit-il, je vous mettrai à une épreuve très curieuse pour moi, car je vous en ferai entendre dont il est impossible que vous puissiez vous former une idée, et je serai charmé de connoître l'impression qu'elle fera sur vous.»

Le lendemain, Smith fut à neuf heures du matin chez moi; il me conduisit à dix heures dans une salle de concert

spacieuse, simplement décorée et remplie de monde; mais
je ne vis ni orchestre, ni musciciens, ni instrumens. Nous
restâmes ainsi plus d'une demi-heure dans l'attente. Un
grand espace vide au milieu de la salle étoit entouré de
banquettes, sur lesquelles il n'y avoit que des hommes;
les dames étoient dispersées dans les autres rangs. Ce sont là,
dit-il, les juges du combat qui va s'élever entre les musiciens.
Presque tous ces messieurs sont des seigneurs qui habitent
les îles ou les montagnes de l'Écosse; ils sont les juges nés
du concours qui va s'ouvrir; ils décerneront un prix à
celui qui exécutera le mieux un morceau de musique, re-
commandable parmi les Écossois. Je vous observe, ajouta-
t-il, que les musiciens, en quelque nombre qu'ils puissent
être, ne joueront jamais que le même air.

Quelques instans après, une porte à deux battans s'ouvrit
vers le fond de la salle, et je vis, à ma grande surprise,
entrer un montagnard écossois dans son costume de soldat
romain, jouant de la cornemuse, et parcourant d'un air
martial et d'un pas rapide l'espace vide dans toute sa
longueur, revenant ensuite sur ses pas et continuant à marcher de même, en tirant les sons les plus bruyans et les plus
discordans d'un instrument qui déchire l'oreille. L'air est
une espèce de sonate divisée en trois parties. Smith m'engagea à y apporter toute mon attention, et à lui dire ensuite
l'impression que j'éprouverois.

Mais j'avoue que je ne distinguai d'abord ni air, ni
intention; je voyois seulement le joueur de cornemuse,
marcher toujours avec rapidité et avec la même contenance
guerrière. Il faisoit des efforts incroyables et des doigts et
du corps, pour mettre en jeu à la fois les divers tuyaux de sa
cornemuse : ce qui formoit un tintamarre insoutenable.

Il recevoit néanmoins de toutes parts de nombreux
applaudissemens. Un second musicien succéda à celui-ci, et
seul dans l'arène il tint la même contenance et marcha aussi
fièrement; il parut exceller sur l'autre : j'en jugeai par les

battemens de mains, par les cris de *bravo* qui retentirent de toutes parts; des hommes graves et des femmes distinguées versèrent des larmes à la troisième partie de l'air.

Enfin, après avoir entendu consécutivement huit musiciens, je commençai à soupçonner que la première partie étoit relative à une marche guerrière, à des évolutions militaires; la seconde à un combat sanglant, qu'on cherchoit à peindre par le bruit des armes, par la rapidité du jeu, par des cris bruyans. Le musicien sembloit alors entrer en convulsion; sa pantomime imitoit celle d'un homme dans l'action du combat; ses bras, ses mains, sa tête, ses jambes, tout étoit en mouvement; les sons de l'instrument se faisoient tous entendre en même tems, se confondoient les uns dans les autres, et ce beau désordre sembloit intéresser vivement tout le monde.

Le joueur de cornemuse passoit ensuite, sans transition, à une espèce d'andante; ses convulsions cessoient subitement; il étoit triste, accablé; ses sons étoient plaintifs, langoureux; on pleuroit les morts, on les enlevoit du champ de bataille: c'est alors que des larmes mouilloient les yeux des belles Écossoises... Le même air fut joué par autant de musiciens qu'il y avoit de concurens, et ils étoient en assez grand nombre. L'égalité la plus parfaite régnoit parmi eux; le fils du laird étoit confondu avec le simple pasteur, souvent de la même tribut, portant le même nom et ayant le même costume. Il n'y avoit ici de préférence que pour le talent; j'en jugeai par les vifs applaudissemens donnés à quelques-uns qui parurent exceller dans leur art. J'avoue qu'il ne m'étoit pas possible à moi d'en admirer aucun; je les trouvois tous d'une égale force, c'est-à-dire, aussi mauvais les uns que les autres; et l'air ainsi que l'instrument me rappeloient involontairement la danse de l'ours.

*Voyage en Angleterre, en Écosse et aux Îles Hébrides*

# ANTOINE-NICOLAS DE
# CONDORCET

1743-1794

### 227    *Présentation d'un Plan de Constitution*

Nous vous présentons notre travail avec la confiance d'hommes qui ont cherché ce qui étoit juste, ce qui étoit utile, sans passions, sans préventions, sans esprit de parti, sans aucun retour d'intérêt ou de vanité, mais avec cette défiance de nous-mêmes que devoient nous inspirer & la difficulté d'un tel ouvrage & toutes celles dont les circonstances actuelles ont pu l'environner.

La souveraineté du peuple, l'égalité entre les hommes, l'unité de la république : tels sont les principes qui, toujours présens à notre pensée, nous ont guidés dans le choix des combinaisons que nous avons adoptées; & nous avons cru que la Constitution la meilleure en elle-même, la plus conforme à l'esprit actuel de la nation, seroit celle où ces principes seront le plus respectés.

Français, nous vous devons la vérité entière. Vainement une Constitution simple & bien combinée, acceptée par vous, assureroit vos droits : vous ne connoîtrez ni la paix ni le bonheur, ni même la liberté, si la soumission à ces lois que le peuple se sera données n'est pour chaque citoyen le premier de ses devoirs; si ce respect scrupuleux pour la loi, qui caractérise les peuples libres, ne s'étend pas à celles-mêmes dont l'intérêt public feroit solliciter la réforme; si, chargés de choisir les dépositaires de toutes les autorités, vous cédez aux murmures de la calomnie au lieu d'écouter la voix de la renommée; si une défiance injuste condamne les vertus & les talens à la retraite & au silence; si vous croyez les accusateurs, au lieu de juger les accusations; si vous préférez la médiocrité qu'épargne l'envie au mérite qu'elle se plaît à persécuter; si vous jugez les hommes d'après des sentimens qu'ils est si facile de feindre,

& non d'après une conduite qu'il est difficile de soutenir; si enfin, par une coupable indifférence, les citoyens n'exercent pas avec tranquillité, avec zèle, avec dignité, les fonctions importantes que la loi leur a réservées. Où seroient la liberté & l'égalité, si la loi qui règle les droits communs à tous, n'étoit également respectée? & quelle paix, quel bonheur pourroit espérer un peuple dont l'imprudence & l'incurie abandonneroient ses intérêts à des hommes incapables ou corrompus? Quelques défauts au contraire que renferme une Constitution, si elle offre des moyens de la réformer à un peuple ami des lois, à des citoyens occupés des intérêts, dociles à la voix de la raison, bientôt ces défauts seront réparés, avant même qu'ils ayent pu nuire, Ainsi, la nature qui a voulu que chaque peuple fût l'arbitre de ses lois, l'a rendu également l'arbitre de sa prospérité & de son bonheur.

*Exposition des principes*

# RAYMOND [*dit* ROMAIN], COMTE DE SÈZE[1]

1748–1828

## 228        *Je m'arrête devant l'histoire*

IL est donc enfin arrivé ce moment où Louis, accusé au nom du peuple français, peut se faire entendre au milieu de ce peuple lui même! Il est arrivé ce moment où, entouré des conseils que l'humanité et la loi lui ont donnés, il peut présenter à la Nation une défense que son cœur avoue, et développer devant elle les intentions qui l'ont toujours animé! Déjà le silence même qui m'environne, m'avertit que le jour de la justice a succédé aux jours de colère et de prévention; que cet acte solemnel n'est point

[1] Advocate (with Malesherbes and Tronchet) for the defence of Louis XVI. He made the speech for the defence, and was ennobled by the restored royal family after 1814.

une vaine forme; que le temple de la liberté est aussi celui de l'impartialité que la loi commande, et que l'homme, quel qu'il soit, qui se trouve réduit à la condition humiliante d'accusé, est toujours sûr d'appeler sur lui et l'attention et l'intérêt de ceux même qui le poursuivent.

Je dis l'homme, quel qu'il soit; car Louis n'est plus en effet qu'un homme, et un homme accusé. Il n'exerce plus de prestiges; il ne peut plus rien; il ne peut plus imprimer de crainte; il ne peut plus offrir d'espérances; c'est donc le moment où vous lui devez, non-seulement le plus de justice, mais j'oserai dire, le plus de faveur. Toute la sensibilité que peut faire naître un malheur sans terme, il a le droit de vous l'inspirer; et si, comme l'a dit un républicain célèbre, les infortunes des rois ont, pour ceux qui ont vécu dans des gouvernemens monarchiques, quelque chose de bien plus attendrissant et de bien plus sacré que les infortunes des autres hommes, sans doute que la destinée de celui qui a occupé le trône le plus brillant de l'univers, doit exciter un intérêt bien plus vif encor; cet intérêt doit même s'accroître à mesure que la décision que vous allez prononcer sur son sort s'avance. Jusqu'ici vous n'avez entendu que les réponses qu'il vous a faites. Vous l'avez appelé au milieu de vous : il y est venu; il y est venu avec calme, avec courage, avec dignité; il y est venu plein du sentiment de son innocence, fort de ses intentions, dont aucune puissance humaine ne peut lui ravir le consolant témoignage; et, appuyé en quelque sorte sur sa vie entière, il vous a manifesté son âme; il a voulu que vous connussiez, et la Nation par vous, tout ce qu'il a fait; il vous a révélé jusqu'à ses pensées : mais, en vous répondant ainsi, au moment même où vous l'appeliez, en discutant, sans préparation et sans examen, des inculpations qu'il ne prévoyait pas; en improvisant, pour ainsi dire, une justification qu'il était bien loin même d'imaginer devoir vous donner, Louis n'a pu que vous dire son innocence;

il n'a pas pu vous la démontrer; il n'a pas pu vous en produire les preuves. Moi, Citoyens, je vous les apporte; je les apporte à ce peuple au nom duquel on l'accuse...

Citoyens, je vous parlerai ici avec la franchise d'un homme libre: je cherche parmi vous des juges, et je n'y vois que des accusateurs.

Vous voulez prononcer sur le sort de Louis; et c'est vous-mêmes qui l'accusez!

Vous voulez prononcer sur le sort [de] Louis; et vous avez déjà émis votre vœu!

Vous voulez prononcer sur le sort de Louis; et vos opinions parcourent l'Europe!

Louis sera donc le seul français pour lequel il n'existera aucune loi ni aucune forme?

Il n'aura ni les droits de citoyen ni les prérogatives de roi.

Il ne jouira ni de son ancienne condition ni de la nouvelle.

Quelle étrange et inconcevable destinée!...

J'arrive enfin à cette désastreuse journée du *10 août*, qui serait en effet, comme on l'a dit, de la part de Louis, le plus grand des crimes, s'il était vrai qu'il eût eu, à cette épouvantable époque, les intentions atroces qu'on lui a supposées.

Représentans du peuple, je vous supplie de ne pas considérer, dans ce moment, les défenseurs de Louis comme des défenseurs. Nous avons notre conscience à nous; nous aussi, nous faisons partie du peuple; nous sentons tout ce qu'il sent; nous éprouvons tout ce qu'il éprouve; nous voulons tout ce qu'il veut; nous sommes citoyens; nous sommes français; nous avons pleuré avec le peuple, et nous pleurons encore comme lui, sur tout le sang qui a coulé dans la journée du 10 août; et si nous avions cru Louis coupable des inconcevables événemens qui l'ont fait répandre, vous ne nous verriez pas aujourd'hui avec lui à votre barre, lui prêter, oserai-je le dire? lui prêter l'appui de notre courageuse véracité.

Mais Louis est accusé; il est accusé du plus affreux des
délits; il lui importe de s'en justifier à vos yeux, à ceux de
la France, à ceux de l'Europe: il faut donc l'entendre; il
faut déposer toutes les opinions déjà faites, toutes les
préventions, toutes les haines; il faut l'entendre comme
si vous étiez étrangers à cette scène de désolation, qu'il
faut bien que je vous retrace au moins en tableau: vous
le devez, puisque vous vous êtes créés ses juges. Législateurs,
tous vos succès, depuis cette journée, que vous avez appelé
vous-même immortelle, vous auraient permis d'être généreux: je ne vous demande que d'être justes.

*Défense de Louis XVI*

# HONORÉ-GABRIEL DE RIQUETTI,
## COMTE DE MIRABEAU
1749-1791

*229        Le supplice de la solitude*

SOUFFRIR dans une solitude profonde toutes les privations et toutes les inquiétudes, être arraché à tout ce qu'on
aime, à tout ce dont on est aimé, n'est-ce pas plus, infiniment plus que mourir? Ôter la vie à un particulier qui
n'est pas légalement condamné, c'est un acte de tyrannie
si odieux qu'il jette l'alarme dans toute une nation, mais
il fait peu de mal à l'individu si cruellement assassiné; car
un instant le délivre de tous regrets, de tous désirs, de
toutes peines: c'est donc seulement l'idée d'une violence
atroce qui révolte les hommes dans une telle catastrophe.
Par un étrange préjugé, l'emprisonnement illégal et indéfini
semble moins barbare: n'est-il donc point une punition
beaucoup plus sévère? Les angoisses d'une prison d'État,
où on ne laisse à un malheureux de sa vie que le souffle,
sont un supplice incomparable à tout autre. L'amitié,

l'amour, ces bienfaiteurs du monde deviennent les bourreaux de celui qui l'endure : plus son cœur est actif, plus
son âme est élevée, plus ses sens ont d'énergie, et plus ses
tourments sont aigus et multipliés : ces précieux dons de la
nature tournent à sa ruine : il ne vit que pour la douleur : nulle
correspondance, nulle société, nul éclaircissement de son
sort. Quelle mutilation de l'existence ! C'est cesser de vivre,
et ne jouir pas du repos que procure la mort. Eh bien !
nous avons tous les jours devant les yeux quelque nouvel
exemple de ces sévérités muettes, et nous les envisageons
sans horreur, parce que le sang ne coule pas. Il semble que
celui qui souffre des douleurs cruelles pendant des années
entières, mérite moins de pitié que celui que le tranchant
du glaive frappe une minute... Malheur ! malheur à la
nation où ceux qui ne sont point outragés ne haïssent pas
autant, ne poursuivent pas aussi âprement l'oppresseur,
que l'opprimé lui-même pourrait le faire ! Malheur aux
âmes arides qui ne savent être émues que par des cris et des
pleurs ! Les longs et sourds gémissements d'un cœur serré
de détresse ne leur ont jamais arraché de soupirs ; jamais
l'aspect d'une contenance abattue, d'un visage hâve et
plombé, d'un œil éteint et qui ne peut plus pleurer, ne les
fit pleurer eux-mêmes : les maux de l'âme ne sont rien pour
eux : ils sont jugés : la leur ne sent rien : n'attendez d'eux
que rigueur inflexible, endurcissement, cruauté : ils pourront être intègres et justes ; jamais cléments, généreux,
pitoyables : je dis qu'ils pourront être justes, si toutefois un
homme peut l'être, quand il n'est pas miséricordieux.

*Des lettres de cachet et des prisons d'État*

# PIERRE-SIMON, MARQUIS DE LAPLACE

1749–1827

*230*       *La marche de l'astronomie*

Nous venons d'exposer les principaux résultats du système du monde, suivant l'ordre analytique le plus direct et le plus simple. Nous avons d'abord considéré les apparences des mouvemens célestes; et leur comparaison nous a conduits aux mouvemens réels qui les produisent. Pour nous élever au principe régulateur de ces mouvemens, il fallait connaître les lois du mouvement de la matière; et nous les avons développées avec étendue. En les appliquant ensuite aux corps du système solaire, nous avons reconnu qu'il existe entre eux, et même entre leurs plus petites molécules, une attraction proportionnelle aux masses et réciproque au carré des distances. Redescendant enfin de cette force universelle à ses effets, nous en avons vu naître, non-seulement tous les phénomènes connus, ou simplement entrevus par les Astronomes; mais un grand nombre d'autres entièrement nouveaux et que l'observation a vérifiés.

Ce n'est pas ainsi que l'esprit humain est parvenu à ces découvertes. L'ordre précédent suppose que l'on a sous les yeux, l'ensemble des observations anciennes et modernes; et que pour les comparer et pour en déduire les lois des mouvemens célestes et les causes de leurs inégalités, on fait usage de toutes les ressources que présentent aujourd'hui, l'analyse et la mécanique. Mais ces deux branches de nos connaissances, s'étant perfectionnées successivement avec l'Astronomie, leur état à ses diverses époques, a nécessairement influé sur les théories astronomiques. Plusieurs hypothèses ont été généralement admises, quoique directement contraires aux lois fondamentales de la mécanique,

que l'on ne connaissait pas encore; et dans cette ignorance, on a élevé contre le vrai système du monde, qui perçait de toutes parts dans les phénomènes, des difficultés qui l'ont fait pendant long-temps méconnaître. Ainsi, la marche de l'Astronomie a été embarrassée, incertaine; et les vérités dont elle s'est enrichie, ont été souvent alliées à des erreurs que le temps, l'observation, et le progrès des sciences accessoires en ont séparées. Nous allons ici donner un précis de son histoire : on y verra l'Astronomie, rester un grand nombre de siècles dans l'enfance; en sortir et s'accroître dans l'école d'Alexandrie; stationnaire ensuite, jusqu'au temps des Arabes, se perfectionner par leurs travaux; enfin abandonnant l'Afrique et l'Asie où elle avait pris naissance, se fixer en Europe, et s'élever en moins de trois siècles, à la hauteur où elle est maintenant parvenue. Ce tableau des progrès de la plus sublime des sciences naturelles, toujours croissans au milieu même des révolutions des Empires, pourra consoler des malheurs dont les récits remplissent les annales de tous les peuples.

*Exposition du Système du Monde*

# PIERRE-VICTORIEN VERGNIAUD

1753-1793

*231        Oublions tout, excepté la patrie!*

Il est impossible de se défendre d'un sentiment profond d'inquiétude quand on a été au camp sous Paris. Les travaux avancent très lentement; il y a beaucoup d'ouvriers, mais peu travaillent; un grand nombre se reposent. Ce qui afflige surtout, c'est de voir que les bêches ne sont maniées que par des mains salariées, et point par des mains que dirige l'intérêt commun. D'où vient cette espèce de torpeur dans laquelle paraissent ensevelis les citoyens restés à Paris? Ne nous le dissimulons pas, il est temps de dire la vérité...

O citoyens de Paris, je vous le demande avec la plus profonde émotion, ne démasquerez-vous jamais ces hommes pervers qui n'ont, pour obtenir votre confiance, d'autres droits que la bassesse de leurs moyens et l'audace de leurs prétentions? Citoyens, vous les reconnaîtrez facilement. Lorsque l'ennemi s'avance, et qu'un homme, avant de vous inviter à prendre l'épée pour le repousser, vous engage à égorger froidement des femmes et des citoyens désarmés, celui-là est un ennemi de votre gloire, de votre bonheur: il vous trompe pour vous perdre. Lorsqu'au contraire un homme ne vous parle des Prussiens que pour indiquer le cœur où vous devrez frapper, lorsqu'il ne vous propose la victoire que par des moyens dignes de votre courage, celui-là est ami de votre gloire, ami de votre bonheur: il veut vous sauver! Citoyens, repoussez donc les traîtres, abjurez donc vos dissensions intestines... Allez tous au camp; c'est là qu'est votre salut!

J'entends dire chaque jour: Nous pouvons essuyer une défaite; que feront alors les Prussiens? viendront-ils à Paris?... Non, ils n'y viendront pas, non, si Paris est dans un état de défense respectable, si vous préparez des postes d'où vous puissiez opposer une forte résistance; car alors l'ennemi craindrait d'être poursuivi et enveloppé par les débris mêmes des armées qu'il aurait vaincues, et d'en être écrasé, comme Samson sous les ruines du temple qu'il renversa. Mais si une terreur panique ou une fausse sécurité engourdit notre courage et nos bras, si nous tournons nos bras contre nous-mêmes, si nous livrons sans défense les postes d'où l'on pourra bombarder la cité, il serait bien insensé, l'ennemi, de ne pas s'avancer vers une ville qui, par son inaction, aura paru l'appeler d'elle-même, qui n'aura pas su s'emparer des positions où elle aurait pu le vaincre! Il serait bien insensé de ne point nous surprendre dans nos discordes, de ne pas triompher sur nos ruines! Au camp, donc, citoyens, au camp!

Eh quoi! tandis que vos frères, que vos concitoyens, par un dévouement héroïque, abandonnent ce que la nature doit leur faire chérir le plus, leurs femmes, leurs enfants, demeurerez-vous plongés dans une molle et déshonorante oisiveté? N'avez-vous pas d'autre manière de prouver votre zèle qu'en demandant sans cesse, comme les Athéniens: «Qu'y a-t-il aujourd'hui de nouveau?» Ah! détestons cette avilissante mollesse! Au camp, citoyens, au camp! Tandis que nos frères, pour notre défense, arrosent peut-être de leur sang les plaines de la Champagne, ne craignons pas d'arroser de quelques sueurs les plaines de Saint-Denis pour protéger leur retraite. Au camp, citoyens, au camp! Oublions tout, excepté la patrie. Au camp, citoyens, au camp!

*Discours du 16 septembre 1792 dans l'Assemblée législative*

# ANTOINE DE RIVAROL

1753–1801

232 *Cet homme extraordinaire*

ESSAYONS de rendre à Shakespear [*sic*] sa véritable place. On convient d'abord que ses tragédies ne sont que des romans dialogués, écrits d'un style obscur et mêlé de tous les tons; qu'elles ne seront jamais des monuments de la langue anglaise que pour les Anglais mêmes: car les étrangers voudront toujours que les monuments d'une langue en soient aussi les modèles, et ils les choisiront dans les meilleurs siècles. Les poèmes de Plaute et d'Ennius étaient des monuments pour les Romains et pour Virgile lui-même; aujourd'hui, nous ne reconnaissons que l'*Énéide*. Shakespear, pouvant à peine se soutenir à la lecture, n'a pu supporter la traduction, et l'Europe n'en a jamais joui: c'est un fruit qu'il faut goûter sur le sol où il croît. Un étranger qui n'apprend l'anglais que dans Pope et Addison

n'entend pas Shakespear, à l'exception de quelques scènes
admirables que tout le monde sait par cœur. Il ne faut pas
plus imiter Shakespear que le traduire : celui qui aurait son
génie demanderait aujourd'hui le style et le grand sens
d'Addison. Car, si le langage de Shakespear est presque
toujours vicieux, le fond de ses pièces l'est bien davantage :
c'est un délire perpétuel ; mais c'est quelquefois le délire
du génie. Veut-on avoir une idée juste de Shakespear ?
Qu'on prenne le *Cinna* de Corneille, qu'on mêle parmi les
grands personnages de cette tragédie quelques cordonniers
disant des quolibets, quelques poissardes chantant des
couplets, quelques paysans parlant le patois de leur province, et faisant des contes de sorciers ; qu'on ôte l'unité
de lieu, de temps et d'action ; mais qu'on laisse subsister les
scènes sublimes, et on aura la plus belle tragédie de Shakespear. Il est grand comme la Nature et inégal comme elle,
disent ses enthousiastes. Ce vieux sophisme mérite à peine
une réponse.

L'Art n'est jamais grand comme la Nature, et, puisqu'il
ne peut tout embrasser comme elle, il est contraint de faire
un choix. Tous les hommes aussi sont dans la Nature, et
pourtant on choisit parmi eux, et dans leur vie on fait encore
choix des actions. Quoi ! parce que Caton, prêt à se donner
la mort, châtie l'esclave qui lui refuse un poignard, vous me
représentez ce grand personnage donnant des coups de
poing ? Vous me montrez Marc-Antoine ivre et goguenar-
dant avec des gens de la lie du peuple ? Est-ce par là qu'ils
ont mérité les regards de la postérité ? Vous voulez donc
que l'action théâtrale ne soit qu'une doublure insipide de
la vie ? Ne sait-on pas que les hommes, en s'enfonçant
dans l'obscurité des temps, perdent une foule de détails
qui les déparent et [qu'ils] acquièrent, par les lois de
la perspective, une grandeur et une beauté d'illusion
qu'ils n'auraient pas s'ils étaient trop près de nous ? La
vérité est que Shakespear, s'étant quelquefois transporté

dans cette région du beau idéal, n'a jamais pu s'y maintenir. Mais, dira-t-on, d'où vient l'enthousiasme de l'Angleterre pour lui? De ses beautés et de ses défauts. Le génie de Shakespear est comme la majesté du peuple anglais : on l'aime inégal et sans frein : il en paraît plus libre. Son style, bas et populaire, en participe mieux de la souveraineté nationale. Ses beautés désordonnées causent des émotions plus vives, et le peuple s'intéresse à une tragédie de Shakespeare comme à un événement qui se passerait dans les rues. Les plaisirs purs que donnent la décence, la raison, l'ordre et la perfection, ne sont faits que pour les âmes délicates et exercées. On peut dire que Shakespear, s'il était moins monstrueux, ne charmerait pas tant le peuple, et [qu']il n'étonnerait pas tant les connaisseurs s'il n'était pas quelquefois si grand. Cet homme extraordinaire a deux sortes d'ennemis, ses détracteurs et ses enthousiastes : les uns ont la vue trop courte pour le reconnaître quand il est sublime; les autres l'ont trop fascinée pour le voir jamais autre.

*De l'Universalité de la Langue française*

# RAPPORT DE L'EXÉCUTION
# DE LOUIS XVI

1793

*233*

JACQUES ROUX, prêtre, l'un des commissaires nommés par la commune, pour assister à l'exécution de Louis, prend la parole :

Nous venons rendre compte de la mission dont nous étions chargés : nous nous sommes transportés au Temple; là, nous avons annoncé au tyran que l'heure du supplice était arrivée.

Il a demandé d'être quelques minutes seul avec son confesseur; il a voulu nous charger d'un paquet pour vous

remettre ; nous lui avons observé que nous n'étions chargés
que de le conduire à l'échafaud ; il a répondu : c'est juste.
Il a remis ce paquet à un de nos collègues, et a recommandé
sa famille et demandé que Cléry, son valet-de-chambre,
soît celui de la reine : avec précipitation il a dit sa femme.
De plus, il a demandé que ses anciens serviteurs de Versailles ne fussent pas oubliés. Il a dit à Santerre : marchons.

Il a traversé une cour à pied, et monté en voiture dans la
seconde. Pendant la route, le plus grand silence a régné.

Il n'est arrivé aucun événement ; nous sommes montés
dans les bureaux de la marine pour dresser le procès-
verbal de l'exécution ; nous n'avons pas quitté Capet des
yeux jusqu'à la guillotine ; il est arrivé à dix heures dix
minutes, il a été trois minutes à descendre de la voiture ;
il a voulu parler au peuple, Santerre s'y est opposé ; sa
tête est tombée.

Après la rédaction du procès-verbal, nous nous sommes
rendus à la chambre du conseil exécutif provisoire... notre
unique empressement a été de vous en rendre compte.

*Santerre.* On vient de vous rendre un compte exact de
ce qui s'est passé ; je n'ai qu'à me louer de la force armée
qui a été on ne peut pas plus obéissante. Louis Capet a
voulu parler de commisération au peuple, mais je l'en ai
empêché, pour que la loi reçût son exécution.

*Histoire impartiale du Procès de Louis XVI*

# JOSEPH DE MAISTRE

1753–1821

234        *D'où vient cette gloire ?*

Il y a cependant dans l'homme, malgré son immense
dégradation, un élément d'amour qui le porte vers ses
semblables : la compassion lui est aussi naturelle que la
respiration. Par quelle magie inconcevable est-il toujours
prêt, au premier coup de tambour, à se dépouiller de ce

caractère sacré pour s'en aller sans résistance, souvent même avec une certaine allégresse, qui a aussi son caractère particulier, mettre en pièces, sur le champ de bataille, son frère qui ne l'a jamais offensé, et qui s'avance de son côté pour lui faire subir le même sort, s'il le peut ? Je concevrais encore une guerre nationale : mais combien y a-t-il de guerres de ce genre ? une en mille ans, peut-être : pour les autres, surtout entre nations civilisées, qui raisonnent et qui savent ce qu'elles font, je déclare n'y rien comprendre. On pourra dire : *La gloire explique tout*; mais, d'abord, la gloire n'est que pour les chefs ; en second lieu, c'est reculer la difficulté : car je demande précisément d'où vient cette gloire extraordinaire attachée à la guerre.

*Les Soirées de Saint-Pétersbourg*

## 235 *Un chapitre de la loi générale*

CETTE loi déjà si terrible de la guerre n'est cependant qu'un chapitre de la loi générale qui pèse sur l'univers.

Dans le vaste domaine de la nature vivante, il règne une violence manifeste, une espèce de rage prescrite qui arme tous les êtres *in mutua funera* : dès que vous sortez du règne insensible, vous trouvez le décret de la mort violente écrit sur les frontières mêmes de la vie... Dès que vous entrez dans le règne animal, la loi prend tout à coup une épouvantable évidence. Une force, à la fois cachée et palpable, se montre continuellement occupée à mettre à découvert le principe de la vie par des moyens violents. Dans chaque grande division de l'espèce animale, elle a choisi un certain nombre d'animaux qu'elle a chargés de dévorer les autres : ainsi, il y a des insectes de proie, des reptiles de proie, des oiseaux de proie, et des quadrupèdes de proie. Il n'y a pas un instant de la durée où l'être vivant ne soit dévoré par un autre. Au-dessus de ces nombreuses races d'animaux est placé l'homme, dont la main destructrice n'épargne rien de ce qui vit; il tue pour se nourrir, il tue pour se vêtir, il tue pour se parer, il tue pour attaquer, il tue pour se défendre, il tue pour s'instruire, il tue pour s'amuser, il tue pour tuer : roi superbe et terrible, il a besoin de tout, et rien ne lui résiste... Cependant quel être exterminera celui qui les exterminera tous ? Lui. C'est l'homme qui est chargé d'égorger l'homme. Mais comment pourra-t-il accomplir la loi, lui qui est un être moral et miséricordieux : lui qui est né pour aimer; lui qui pleure sur les autres comme sur lui-même; qui trouve du plaisir à pleurer, et qui finit par inventer des fictions pour se faire pleurer; lui enfin à qui il a été déclaré *qu'on redemandera jusqu'à la derniere goutte du sang qu'il aura versé injustement ?* C'est la guerre qui accomplira le *décret.* N'entendez-vous pas la *terre* qui crie et demande du sang ? Le sang des animaux ne lui suffit pas, ni même celui des coupables versé par le glaive des lois. Si la justice humaine les frappait tous, il n'y aurait point de guerre; mais elle ne saurait en atteindre qu'un petit nombre, et souvent même elle les épargne, sans se douter que sa féroce humanité contribue à nécessiter la guerre, si, dans le même temps surtout, un autre aveuglement, non moins stupide et non moins funeste, travaillait à éteindre l'expiation dans le monde. La *terre* n'a pas crié en vain : la guerre s'allume. L'homme, saisi tout à coup d'une fureur *divine,* étrangère à la haine et à la colère, s'avance sur le champ de bataille sans savoir ce qu'il veut ni même ce qu'il fait. Qu'est-ce donc que cette terrible énigme ? Rien n'est plus contraire à sa nature : et rien ne lui répugne moins : il fait avec enthousiasme ce qu'il a en horreur.

*Les Soirées de Saint-Pétersbourg*

## 236  *Comment se forment les jugements*

Mais pour en revenir à la fortune des livres, vous l'expliquerez précisément comme celle des hommes : pour

les uns comme pour les autres, il y a une fortune qui est
une véritable malédiction, et n'a rien de commun avec le
mérite. Ainsi, messieurs, le succès seul ne prouve rien.
Défiez-vous surtout d'un préjugé très-commun, très-
naturel et cependant tout à fait faux : celui de croire que la
grande réputation d'un livre suppose une connaissance très-
répandue et très-raisonnée du même livre. Il n'en est rien,
je vous l'assure. L'immense majorité ne jugeant et ne pouvant juger que sur parole, un assez petit nombre d'hommes
fixent d'abord l'opinion. Ils meurent et cette opinion leur
survit. De nouveaux livres qui arrivent ne laissent plus le
temps de lire les autres ; et bientôt ceux-ci ne sont jugés
que sur une réputation vague, fondée sur quelques caractères généraux, ou sur quelques analogies superficielles
et quelquefois même parfaitement fausses. Il n'y a pas
longtemps qu'un excellent juge, mais qui ne peut cependant
juger que ce qu'il connaît, a dit à Paris que le talent ancien
le plus ressemblant au talent de Bossuet était celui de
Démosthènes : or il se trouve que ces deux orateurs
diffèrent autant que deux belles choses du même genre
(deux belles fleurs, par exemple) peuvent différer l'une
de l'autre ; mais toute sa vie on a entendu dire que Démosthènes *tonnait*, et Bossuet *tonnait* aussi : or, comme rien ne
ressemble à un tonnerre autant qu'un tonnerre, donc ; etc.
Voilà comment se forment les jugements.

*Les Soirées de Saint-Pétersbourg*

# MARIE-JEANNE PHLIPON, MADAME ROLAND

1754–1793

237            *J'étais fort opiniâtre*

Un jour que j'étais un peu malade, il fut question de me
donner une médecine : on m'apporta le triste breuvage ;

je l'approche de mes lèvres; son odeur me le fait repousser
avec dégoût : ma mère s'emploie à vaincre ma répugnance;
elle m'en inspire la volonté : je fais mes efforts sincèrement;
mais à chaque fois que l'horrible déboire m'était apporté
sous le nez, mes sens révoltés me faisaient détourner la
tête : ma mère se fatiguait; je pleurais de sa peine et de
la mienne, et j'en étais toujours moins capable d'avaler la
funeste boisson. Mon père arrive; il se fâche et me donne le
fouet, en attribuant ma résistance à l'opiniâtreté; dès lors
l'envie d'obéir se passe, et je déclare que je ne prendrai
point la médecine. Grands éclats, menaces répétées, seconde
fustigation : je m'indigne, et fais des cris affreux, levant les
yeux au ciel et me disposant à jeter le breuvage qu'on allait
me présenter; mon geste trahit ma pensée; mon père,
furieux, menace de me fouetter une troisième fois. — Je
sens à l'heure où j'écris l'espèce de révolution et le développement de force que j'éprouvai alors; mes larmes s'arrêtent
tout à coup, mes sanglots s'apaisent; un calme subit réunit
mes facultés dans une seule résolution : je me lève sur mon
lit; je me tourne du côté de la ruelle; j'incline ma tête,
en l'appuyant sur le mur; je trousse ma chemise, et je
m'offre aux coups en silence : on m'aurait tuée sur place,
sans m'arracher un soupir.

Ma mère, que cette scène rendait mourante et qui avait
besoin de toute sa sagesse pour ne pas augmenter les excès
de son mari, parvint à le faire sortir de la chambre; elle me
recoucha sans mot dire; et après deux heures de repos, elle
vint en pleurant me conjurer de ne plus lui faire de mal et
de boire la médecine; je la regardai fixement; je pris le verre
et je le vidai d'un seul trait. Mais je vomis tout au bout
d'un quart d'heure, et j'eus un violent accès de fièvre
qu'il fallut bien guérir autrement qu'avec de mauvaises
drogues et des verges. J'avais alors un peu plus de six ans.

Tous les détails de cette scène me sont aussi présents
que si elle était récente; toutes les sensations que j'ai éprou-

vées sont aussi distinctes, c'est le même roidissement que
celui que j'ai senti s'opérer depuis dans des moments solen-
nels ; et je n'aurais pas plus à faire aujourd'hui pour monter
fièrement à l'échafaud, que je n'en fis alors pour m'abandonner à un traitement barbare qui pouvait me tuer, mais
pas me vaincre.

*Mémoires*

# JOSEPH JOUBERT

1754-1824

*238*            *Le commerce des nations*

VOICI comment on pourrait diviser le commerce des
nations, d'après leur caractère : L'Espagnol, joaillier, orfèvre
lapidaire ; l'Anglais, manufacturier ; l'Allemand, marchand
de papiers ; le Hollandais, marchand de vivres, et le Français marchand de modes. Dans la navigation, le premier est
courageux, le second habile, le troisième savant, le quatrième industrieux, et le cinquième hasardeux. Il faut donner à un vaisseau un capitaine espagnol, un pilote anglais,
un contre-maître allemand et des matelots hollandais ; le
Français ne marche que pour son compte. Il faut proposer
au premier une conquête, une entreprise au second, des
recherches au troisième, au quatrième du gain, et un coup de
main au cinquième. Le premier veut de grands voyages,
le second des voyages importants, le troisième des voyages
utiles, le quatrième des voyages lucratifs, et le cinquième
des voyages rapides. Le premier s'embarque pour aller, le
second pour agir, le troisième pour voir, le quatrième
pour gagner, et le cinquième pour arriver. La mer enfin est
pour l'Espagnol un chemin, pour l'Anglais un lieu, pour
l'Allemand un cabinet d'étude, pour le Hollandais une voie
de transport, et pour le Français une chaise de poste.

*Pensées*

### 239 *Le centre et la circonférence*

LORSQU'UN édifice régulier domine le jardin qui l'entoure, il doit, pour ainsi dire, rayonner de régularité, en la jetant autour de lui à toutes les distances d'où on peut le voir aisément. C'est un centre, et le centre doit être en harmonie avec tous les points de la circonférence, qui n'est elle-même qu'un point central développé. A ces jardins irréguliers que nous appelons jardins anglais, il faut pour habitation un labyrinthe.

*Pensées*

### 240 *Qu'est-ce que définir ?*

QU'EST-CE que définir ? C'est décrire, c'est dessiner avec des mots ce que l'esprit seul aperçoit ; c'est donner des extrémités à ce qui n'en a pas pour l'œil ; c'est peindre ce qu'on ne saurait voir ; c'est circonscrire, en un espace qui n'a pas de réalité, un objet qui n'a pas de corps. Et qu'est-ce que bien définir ? C'est représenter nettement l'idée que tous les esprits se font, en eux-mêmes et malgré eux, de l'objet dont on veut parler, quand ils y pensent au hasard.

*Pensées*

### 241 *Du style*

C'EST par les mots familiers que le style mord et pénètre dans le lecteur. C'est par eux que les grandes pensées ont cours et sont présumées de bon aloi, comme l'or et l'argent marqués d'une empreinte connue. Ils inspirent de la confiance pour celui qui s'en sert à rendre ses pensées plus sensibles ; car on reconnaît à un tel emploi de la langue commune un homme qui sait la vie et les choses, et qui s'en tient rapproché. De plus, ces mots font le style franc. Ils annoncent que l'auteur s'est depuis longtemps nourri de la pensée ou du sentiment exprimé, qu'il se les est tellement appro-

priés et rendus habituels, que les expressions les plus communes lui suffisent pour exprimer des idées devenues vulgaires en lui par une longue conception. Enfin, ce qu'on
dit en paraît plus vrai; car rien n'est aussi clair, parmi les
mots, que ceux qu'on nomme familiers, et la clarté est
tellement un des caractères de la vérité que souvent on
la prend pour elle.

*Pensées*

# JEAN-ANTHELME
# BRILLAT-SAVARIN

1755–1826

*242        Une théorie physiologique*

LES prédestinés de la gourmandise sont en général d'une
stature moyenne; ils ont le visage rond ou carré, les yeux
brillants, le front petit, le nez court, les lèvres charnues et
le menton arrondi. Les femmes sont potelées, plus jolies
que belles, et visant un peu à l'obésité.

Celles qui sont principalement friandes ont les traits plus
fins, l'air plus délicat, sont plus mignonnes, et se distinguent surtout par un coup de langue qui leur est particulier.

C'est sous cet extérieur qu'il faut chercher les convives
les plus aimables: ils acceptent tout ce qu'on leur offre,
mangent lentement, et savourent avec réflexion. Ils ne se
hâtent point de s'éloigner des lieux où ils ont reçu une
hospitalité distinguée; et on les a pour la soirée, parce
qu'ils connaissent tous les jeux et passe-temps qui sont les
accessoires ordinaires d'une réunion gastronomique.

Ceux, au contraire, à qui la nature a refusé l'aptitude aux
jouissances du goût, ont le visage, le nez et les yeux longs;
quelle que soit leur taille, ils ont dans leur tournure quelque
chose d'allongé. Ils ont les cheveux noirs et plats, et manquent surtout d'embonpoint; ce sont eux qui ont inventé
les pantalons.

Les femmes que la nature a affligées du même malheur sont anguleuses, s'ennuient à table, et ne vivent que de boston et de médisance.

*La Physiologie du Goût*

# LOUIS-FRANÇOIS
# RAMOND DE CARBONNIÈRES[1]

1755–1827

*243*      *La haute montagne*

QUICONQUE n'a point pratiqué les montagnes du premier ordre, se formera difficilement une juste idée de ce qui dédommage des fatigues que l'on y éprouve, et des dangers que l'on y court. Il se figurera encore moins que ces fatigues même n'y sont pas sans plaisirs, et que ces dangers ont des charmes ; et il ne pourra s'expliquer l'attrait qui y ramène sans cesse celui qui les connoît, s'il ne se rappelle que l'homme, par sa nature, aime à vaincre les obstacles ; que son caractère le porte à chercher des périls, et surtout des aventures ; que c'est une propriété des montagnes de contenir, dans le moindre espace, et de présenter, dans le moindre tems, les aspects de régions diverses, les phénomènes de climats différens ; de rapprocher des événemens, que sépareroient de longs intervalles ; d'alimenter avec profusion cette avidité de sentir et de connoître, passion primitive et inextinguible de l'homme, qui naît de sa perfectibilité, et la développe ; passion plus grande que lui, qui embrasse plus qu'il ne peut saisir, devine plus qu'il ne peut comprendre, pressent plus qu'il ne peut prévoir, franchit sans cesse les bornes de sa fragile et courte existence, l'égare souvent sur le but de la vie ; mais, au moins, l'endort sur ses misères, et l'étourdit sur sa brièveté.

*Voyage dans les Pyrénées*

[1] Botanist and geologist, noted for descriptions of mountain scenery

# ÉLISABETH VIGÉE LE BRUN

1755–1842

*244*      *A la recherche d'un logement*

JE partis pour Londres le 15 avril 1802. Je ne savais pas un mot d'anglais. A la vérité j'emmenais avec moi une femme de chambre anglaise; mais cette fille m'avait déjà assez mal servie jusqu'alors, et je fus obligée de la renvoyer fort peu de temps après mon arrivée à Londres, attendu qu'elle ne faisait autre chose toute la journée que manger des tartines de beurre... [Le] logement que je venais de prendre dans Beck-Street présentait tant d'inconvénients pour moi, qu'il me fut impossible d'y rester longtemps. D'abord, sur le derrière de la maison, je touchais au logis de la garde royale, et tous les matins, de trois à quatre heures, j'entendais sonner une trompette si forte et si fausse qu'elle aurait pu servir pour le jugement dernier. A ce bruit se joignait celui des chevaux de cette garde, dont les écuries se trouvaient sous mes fenêtres, et qui m'empêchait de dormir toute la nuit. Le jour, j'avais le bruit des enfants d'une voisine que j'entendais continuellement monter ou descendre les escaliers. Ces enfants était fort nombreux, au point que leur mère, ayant appris que l'on venait voir mes tableaux, arriva un jour chez moi avec toute sa famille, et me fit l'effet de madame Gigogne.[1] J'aurais pu, il est vrai, me réfugier dans une chambre située beaucoup plus heureusement; mais j'avais trop de répugnance à l'habiter, sachant qu'il venait d'y mourir une dame; les armes de la défunte étaient encore au-dessus de la porte de la rue; mais je ne connaissais pas cet usage; autrement je n'aurais jamais loué cette maison. Je quittai donc Beck-Street. J'allai m'établir dans un bel hôtel à Portmann-Square. Cette place très grande me faisait espérer de la tranquillité. Avant de louer, j'avais regardé les derrières de la maison, qui me

[1] Cf. the 'old woman who lived in a shoe'.

promettaient le plus grand calme. Je couchais de ce côté pour être plus tranquille. Mais voilà que le lendemain, à la pointe du jour, j'entends des cris qui me percent les oreilles. Je me lève, j'avance la tête à la fenêtre, et j'aperçois à celle qui m'était la plus voisine, un oiseau énorme comme jamais on n'en a vu. Il était attaché sur un grand bâton. Son regard était furieux, son bec et sa queue étaient d'une longueur monstrueuse : enfin je puis affirmer, sans aucune exagération, qu'un gros aigle près de lui aurait eu l'air d'un petit serin. D'après ce qu'on me dit, cette horrible bête venait des grandes Indes. Mais, quel que fût le lieu de son origine, je n'écrivis pas moins à sa maîtresse de vouloir bien faire mettre son oiseau du côté de la rue. Cette dame me répondit qu'il avait d'abord été placé ainsi, mais que la police l'avait fait ôter parce qu'il effrayait les passants.

Ne pouvant me débarrasser de l'oiseau, j'aurais peut-être enduré ce tourment ; mais l'hôtel avait été habité avant moi par des ambassadeurs indiens, et l'on vint me dire que ces diplomates avaient fait enterrer deux de leurs esclaves dans ma cave où ils étaient encore. C'était trop à la fois de ces cadavres et de l'oiseau ; je quittai Portmann-Square et j'allai m'établir Madox-Street, dans un logement où l'humidité était affreuse, ce qui ne m'empêcha pas d'y rester, tant j'étais lasse des déménagements.

*Souvenirs*

## 245    *Mes soupers*

On ne saurait juger ce qu'était le société en France, quand on n'a pas vu le temps où, toutes les affaires du jour terminées, douze ou quinze personnes aimables se réunissaient chez une maîtresse de maison, pour y finir leur soirée. L'aisance, la douce gaieté, qui régnaient à ces légers repas du soir, leur donnaient un charme que les

dîners n'auront jamais. Une sorte de confiance et d'intimité régnait entre les convives; et comme les gens de bon
ton peuvent toujours bannir la gêne sans inconvénient,
c'était dans les soupers que la bonne société de Paris se
montrait supérieure à celle de toute l'Europe.

Chez moi, par exemple, on se réunissait vers neuf heures.
Jamais on ne parlait politique; mais on causait de littérature,
on racontait l'anecdote du jour. Quelquefois nous nous
amusions à jouer des charades en action, et quelquefois aussi
l'abbé Delille ou Le Brun-Pindare nous lisaient quelques-
uns de leurs vers. A dix heures, on se mettait à table; mon
souper était des plus simples. Il se composait toujours
d'une volaille, d'un poisson, d'un plat de légumes et d'une
salade; en sorte que, si je me laissais entraîner à retenir
quelques visites, il n'y avait réellement plus de quoi
manger pour tout le monde; mais peu importait, on
était gai, on était aimable, les heures passaient comme des
minutes, et, vers minuit, chacun se retirait.

*Souvenirs*

# GEORGES-JACQUES DANTON

1759-1794

*246*        *La patrie va être sauvée*

Assemblée législative, dimanche matin
2 septembre [1792], 9 heures.

DANTON, *ministre de la justice*. — Il est bien satisfaisant,
Messieurs, pour les ministres du peuple libre d'avoir à
lui annoncer que la patrie va être sauvée. Tout s'émeut,
tout s'ébranle, tout brûle de combattre.

Vous savez que Verdun n'est point encore au pouvoir
de vos ennemis. Vous savez que la garnison a promis
d'immoler le premier qui proposerait de se rendre.

Une partie du peuple va se porter aux frontières; une

autre va creuser des retranchements, et la troisième, avec des piques, défendra l'intérieur de nos villes.

Paris va seconder ces grands efforts. Les commissaires de la Commune vont proclamer d'une manière solennelle, l'invitation aux citoyens de s'armer et de marcher pour la défense de la patrie.

C'est en ce moment, Messieurs, que vous pouvez déclarer que la capitale a bien mérité de la France entière; c'est en ce moment que l'Assemblée nationale va devenir un véritable Comité de guerre.

Nous demandons que vous concouriez avec nous, à diriger ce mouvement sublime du peuple, en nommant des commissaires qui nous seconderont dans ces grandes mesures. Nous demandons que quiconque refusera de servir de sa personne, ou de remettre ses armes, soit puni de mort.

Nous demandons qu'il soit fait une instruction aux citoyens pour diriger leurs mouvements. Nous demandons qu'il soit envoyé des courriers dans tous les départements pour les avertir des décrets que vous aurez rendus. Le tocsin qu'on va sonner n'est point un signal d'alarme. C'est la charge sur les ennemis de la patrie. Pour les vaincre, Messieurs, il nous faut de l'audace, encore de l'audace, toujours de l'audace et la France est sauvée!

*Pour la levée en masse*

# PIERRE-PAUL ROYER-COLLARD

1763-1845

247     *La liberté de la presse*

Il faut considérer la liberté de la presse bien moins en elle-même que dans ses rapports avec le gouvernement et la société. Car, s'il était reconnu que, dans le gouvernement, la liberté de la presse a la vertu d'une institution, et que, dans la composition actuelle de la société, elle est une

nécessité, les atteintes qui lui seraient portées ne seraient
pas seulement une violation des droits privés; elles chan-
geraient encore l'état du gouvernement, et elles oppri-
meraient la société entière... Ce n'est qu'en fondant la
liberté de la presse comme droit public que la Charte a
véritablement fondé toutes les libertés et rendu la société à
elle-même. La liberté de la presse doit fonder à son tour
la liberté de la tribune, qui n'a pas un autre principe ni une
autre garantie. Ainsi, selon la Charte, la publicité veille
sur les pouvoirs, elle les éclaire, les avertit, les réprime,
leur résiste. S'ils se dégagent de ce frein salutaire, ils n'en
ont plus aucun; les droits écrits sont aussi faibles que les
individus. Il est donc rigoureusement vrai, ainsi que je
l'ai dit, que la liberté de la presse a le caractère et l'énergie
d'une institution politique; il est vrai que cette institution
est la seule qui ait restitué à la société des droits contre les
pouvoirs qui la régissent; il est vrai que, le jour où elle
périra, ce jour-là nous retournons à la servitude. Les abus
de la presse doivent être réprimés; qui est-ce qui en doute?
Mais on peut abuser aussi de la répression; et si l'abus
va jusqu'à détruire la liberté, la répression n'est que la
prévention avec l'hypocrisie de plus.

*Discours sur un projet de loi sur la presse* [1822]

# ANNE-LOUISE-GERMAINE
# NECKER, MADAME DE STAËL

1766–1817

248        *Corinne au pays des Anglaises*

MA belle-mère était presque aussi importunée de mes idées
que de mes actions; il ne lui suffisait pas que je menasse
la même vie qu'elle, il fallait encore que ce fût par les mêmes
motifs, car elle voulait que les facultés qu'elle n'avait pas

fussent considérées seulement comme une maladie. Nous vivions assez près du bord de la mer, et le vent du nord se faisait sentir souvent dans notre château : je l'entendais siffler la nuit à travers les longs corridors de notre demeure, et le jour il favorisait merveilleusement notre silence quand nous étions réunies. La temps était humide et froid; je ne pouvais presque jamais sortir sans éprouver une sensation douloureuse : il y avait dans la nature quelque chose d'hostile, qui me faisait regretter amèrement sa bienfaisance et sa douceur en Italie.

Nous rentrions l'hiver dans la ville, si c'est une ville, toutefois, qu'un lieu où il n'y a ni spectacle, ni édifices, ni musique, ni tableaux; c'était un rassemblement de commérages, une collection d'ennuis tout à la fois divers et monotones.

La naissance, le mariage et la mort composaient toute l'histoire de notre société, et ces trois événements différaient là moins qu'ailleurs. Représentez-vous ce que c'était pour une Italienne comme moi, que d'être assise autour d'une table à thé plusieurs heures par jour après dîner, avec la société de ma belle-mère. Elle était composée de sept femmes, les plus graves de la province; deux d'entre elles étaient des demoiselles de cinquante ans, timides comme à quinze, mais beaucoup moins gaies qu'à cet âge. Une femme disait à l'autre : *Ma chère, croyez-vous que l'eau soit assez bouillante pour la jeter sur le thé ? — Ma chère,* répondait l'autre, *je crois que ce serait trop tôt, car ces messieurs ne sont pas encore prêts à venir. — Resteront-ils longtemps à table aujourd'hui ?* disait la troisième; *qu'en croyez-vous, ma chère ? — Je ne sais pas,* répondait la quatrième; *il me semble que l'élection du parlement doit avoir lieu la semaine prochaine, et il se pourrait qu'ils restassent pour s'en entretenir. — Non,* reprenait la cinquième; *je crois plutôt qu'ils parlent de cette chasse au renard qui les a tant occupés la semaine passée, et qui doit recommencer lundi prochain; je crois cependant que le dîner sera*

*bientôt fini.* — *Ah! je ne l'espère guère,* disait la sixième en
soupirant, et le silence recommençait. J'avais été dans les
couvents d'Italie, ils me paraissaient pleins de vie à côté
de ce cercle et je ne savais qu'y devenir.

Tous les quarts d'heure il s'élevait une voix qui faisait
la question la plus insipide, pour obtenir la réponse la
plus froide; et l'ennui soulevé retombait avec un *nouveau*
poids sur ces femmes, que l'on aurait pu croire malheureuses, si l'habitude prise dès l'enfance n'apprenait pas à
tout supporter. Enfin, les *messieurs* revenaient, et ce moment
si attendu n'apportait pas un grand changement dans la
manière d'être des femmes : les hommes continuaient leur
conversation auprès de la cheminée, les femmes restaient
dans le fond de la chambre, distribuant les tasses de thé;
et quand l'heure du départ arrivait, elles s'en allaient avec
leurs époux, prêtes à recommencer le lendemain une vie
qui ne différait de celle de la veille que par la date de
l'almanach, et par la trace des années qui venait enfin
s'imprimer sur le visage de ces femmes... D'abord j'es-
sayai de ranimer cette société endormie : je leur proposai
de lire des vers, de faire de la musique. Une fois, le jour
était pris pour cela; mais tout à coup une femme se rappela
qu'il y avait trois semaines qu'elle était invitée à souper
chez sa tante; une autre, qu'elle était en deuil d'une vieille
cousine qu'elle n'avait jamais vue, et qui était morte
depuis plus de trois mois; une autre, enfin, que dans son
ménage il y avait des arrangements domestiques à prendre :
tout cela était très-raisonnable; mais ce qui était toujours
sacrifié, c'étaient les plaisirs de l'imagination et [de] l'esprit,
et j'entendais si souvent dire : *Cela ne se peut pas,* que,
parmi tant de négations, ne pas vivre m'eût encore semblé
la meilleure de toutes.

*Corinne*

*249*                    *Le 14 juillet 1792*

LES Marseillais envoyés au Champ de Mars pour célébrer
le 14 juillet portaient écrit sur leurs chapeaux déguenillés :
*Péthion, ou la Mort!* Ils passaient devant l'espèce d'estrade
sur laquelle était placée la famille royale, en criant : *Vive
Péthion!* misérable nom que le mal même qu'il a fait n'a
pu sauver de l'obscurité! A peine quelques faibles voix
faisaient entendre : *Vive le roi!* comme un dernier adieu,
comme une dernière prière.

L'expression du visage de la reine ne s'effacera jamais
de mon souvenir : ses yeux étaient abîmés de pleurs ; la
splendeur de sa toilette, la dignité de son maintien, con-
trastaient avec le cortège dont elle était environnée.
Quelques gardes nationaux la séparaient seuls de la populace ; les hommes armés, rassemblés dans le Champ de
Mars, avaient plus l'air d'être réunis pour une émeute que
pour une fête. Le roi se rendit à pied, du pavillon sous
lequel il était, jusqu'à l'autel élevé à l'extrémité du Champ
de Mars. C'est là qu'il devait prêter serment pour la seconde
fois à la constitution, dont les débris allaient écraser le
trône. Quelques enfants suivaient le roi en l'applaudissant ;
ces enfants ne savaient pas encore de quel forfait leurs
pères étaient prêts à se souiller.

Il fallait le caractère de Louis XVI, ce caractère de
martyr qu'il n'a jamais démenti, pour supporter ainsi une
pareille situation. Sa manière de marcher, sa contenance,
avaient quelque chose de particulier ; dans d'autres occasions, on aurait pu lui souhaiter plus de grandeur ; mais
il suffisait, dans ce moment, de rester en tout le même
pour paraître sublime. Je suivis de loin sa tête poudrée au
milieu de ces têtes à cheveux noirs ; son habit, encore brodé
comme jadis, ressortait à côté du costume des gens du
peuple qui se pressaient autour de lui. Quand il monta les
degrés de l'autel, on crut voir la victime sainte, s'offrant

volontairement en sacrifice. Il redescendit; et, traversant
de nouveau les rangs en désordre, il revint s'asseoir auprès
de la reine et de ses enfants. Depuis ce jour le peuple ne
l'a plus revu que sur l'échafaud.

*Considérations sur la Révolution française*

## 250    *L'enthousiasme ne nous abandonnera pas*

ENFIN, quand elle arrive, la grande lutte, quand il faut à
son tour se présenter au combat de la mort, sans doute,
l'affaiblissement de nos facultés, la perte de nos espérances,
cette vie si forte qui s'obscurcit, cette foule de sentiments
et d'idées qui habitaient dans notre sein, et que les ténèbres
de la tombe enveloppent, ces intérêts, ces affections, cette
existence qui se change en fantôme avant de s'évanouir,
tout cela fait mal, et l'homme vulgaire paraît, quand il
expire, avoir moins à mourir! Dieu soit béni cependant
pour le secours qu'il nous prépare encore dans cet instant;
nos paroles seront incertaines, nos yeux ne verront plus la
lumière, nos réflexions, qui s'enchaînaient avec clarté, ne
feront plus qu'errer isolées sur de confuses traces; mais
l'enthousiasme ne nous abandonnera pas, ses ailes brillantes
planeront sur notre lit funèbre, il soulèvera les voiles de la
mort, il nous rappellera ces moments où, pleins d'énergie,
nous avions senti que notre cœur était impérissable, et nos
derniers soupirs seront peut-être comme une noble pensée
qui remonte vers le ciel.

«O France! terre de gloire et d'amour! Si l'enthousiasme
un jour s'éteignait sur votre sol, si le calcul disposait de
tout et que le raisonnement seul inspirât même le mépris
des périls, à quoi vous serviraient votre beau ciel, vos
esprits si brillants, votre nature si féconde? Une intelligence
active, une impétuosité savante vous rendraient les maîtres
du monde; mais vous n'y laisseriez que la trace des torrents
de sable, terribles comme les flots, arides comme le désert.»

*De l'Allemagne*

# MAINE DE BIRAN

1766–1824

*251*        *Que de masques!*

Un homme, qui vit dans la solitude habituellement, dont tout le bonheur consiste à jouir de lui-même, à savourer cette tranquillité, précieuse pour celui qui est fait pour la goûter, se trouve bien embarrassé lorsqu'il est forcé de sortir de sa retraite, pour remplir des devoirs d'usage ou pour des rapports qui l'engagent à traiter avec des hommes du monde. Combien il se trouve neuf! Quelle confusion, quel trouble naît tout à coup dans ses idées, surtout lorsque, loin de la société, son imagination s'est plu à se faire des tableaux séduisants de l'humanité. Si son cœur sensible lui a peint les hommes comme il désirerait qu'ils fussent, quel contraste, lorsqu'il voit le portrait au naturel! comme ces chimères s'évanouissent! J'ai été à la ville aujourd'hui. J'y portais un esprit recueilli, un cœur serein; j'en arrive troublé, agité, inquiet. J'ai vu beaucoup de monde, j'ai reçu des honnêtetés, des marques d'attachement, d'intérêt, mais la contrainte, la dissimulation perçaient au travers de ces transports affectueux. Que de masques, et pas un seul cœur! Cependant il a fallu répondre comme si ces compliments étaient vrais, c'est-à-dire me déguiser aussi, et mettre un masque comme tout le monde, car on serait ridicule si on paraissait à visage nu au milieu de tous ces dominos... Ce n'est pas tout. On entre en conversation, et sur quoi? Ce n'est pas sur des choses, mais toujours sur des personnes, et la malignité se déploie, parcourt avec délices une carrière qu'elle trouve moyen d'allonger: il faut bien, sous peine de passer pour sot, ou malhonnête, mettre son mot, c'est-à-dire être aussi méchant, approuver qu'on déchire devant vous un galant homme. Quel supplice de se mentir à soi-même! lorsqu'on n'a dans son cœur que des sentiments honnêtes, d'en manifester de mauvais! Ah!

revenons dans nos champs. On peut y être bon sans passer pour sot : on peut y être soi, sans contradiction.

*Journal intime* [année 1794]

## 252 *Préoccupation sur une opération*

LE 21 [octobre]. — Séjour tranquille en famille au Murat. Préoccupation sur une opération à subir par ma fille Adine : il s'agit de l'extraction d'une loupe volumineuse sur l'épaule.

Le 22, jour de l'opération, levé à six heures et demie. J'ai eu un entretien avec ma fille, que j'ai trouvée pleine de courage et de résignation. Attente du chirurgien, qui est arrivé à 9 heures du matin. Les préparatifs ont été faits, et pendant ce temps, j'éprouvais une vive et forte agitation. A 9 heures et trois quarts, j'ai passé dans la chambre de ma fille pour l'avertir que tout était prêt. Elle n'a donné aucun signe de crainte; et a conservé le calme le plus parfait, le courage le plus élevé. L'opération a commencé. J'étais en face de mon Adine, la tête appuyée sur ses genoux et lui tenant les mains; ma femme était d'un côté et Delphine de l'autre. Je ne pouvais voir l'opération, et je ne me suis même pas aperçu qu'elle commençait : la patiente n'a pas fait un mouvement, pas poussé un soupir.

Pendant vingt minutes que l'opération a duré, elle a conservé le courage, mais la douleur devenant plus vive, elle a pâli, ses dents se sont serrées, et je me suis levé hors de moi-même. J'ai vu alors les yeux de mon enfant se tourner vers moi; le regard céleste, plein de douceur et de force, cherchait à me consoler, me rassurer. L'opération terminée, nous avons tous entouré la malade, et j'ai resté près d'elle, plein d'un sentiment de bonheur et d'admiration pour cette chère enfant, dont je suis heureux et glorieux d'être père. A midi je suis monté à cheval, pressé d'aller à Périgueux et de répandre le sentiment dont j'étais plein.

Retour au Murat à 5 heures et demie. Dîner de famille avec le chirurgien. La malade est souffrante et toujours résignée.

*Journal intime* [année 1817]

## 253   *Être en bonne fortune avec soi-même*

J'AI eu, ces deux jours, ces moments heureux d'expansion interne et de lucidité d'idées, qui ne m'arrivent que quand je suis seul, en présence de mes idées. J'appelle cela être en bonne fortune avec moi-même. J'ai toujours eu la disposition à retenir en moi les impressions et les idées. L'expansion est toujours plus ou moins lente, difficile et embarrassée. C'est un véritable instinct, qui me tient renfermé en moi-même, et qui empêche l'expansion des idées ou des sentiments. La plupart des hommes ne cherchent à concevoir, connaître ou travailler d'une manière quelconque leur intelligence, que pour la produire au dehors. Alors qu'ils semblent penser le plus profondément, c'est encore l'effet extérieur qui les occupe. Aussi ont-ils besoin de communiquer, de donner à leur conception l'appareil le plus brillant, le plus propre à frapper; et n'ont-ils pas une idée sans l'habiller de signes, sans l'orner le plus richement ou le plus élégamment qu'ils peuvent. L'emploi de leur vie est d'arranger des phrases, et ils tournent toujours leurs pensées dans le moule grammatical ou logique, bien plus préoccupés de formes que du fond. J'observe que les hommes ainsi disposés sont tous plus ou moins forts ou vifs, qu'ils ont de bonne heure contracté l'habitude d'exercer l'art de la parole et qu'ils sont aussi peu méditatifs. Je me trouve contraster avec ces hommes par une sorte de faiblesse naturelle. Ma sensibilité réagit peu au dehors, elle est occupée, ou par des impressions internes, confuses, et c'est là l'état le plus habituel, ou par des idées qui me saisissent, que je renferme, que je creuse au-dedans, sans éprouver aucun besoin de les répandre au dehors.

Je néglige les expressions, je ne fais jamais une phrase dans ma tête; j'étudie, j'approfondis les idées pour elles-mêmes, pour connaître ce qu'elles sont, ce qu'elles renferment, et avec le plus entier désintéressement d'amour-propre et de passion. Une telle disposition me rend propre aux recherches psychologiques et à l'existence intérieure, mais m'éloigne de tout le reste. J'ai aussi assez fréquenté les hommes pour les juger, et je lis dans toutes leurs habitudes extérieures ce qu'ils sont, ce qui les met en jeu. Je les observe agir, et je n'agis pas.

*Journal intime* [le 15 janvier 1817]

# LE COMTE DE LAS CASES

1766–1842

*254*                    *Petits détails intérieurs*

Mardi 14 [novembre 1815]

CE matin on a servi à déjeuner du café plus supportable; il était même bon; l'Empereur a manifesté un vrai plaisir en le goûtant. Quelques moments plus tard il disait, en frottant son estomac de la main, qu'il en sentait le bien là. Il serait difficile de rendre mes sentiments à ces simples paroles : l'Empereur en appréciant ainsi, contre son usage, une si légère jouissance, me découvrait sans le savoir les progrès de toutes les privations qu'on lui impose, et dont il ne se plaint pas.

Le soir, en remontant de notre promenade de l'après-dînée, l'Empereur, dans sa chambre, m'a lu le chapitre des *Consuls provisoires*, dicté à M. de Montholon. La lecture finie, l'Empereur a pris un ruban, et s'est mis à attacher lui-même les feuilles éparses. Il était tard : le silence de la nuit régnait autour de nous; je contemplais l'Empereur dans son travail qui se prolongeait.

Mes réflexions étaient, ce jour-là, tournées vers la mélancolie : je regardais ces mains qui ont régi tant de sceptres; elles étaient en cet instant occupées tranquillement, peut-être même non sans quelque charme, à rattacher de simples feuilles de papier, auxquelles il imprime il est vrai des traits qui ne se perdront jamais; les portraits qu'il y sème demeureront des jugements pour la postérité : c'est le livre de vie ou de mort pour beaucoup de ceux qui en sont l'objet. Je me disais silencieusement toutes ces choses, d'autres encore.

Et l'Empereur me lit tout cela! pensais-je, il me parle familièrement, il me demande parfois ce que j'en pense; j'ose hasarder mon avis! Ah! je ne suis point à plaindre d'être venu à Sainte-Hélène!

*Le Mémorial de Sainte-Hélène*

*255*               *Un illustre écolier*

Dimanche 28 [février 1816]

Nos jours se passaient, comme chacun le soupçonne, dans une grande et insipide monotonie. L'ennui, les souvenirs, la mélancolie, étaient nos dangereux ennemis; le travail notre grand, notre unique refuge. L'Empereur suivait très régulièrement ses occupations, l'anglais était devenu pour lui une affaire importante. Il y avait près de quinze jours qu'il avait pris sa première leçon, et, à compter de cet instant, quelques heures tous les jours, depuis midi, avaient été employées à cette étude, tantôt avec une ardeur vraiment admirable, tantôt avec un dégoût visible; alternative qui m'entretenait moi-même dans une véritable anxiété. J'attachais le plus grand prix aux succès et je craignais chaque jour de voir abandonner les efforts de la veille; d'en être pour l'ennui mortel que j'aurais causé, sans le résultat précieux que je m'étais promis. D'un autre côté, chaque jour aussi j'étais aiguillonné davantage, en me voyant approcher du but auquel je tendais... Quoiqu'il en soit, j'apercevais déjà le terme de nos difficultés; j'entrevoyais le moment où l'Empereur aurait traversé tous les dégoûts inévitables du commencement. Mais qu'on se figure si l'on peut tout ce que devait être pour lui l'étude scolastique des conjugaisons, des déclinaisons, des articles, etc. On ne pouvait y être parvenu qu'avec un grand courage de la part de l'écolier, un véritable artifice de la part du maître. Il me demandait souvent s'il ne méritait pas des férules, il devinait leur heureuse influence dans les écoles; il eût avancé davantage, disait-il gaiement, s'il eût eu à les craindre. Il se plaignait de n'avoir pas fait de progrès, et ils auraient été immenses pour qui que ce fût.

Plus l'esprit est grand, rapide, étendu, moins il peut s'arrêter sur des détails réguliers et minutieux. L'Empereur, qui saisissait avec une merveilleuse facilité tout ce qui regardait le raisonnement de la langue, en avait fort peu dès qu'il s'agissait de son mécanisme matériel. C'étaient une vive intelligence et une fort mauvaise mémoire; cette dernière circonstance surtout le désolait; il trouvait qu'il n'avançait pas. Dès que je pouvais soumettre les objets en question à quelque loi ou analogie régulière, c'était classé, saisi à l'instant; l'écolier devançait même alors le maître dans les applications et les conséquences; mais fallait-il retenir par cœur et répéter les éléments bruts, c'était une grande affaire; on prenait sans cesse les mots les uns pour les autres, et il serait devenu trop fastidieux d'exiger d'abord une trop scrupuleuse régularité. Une autre difficulté, c'est qu'avec les mêmes lettres, les mêmes voyelles, ces mots nous demandaient une tout autre prononciation; l'écolier ne voulait reconnaître que la nôtre; et le maître eût décuplé les difficultés de l'ennui, s'il eût voulu exiger mieux.

Enfin l'écolier, même dans sa propre langue, avait la manie d'estropier les noms propres ; les mots étrangers, il les prononçait tout à fait à son gré ; et une fois sortis de sa bouche, quoi qu'on fît, ils demeuraient toujours les mêmes, parce qu'il les avait, une fois pour toutes, logés de la sorte dans sa tête. C'est ce qui ne manqua pas d'arriver pour la plupart de nos mots anglais, et le maître dut avoir la sagesse et l'indulgence de s'en contenter, laissant au temps à rectifier peu à peu, s'il était jamais possible, toutes ces incorrections. De ce concours de circonstances il naquit véritablement une nouvelle langue qui n'était entendue que de moi, il est vrai ; mais elle procurait à l'Empereur la lecture de l'anglais, et il eût pu, à toute rigueur, se faire entendre par écrit : c'était déjà beaucoup, c'était tout.

*Le Mémorial de Sainte-Hélène*

# BENJAMIN CONSTANT
# DE REBECQUE

1767–1830

*256*        *Aujourd'hui, que reste-t-il?*

Celui qui, depuis douze années, se proclamait destiné à conquérir le monde a fait amende honorable de ses prétentions. Ses discours, ses démarches, chacun de ses actes, sont des arguments plus victorieux contre le système des conquêtes, que tous ceux que j'avais pu rassembler. De nos jours, le roi de Prusse perd une partie de ses États : il ne peut soutenir une lutte inégale : il se résigne au sort, mais il conserve au sein des revers la fermeté d'un homme et l'attitude d'un roi. L'Europe l'estime, ses sujets le plaignent et le chérissent : de toutes parts des vœux secrets s'unissent aux siens ; et dès qu'il en donne le signal, une nation généreuse accourt pour le venger. Que dirons-nous de cet autre exemple, plus grand encore, unique dans les annales des peuples? Ce ne sont pas quelques provinces frontières occupées par l'ennemi; c'est l'étranger pénétrant au cœur d'un vaste empire. Entendez-vous un seul cri de découragement? démêlez-vous un seul geste de faiblesse? l'agresseur avance, tout se tait. Il menace, rien ne fléchit. Il plante ses drapeaux sur les tours de la capitale, et cette capitale en cendres est la réponse qu'il obtient.

Lui, au contraire, avant même que son territoire ne soit envahi, est frappé d'un trouble qu'il ne peut dissimuler. A peine ses limites sont-elles touchées, qu'il jette au loin toutes ses conquêtes. Il exige l'abdication d'un de ses frères, il consacre l'expulsion d'un autre. Sans qu'on le lui demande, il déclare qu'il renonce à tout.

D'où vient cette différence? Tandis que les rois, même vaincus, n'abjurent point leur dignité, pourquoi le vainqueur de la terre cède-t-il au premier échec? C'est que ces rois savaient que la base de leur trône reposait dans le cœur de leurs sujets. Mais un usurpateur siège avec effroi sur un trône illégitime, comme sur une pyramide solitaire. Aucun assentiment ne l'appuie. Il a tout réduit en poussière, et cette poussière mobile laisse arriver à lui les vents déchaînés. Les cris de sa famille, nous dit-il, déchirent son cœur. N'étaient-ils pas de cette famille, ceux qui périssaient en Russie dans la triple agonie des blessures, du froid et de la famine? Mais, tandis qu'ils expiraient désertés par leur chef, ce chef se croyait en sûreté. Maintenant, le danger qu'il partage lui donne une sensibilité subite.

La peur est un mauvais conseiller, là surtout où il n'y a pas de conscience. Il n'y a dans l'adversité, comme dans le bonheur, de mesure que dans la morale. Où la morale ne gouverne pas, le bonheur se perd par la démence, l'adversité par l'avilissement.

Quel effet doit produire sur une nation courageuse cette aveugle frayeur, cette pusillanimité soudaine, sans exemple encore au milieu de nos orages ? Car ces révolutionnaires, justement condamnés pour tant d'excès, avaient du moins senti que leur vie était solidaire de leur cause, et qu'il ne fallait pas provoquer l'Europe, quand on n'osait pas lui résister. Certes, la France gémissait depuis douze ans sous une lourde et cruelle tyrannie. Les droits les plus saints étaient violés, toutes les libertés étaient envahies. Mais il y avait une sorte de gloire. L'orgueil national trouvait (c'était un tort) un certain dédommagement à n'être opprimé que par un chef invincible. Aujourd'hui, que reste-t-il ? plus de prestige, plus de triomphes, un empire mutilé, l'exécration du monde, un trône dont les pompes sont ternies, dont les trophées sont abattus, et qui n'a pour tout entourage que les ombres errantes du duc d'Enghien, de Pichegru, de tant d'autres, qui furent égorgés pour le fonder ! Fiers défenseurs de la monarchie, supporterez-vous que l'oriflamme de Saint Louis soit remplacé par un étendard sanglant de crimes et dépouillé de succès ? et vous qui désiriez une république, que dites-vous d'un maître qui a trompé vos espérances et flétri les lauriers dont l'ombrage voilait vos dissensions civiles, et faisait admirer jusqu'à vos erreurs ?

*De l'Esprit de Conquête et de l'Usurpation*

## 257 *L'affreuse réalité*

JE demeurai longtemps immobile près d'Ellénore sans vie. La conviction de sa mort n'avait pas encore pénétré dans mon âme ; mes yeux contemplaient avec un étonnement stupide ce corps inanimé. Une de ses femmes étant entrée répandit dans la maison la sinistre nouvelle. Le bruit qui se fit autour de moi me tira de la léthargie où j'étais plongé ; je me levai : ce fut alors que j'éprouvai la douleur déchirante

et toute l'horreur de l'adieu sans retour. Tant de mouvement, cette activité de la vie vulgaire, tant de soins et
d'agitations qui ne la regardaient plus, dissipèrent cette
illusion que je prolongeais, cette illusion par laquelle je
croyais encore exister avec Ellénore. Je sentis le dernier
lien se rompre, et l'affreuse réalité se placer à jamais entre
elle et moi. Combien elle me pesait, cette liberté que
j'avais tant regrettée! Combien elle manquait à mon cœur,
cette dépendance qui m'avait révolté souvent! Naguère
toutes mes actions avaient un but; j'étais sûr, par chacune
d'elles, d'épargner une peine ou de causer un plaisir: je
m'en plaignais alors; j'étais impatienté qu'un œil ami
observât mes démarches, que le bonheur d'un autre y fût
attaché. Personne maintenant ne les observait; elles n'in-
téressaient personne; nul ne me disputait mon temps ni
mes heures; aucune voix ne me rappelait quand je sortais.
J'étais libre, en effet, je n'étais plus aimé: j'étais étranger
pour tout le monde.

*Adolphe*

# FRANÇOIS-RENÉ DE
# CHATEAUBRIAND
1768-1848

*258*        *Les soirées de Combourg*

LES soirées d'automne et d'hiver étaient d'une autre nature.
Le souper fini et les quatre convives revenus de la table à
la cheminée, ma mère se jetait, en soupirant, sur un vieux
lit de jour de siamoise flambée; on mettait devant elle
un guéridon avec une bougie. Je m'asseyais auprès du
feu avec Lucile; les domestiques enlevaient le couvert et
se retiraient. Mon père commençait alors une promenade,
qui ne cessait qu'à l'heure de son coucher. Il était vêtu
d'une robe de ratine blanche, ou plutôt d'une espèce de

manteau que je n'ai vu qu'à lui. Sa tête, demi-chauve, était couverte d'un grand bonnet blanc, qui se tenait tout droit. Lorsqu'en se promenant, il s'éloignait du foyer, la vaste salle était si peu éclairée par une seule bougie qu'on ne le voyait plus; on l'entendait seulement encore marcher dans les ténèbres: puis, il revenait lentement vers la lumière et émergeait peu à peu de l'obscurité, comme un spectre, avec sa robe blanche, son bonnet blanc, sa figure longue et pâle. Lucile et moi, nous échangions quelques mots à voix basse, quand il était à l'autre bout de la salle; nous nous taisions quand il se rapprochait de nous. Il nous disait, en passant: De quoi parliez-vous? Saisis de terreur, nous ne répondions rien; il continuait sa marche. Le reste de la soirée, l'oreille n'était plus frappée que du bruit mesuré de ses pas, des soupirs de ma mère et du murmure du vent.

Dix heures sonnaient à l'horloge du château: mon père s'arrêtait; le même ressort, qui avait soulevé le marteau de l'horloge, semblait avoir suspendu ses pas. Il tirait sa montre, la montait, prenait un grand flambeau d'argent surmonté d'une grande bougie, entrait un moment dans la petite tour de l'ouest, puis revenait, son flambeau à la main, et s'avançait vers sa chambre à coucher, dépendante de la petite tour de l'est. Lucile et moi nous nous tenions sur son passage; nous l'embrassions, en lui souhaitant une bonne nuit. Il penchait vers nous sa joue sèche et creuse sans nous répondre, continuait sa route et se retirait au fond de la tour, dont nous entendions les portes se refermer sur lui.

*Mémoires d'outre-tombe*

## 259 *Le vide d'un cœur solitaire*

LA solitude absolue, le spectacle de la nature, me plongèrent bientôt dans un état presque impossible à décrire. Sans parents, sans amis, pour ainsi dire, sur la terre, n'ayant point encore aimé, j'étois accablé d'une surabondance de vie. Quelquefois je rougissois subitement, et je sentois couler dans mon cœur comme des ruisseaux d'une lave ardente; quelquefois je poussois des cris involontaires, et la nuit étoit également troublée de mes songes et de mes veilles. Il me manquoit quelque chose pour remplir l'abîme de mon existence : je descendois dans la vallée, je m'élevois sur la montagne, appelant de toute la force de mes désirs l'idéal objet d'une flamme future; je l'embrassois dans les vents; je croyois l'entendre dans les gémissements du fleuve; tout étoit ce fantôme imaginaire, et les astres dans les cieux, et le principe même de vie dans l'univers... Le jour, je m'égarois sur de grandes bruyères terminées par des forêts. Qu'il falloit peu de chose à ma rêverie! Une feuille séchée que le vent chassoit devant moi, une cabane dont la fumée s'élevoit dans la cime dépouillée des arbres, la mousse qui trembloit au souffle du nord sur le tronc d'un chêne, une roche écartée, un étang désert où le jonc flétri murmuroit! Le clocher solitaire s'élevant au loin dans la vallée a souvent attiré mes regards; souvent j'ai suivi des yeux les oiseaux de passage qui voloient au-dessus de ma tête. Je me figurois les bords ignorés, les climats lointains où ils se rendent; j'aurois voulu être sur leurs ailes. Un secret instinct me tourmentoit; je sentois que je n'étois moi-même qu'un voyageur, mais une voix du ciel sembloit me dire : «Homme, la saison de ta migration n'est pas encore venue; attends que le vent de la mort se lève, alors tu déploieras ton vol vers ces régions inconnues que ton cœur demande.»

Levez-vous vite, orages désirés qui devez emporter René dans les espaces d'une autre vie! Ainsi disant, je marchois à grands pas, le visage enflammé, le vent sifflant dans ma chevelure, ne sentant ni pluie, ni frimas, enchanté, tourmenté et comme possédé par le démon de mon cœur.

*René*

*260*        *Voilà comme on voyage*

A NOTRE tête paroissoit le guide ou le postillon grec
à cheval, tenant un autre cheval en lesse : ce second cheval
devoit servir de remonte en cas qu'il arrivât quelque
accident aux chevaux des voyageurs. Venoit ensuite le
janissaire, le turban en tête, deux pistolets et un poignard
à la ceinture, un sabre au côté, et un fouet à la main pour
faire avancer les chevaux du guide. Je suivois, à peu près
armé comme le janissaire, portant de plus un fusil de chasse.
Joseph fermoit la marche : ce Milanois étoit un petit homme
blond, à gros ventre, le teint fleuri, l'air affable ; il étoit
tout habillé de velours bleu ; deux longs pistolets d'arçon,
passés dans une étroite ceinture, relevoient sa veste d'une
manière si grotesque, que le janissaire ne pouvoit jamais le
regarder sans rire. Mon équipage consistoit en un tapis
pour m'asseoir, une pipe, un poêlon à café, et quelques
schalls pour m'envelopper la tête pendant la nuit. Nous
partions au signal donné par le guide ; nous grimpions au
grand trot les montagnes, et nous les descendions au galop,
à travers les précipices. Il faut prendre son parti : les Turcs
militaires ne connoissent pas d'autre manière d'aller, et
le moindre signe de frayeur, ou même de prudence,
vous exposeroit à leur mépris. Vous êtes assis, d'ailleurs,
sur des selles de Mameloucks dont les étriers larges et
courts vous plient les jambes, vous rompent les pieds, et
déchirent les flancs de votre cheval. Au moindre faux
mouvement, le pommeau élevé de la selle vous crève la
poitrine ; et, si vous vous renversez en arrière, le haut
rebord de la selle vous brise les reins...

Mon janissaire alloit à la chasse dans les villages ; il
rapportoit quelquefois des poulets que je m'obstinois
à payer ; nous les faisions rôtir sur des branches vertes
d'olivier, ou bouillir avec du riz pour en faire un pilau.
Assis à terre autour de ce festin, nous le déchirions avec

nos doigts; le repas fini, nous allions nous laver la barbe et les mains au premier ruisseau. Voilà comme on voyage aujourd'hui dans le pays d'Alcibiade et d'Aspasie.

*Itinéraire de Paris à Jérusalem*

## 261    *Tableau de l'Attique*

J'AI vu du haut de l'Acropolis le soleil se lever entre les deux cimes du mont Hymette: les corneilles qui nichent autour de la citadelle, mais qui ne franchissent jamais son sommet, planoient au-dessous de nous; leurs ailes noires et lustrées étoient glacées de rose par les premiers reflets du jour; des colonnes de fumée bleue et légère montoient dans l'ombre, le long des flancs de l'Hymette, et annonçoient les parcs ou les chalets des abeilles; Athènes, l'Acropolis et les débris du Parthénon se coloroient des plus belles teintes de la fleur du pêcher; les sculptures de Phidias, frappées horizontalement d'un rayon d'or, s'animoient et sembloient se mouvoir sur le marbre par la mobilité des ombres du relief; au loin, la mer et le Pirée étoient tout blancs de lumière; et la citadelle de Corinthe, renvoyant l'éclat du jour nouveau, brilloit sur l'horizon du couchant, comme un rocher de pourpre et de feu.

Du lieu où nous étions placés, nous aurions pu voir, dans les beaux jours d'Athènes, les flottes sortir du Pirée pour combattre l'ennemi ou pour se rendre aux fêtes de Délos; nous aurions pu entendre éclater au théâtre de Bacchus les douleurs d'Œdipe, de Philoctète et d'Hécube; nous aurions pu ouïr les applaudissements des citoyens aux discours de Démosthènes. Mais, hélas, aucun son ne frappoit notre oreille. A peine quelques cris, échappés à une populace esclave, sortoient par intervalles de ces murs qui retentirent si longtemps de la voix d'un peuple libre.

*Itinéraire de Paris à Jérusalem*

*262        Les embarras d'un ministre*

Je n'avais point d'audience à heure fixe : entrait qui voulait ; la porte était toujours ouverte.

Parmi les besogneux d'argent et d'intrigues de toutes les sortes, s'avançaient en procession vers la rue des Capucines de mystérieux butors ; personnages vêtus d'un habit brun boutonné, ressemblant à de sérieux et inintelligents bahuts remplis de papiers secrets. Venaient des mouchards en enfance, à chevrons de la République, de l'Empire et de la Restauration : oubliant ce qu'ils devaient taire, ils disaient de chacun des choses étranges : puis se présentèrent des marchands de songes ; je n'en achetai pas ; j'en avais à revendre. Des messieurs remirent entre mes mains de gros mémoires chargés de notes et de notules explicatives et corroboratives. Se produisirent des dames utiles qui faisaient de l'amour avec des romans, comme on faisait jadis des romans avec l'amour. Ceux-ci me demandaient des places, ceux-là des secours ; tous se dénonçaient les uns les autres ; tous se seraient pris aux cheveux, n'étaient [*sic*] que ces espèces de morts de tous les régimes étaient chauves. Il y en avait de bien sales ; il y en avait de bien singuliers ; ils se tenaient à quatre pour n'être pas bêtes, mais ils ne pouvaient s'en empêcher. Un vénérable prélat voulut bien me consulter : homme de mœurs sévères et de religion sincère, il luttait pourtant en vain contre une nature parcimonieuse ; il ne se servait la nuit dans sa chambre que de la lune, et s'il avait eu le malheur de perdre son âme, il ne l'aurait pas rachetée.

De nobles galants à coiffure du temps de l'ordre de Malte me contaient leurs amours d'antan entre parenthèses politiques ; d'autres, moins ardents, avaient les vertus des qualités qui leur manquaient. Des gens recommandés d'avance comme nantis de pensées fortes et de sentiments religieux m'honoraient de conseils : ils auraient été méchants, s'ils n'eussent été couards; on voyait qu'ils avaient envie de vous déchirer, mais ils retiraient leurs griffes dans leur peur comme dans une gaine.

J'eus des sollicitations d'audience de certains roués de la Terreur; race légère, offrant ses services auprès de la Mort.

On m'annonça un homme de banque: sans façon et sans précaution oratoire, il me déclara qu'il appartenait à des maisons respectables; que, s'il était possible de lui communiquer des dépêches télégraphiques, mon Excellence pourrait profiter des succès, sans nuire le moins du monde aux fonds publics. Je regardai cet homme avec ébahissement, puis je le priai de sortir par la porte, si mieux n'aimait sortir par la fenêtre. Il ne se déferra point: il me regarda à son tour comme il eût regardé un Osage. Je sonnai: l'homme imperturbable s'en retourna avec son obligeant million. Ignare et stupide que j'étais! Aurait-on su ma bonne aubaine? L'eût-on connue, en serais-je aujourd'hui moins considéré? Au lieu de tirer le diable par la queue, j'aurais des salons, je donnerais des dîners; on m'appellerait encore *monseigneur* de courtoisie, et je passerais pour un homme d'État.

*Mémoires d'outre-tombe*

## 263   *La fin d'une carrière politique*

ON avait apporté à la Chambre des pairs la déclaration de la Chambre des députés concernant la vacance du trône... Je montai à la tribune. Un silence profond se fit; les visages parurent embarrassés, chaque pair se tourna de côté sur son fauteuil, et regarda la terre. Hormis quelques pairs résolus à se retirer comme moi, personne n'osait lever les yeux à la hauteur de la tribune. Je conserve mon discours parce qu'il résume ma vie et que c'est mon premier titre à l'estime de l'avenir.

«Messieurs,...

«Inutile Cassandre, j'ai assez fatigué le trône et la patrie de mes avertissements dédaignés, il ne me reste qu'à m'asseoir sur les débris d'un naufrage que j'ai tant de fois prédit. Je reconnais au malheur toutes les sortes de puissance, excepté celle de me délier de mes serments de fidélité. Je dois aussi rendre ma vie uniforme : après tout ce que j'ai fait, dit et écrit pour les Bourbons, je serais le dernier des misérables si je les reniais au moment où, pour la troisième et dernière fois, ils s'acheminent vers l'exil.

« Je laisse la peur à ces généreux royalistes qui n'ont jamais sacrifié une obole ou une place à leur loyauté; à ces champions de l'autel et du trône, qui naguère me traitaient de renégat, d'apostat et de révolutionnaire. Pieux libellistes, le renégat vous appelle ! Venez donc balbutier un mot, un seul mot avec lui pour l'infortuné maître qui vous combla de ses dons et que vous avez perdu! Provocateurs de coups d'État, prédicateurs du pouvoir constituant, où êtes-vous ? Vous vous cachez dans la boue du fond de laquelle vous leviez vaillamment la tête pour calomnier les vrais serviteurs du Roi; votre silence d'aujourd'hui est digne de votre langage d'hier. Que tous ces preux, dont les exploits projetés ont fait chasser les descendants d'Henri IV à coups de fourches, tremblent maintenant accroupis sous la cocarde tricolore : c'est tout naturel. Les nobles couleurs dont ils se parent protégeront leur personne, et ne couvriront pas leur lâcheté...

« Je vote contre le projet de déclaration. »

... Plusieurs pairs semblaient anéantis; ils s'enfonçaient dans leur fauteuil au point que je ne les voyais plus derrière leurs collègues assis immobiles devant eux. Ce discours eut quelque retentissement; tous les partis y étaient blessés, mais tous se taisaient, parce que j'avais placé auprès de grandes vérités un grand sacrifice. Je descendis de la tribune; je sortis de la salle, je me rendis au vestiaire, je mis bas mon habit de pair, mon épée, mon chapeau à plumet; j'en détachai la cocarde blanche, je la baisai, je la mis dans la petite poche du côté gauche de la redingote noire que je revêtis et que je croisai sur mon cœur. Mon domestique emporta la défroque de la pairie, et j'abandonnai, en secouant la poussière de mes pieds, ce palais des trahisons, où je ne rentrerai de ma vie.

*Mémoires d'outre-tombe*

## 264     *La source cachée de mes affections*

LE malheur de mes amis a souvent penché sur moi et je ne me suis jamais dérobé au fardeau sacré : le moment de la rémunération est arrivé : un attachement sérieux daigne m'aider à supporter ce que leur multitude ajoute de pesanteur à des jours mauvais. En approchant de ma fin, il me semble que tout ce que j'ai aimé, je l'ai aimé dans Mme Récamier, et qu'elle était la source cachée de mes affections. Mes souvenirs de divers âges, ceux de mes songes, comme ceux de mes réalités, se sont pétris, mêlés, confondus pour faire un composé de charmes et de douces souffrances, dont elle est devenue la forme visible. Elle règle mes sentiments, de même que l'autorité du ciel a mis le bonheur, l'ordre et la paix dans mes devoirs.

Je l'ai suivie, la voyageuse, par le sentier qu'elle a foulé à peine ; je la devancerai bientôt dans une autre patrie. En se promenant au milieu de ces *Mémoires*, dans les détours de la Basilique que je me hâte d'achever, elle pourra rencontrer la chapelle qu'ici je lui dédie ; il lui plaira peut-être de s'y reposer : j'y ai placé son image.

*Mémoires d'outre-tombe*

# NAPOLÉON 1ᴱᴿ

1769–1821

*265*           *Une immortelle gloire*

Austerlitz 12 frimaire an XIV[1]

SOLDATS!

Je suis content de vous. Vous avez, à la journée d'Austerlitz, justifié tout ce que j'attendais de votre intrépidité;
vous avez décoré vos aigles d'une immortelle gloire.
Une armée de cent mille hommes, commandée par les
empereurs de Russie et d'Autriche, a été, en moins de quatre
heures, ou coupée ou dispersée. Ce qui a échappé à votre
fer s'est noyé dans les lacs. Quarante drapeaux, les étendards
de la garde impériale de Russie, cent vingt pièces de canon,
vingt généraux, plus de trente mille prisonniers, sont le
résultat de cette journée à jamais célèbre. Cette infanterie
tant vantée, et en nombre supérieur, n'a pu résister à votre
choc, et désormais vous n'avez plus de rivaux à redouter.
Ainsi, en deux mois, cette troisième coalition a été vaincue
et dissoute. La paix ne peut plus être éloignée, mais, comme
je l'ai promis à mon peuple avant de passer le Rhin, je ne
ferai qu'une paix qui nous donne des garanties et assure
des récompenses à nos alliés.

Soldats, lorsque le peuple français plaça sur ma tête la
couronne impériale, je me confiai à vous pour la maintenir
toujours dans ce haut éclat de la gloire qui seul pouvait
lui donner du prix à mes yeux. Mais dans le même moment
nos ennemis pensaient à la détruire et à l'avilir! Et cette
couronne de fer, conquise par le sang de tant de Français,
ils voulaient m'obliger à la placer sur la tête de nos plus
cruels ennemis! Projets téméraires et insensés que, le jour
même de l'anniversaire du couronnement de votre Empereur, vous avez anéantis et confondus! Vous leur avez

[1] 3 décembre 1805

appris qu'il est plus facile de nous braver et de nous menacer que de nous vaincre.

Soldats, lorsque tout ce qui est nécessaire pour assurer le bonheur et la prospérité de notre patrie sera accompli, je vous ramènerai en France; là vous serez l'objet de mes plus tendres sollicitudes. Mon peuple vous reverra avec joie, et il vous suffira de dire, « J'étais à la bataille d'Austerlitz », pour que l'on réponde, « Voilà un brave. »

*Proclamation lue après la bataille d'Austerlitz*

## 266    *Après la bataille d'Eylau*

Osterode, 2 mars 1807

APRÈS la bataille d'Eylau, l'Empereur a passé tous les jours plusieurs heures sur le champ de bataille, spectacle horrible, mais que le devoir rendait nécessaire. Il a fallu beaucoup de travail pour enterrer tous les morts. On a trouvé un grand nombre de cadavres d'officiers russes avec leurs décorations. Il paraît que parmi eux il y avait le prince Repnine.

Quarante-huit heures encore après la bataille, il y avait plus de cinq cents Russes blessés qu'on n'avait pas encore pu emporter. On leur faisait porter de l'eau-de-vie et du pain, et successivement on les a transportés à l'ambulance. Qu'on se figure, sur un espace d'une lieue carrée, neuf ou dix mille cadavres, quatre ou cinq mille chevaux tués, des lignes de sacs russes, des débris de fusils et de sabres, la terre couverte de boulets, d'obus, de munitions, vingt-quatre pièces de canon auprès desquelles on voyait les cadavres des conducteurs tirés au moment où ils faisaient des efforts pour les enlever; tout cela avait plus de relief sur un fond de neige: ce spectacle est fait pour inspirer aux princes l'amour de la paix et l'horreur de la guerre.

*Bulletin de la Grande Armée*

*267    Le Grenadier Gobain*

Saint-Cloud 22 floréal an Xᴵ

L E grenadier Gobain s'est suicidé par des raisons d'amour;
c'était d'ailleurs un très bon sujet. C'est le second événement de cette nature qui arrive au corps depuis un mois.

Le premier Consul ordonne qu'il soit mis à l'ordre du
jour de la Garde : Qu'un soldat doit savoir vaincre la
douleur et la mélancolie des passions; qu'il y a autant de
vrai courage à souffrir avec constance les peines de l'âme
qu'à rester fixe sous la mitraille d'une batterie.

S'abandonner au chagrin sans résister, se tuer pour s'y
soustraire, c'est abandonner le champ de bataille avant
d'avoir vaincu.

*Ordre du jour*

# ÉTIENNE PIVERT DE SENANCOUR

1770–1846

*268    Le désordre des ennuis*

I L y a dans moi un dérangement, une sorte de délire, qui
n'est pas celui des passions, qui n'est pas non plus de la
folie : c'est le désordre des ennuis; c'est la discordance
qu'ils ont commencée entre moi et les choses; c'est l'inquiétude que des besoins long-temps comprimés ont mis
à la place des désirs.

Je ne veux plus de désirs, ils ne me trompent point. Je
ne veux pas qu'ils s'éteignent, ce silence absolu serait
plus sinistre encore. Cependant c'est la vaine beauté d'une
rose devant l'œil qui ne s'ouvre plus; ils montrent ce que
je ne saurais posséder, ce que je puis à peine voir. Si
l'espérance semble encore jeter une lueur dans la nuit qui
m'environne, elle n'annonce rien que l'amertume qu'elle

¹ 12 mai 1802

exhale en s'éclipsant; elle n'éclaire que l'étendue de ce vide
où je cherchais, et où je n'ai rien trouvé.

De doux climats, de beaux lieux, le ciel des nuits, des
sons ineffables, d'anciens souvenirs, les temps, l'occasion;
une nature belle, expressive, des affections sublimes, tout
a passé devant moi; tout m'appelle, et tout m'abandonne.
Je suis seul; les forces de mon cœur ne sont point com-
muniquées, elles réagissent dans lui, elles attendent: me
voilà dans le monde, errant, solitaire au milieu de la foule
qui ne m'est rien; comme l'homme frappé dès long-temps
d'une surdité accidentelle, dont l'œil avide se fixe sur tous
ces êtres muets qui passent et s'agitent devant lui. Il voit
tout, et tout lui est refusé: il devine les sons qu'il aime, il
les cherche, et ne les entend pas: il souffre le silence de
toutes choses au milieu du bruit du monde. Tout se montre
à lui, il ne saurait rien saisir: l'harmonie universelle est
dans les choses extérieures, elle est dans son imagination,
elle n'est plus dans son cœur: il est séparé de l'ensemble
des êtres, il n'y a plus de contact; tout existe en vain devant
lui, il vit seul, il est absent dans le monde vivant.

*Obermann*

## 269                *Les effets romantiques*

LE romanesque séduit les imaginations vives et fleuries;
le romantique suffit seul aux âmes profondes, à la véritable
sensibilité. La nature est pleine d'effets romantiques dans
les pays simples: une longue culture les détruit dans les
terres vieillies, surtout dans les plaines dont l'homme
s'assujétit facilement toutes les parties.

Les effets romantiques sont les accents d'une langue
primitive que les hommes ne connaissent pas tous, et qui
devient étrangère à plusieurs contrées. On cesse bientôt
de les entendre, quand on ne vit plus avec eux; et cependant
cette harmonie romantique est la seule qui conserve à nos
cœurs les couleurs de la jeunesse et la fraîcheur de la vie.

L'homme de la société ne sent plus ces effets trop éloignés de ses habitudes; il finit par dire: Que m'importe? Il est comme ces tempéraments fatigués du feu desséchant d'un poison lent et habituel; il se trouve vieilli dans l'âge de la force, et les ressorts de la vie sont relâchés en lui, quoiqu'il garde l'extérieur d'un homme.

Mais vous, que le vulgaire croit semblables à lui, parce que vous vivez avec simplicité, parce que vous avez du génie sans avoir les prétentions de l'esprit, ou simplement parce qu'il vous voit vivre, et que, comme lui, vous mangez et vous dormez; hommes primitifs, jetés çà et là dans le siècle vain, pour conserver la trace des choses naturelles, vous vous reconnaissez, vous vous entendez dans une langue que la foule ne sait point, quand le soleil d'octobre paraît dans les brouillards sur les bois jaunis; quand un filet d'eau coule et tombe dans un pré fermé d'arbres, au coucher de la lune; quand sous le ciel d'été, dans un jour sans nuages, une voix de femme chante à quatre heures, un peu au loin, au milieu des murs et des toits d'une grande ville.

Imaginez une plaine d'une eau limpide et blanche. Elle est vaste, mais circonscrite; sa forme oblongue et un peu circulaire se prolonge vers le couchant d'hiver. Des sommets élevés, des chaînes majestueuses la ferment de trois côtés. Vous êtes assis sur la pente de la montagne, au-dessus de la grève du nord, que les flots quittent et recouvrent. Des rochers perpendiculaires sont derrière vous; ils montent jusqu'à la région des nues: le triste vent du pôle n'a jamais soufflé sur cette rive heureuse. A votre gauche, les montagnes s'ouvrent, une vallée tranquille s'étend dans leurs profondeurs, un torrent descend des cimes neigeuses qui la ferment; et quand le soleil du matin paraît entre leurs dents glacées, sur les brouillards, quand des voix de la montagne indiquent les châlets, au-dessus des prés encore dans l'ombre, c'est le réveil d'une terre primitive, c'est un monument de nos destinées méconnues!

*Obermann*

# PAUL-LOUIS COURIER

1772–1825

*270*      *Avec l'armée d'Italie*

A Reggio, en Calabre, le 15 avril 1806

Nous triomphons en courant, et ne nous sommes encore
arrêtés qu'ici, où terre nous a manqué. Voilà, ce me semble,
un royaume assez lestement conquis, et vous devez être
contente de nous. Mais moi, je ne suis pas satisfait. Toute
l'Italie n'est rien pour moi, si je n'y joins la Sicile. Ce que
j'en dis c'est pour soutenir mon caractère de conquérant;
car entre nous, je me soucie peu que la Sicile paie ses taxes
à Joseph ou à Ferdinand. Là-dessus, j'entrerais facilement
en composition, pourvu qu'il me fût permis de la parcourir
à mon aise; mais en être venu si près, et n'y pouvoir
mettre le pied, n'est-ce pas pour enrager? Nous la voyons
en vérité, comme des Tuileries vous voyez le faubourg
Saint-Germain; le canal n'est ma foi guère plus large, et,
pour le passer, cependant nous sommes en peine. Croiriez-
vous? s'il ne nous fallait que du vent, nous ferions comme
Agamemnon: nous sacrifierions une fille. Dieu merci,
nous en avons de reste. Mais pas une seule barque, et
voilà l'embarras. Il nous en vient, dit-on; tant que j'aurai
cet espoir, ne croyez pas, madame, que je tourne jamais un
regard en arrière, vers les lieux où vous habitez, quoiqu'ils me
plaisent fort. Je veux voir la patrie de Proserpine, et savoir
un peu pourquoi le diable a pris femme en ce pays-là. Je ne
balance point, madame, entre Syracuse et Paris; tout badaud
que je suis, je préfère Aréthuse à la fontaine des Innocents.

Ce royaume que nous avons pris n'est pourtant pas à
dédaigner: c'est bien, je vous assure, la plus jolie conquête
qu'on puisse jamais faire en se promenant. J'admire surtout la complaisance de ceux qui nous le cèdent. S'ils se
fussent avisés de le vouloir défendre, nous l'eussions bonnement laissé là; nous n'étions pas venus pour faire violence

à personne. Voilà un commandant de Gaëte, qui ne veut pas
rendre sa place; eh bien! qu'il la garde! Si Capoue en eût
fait de même, nous serions encore à la porte, sans pain
ni canons. Il faut convenir que l'Europe en use maintenant
avec nous fort civilement. Les troupes en Allemagne nous
apportaient leurs armes, et les gouverneurs leurs clefs,
avec une bonté adorable. Voilà ce qui encourage dans le
métier de conquérant; sans cela on y renoncerait.

Tant y a que nous sommes au fin fond de la botte, dans
le plus beau pays du monde, et assez tranquilles, n'était
la fièvre et les insurrections. Car le peuple est impertinent;
des coquins de paysans s'attaquent aux vainqueurs de
l'Europe. Quand ils nous prennent, ils nous brûlent le plus
doucement qu'ils peuvent. On fait peu d'attention à cela:
tant pis pour qui se laisse prendre. Chacun espère s'en
tirer avec son fourgon plein, ou ses mulets chargés, et se
moque de tout le reste.

Quant à la beauté du pays, les villes n'ont rien de remarquable, pour moi du moins; mais la campagne, je ne sais
comment vous en donner une idée. Cela ne ressemble à
rien de ce que vous avez pu voir. Ne parlons pas des bois
d'orangers ni des haies de citronniers; mais tant d'autres
arbres et de plantes étrangères que la vigueur du sol y
fait naître en foule, ou bien les mêmes que chez nous, plus
grandes, plus développées, donnent au paysage un tout
autre aspect. En voyant ces rochers, partout couronnés
de myrte et d'aloès, et ces palmiers dans les vallées, vous
vous croyez au bord du Gange ou sur le Nil, hors qu'il
n'y a ni pyramides ni éléphants; mais les buffles en tiennent
lieu, et figurent fort bien parmi les végétaux africains, avec
le teint des habitants, qui n'est pas non plus de notre monde.
A dire vrai, les habitants ne se voient plus guère hors des
villes; par là ces beaux sites sont déserts, et l'on est réduit
à imaginer ce que ce pouvait être, alors que les travaux
et la gaité des cultivateurs animaient tous ces tableaux.

Voulez-vous, madame, une esquisse des scènes qui s'y passent à présent? Figurez-vous sur le penchant de quelque colline, le long de ces roches décorées comme je viens de vous le dire, un détachement d'une centaine de nos gens, en désordre. On marche à l'aventure, on n'a souci de rien. Prendre des précautions, se garder, à quoi bon? Depuis plus de huit jours il n'y a point eu de troupes massacrées dans ce canton. Au pied de la hauteur coule un torrent rapide qu'il faut passer pour arriver sur l'autre montée: partie de la file est déjà dans l'eau, partie en deçà, au delà. Tout à coup se lèvent de différents côtés mille tant paysans que bandits, forçats déchaînés, déserteurs, commandés par un sous-diacre, bien armés, bons tireurs; ils font feu sur les nôtres avant d'être vus; les officiers tombent les premiers; les plus heureux meurent sur la place; les autres, durant quelques jours, servent de jouet à leurs bourreaux.

Cependant le général, colonel ou chef, n'importe de quel grade, qui a fait partir ce détachement sans songer à rien, sans savoir, la plupart du temps, si les passages étaient libres, informé de la déconfiture, s'en prend aux villages voisins; il y envoie un aide de camp avec cinq cents hommes. On pille, on viole, on égorge, et ce qui échappe va grossir la bande du sous-diacre.

Me demandez-vous encore, madame, à quoi s'occupe le commandant dans son cantonnement? s'il est jeune, il cherche des filles; s'il est vieux, il amasse de l'argent. Souvent il prend de l'un et de l'autre: la guerre ne se fait que pour cela. Mais, jeune ou vieux, bientôt la fièvre le saisit. Le voilà qui crève en trois jours entre ses filles et son argent. Quelques-uns s'en réjouissent; personne n'en est fâché; tout le monde en peu de temps l'oublie, et son successeur fait comme lui.

On ne songe guère où vous êtes si nous nous massacrons ici. Vous avez bien d'autres affaires: le cours de l'argent, la hausse et la baisse, les faillites, la bouillotte; ma foi votre Paris est un autre coupe-gorge, et vous ne valez guère mieux que nous. Il ne faut point trop détester le genre humain, quoique détestable; mais si l'on pouvait faire une arche pour quelques personnes comme vous, madame, et noyer encore une fois tout le reste, ce serait une bonne opération. Je resterais sûrement dehors, mais vous me tendriez la main ou bien un bout de votre châle (est-ce le mot?), sachant que je suis et serai toute ma vie, madame...

*Lettres de France et d'Italie*

271      *«Croit» ou «Croît»?*

Véretz, 30 novembre 1819

MONSIEUR,

Il faut mettre de l'encre et tirer avec soin. Dites cela, je vous prie, de ma part à votre imprimeur, s'il a quelque envie que ses feuilles sortent lisibles de la presse. Je déchiffre à peine la moitié d'un de vos paragraphes du 22, dans lequel je vois bien pourtant que vous louez les Français comme un peuple rempli de sentiments chrétiens, et faites un juste éloge de notre dévotion, bonne conduite, soumission aux pasteurs de l'Église. Nous vous en sommes bien obligés; cela est généreux à vous dans un moment où tant de gens nous traitent de mauvais sujets, et appellent pour nous corriger les puissances étrangères. Votre dessein, si je ne me trompe, est de faire voir que nous pouvons nous passer de missions, et que, chez nous, les bons Pères prêchent des convertis. Vous dites d'abord excellemment: *La religion est honorée*; puis vous ajoutez quelque chose que j'eusse voulu pouvoir lire, car la matière m'intéresse. Mais, dans mon exemplaire, je distingue seulement ces lettres, *l. p..p.e croi .t p..e*; là-dessus, quoi que nous ayons pu faire, moi et tous mes amis, *à grand renfort de bésicles*, comme dit maître François,[1] nous sommes encore à deviner si vous

---

[1] Rabelais (*Gargantua*)

avez écrit en style d'Atala, *le peuple croit et prie*, ou, moins poétiquement, *le peuple croît* (circonflexe) *et paye*. Voilà sur quoi nous disputons, moi et ces messieurs, depuis deux jours. Ils soutiennent la première leçon; je défends la seconde, sans me fâcher néanmoins, car mon opinion est probable; mais, comme disent les jésuites, le contraire est probable aussi...

Mais je dis; le peuple croît (avec un accent circonflexe). Il croît à vue d'œil, comme le fils de Gargantua, et paye. Ce sont deux vérités que le journaliste, en ce peu de mots, a heureusement exprimées. Le peuple croît et multiplie; se peut-il autrement? tout le monde se marie. Les jeunes gens prennent femme dès qu'ils pensent savoir ce que c'est qu'une femme. Peu font vœu de chasteté, parce qu'un pareil vœu *sent le libertinage*; ou plutôt, on sait aujourd'hui qu'il n'y a de chasteté que dans le mariage. Aussi les filles n'attendent guère. Autrefois, dans ce pays, une mariée de village avait rarement moins de trente ou trente-cinq ans. A cet âge maintenant elles sont toutes grand'mères, et fort éloignées de s'en plaindre. On ne craint plus d'avoir des enfants depuis qu'on a de quoi les élever, et même de quoi les racheter quand le gouvernement s'en empare. Chaque paysan presque possède ce que nous appelons *goulée de benace*,[1] un ou deux arpents de terre en huit ou dix morceaux, qui, labourés, retournés, travaillés sans relâche, font vivre la famille. C'est un grand mal que cela... Parmi les causes d'accroissement de la population, il ne faut pas compter pour peu le repos de Napoléon. Depuis que ce grand homme est là où son rare génie l'a conduit, s'il eût continué de l'exercer, trois millions de jeunes gens seraient morts pour sa gloire, qui ont femmes et enfants maintenant; un million seraient sous les armes, sans femmes, corrompant celles des autres. Il est donc force, en toute façon, que le peuple croisse;

[1] un morceau de bien [de terre]

ainsi fait-il, ayant repos, *biens et chevances*, peu de soldats et point de moines…

*Lettres au rédacteur du Censeur*[1]

# CHARLES NODIER

1780–1844

272 *Une rencontre pénible*

QUOIQUE je retournasse vers Thérèse, et que peu de jours auparavant je n'eusse pas conçu de plus grand bonheur; quoique je l'aimasse plus que jamais, je marchois pénétré de tristesse, et aussi lentement que si je n'avois jamais eu à la revoir. Je ne m'étois pas encore trouvé si foible et si mal au monde. Il y avoit devant mes yeux comme un nuage de douleur qui obscurcissoit jusqu'aux plus doux souvenirs de ma vie. L'incertitude où j'étois du sort à venir de M. Aubert, le doute où il m'avoit laissé sur le véritable état de Thérèse, la crainte de la trouver dans une position dangereuse, l'ennui même de cet habit qui cachoit mon sexe, qui commençoit à le mal déguiser, et qui devenoit à charge à mon impatience et à mon courage; je ne sais enfin quel besoin de mourir, qui est peut-être dans les hommes très-malheureux le pressentiment des malheurs prêts à finir, tout cela agissoit à la fois sur mon imagination et sur mon cœur. Il me sembloit que j'arriverois toujours trop tôt où j'allois, et qu'il vaudroit mieux ne pas arriver.

Je m'assis au-dessus de la montagne de la croix pour regarder la maison. Rien n'étoit changé. Il n'y avoit là aucun mouvement inquiétant. Les cultivateurs étoient à leurs travaux ordinaires. L'air étoit calme et doux, et l'on s'imagine que si on avoit des motifs réels de souffrance, la nature entière devroit y prendre part. Je contemplois cependant avec un effroi involontaire ce hameau qui m'avoit vu si heureux, et je tremblois d'y rentrer.

[1] A contemporary newspaper

Dans ce moment, j'entendis quelque bruit derrière moi, dans le hallier; je me détournai pour savoir d'où il provenoit; c'étoit une femme qui étoit encore éloignée, mais que je reconnus à travers un étrange désordre de physionomie pour Henriette de F... Au premier abord, je crus rêver; ses cheveux étoient épars, sa robe déchirée, ses pieds nus; elle montoit avec l'agilité d'un fantôme sur les pointes aiguës des rochers, en chantant des refrains de romances, et en riant par accès; un homme la suivoit de loin, l'œil attentif à tous ses mouvements, l'air affligé et pensif, je le reconnus aussi pour un de ses domestiques. Il m'avoit aperçu en même temps, ou plutôt il avoit aperçu Antoinette, car je n'étois que cela pour lui. Il porta la main à son front avec un mouvement de tête qui exprimoit la plus vive douleur, pour me faire comprendre qu'Henriette étoit folle. Je me levai et je courus à elle, ses grands yeux s'arrêtèrent fixement sur moi; elle resta debout sur le roc à la pointe duquel elle venoit de s'élancer, en manifestant par son attitude immobile et réfléchie le désir de se rappeler quelque chose. Le rire qui venoit d'instant en instant sur sa bouche ne s'effaça pas tout-à-fait, mais ses paupières se mouillèrent bientôt de pleurs abondants, et ce contraste avoit quelque chose d'horrible; à mesure que je l'avois vue de plus près, j'avois mieux remarqué l'égarement de ses traits, la bizarrerie de ses ajustements. Elle portoit en écharpe un mouchoir rouge comme nos officiers; ses longs cheveux bruns, qui retomboient de côté et d'autre devant elle, étoient semés de soucis et de ces fleurs d'un violet foncé qu'on appelle, je crois, des ancolies; ses bras, fortement hâlés par le soleil, sortoient à nu des manches courtes de sa robe noire; ils étoient déjà maigres et flétris comme si la mort les avoit touchés.

— Tu ne sais pas, Antoinette, me dit-elle: ces gens-là ont tué Mondyon, tué, tué... — Mondyon est mort! m'écriai-je; seroit-il vrai?

Elle prit la position d'un homme qui en met un autre en joue : — Pas comme cela, reprit-elle ; puis elle leva la main, et la laissa retomber le long de son cou avec un éclat de rire affreux ; je ne comprenois pas bien ce geste, elle éclaircit mon doute en le recommençant ; le domestique qui la suivoit inclina la tête d'un air affirmatif.

Mondyon ! mon pauvre Mondyon !… Je cherchois une épée, j'avois une robe, l'habit d'une femme !… Henriette elle-même n'étoit plus présente à ma pensée, mais elle s'occupoit encore bien moins d'Antoinette et de tout ce qui restoit au monde. Quand je relevai les yeux vers l'endroit où je l'avois vue, elle étoit déjà très-loin. Elle avoit repris le refrain monotone de sa chanson, et sautilloit de roc en roc au sommet de la montagne. Je tombai d'accablement sur celui qu'elle venoit de quitter, et où ses pieds déchirés avoient laissé une trace de sang.

*Thérèse Aubert*

# CHARLOTTE-LOUISE D'OSMOND,
## COMTESSE DE BOIGNE[1]

1781–1866

273 *Les arbres de liberté, 1848*

L'ASPECT des rues n'était pas de nature à rassurer. La nécessité de vaquer à mes affaires, et l'impossibilité où j'étais de marcher, me forçaient de sortir en voiture.

Elle offusquait très souvent les nombreux groupes, qu'il me fallait côtoyer bien respectueusement au pas. Je recueillais toujours des regards courroucés, souvent des insultes. On n'en était pas encore venu aux voies de fait ; mais cela pouvait arriver à chaque rassemblement.

[1] Her *Mémoires* of court and political events and friendships extend from the court of Louis XVI and Marie-Antoinette to the later years of the Second Empire.

Nous cherchions bien à les éviter; mais en s'éloignant de l'un on tombait dans un autre, car ils étaient nombreux.

Quelques-uns d'entre eux traînaient de gros arbres, s'arrêtaient au coin d'une rue ou d'une place, et les plantaient, en les qualifiant d'arbres de la liberté.

Les bandits et les femmes abjectes, s'employant à ce travail impie, mêlaient la dérision à la profanation. Ils exigeaient qu'un prêtre de l'église la plus prochaine vînt, en étole et en surplis, le goupillon à la main, bénir ce symbole des horreurs de quatre-vingt-treize. Puis quelques-uns d'entre eux se détachaient et allaient, de porte en porte, quêter de l'argent pour arroser l'arbre nouvellement planté.

Personne n'osait refuser ce don patriotique. La libation se faisait au cabaret le plus voisin; et le groupe allait recommencer sa profitable industrie un peu plus loin.

*Mémoires*

# FÉLICITÉ-ROBERT DE LAMENNAIS
1782–1854

*274*                          *L'Exilé*

Il s'en alloit errant sur la terre. Que Dieu guide le pauvre exilé.

J'ai passé à travers les peuples, et ils m'ont regardé, et je les ai regardés, et nous ne nous sommes point reconnus. L'exilé partout est seul.

Lorsque je voyois, au déclin du jour, s'élever du creux d'un vallon la fumée de quelque chaumière, je me disois: Heureux celui qui retrouve le soir le foyer domestique, et s'y assied au milieu des siens. L'exilé partout est seul.

Où vont ces nuages que chasse la tempête? Elle me chasse comme eux, et qu'importe où? L'exilé partout est seul.

Ces arbres sont beaux, ces fleurs sont belles; mais ce ne sont point les fleurs ni les arbres de mon pays: ils ne me disent rien. L'exilé partout est seul.

Ce ruisseau coule mollement dans la plaine; mais son murmure n'est pas celui qu'entendit mon enfance; il ne rappelle à mon âme aucuns souvenirs. L'exilé partout est seul.

Ces chants sont doux, mais les tristesses et les joies qu'ils réveillent, ne sont ni mes tristesses ni mes joies. L'exilé partout est seul.

On m'a demandé: Pourquoi pleurez-vous? et quand je l'ai dit, nul n'a pleuré, parce qu'on ne me comprenoit point. L'exilé partout est seul.

J'ai vu des vieillards entourés d'enfants, comme l'olivier de ses rejetons: mais aucun de ces vieillards ne m'appeloit son fils, aucun de ces enfants ne m'appeloit son frère. L'exilé partout est seul.

J'ai vu des jeunes filles sourire, d'un sourire aussi pur que la brise du matin, à celui que leur amour s'étoit choisi pour époux: mais pas une ne m'a souri. L'exilé partout est seul.

J'ai vu des jeunes hommes poitrine contre poitrine, s'étreindre comme s'ils avoient voulu de deux vies ne faire qu'une vie: mais pas un ne m'a serré la main. L'exilé partout est seul.

Il n'y a d'amis, d'épouses, de frères et de pères que dans la patrie. L'exilé partout est seul.

Pauvre exilé, cesse de gémir: tous sont bannis comme toi: tous voient passer et s'évanouir pères, frères, épouses, amis.

La patrie n'est point ici-bas; l'homme vainement l'y cherche: ce qu'il prend pour elle n'est qu'un gîte d'une nuit.

Il s'en va errant sur la terre. Que Dieu guide le pauvre exilé.

*Paroles d'un Croyant*

275     *La jeune fille noyée*

L'AUTOMNE n'a point de plus belles journées. La mer scintilloit au soleil; chaque goutte d'eau reflétoit, comme une pointe de diamant, une lumière blanche et pure, que l'œil supportoit à peine. Du village déserté, hommes, femmes, enfants, arrivoient en foule sur les dunes, où, mêlé au thym, l'œillet sauvage, aux fleurs violettes, exhaloit son parfum de giroflé.

Munis de paniers, de légers filets, de pelles et de longs bâtons armés d'un crochet de fer, ils attendoient que la marée laissât à découvert la vaste grève et ses rochers, pour recueillir le riche butin préparé par la Providence, le lançon argenté qui glisse dans le sable humide, les crabes voraces, et les homards aux larges pinces, et la crevette, et la moule nacrée, et les coquillages de toute sorte.

Vers le soir, à l'heure où le flux accourt comme un fleuve gonflé par les pluies, la troupe joyeuse regagnoit le village. Mais tous n'y revinrent pas.

Plongée dans les songes de son cœur, une jeune fille s'étoit oubliée sur un rocher lointain. Lorsqu'elle sortit de sa rêverie, le flot déjà serroit le rocher de ses nœuds mobiles, et montoit, et montoit toujours. Personne sur la grève, point de secours possible.

Que se passa-t-il alors dans l'âme de la vierge? Nul ne le sait, c'est resté un secret entre elle et Dieu.

Le lendemain on retrouva son corps. Elle avoit noué aux algues pendantes ses longs cheveux noirs, sans doute pour n'être pas emportée par la houle, pour reposer dans la terre bénite, près des siens.

Une croix de bois marque dans le cimetière le lieu où elle dort. Souvent l'une de celles qui furent ses compagnes, agenouillée sur le gazon, prie pour elle, et, le cœur ému de souvenirs tristes, s'en va, le front baissé, en essuyant ses pleurs.

*Une Voix de Prison*

# HENRI BEYLE, *dit* STENDHAL

1783–1842

*276*                    *Un devoir héroïque*

LES grandes chaleurs arrivèrent. On prit l'habitude de passer les soirées sous un immense tilleul à quelques pas de la maison. L'obscurité y était profonde. Un soir, Julien parlait avec action, il jouissait avec délices du plaisir de bien parler et à des femmes jeunes; en gesticulant, il toucha la main de Mme de Rênal qui était appuyée sur le dos d'une de ces chaises de bois peint que l'on place dans les jardins.

Cette main se retira bien vite; mais Julien pensa qu'il était de son *devoir* d'obtenir que l'on ne retirât pas cette main quand il la touchait. L'idée d'un devoir à accomplir, et d'un ridicule ou plutôt d'un sentiment d'infériorité à encourir si l'on n'y parvenait pas, éloigna sur-le-champ tout plaisir de son cœur.

Ses regards, le lendemain, quand il revit Mme de Rênal, étaient singuliers; il l'observait comme un ennemi avec lequel il va falloir se battre. Ces regards, si différents de ceux de la veille, firent perdre la tête à Mme de Rênal: elle avait été bonne pour lui, et il paraissait fâché. Elle ne pouvait détacher ses regards des siens.

La présence de Mme Derville permettait à Julien de moins parler et de s'occuper davantage de ce qu'il avait dans la tête. Son unique affaire, toute cette journée, fut de se fortifier par la lecture du livre inspiré qui retrempait son âme.

Il abrégea beaucoup les leçons des enfants, et ensuite, quand la présence de Mme de Rênal vint le rappeler tout à fait aux soins de sa gloire, il décida qu'il fallait absolument qu'elle permît ce soir-là que sa main restât dans la sienne.

Le soleil, en baissant, et rapprochant le moment décisif, fit battre le cœur de Julien d'une façon singulière. La nuit

vint. Il observa, avec une joie qui lui ôta un poids immense
de dessus la poitrine, qu'elle serait fort obscure. Le ciel
chargé de gros nuages, promenés par un vent très chaud,
semblait annoncer une tempête. Les deux amies se pro-
menèrent fort tard. Tout ce qu'elles faisaient ce soir-là
semblait singulier à Julien. Elles jouissaient de ce temps,
qui, pour certaines âmes délicates, semble augmenter le
plaisir d'aimer.

On s'assit enfin, Mme de Rênal à côté de Julien, et Mme
Derville près de son amie. Préoccupé de ce qu'il allait
tenter, Julien ne trouvait rien à dire. La conversation lan-
guissait.

Serai-je aussi tremblant, et malheureux au premier duel
qui me viendra? se dit Julien, car il avait trop de méfiance
et de lui et des autres, pour ne pas voir l'état de son âme.

Dans sa mortelle angoisse, tous les dangers lui eussent
semblé préférables. Que de fois ne désira-t-il pas voir
survenir à Mme de Rênal quelque affaire qui l'obligeât de
rentrer à la maison et de quitter le jardin! La violence que
Julien était obligé de se faire était trop forte pour que sa
voix ne fût pas profondément altérée; bientôt la voix de
Mme de Rênal devint tremblante aussi, mais Julien ne
s'en aperçut point. L'affreux combat que le devoir livrait
à la timidité était trop pénible pour qu'il fût en état de rien
observer hors lui-même. Neuf heures trois quarts venaient
de sonner à l'horloge du château, sans qu'il eût encore
rien osé. Julien, indigné de sa lâcheté, se dit: Au moment
précis où dix heures sonneront, j'exécuterai ce que, pendant
toute la journée, je me suis promis de faire ce soir, ou je
monterai chez moi me brûler la cervelle.

Après un dernier moment d'attente et d'anxiété, pendant
lequel l'excès de l'émotion mettait Julien comme hors de
lui, dix heures sonnèrent à l'horloge qui était au-dessus de
sa tête. Chaque coup de cette cloche fatale retentissait dans
sa poitrine, et y causait comme un mouvement physique.

Enfin, comme le dernier coup de dix heures retentissait encore il étendit la main, et prit celle de Mme de Rênal, qui la retira aussitôt. Julien, sans trop savoir ce qu'il faisait, la saisit de nouveau. Quoique bien ému lui-même, il fut frappé de la froideur glaciale de la main qu'il prenait; il la serrait avec une force convulsive; on fit un dernier effort pour la lui ôter, mais enfin cette main lui resta.

Son âme fut inondée de bonheur, non qu'il aimât Mme de Rênal, mais un affreux supplice venait de cesser. Pour que Mme Derville ne s'aperçût de rien, il se crut obligé de parler; sa voix alors était éclatante et forte. Celle de Mme de Rênal, au contraire, trahissait tant d'émotion que son amie la crut malade et lui proposa de rentrer. Julien sentit le danger: Si Mme de Rênal rentre au salon, je vais retomber dans la position affreuse où j'ai passé la journée. J'ai tenu cette main trop peu de temps pour que cela compte comme un avantage qui m'est acquis.

Au moment où Mme Derville renouvelait la proposition de rentrer au salon, Julien serra fortement la main qu'on lui abandonnait.

Mme de Rênal, qui se levait déjà, se rassit, en disant, d'une voix mourante:

— Je me sens, à la vérité, un peu malade, mais le grand air me fait du bien.

Ces mots confirmèrent le bonheur de Julien, qui, dans ce moment, était extrême: il parla, il oublia de feindre, il parut l'homme le plus aimable aux deux amies qui l'écoutaient. Cependant il y avait encore un peu de manque de courage dans cette éloquence qui lui arrivait tout à coup. Il craignait mortellement que Mme Derville, fatiguée du vent qui commençait à s'élever, et qui précédait la tempête, ne voulût rentrer seule au salon. Alors il serait resté en tête à tête avec Mme de Rênal. Il avait eu presque par hasard le courage aveugle qui suffit pour agir; mais il sentait qu'il était hors de sa puissance de dire le mot le plus simple à

Mme de Rênal. Quelque légers que fussent ses reproches, il allait être battu, et l'avantage qu'il venait d'obtenir anéanti.

Heureusement pour lui, ce soir-là, ses discours touchants et emphatiques trouvèrent grâce devant Mme Derville, qui très souvent le trouvait gauche comme un enfant, et peu amusant. Pour Mme de Rênal, la main dans celle de Julien, elle ne pensait à rien; elle se laissait vivre. Les heures qu'on passa sous ce grand tilleul, que la tradition du pays dit planté par Charles le Téméraire, furent pour elle une époque de bonheur. Elle écoutait avec délices les gémissements du vent dans l'épais feuillage du tilleul, et le bruit de quelques gouttes rares qui commençaient à tomber sur ses feuilles les plus basses. Julien ne remarqua pas une circonstance qui l'eût bien rassuré; Mme de Rênal, qui avait été obligée de lui ôter sa main, parce qu'elle se leva pour aider sa cousine à relever un vase de fleurs que le vent venait de renverser à leurs pieds, fut à peine assise de nouveau qu'elle lui rendit sa main presque sans difficulté, et comme si déjà c'eût été entre eux une chose convenue.

Minuit était sonné depuis longtemps; il fallut enfin quitter le jardin: on se sépara. Mme de Rênal, transportée du bonheur d'aimer, était tellement ignorante, qu'elle ne se faisait presque aucun reproche. Le bonheur lui ôtait le sommeil. Un sommeil de plomb s'empara de Julien, mortellement fatigué des combats que toute la journée la timidité et l'orgueil s'étaient livrés dans son cœur.

Le lendemain on le réveilla à cinq heures; et, ce qui eût été cruel pour Mme de Rênal si elle l'eût su, à peine lui donna-t-il une pensée. Il avait fait *son devoir, et un devoir héroïque*. Rempli de bonheur par ce sentiment, il s'enferma à clef dans sa chambre, et se livra avec un plaisir tout nouveau à la lecture des exploits de son héros.

*Le Rouge et le Noir*

# FRANÇOIS GUIZOT
1787-1874

*277*        *Les Croisades*

LE premier caractère des croisades, c'est leur universalité;
l'Europe entière y a concouru; elles ont été le premier
événement européen. Avant les croisades, on n'avait
jamais vu l'Europe s'émouvoir d'un même sentiment, agir
dans une même cause; il n'y avait pas d'Europe. Les
croisades ont révélé l'Europe chrétienne. Les Français
faisaient le fond de la première armée de croisés; mais il y
avait aussi des Allemands, des Italiens, des Espagnols, des
Anglais. Suivez la seconde, la troisième croisade; tous les
peuples chrétiens s'y engagent. Rien de pareil ne s'était
encore vu.

Ce n'est pas tout: de même que les croisades sont un
événement européen, de même, dans chaque pays, elles
sont un événement national: dans chaque pays, toutes les
classes de la société s'animent de la même impression,
obéissent à la même idée, s'abandonnent au même élan.
Rois, seigneurs, prêtres, bourgeois, peuple des campagnes;
tous prennent aux croisades le même intérêt, la même part.
L'unité morale des nations éclate; fait aussi nouveau que
l'unité européenne.

Quand de pareils événements se rencontrent dans la
jeunesse des peuples, dans ces temps où les hommes agissent spontanément, librement, sans préméditation, sans
intention ni combinaison politique, on y reconnaît ce que
l'histoire appelle des événements héroïques, l'âge héroïque
des nations. Les croisades sont, en effet, l'événement
héroïque de l'Europe moderne, mouvement individuel et
général à la fois, national, et pourtant non dirigé.

*Histoire de la Civilisation en Europe*

*278* *Cromwell*

UNE ambition sans limite, et une admirable habileté pour tirer de chaque jour, de chaque circonstance, quelque progrès nouveau, l'art de mettre la fortune à profit sans jamais prétendre la régler, c'est là Cromwell. Il lui est arrivé ce qui n'est arrivé peut-être à aucun autre homme de sa sorte : il a suffi à toutes les phases, aux phases les plus diverses de la révolution ; il a été l'homme des premiers et des derniers temps ; d'abord le meneur de l'insurrection, le fauteur de l'anarchie, le révolutionnaire le plus fougueux de l'Angleterre, ensuite l'homme de la réaction anti-révolutionnaire, l'homme du rétablissement de l'ordre, de la réorganisation sociale ; jouant ainsi à lui seul tous les rôles que, dans le cours des révolutions, se partagent les plus grands acteurs. On ne peut dire que Cromwell ait été Mirabeau ; il manquait d'éloquence, et, quoique très-actif, n'obtint, dans les premières années du long-parlement, aucun éclat. Mais il a été successivement Danton et Bonaparte. Il avait, plus que nul autre, contribué à renverser le pouvoir ; il le releva, parce que nul autre que lui ne le sut prendre et manier ; il fallait bien que quelqu'un gouvernât ; tous y échouaient ; il y réussit. Ce fut là son titre. Une fois maître du gouvernement, cet homme dont l'ambition s'était montrée si hardie, si insatiable, qui avait toujours marché poussant devant lui la fortune, décidé à ne s'arrêter jamais, déploya un bon sens, une prudence, une connaissance du possible, qui dominaient ses plus violentes passions. Il avait sans doute un goût extrême de pouvoir absolu, et un très-vif désir de mettre la couronne sur sa tête et dans sa famille. Il renonça à ce dernier dessein, dont il sut reconnaître à temps le péril ; et quant au pouvoir absolu, quoiqu'il l'exerçât en fait, il comprit toujours que le caractère de son temps était de n'en pas vouloir ; que la révolution à laquelle il avait coopéré, qu'il avait suivie dans toutes ses phases, avait été faite contre le despotisme et que le vœu impérissable de l'Angleterre était d'être gouvernée par un parlement et dans les formes parlementaires. Lui-même alors, despote de goût et de fait, il entreprit d'avoir un parlement et de gouverner parlementairement. Il s'adressa successivement à tous les partis; il tenta de faire un parlement avec les enthousiastes religieux, avec les républicains, avec les presbytériens, avec les officiers de l'armée. Il tenta toutes les voies pour constituer un parlement qui pût et voulût marcher avec lui. Il eut beau chercher; tous les partis, une fois siégeant dans Westminster, voulaient lui arracher le pouvoir qu'il exerçait, et dominer à leur tour. Je ne dis pas que son intérêt, sa passion personnelle ne fût pas sa première pensée. Il n'en est pas moins certain que, s'il avait abandonné le pouvoir, il eût été obligé de le reprendre le lendemain. Puritains ou royalistes, républicains ou officiers, nul autre que Cromwell n'était alors en état de gouverner avec quelque ordre et quelque justice. L'épreuve avait été faite. Il y avait impossibilité à laisser les parlements, c'est-à-dire les partis siégeant en parlement, prendre l'empire qu'ils ne pouvaient garder. Telle était donc la situation de Cromwell; il gouvernait dans un système qu'il savait très-bien n'être pas celui du pays; il exerçait un pouvoir reconnu nécessaire, mais qui n'était accepté de personne. Aucun parti n'a regardé sa domination comme un gouvernement définitif. Les royalistes, les presbytériens, les républicains, l'armée elle-même, le parti qui semblait le plus dévoué à Cromwell, tous étaient convaincus que c'était un maître transitoire. Au fond, il n'a jamais régné sur les esprits; il n'a jamais été qu'un pis-aller, une nécessité du moment. Le protecteur, le maître absolu de l'Angleterre a été toute sa vie obligé de faire des tours de force pour retenir le pouvoir; aucun parti ne pouvait gouverner comme lui, mais aucun ne voulait de lui : il fut constamment attaqué par tous à la fois.

*Histoire de la Civilisation en Europe*

# ALPHONSE DE LAMARTINE

1790–1869

*279*              *Le repas de midi*

GRAZIELLA alors rentrait à la maison pour filer auprès
de sa grand'mère ou pour préparer le repas du milieu du
jour. Quant au vieux pêcheur et à Beppo, ils passaient les
journées entières au bord de la mer à arrimer la barque
neuve, à y faire les perfectionnements que leur passion pour
leur nouvelle propriété leur inspirait, et à essayer les filets
à l'abri des écueils. Ils nous rapportaient toujours, pour le
repas de midi, quelques crabes ou quelques anguilles de
mer, aux écailles plus luisantes que le plomb fraîchement
fondu. La mère les faisait frire dans l'huile des oliviers. La
famille conservait cette huile, selon l'usage du pays, au fond
d'un petit puits creusé dans le rocher tout près de la maison,
et fermé d'une grosse pierre où l'on avait scellé un anneau
de fer. Quelques concombres frits de même et découpés
en lanières dans la poêle, quelques coquillages frais, semblables à des moules, et qu'on appelle *frutti di mare*, fruits
de mer, composaient pour nous ce frugal dîner, le principal
et le plus succulent repas de la journée. Des raisins muscats
aux longues grappes jaunes, cueillis le matin par Graziella,
conservés sur leur tige et sous leurs feuilles, et servis sur
des corbeilles plates d'osier tressé, formaient le dessert.
Une tige ou deux de fenouil vert et cru trempé dans le
poivre, et dont l'odeur d'anis parfume les lèvres et relève
le cœur, nous tenaient lieu de liqueurs et de café, selon
l'usage des marins et des paysans de Naples. Après le
dîner nous allions chercher, mon ami et moi, quelque abri
ombragé et frais au sommet de la falaise, en vue de la mer
et de la côte de Baia, et nous y passions, à regarder, à rêver
et à lire, les heures brûlantes du jour, jusque vers quatre
ou cinq heures après midi.

*Graziella*

## 280   *Qu'est-ce donc que la révolution française?*

Je me suis dit dès l'âge de raison politique...: Qu'est-ce donc que la révolution française?

La révolution française est-elle, comme le disent les adorateurs du passé, une grande sédition du peuple, qui s'agite pour rien et qui brise dans ses convulsions insensées son église, sa monarchie, ses castes, ses institutions, sa nationalité, et déchire la carte même de l'Europe? Mais à ce titre, la révolution opérée par le christianisme, quand il se leva sur le monde, ne serait donc qu'une grande sédition aussi; car il n'a pas produit, pour se faire place, une plus grande commotion dans le monde! Non! la révolution n'a pas été une misérable sédition de la France : car une sédition s'apaise comme elle se soulève, et ne laisse après elle que des ruines et des cadavres. La révolution a laissé des échafauds et des ruines, il est vrai, c'est son remords et son malheur, mais elle a laissé une doctrine; elle a laissé un esprit qui durera et qui se perpétuera autant que vivra la raison humaine.

Je me suis dit encore: la révolution, comme le prétendent les soi-disant politiques du fait, n'a-t-elle été que le résultat d'un embarras de finances dans le trésor public, embarras que les résistances d'une cour avide ont empêché M. Necker de pallier, et sous lequel s'est écroulée, dans le gouffre d'un petit déficit d'impôts, une monarchie de quatorze siècles? Quoi! c'est pour un misérable déficit de cinquante à soixante millions dans un empire aussi riche que la France, que la monarchie a été détruite, que la féodalité a été déracinée, que l'église a été dépossédée, que l'aristocratie a été nivelée, que la France a dépensé des milliards de son capital et des millions de vies de ses enfants! Quelle cause pour un pareil effet! et quelle proportion entre l'effet et la cause! et quelle petitesse les calomniateurs d'un des plus immenses événements de l'histoire moderne attribuent au principe de la révolution, afin d'atténuer la grandeur et l'importance de l'événement par l'insignifiance et la vileté du motif! Laissons cette puérilité aux hommes de finance qui, accoutumés à tout chiffrer dans leurs calculs, ont voulu aussi chiffrer la chute d'un vieux monde et la naissance d'un monde nouveau.

Enfin je me suis dit : La révolution française est-elle un accès de frénésie d'un peuple ne comprenant pas lui-même ce qu'il veut, ce qu'il cherche, ce qu'il poursuit à travers les démolitions et les flots de sang qu'il traverse pour arriver par la lassitude au même point d'où il est parti ? Mais cinquante ans ont passé depuis le jour où ce prétendu accès de démence à saisi une nation tout entière, roi, cour, noblesse, clergé, peuple. Les générations, abrégées par l'échafaud et par la guerre, ont été deux fois renouvelées. La France est rassise ; l'Europe est de sang-froid ; les hommes ne sont plus les mêmes, et cependant le même esprit anime encore le monde pensant ! et les mêmes mots prononcés ou écrits par les plus faibles organes font encore palpiter les mêmes fibres dans tous les cœurs, dans toutes les poitrines des enfants mêmes de ceux qui sont morts dans ce choc contraire de deux idées ! Ah ! si c'est là une démence nationale, convenez du moins que l'accès en est long et que l'idée en est fixe ! et qu'une pareille folie de la révolution pourrait bien ressembler un jour à cette *folie de la croix* qui dura deux mille ans, qui sapa le vieux monde, qui apprit aux maîtres et aux esclaves le nom nouveau de frères, et qui renouvela les autels, les empires, les lois et les institutions de l'univers !

Non, la révolution française fut autre chose : il n'est pas donné à de vils intérêts matériels de produire de pareils effets. Le genre humain est spiritualiste malgré ses colomniateurs ; il se meut quelquefois pour des intérêts, mais c'est quand les idées lui manquent, ou quand il manque lui-même, comme nous en ce moment, aux idées. Le genre humain est spiritualiste, et c'est là sa gloire; et les religions, les révolutions, les martyrs, ne sont que le spiritualisme des idées protestant contre le matérialisme des faits!

*Réponse à un toast*

# ABEL-FRANÇOIS VILLEMAIN

1790–1870

*281*     *Le perfectionnement du langage*

Il y a des temps où l'on peut dire que tout l'esprit qui se consomme se met dans les livres, que tout ce qui se pense s'imprime. Là, peu d'originalité, peu de différence profonde entre les hommes, peu de variété de langage. Une même idée passe en un moment, et sans effort d'étude, à tous les lecteurs, et les met en communauté sur quelques points. Les conversations ressemblent aux écrits; et les écrits ne sont souvent que des conversations. La fin du dix-huitième siècle tendait vers ce niveau des esprits. Nous nous en sommes encore plus rapprochés: c'est la civilisation.

Il n'en était pas ainsi dans un temps où la société, encore séparée en classes et en professions très-distinctes, ingénieuse et forte au sommet, était pleine de diversités de mœurs, de coutumes et de langage. Écrire pour le public était alors un soin sérieux qu'on remplissait quelquefois par devoir de profession, ou une ambition extraordinaire à laquelle, avec ou sans talent, on se préparait par de grandes études. Puis, en dehors de ces hommes éloquents et graves, ou de ces studieux lettrés, il y avait une foule d'esprits cultivés et polis, qui, sans rien écrire, animaient les entretiens de la ville et de la cour. Au dix-huitième siècle, l'aristocratie de l'intelligence fut toute dans les écrivains; mais dans l'âge précédent, tel que nous l'a décrit Voltaire, tel qu'on le

surprend mieux encore dans les *Mémoires*, la cour de
Louis XIV et tout ce qui venait s'y réunir, attiré par l'éclat
du prince, offrait au plus haut degré ce charme et cette
puissance de l'esprit qui marquaient en même temps le
soudain progrès des lettres.

Ce n'était pas une illusion de flatterie que la supériorité
et la grâce attribuées à ces entretiens de Versailles, où
Louis XIV portait la noble précision de ses paroles, où
tant de femmes si belles étaient admirées pour leur esprit,
où l'auteur des *Maximes*, le philosophe de la Fronde, La
Rochefoucauld paraissait quelquefois, où Molière était de
service, où Grammont causait comme écrit Hamilton, où
Bossuet, Fleury, la Bruyère, conversant à part dans l'*Allée
des philosophes*, étaient rejoints par Condé, où Fénelon
était maître de l'oreille et du cœur de tous ceux qui l'écoutaient, et où, sous la physionomie attentive d'un duc, assidu
courtisan, se cachait, avec ses *Mémoires* longtemps inédits,
l'incorrect mais unique rival de Tacite et de Bossuet.

On conçoit sans peine que cette cour, qui semblait avoir
transformé en élégance et en bon goût toute la vigueur des
grandes familles du seizième siècle, eût beaucoup d'influence sur l'esprit de la nation, et qu'on se piquât d'en
imiter les usages. De là cette déférence des critiques du
temps pour ce qu'ils appellent le langage de la cour. Nous
savons bien qu'on a depuis accusé ce langage d'être pauvre,
dédaigneux, *courtisanesque*, et d'avoir nui au génie même de
nos écrivains, bien que nous ne concevions pas comment
Sévigné aurait pu être plus spirituelle et plus vive, Racine
plus éloquent, Bossuet plus original et plus sublime. Mais
enfin la plainte a été faite; et on doit avouer que le goût
de Versailles était celui d'une élite d'esprits nobles et cultivés, mais qu'il y manquait le battement de cœur d'un
grand peuple.

Peut-être même cette autorité souveraine du goût et
du langage de la cour eût été moins heureuse pour les arts,

si elle n'avait été mélangée et combattue par une autre influence, qui tenait à l'esprit du même temps, celle des controverses religieuses. Ce fut là, pour l'esprit de la nation, une plus sévère école, d'où sortaient le sérieux, la simplicité, la liberté du langage. Après la cour, après les conversations et les fêtes ingénieuses de Versailles, il y avait les solides entretiens de Port-Royal, l'apostolat perpétuel de ses solitaires, leurs liaisons fréquentes avec la magistrature, et avec le peu de libres consciences qui, sans se séparer de l'ancienne foi, n'étaient pas toutes soumises au roi et au pape. Port-Royal était une secte, dans le sens le plus honorable du mot. Par là, il eut et garda, pendant le dix-septième siècle, une grande influence sur les mœurs, les écrits, la langue. L'action isolée d'un homme de génie n'a pas ce pouvoir : il fait quelques bons ou quelques mauvais imitateurs ; mais, pour modifier l'usage, pour mettre une empreinte nouvelle sur l'esprit d'un peuple, il faut l'influence d'une opinion qui a de nombreux organes, et qui tour à tour agit, parle, écrit, et intéresse par ses combats et ses souffrances. Ce fut le sort et le privilège de *Port-Royal.*

En rappelant sur quelques points les esprits au libre examen, en mêlant la philosophie à la religion, et toutes deux aux lettres, *Port-Royal* donna le goût d'une diction sérieuse et nourrie, qui rapprochait la langue française des sources antiques d'où elle est sortie. Par une controverse assidue sur des questions de métaphysique, ces pieux *solitaires* firent entrer dans l'usage du monde une foule d'expressions qui tendaient à spiritualiser notre idiome et à le rendre plus exact et plus précis.

*Préface au Dictionnaire de l'Académie Française,* 6<sup>ème</sup> *édition*

# VICTOR COUSIN

1792–1867

## 282      *L'art n'est pas un instrument*

J'EXAMINERAI enfin une dernière théorie qui confond
le beau avec la religion et la morale, et par conséquent le
sentiment du beau avec le sentiment moral et religieux.
Dans cette opinion, le but de l'art est de nous rendre
meilleurs, et d'élever nos cœurs vers le ciel. Que ce soit là
un des résultats de l'art, je ne le conteste pas, puisque le
beau est une des formes de l'infini comme le bien; et que
nous élever vers l'idéal, c'est nous élever vers l'infini ou
vers Dieu. Mais je prétends que la forme du beau est distincte de la forme du bien; et que si l'art produit le perfectionnement moral, il ne le cherche pas, il ne le pose pas
comme son but. Le beau dans la nature et dans l'art ne se
rapporte qu'à lui-même; ainsi, dans un concert, à l'audition
d'une haute et belle symphonie, je demande si le sentiment
que j'éprouve est toujours un sentiment moral ou religieux.
Je saisis l'idéal qui se cache sous la diversité et la variété
des sons qui frappent mon oreille; cet idéal est ce que
j'appelle le beau, mais ce n'est dans ce cas ni la vertu ni la
sainteté. Je ne dis pas que le sentiment pur et désintéressé
du beau ne soit un noble allié du sentiment moral et du
sentiment religieux, et que le premier ne puisse réveiller
les deux autres; mais il ne faut pas les confondre. Le beau
excite un sentiment interne, distinct, spécial, qui ne relève
que de lui-même; l'art n'est pas plus au service de la religion
et de la morale qu'au service de l'agréable et de l'utile;
l'art n'est pas un instrument, il est sa propre fin à lui-même.
Et ne croyez pas que je le rabaisse, quand je dis qu'il ne doit
pas servir la religion et la morale, je l'élève, au contraire, à
la hauteur de la morale et de la religion... Je me résume:
le sentiment du beau, excité par la présence d'un objet,
soit naturel, soit artificiel, est pur et dépouillé de toute idée

étrangère. Il ne se rapporte ni à l'agréable, ni au pathétique, ni à l'utile, ni à l'imitation, ni à la religion, ni à la morale. L'art ne doit avoir pour but que d'exciter le sentiment du beau, il ne doit servir à aucune autre fin; il ne tient ni à la religion ni à la morale, mais comme elle il nous approche de l'infini, dont il nous manifeste une des formes. Dieu est la source de toute beauté, comme de toute vérité, de toute religion, de toute morale. Le but le plus élevé de l'art est donc de réveiller à sa manière le sentiment de l'infini.

*Du vrai, du beau et du bien*

# AUGUSTIN THIERRY

1795–1856

*283*  *Le monastère de Radegonde*

TOUT ce que Radegonde avait reçu de son mari, selon la coutume germanique, en dot et en présent du matin, fut consacré par elle à l'établissement de la congrégation qui devait lui rendre une famille de choix, à la place de celle qu'elle avait perdue par les désastres de la conquête et la tyrannie soupçonneuse des vainqueurs de son pays. Sur un terrain qu'elle possédait aux portes de la ville de Poitiers, elle fit creuser les fondements du nouveau monastère, asile ouvert à celles qui voulaient se dérober par la retraite aux séductions mondaines ou aux envahissements de la barbarie. Malgré l'empressement de la reine et l'assistance que lui prêta l'évêque de Poitiers, Pientius, plusieurs années s'écoulèrent avant que le bâtiment fût achevé; c'était une villa romaine avec toutes ses dépendances, des jardins, des portiques, des salles de bains et une église. Soit par quelque idée de symbolisme, soit par une précaution de sûreté matérielle contre la violence du temps, l'architecte avait donné un aspect militaire à l'enceinte extérieure de ce paisible couvent de femmes. Les murailles en étaient hautes

et fortes en guise de rempart, et plusieurs tours s'élevaient
à la façade principale. Ces préparatifs, tant soit peu étranges,
frappaient vivement les imaginations, et l'annonce de leur
progrès courait au loin comme une grande nouvelle:
«Voyez, disait-on dans le langage mystique de l'époque,
voyez l'arche qui se bâtit près de nous contre le déluge
des passions et contre les orages du monde!»

Le jour où tout fut prêt, et où la reine entra dans ce
refuge, dont ses vœux lui prescrivaient de ne plus sortir
que morte, fut un jour de joie populaire. Les places et les
rues de la ville qu'elle devait parcourir étaient remplies
d'une foule immense; les toits des maisons se couvraient
de spectateurs avides de la voir passer, ou de voir se refermer sur elle les portes du monastère. Elle fit le trajet à
pied, escortée d'un grand nombre de jeunes filles qui
allaient partager sa réclusion, attirées auprès d'elle par le
renom de ses vertus chrétiennes et peut-être aussi par l'éclat
de son rang. La plupart étaient de race gauloise, et filles de
sénateurs; c'étaient celles qui, par leurs habitudes de retenue
et de tranquillité domestique, devaient le mieux répondre
aux soins maternels et aux pieuses intentions de leur direc-
trice; car les femmes de race franke portaient jusque dans
le cloître quelque chose des vices originels de la barbarie.
Leur zèle était fougueux, mais de peu de durée; et incapables
de garder ni règle ni mesure, elles passaient brusquement
d'une rigidité intraitable à l'oubli le plus complet de tout
devoir et de toute subordination.

Ce fut vers l'année 550 que commença pour Radegonde
la vie de retraite et de paix qu'elle avait si longtemps désirée.
Cette vie selon ses rêves était une sorte de compromis entre
l'austérité monastique et les habitudes mollement élégantes
de la société civilisée. L'étude des lettres figurait au premier
rang des occupations imposées à toute la communauté;
on devait y consacrer deux heures chaque jour, et le reste
du temps était donné aux exercices religieux, à la lecture

des livres saints et à des ouvrages de femmes. Une des
sœurs lisait à haute voix durant le travail fait en commun,
et les plus intelligentes, au lieu de filer, de coudre ou de
broder, s'occupaient dans une autre salle à transcrire des
livres pour en multiplier les copies. Quoique sévère sur
certains points, comme l'abstinence de viande et de vin,
la règle tolérait quelques-unes des commodités et même
certains plaisirs de la vie mondaine; l'usage fréquent du
bain dans de vastes piscines d'eau chaude, des amusements
de toute sorte, et entre autres le jeu de dès, étaient permis.
La fondatrice et les dignitaires du couvent recevaient dans
leur compagnie, non-seulement les évêques et les membres
du clergé, mais des laïques de distinction. Une table somp-
tueuse était souvent dressée pour les visiteurs et pour
les amis; on leur servait des collations délicates, et quelquefois de véritables festins, dont la reine faisait les honneurs
par courtoisie, tout en s'abstenant d'y prendre part. Ce
besoin de sociabilité amenait encore au couvent des réu-
nions d'un autre genre; à certaines époques, on y jouait
des scènes dramatiques, où figuraient, sous des costumes
brillants, de jeunes filles du dehors, et probablement aussi
les novices de la maison.

Tel fut l'ordre qu'établit Radegonde dans son monastère
de Poitiers...

*Récits des Temps Mérovingiens*

# THÉODORE-SIMON JOUFFROY

1796–1843

*284*        *L'écroulement d'une foi*

Né de parents pieux et dans un pays où la foi catholique
était encore pleine de vie au commencement de ce siècle,
j'avais été accoutumé de bonne heure à considérer l'avenir
de l'homme et le soin de son âme comme la grande affaire
de ma vie, et toute la suite de mon éducation avait contribué

à fortifier en moi ces dispositions sérieuses. Pendant long-temps les croyances du christianisme avaient pleinement répondu à tous les besoins et à toutes les inquiétudes que de telles dispositions jettent dans l'âme. A ces questions, qui étaient pour moi les seules qui méritassent d'occuper l'homme, la religion de mes pères donnait des réponses, et à ces réponses j'y croyais, et grâce à ces croyances la vie présente m'était claire, et par delà je voyais se dérouler sans nuage l'avenir qui doit la suivre. Tranquille sur le chemin que j'avais à suivre en ce monde, tranquille sur le but où il devait me conduire dans l'autre; comprenant la vie dans ses deux phases, et la mort, qui les unit, me comprenant moi-même, connaissant les desseins de Dieu sur moi, et l'aimant pour la bonté de ses desseins, j'étais heureux de ce bonheur que donne une foi vive et certaine en une doctrine qui résout toutes les grandes questions qui peuvent intéresser l'homme. Mais, dans le temps où j'étais né, il était impossible que ce bonheur fût durable, et le jour était venu où du sein de ce paisible édifice de la religion qui m'avait recueilli à ma naissance, et à l'ombre duquel ma première jeunesse s'était écoulée, j'avais entendu le vent du doute qui de toutes parts en battait les murs et l'ébranlait jusque dans ses fondements...

Je n'oublierai jamais la soirée de décembre où le voile qui me dérobait à moi-même ma propre incrédulité fut déchiré. J'entends encore mes pas dans cette chambre étroite et nue où long-temps après l'heure du sommeil j'avais coutume de me promener; je vois encore cette lune à demi voilée par les nuages, qui en éclairait par intervalle les froids carreaux. Les heures de la nuit s'écoulaient, et je ne m'en apercevais pas; je suivais avec anxiété ma pensée qui de couche en couche descendait vers le fond de ma conscience, et, dissipant l'une après l'autre toutes les illusions qui m'en avaient jusque là dérobé la vue, m'en rendait de moment en moment les détours plus visibles.

En vain je m'attachais à ces croyances dernières comme un naufragé aux débris de son navire; en vain, épouvanté du vide inconnu dans lequel j'allais flotter, je me rejetais pour la dernière fois avec elle vers mon enfance, ma famille, mon pays, tout ce qui m'était cher et sacré: l'inflexible courant de ma pensée était plus fort; parents, famille, souvenirs, croyances, il m'obligeait à tout laisser; l'examen se poursuivait plus obstiné et plus sévère à mesure qu'il approchait du terme, et il ne s'arrêta que quand il l'eut atteint. Je sus alors qu'au fond de moi-même il n'y avait plus rien qui fût debout.

Ce moment fut affreux, et quand vers le matin je me jetai épuisé sur mon lit, il me sembla sentir ma première vie, si riante et si pleine, s'éteindre, et derrière moi s'en ouvrir une autre sombre et dépeuplée, où désormais j'allais vivre seul, seul avec ma fatale pensée qui venait de m'y exiler et que j'étais tenté de maudire. Les jours qui suivirent cette découverte furent les plus tristes de ma vie. Dire de quels mouvements ils furent agités serait trop long. Bien que mon intelligence ne considérât pas sans quelque orgueil son ouvrage, mon âme ne pouvait s'accoutumer à un état si peu fait pour la faiblesse humaine; par des retours violents elle cherchait à regagner les rivages qu'elle avait perdus; elle retrouvait dans la cendre de ses croyances passées des étincelles qui semblaient par intervalles rallumer sa foi.

Mais les convictions renversées par la raison ne peuvent se relever que par elle, et ces lueurs s'éteignaient bientôt. Si, en perdant la foi, j'avais perdu le souci des questions qu'elle m'avait résolues, sans doute ce violent état n'aurait pas duré long-temps, la fatigue m'aurait assoupi, et ma vie se serait endormie comme tant d'autres, endormie dans le scepticisme. Heureusement il n'en était pas ainsi; jamais je n'avais mieux senti l'importance des problèmes que depuis que j'en avais perdu la solution. J'étais incrédule, mais je détestais l'incrédulité; ce fut là ce qui décida de la direction de ma vie. Ne pouvant supporter l'incertitude sur l'énigme de la destinée humaine, n'ayant plus la lumière de la foi pour la résoudre, il ne me restait que les lumières de la raison pour y pourvoir...

*Des sciences philosophiques*

# FRANÇOIS-AUGUSTE MIGNET

1796–1884

285      *Le Directoire*

Au moment où le Directoire succéda à la Convention, les luttes de classes se trouvèrent extrêmement ralenties. Le haut de chacune d'elles formait un parti qui combattait encore pour la possession et pour la forme du gouvernement; mais la masse de la nation, qui avait été si profondément ébranlée depuis 1789 jusqu'à 1795, aspirait à s'asseoir et à s'arranger d'après le nouvel ordre des choses. Cette époque vit finir un grand mouvement et en vit commencer un autre. La Révolution prit son second caractère, son caractère d'organisation civile et de repos intérieur, après l'agitation, l'immense travail et la démolition complète qui avaient rempli ses premières années.

Cette seconde période fut remarquable en ce qu'elle parut une sorte d'abandon de la liberté. Les partis, ne pouvant plus la posséder d'une manière exclusive et durable, se découragèrent et se jetèrent de la vie publique dans la vie privée. Cette seconde période se divisa elle-même en deux époques : elle fut libérale pendant la première époque du Directoire et au commencement du Consulat, administrative et militaire à la fin du Consulat et sous l'Empire. La Révolution alla en se matérialisant chaque jour davantage; après avoir fait un peuple de sectaires, elle fit un peuple de travailleurs, et puis un peuple de soldats.

Déjà beaucoup d'illusions s'étaient perdues; on avait passé par tant d'états différents et vécu si vite en si peu d'années, que toutes les idées étaient confondues et toutes les croyances ébranlées. Le règne de la classe moyenne et celui de la multitude avaient passé comme une rapide fantasmagorie. On était loin de cette France du 14 juillet, avec ses profondes convictions, sa moralité généreuse, son assemblée exerçant la toute-puissance au nom de la raison et dans l'intérêt de la liberté, ses magistratures populaires, ses gardes bourgeoises, ses dehors animés, brillants, associant l'amour de la loi à celui de l'indépendance. On était loin de la France plus rembrunie et plus orageuse du 10 août, où une seule classe avait occupé le gouvernement et la société et y avait porté son langage, ses manières, son costume, l'agitation de ses craintes, le fanatisme de ses idées, les défiances et le régime de sa position. Alors on avait vu la vie publique remplacer entièrement la vie privée, la République offrir tour à tour l'aspect d'une assemblée et d'un camp, les riches soumis aux pauvres, et les croyances de la démocratie à côté de l'administration sombre et déguenillée du peuple. A chacune de ces époques, on avait été fortement attaché à quelque idée : d'abord à la liberté et à la monarchie constitutionnelle; en dernier lieu, à l'égalité, *à la fraternité*, à la république. Mais au commencement du Directoire on ne croyait plus à rien et, pendant le grand naufrage des partis, tout avait pris fin, et les nobles attachements de la bourgeoisie et les espérances passionnées du peuple.

On sortait affaibli et froissé de cette furieuse tourmente; et chacun, se rappelant l'existence politique avec effroi, se jeta d'une manière effrénée vers les plaisirs et les relations de l'existence privée, si longtemps suspendue. Les bals, les festins, les dissipations licencieuses, les équipages, reparurent avec plus de vogue que jamais; ce fut la réaction des habitudes de l'ancien régime. Le règne des sans-culottes ramena la domination des riches; les clubs firent

renaître les salons. Du reste, il n'était guère possible que
ce premier symptôme de la reprise de la civilisation nouvelle ne fût point aussi désordonné. Les mœurs directoriales
étaient le produit d'une autre société, qui devait reparaître
avant que la société nouvelle eût réglé ses rapports et fait
ses propres mœurs. Dans cette transition, le luxe devait
faire naître le travail; l'agiotage se mêler au commerce;
les salons amener le rapprochement des partis, qui ne
pouvaient se souffrir que par la vie privée; enfin, la civilisation recommencer la liberté.

*Histoire de la Révolution française*

# ALFRED DE VIGNY

1797-1863

286          *Commediante! Tragediante!*

BONAPARTE alors poussa du pied une chaise près du
grand fauteuil du Pape. — Je tressaillis, parce qu'en venant
chercher ce siège, il avait effleuré de son épaulette le rideau
de l'alcôve où j'étais caché...

Il prit un air d'innocence et de jeunesse très caressant.

«Moi, je ne sais pas; j'ai beau chercher, je ne vois pas
bien, en vérité, pourquoi vous auriez de la répugnance à
siéger à Paris pour toujours. Je vous laisserais, ma foi,
les Tuileries, si vous vouliez. Vous y trouveriez déjà
votre chambre de Monte-Cavallo qui vous attend. Moi,
je n'y séjourne guère. Ne voyez-vous pas bien, *Padre*,
que c'est là la vraie capitale du monde? Moi, je ferais tout
ce que vous voudriez; d'abord, je suis meilleur enfant
qu'on ne croit. — Pourvu que la guerre et la politique
fatigante me fussent laissées, vous arrangeriez l'Église
comme il vous plairait. Je serais votre soldat tout à fait.
Voyez, ce serait vraiment beau; nous aurions nos conciles
comme Constantin et Charlemagne, je les ouvrirais et les
fermerais; je vous mettrais ensuite dans la main les vraies

clefs du monde, et comme Notre-Seigneur a dit : «Je suis
«venu avec l'épée», je garderais l'épée, moi ; je vous la rappor-
terais seulement à bénir après chaque succès de nos armes.»

Il s'inclina légèrement en disant ces derniers mots.

Le Pape, qui jusque-là n'avait cessé de demeurer sans
mouvement, comme une statue égyptienne, releva lentement sa tête à demi baissée, sourit avec mélancolie, leva les
yeux en haut et dit, avec un soupir paisible, comme s'il
eût confié sa pensée à son ange gardien invisible :

«*Commediante!*»

Bonaparte sauta de sa chaise et bondit comme un
léopard blessé. Une vraie colère le prit ; une de ses
colères jaunes. Il marcha d'abord sans parler, se mordant les lèvres jusqu'au sang. Il ne tournait plus en cercle
autour de sa proie avec des regards fins et une marche
cauteleuse ; mais il allait droit et ferme, en long et en
large, brusquement, frappant du pied et faisant sonner
ses talons éperonnés. La chambre tressaillit ; les rideaux
frémirent comme les arbres à l'approche du tonnerre ; il
me semblait qu'il allait arriver quelque terrible et grande
chose ; mes cheveux me firent mal et j'y portai la main malgré moi. Je regardai le Pape, il ne remua pas ; seulement il
serra de ses deux mains les têtes d'aigle des bras du fauteuil.

La bombe éclata tout à coup.

«Comédien ! Moi ! Ah ! je vous donnerai des comédies à
vous faire tous pleurer comme des femmes et des enfants.
— Comédien ! — Ah ! vous n'y êtes pas, si vous croyez
qu'on puisse avec moi faire du sang-froid insolent ! Mon
théâtre, c'est le monde ; le rôle que j'y joue, c'est celui
de maître et d'auteur ; pour comédiens, j'ai vous tous,
Pape, Rois, Peuples ! et le fil par lequel je vous remue, c'est
la peur ! — Comédien ! Ah ! il faudrait être d'une autre
taille que la vôtre pour m'oser applaudir ou siffler, *signor
Chiaramonti* ! — Savez-vous bien que vous ne seriez qu'un
pauvre curé, si je le voulais ? Vous et votre tiare, la France

vous rirait au nez, si je ne gardais mon air sérieux en vous
saluant... — Mais non! il faut tout vous dire! il faut vous
mettre le nez sur les choses pour que vous les compreniez.
Et vous croyez bonnement que l'on a besoin de vous, et
vous relevez la tête, et vous vous drapez dans vos robes
de femme! — Mais sachez bien qu'elles ne m'en imposent
nullement, et que, si vous continuez, vous! je traiterai la
vôtre comme Charles XII celle du grand vizir: je la dé-
chirerai d'un coup d'éperon.»

Il se tut. Je n'osais pas respirer. J'avançai la tête, n'entendant plus sa voix tonnante, pour voir si le pauvre vieillard
était mort d'effroi. Le même calme dans l'attitude, le même
calme sur le visage. Il leva une seconde fois les yeux au
ciel et, après avoir encore jeté un profond soupir, il sourit
avec amertume et dit:

«*Tragediante!*»

Bonaparte, en ce moment, était au bout de la chambre,
appuyé sur la cheminée de marbre aussi haute que lui.
Il partit comme un trait, courant sur le vieillard; je crus
qu'il l'allait tuer. Mais il s'arrêta court, prit, sur la table,
un vase de porcelaine de Sèvres, où le château de Saint-
Ange et le Capitole étaient peints et, le jetant sur les chenets
et le marbre, le broya sous ses pieds. Puis tout d'un coup
il s'assit et demeura dans un silence profond et une immobilité formidable.

*La Canne de Jonc*

# EUGÈNE DELACROIX

1798–1863

*287*          *Un pont mystérieux*

mardi 8 octobre [1822]

QUAND j'ai fait un beau tableau, je n'ai pas écrit une pensée.
C'est ce qu'ils disent. Qu'ils sont simples! Ils ôtent à la
peinture tous ses avantages. L'écrivain dit presque tout

pour être compris. Dans la peinture, il s'établit comme un pont mystérieux entre l'âme des personnages et celle du spectateur. Il voit des figures, de la nature extérieure; mais il pense intérieurement, de la vraie pensée qui est commune à tous les hommes : à laquelle quelques-uns donnent un corps en l'écrivant; mais en altérant son essence déliée. Aussi les esprits grossiers sont plus émus des écrivains que des musiciens ou des peintres. L'art du peintre est d'autant plus intime au cœur de l'homme qu'il paraît plus matériel; car chez lui, comme dans la nature extérieure, la part est faite franchement à ce qui est fini et à ce qui est infini, c'est-à-dire à ce que l'âme trouve qui la remue intérieurement dans les objets qui ne frappent que les sens.

*Journal*

288        *La logique en musique*

[samedi 7 avril 1849]

VERS 3 heures et demie, accompagné Chopin en voiture dans sa promenade. Quoique fatigué, j'étais heureux de lui être bon à quelque chose. L'avenue des Champs-Élysées, l'Arc de l'Étoile. La bouteille de vin de quinquina; arrêtés à la barrière, etc.

Dans la journée, il m'a parlé musique et cela l'a ranimé. Je lui demandais ce qui établissait la logique en musique. Il m'a fait sentir ce que c'est qu'harmonie et contrepoint; comme quoi la fugue est comme la logique pure en musique, et qu'être savant dans la fugue, c'est connaître l'élément de toute raison et de toute conséquence en musique. J'ai pensé combien j'aurais été heureux de m'instruire en tout cela qui désole les musiciens vulgaires. Ce sentiment m'a donné une idée du plaisir que les savants, dignes de l'être, trouvent dans la science. C'est que la vraie science n'est pas ce que l'on entend ordinairement par ce mot, c'est-à-dire une partie de la connaissance différente de l'art. Non, la science envisagée ainsi, démontrée par un homme comme Chopin, est l'art lui-même, et par contre l'art n'est plus alors ce que le croit le vulgaire, c'est-à-dire une sorte d'inspiration qui vient de je ne sais où, qui marche au hasard, et ne présente que l'extérieur pittoresque des choses. C'est la raison elle-même ornée par le génie, mais suivant une marche nécessaire et contenue par des lois supérieures. Ceci me ramène à la différence de Mozart et de Beethoven. «Là, m'a-t-il dit, où ce dernier est obscur et paraît manquer d'unité, ce n'est pas une prétendue originalité un peu sauvage, dont on lui fait honneur, qui en est cause; c'est qu'il tourne le dos à des principes éternels. Mozart jamais. Chacune des parties a sa marche, qui, tout en s'accordant avec les autres, forme un chant et le suit parfaitement; c'est là le contrepoint, *«punto contrapunto»*.»

*Journal*

# JULES MICHELET

1798–1874

*289*    *Contemplons l'ensemble de la France*

LA variété infinie du monde féodal, la multiplicité d'objets par laquelle il fatigue d'abord la vue et l'attention, n'en est pas moins la révélation de la France. Pour la première fois elle se produit dans sa forme géographique. Lorsque le vent emporte ce vain et uniforme brouillard, dont l'empire allemand avait tout couvert et tout obscurci, le pays apparaît, dans ses diversités locales, dessiné par ses montagnes, par ses rivières. Les divisions politiques répondent ici aux divisions physiques. Bien loin qu'il y ait, comme on l'a dit, confusion et chaos, c'est un ordre, une régularité inévitable et fatale. Chose bizarre! nos quatre-vingt-six départements répondent, à peu de chose près, aux quatre-vingt-six districts des capitulaires, d'où sont sorties la plupart des souverainetés féodales, et la

Révolution, qui venait donner le dernier coup à la féodalité, l'a imitée malgré elle...

Et d'abord contemplons l'ensemble de la France, pour
la voir se diviser d'elle-même.

Montons sur un des points élevés des Vosges, ou, si
vous voulez, au Jura. Tournons le dos aux Alpes. Nous
distinguerons (pourvu que notre regard puisse percer un
horizon de trois cents lieues) une ligne onduleuse, qui
s'étend des collines boisées du Luxembourg et des Ardennes
aux ballons des Vosges; de là, par les coteaux vineux de la
Bourgogne, aux déchirements volcaniques des Cévennes et
jusqu'au mur prodigieux des Pyrénées. Cette ligne est la
séparation des eaux : du côté occidental, la Seine, la Loire et
la Garonne descendent à l'Océan; derrière s'écoulent la
Meuse au nord, la Saône et le Rhône au midi. Au loin,
deux espèces d'îles continentales, la Bretagne, âpre et
basse, simple quartz et granit, grand écueil placé au coin de
la France pour porter le coup des courants de la Manche;
d'autre part, la verte et rude Auvergne, vaste incendie
éteint avec ses quarante volcans...

C'est une chose bizarre et contradictoire en apparence
que le mysticisme ait aimé à naître dans ces grandes cités
industrielles, comme aujourd'hui Lyon et Strasbourg.
Mais c'est que nulle part le cœur de l'homme n'a plus
besoin du ciel. Là où toutes les voluptés grossières sont à
portée, la nausée vient bientôt. La vie sédentaire aussi de
l'artisan, assis à son métier, favorise cette fermentation
intérieure de l'âme. L'ouvrier en soie, dans l'humide
obscurité des rues de Lyon, le tisserand d'Artois et de
Flandre, dans la cave où il vivait, se créèrent un monde,
au défaut du monde, un paradis moral de doux songes et de
visions; en dédommagement de la nature qui leur manquait, ils se donnèrent Dieu.

*Tableau de la France*

290               *La Marseillaise*

CELA est divin et rare d'ajouter un chant éternel à la voix
des nations.

   Il fut trouvé à Strasbourg, à deux pas de l'ennemi. Le
nom que lui donna l'auteur est *le Chant de l'armée du Rhin*.
Trouvé en mars ou avril, au premier moment de la guerre,
il ne lui fallut pas deux mois pour pénétrer toute la France.
Il alla frapper au fond du Midi, comme par un violent écho,
et Marseille répondit au Rhin. Sublime destinée de ce chant !
Il est chanté des Marseillais à l'assaut des Tuileries, il brise
le trône au 10 août. On l'appelle *la Marseillaise*. Il est chanté
à Valmy, affermit nos lignes flottantes, effraye l'aigle noir
de Prusse. Et c'est encore avec ce chant que nos jeunes
soldats novices gravirent le coteau de Jemmapes, franchirent les redoutes autrichiennes, frappèrent les vieilles
bandes hongroises, endurcies aux guerres des Turcs. Le fer
ni le feu n'y pouvaient ; il fallut, pour briser leur courage,
le chant de la liberté.

   De toutes nos provinces, nous l'avons dit, celle qui
ressentit peut-être le plus vivement le bonheur de la délivrance, en 89, ce fut celle où étaient les derniers serfs, la
triste Franche-Comté. Un jeune noble franc-comtois, né à
Lons-le-Saulnier, Rouget de l'Isle, trouva le chant de la
France. Rouget de l'Isle était officier de génie à vingt ans.
Il était alors à Strasbourg, plongé dans l'atmosphère
brûlante des bataillons de volontaires qui s'y rendaient de
tous côtés. Il faut voir cette ville, en ces moments, son
bouillonnant foyer de guerre, de jeunesse, de joie, de plaisir,
de banquets, de bals, de revues, au pied de la flèche sublime
qui se mire au noble Rhin ; les instruments militaires, les
chants d'amour ou d'adieux, les amis qui se retrouvent, qui
se quittent, s'embrassent aux places publiques. Les femmes
prient aux églises, les cloches pleurent et le canon tonne,
comme une voix solennelle de la France à l'Allemagne.

Ce ne fut pas, comme on l'a dit, dans un repas de famille que fut trouvé le chant sacré. Ce fut dans une foule émue. Les volontaires partaient le lendemain. Le maire de Strasbourg, Dietrich, les invita à un banquet, où les officiers de la garnison vinrent fraterniser avec eux et leur serrer la main. Les demoiselles Dietrich, nombre de jeunes demoiselles, nobles et douces filles d'Alsace, ornaient ce repas d'adieu de leurs grâces et de leurs larmes. Tout le monde était ému; on voyait devant soi commencer la longue carrière de la guerre de la liberté qui, trente ans durant, a noyé de sang l'Europe. Ceux qui siégeaient au repas n'en voyaient pas tant sans doute. Ils ignoraient que, dans peu, ils auraient tous disparu, l'aimable Dietrich, entre autres, qui les recevait si bien, et que toutes ces filles charmantes dans un an seraient en deuil. Plus d'un, dans la joie du banquet, rêvait, sous l'impression de vagues pressentiments, comme quand on est assis, au moment de s'embarquer, au bord de la grande mer. Mais les cœurs étaient bien haut, pleins d'élan et de sacrifice, et tous acceptaient l'orage. Cet élan commun qui soulevait toute poitrine d'un égal mouvement aurait eu besoin d'un rythme, d'un chant qui soulageât les cœurs. Le chant de la Révolution, colérique en 92, le *Ça ira*, n'allait plus à la douce et fraternelle émotion qui animait les convives. L'un d'eux la traduisit « *Allons!* ».

Et ce mot dit, tout fut trouvé. Rouget de l'Isle, c'était lui, se précipita de la salle, et il écrivit tout, musique et paroles. Il entra en chantant la strophe : « *Allons, enfants de la patrie!* ». Ce fut comme un éclair du ciel. Tout le monde fut saisi, ravi, tous reconnurent ce chant, entendu pour la première fois. Tous le savaient, tous le chantèrent, tout Strasbourg, toute la France. Le monde, tant qu'il y aura un monde, le chantera à jamais.

*Histoire de la Révolution française*

*291*          *La montée de Delphes*

LA GRÈCE, en sa religion la plus fervente et la plus vraie, garde tant de raison, un tel éloignement de l'absurde, de l'incompréhensible, qu'au lieu de donner la terreur de l'inconnu, elle marque la voie par où se fit le Dieu, le progrès qui l'a mis si haut, par quelle série d'efforts, de travaux, de bienfaits, il gagna sa divinité. Une ascension graduée, non molle, mais austère, reste ouverte pour tous. Elle peut être ardue, difficile. Mais il n'y a point de précipice, point de saut, point de roc à pic. Qui défend de gravir un ou deux échelons?

Le novice, entrant dans le temple, devant la noble image, dans la présence même du Dieu, n'oubliait nullement les récits populaires que l'on faisait de son enfance. Phoebus était né colérique, un dieu sévère, vengeur. Dans la sauvage Thessalie où il parut, son arc, souvent cruel, lançait des fléaux mérités. Dur pasteur chez Admète, humble ouvrier à Troie, dont il bâtit les murs, il n'était pas encore le dieu des Muses. Demi-barbare et dorien qu'il est d'abord, le génie ionique et l'élégance grecque l'adoptent, l'embellissent, vont toujours le divinisant. Athènes le célèbre à Délos. Chaque année, le vaisseau qui ramena aux mères les enfants délivrés les porte à leur sauveur Phoebus, et ils l'amusent de leurs danses. Ils lui dansent le labyrinthe et le fil conducteur, le mêlent et le démêlent. Ils dansent l'enfance d'Apollon, la délivrance de Latone, sa bien-aimée Délos, qui le berce au milieu des flots.

Ainsi le dieu des arts est lui-même œuvre d'art. Il est fait peu à peu, de légende en légende. Il n'en est que plus cher à l'homme et plus sacré. Il prend de plus en plus un cœur humain et grand, cette large et douce justice, qui, voyant tout, comprend, excuse, innocente et pardonne. A lui accourent les suppliants, les criminels involontaires, victimes de la fatalité, les vrais coupables même. Oreste y

vient, perdu, désespéré, tout couvert du sang de sa mère
(que son père lui a fait verser). Il est de près suivi, serré
des Euménides; son oreille effarée sent siffler leurs fouets
de vipères. L'aimable dieu lui-même, descendu de l'autel,
conduit l'infortuné à la ville qui seule possède l'autel de
la Pitié, la généreuse Athènes. Il le mène à Minerve. La
puissante déesse (miracle inespéré) calme les Euménides,
fait asseoir pour la première fois ces vierges épouvantables
qui, jusque-là errantes, parcouraient, effrayaient la terre.

*La Bible de l'humanité*

# HONORÉ DE BALZAC

1799-1850

*292          Une pension bourgeoise*

GÉNÉRALEMENT les pensionnaires externes ne s'abon-
naient qu'au dîner, qui coûtait trente francs par mois. A
l'époque où cette histoire commence, les internes étaient
au nombre de sept. Le premier étage contenait les deux
meilleurs appartements de la maison. Madame Vauquer
habitait le moins considérable, et l'autre appartenait à
madame Couture, veuve d'un Commissaire Ordonnateur
de la République française. Elle avait avec elle une très
jeune personne, nommée Victorine Taillefer, à qui elle
servait de mère. La pension de ces deux dames montait à
dix-huit cents francs. Les deux appartements du second
étaient occupés, l'un par un vieillard nommé Poiret;
l'autre, par un homme âgé d'environ quarante ans, qui
portait une perruque noire, se teignait les favoris, se disait
ancien négociant, et s'appelait monsieur Vautrin. Le troisième étage se composait de quatre chambres, dont deux
étaient louées, l'une par une vieille fille nommée mademoiselle Michonneau; l'autre par un ancien fabricant de
vermicelles, de pâtes d'Italie et d'amidon, qui se laissait
nommer le Père Goriot. Les deux autres chambres étaient

destinées aux oiseaux de passage, à ces infortunés étudiants
qui, comme le père Goriot et mademoiselle Michonneau,
ne pouvaient mettre que quarante-cinq francs par mois à
leur nourriture et à leur logement; mais madame Vauquer
souhaitait peu leur présence et ne les prenait que quand elle
ne trouvait pas mieux: ils mangeaient trop de pain... Au-
dessus de ce troisième étage étaient un grenier à étendre le
linge et deux mansardes où couchaient un garçon de peine,
nommé Christophe, et la grosse Sylvie, la cuisinière.
Outre les sept pensionnaires internes, madame Vauquer
avait, bon an, mal an, huit étudiants en Droit ou en Médecine, et deux ou trois habitués qui demeuraient dans le
quartier, abonnés tous pour le dîner seulement. La salle
contenait à dîner dix-huit personnes et pouvait en admettre
une vingtaine; mais, le matin, il ne s'y trouvait que sept
locataires, dont la réunion offrait pendant le déjeuner l'aspect
d'un repas de famille. Chacun descendait en pantoufles,
se permettait des observations confidentielles sur la
mise ou sur l'air des externes, et sur les événements de
la soirée précédente, en s'exprimant avec la confiance de
l'intimité. Ces sept pensionnaires étaient les enfants gâtés
de madame Vauquer, qui leur mesurait avec une précision
d'astronome les soins et les égards, d'après le chiffre de
leurs pensions. Une même considération affectait ces êtres
rassemblés par le hasard. Les deux locataires du second ne
payaient que soixante-douze francs par mois. Ce bon marché,
qui ne se rencontre que dans le faubourg Saint-Marcel,
entre la Bourbe et la Salpêtrière, et auquel madame
Couture faisait seule exception, annonce que ces pensionnaires devaient être sous le poids de malheurs plus ou
moins apparents. Aussi le spectacle désolant que présentait
l'intérieur de cette maison se répétait-il dans le costume de
ses habitués, également délabrés. Les hommes portaient
des redingotes dont la couleur était devenue problématique,
des chaussures comme il s'en jette au coin des bornes dans

les quartiers élégants, du linge élimé, des vêtements qui
n'avaient plus que l'âme. Les femmes avaient des robes
passées, reteintes, déteintes, de vieilles dentelles raccom-
modées, des gants glacés par l'usage, des collerettes toujours rousses et des fichus éraillés. Si tels étaient les habits,
presque tous montraient des corps solidement charpentés,
des constitutions qui avaient résisté aux tempêtes de la vie,
des faces froides, dures, effacées comme celles des écus
démonétisés. Les bouches flétries étaient armées de dents
avides. Ces pensionnaires faisaient pressentir des drames
accomplis ou en action; non pas de ces drames joués à la
lueur des rampes, entre des toiles peintes, mais des drames
vivants et muets, des drames glacés qui remuaient chaude-
ment le cœur, des drames continus.

La vieille demoiselle Michonneau gardait sur ses yeux
fatigués un crasseux abat-jour en taffetas vert, cerclé par
du fil d'archal qui aurait effarouché l'ange de la Pitié. Son
châle à franges maigres et pleurardes semblait couvrir un
squelette, tant les formes qu'il cachait étaient anguleuses.
Quel acide avait dépouillé cette créature de ses formes
féminines ? elle devait avoir été jolie et bien faite : était-ce
le vice, le chagrin, la cupidité ? avait-elle trop aimé, avait-
elle été marchande à la toilette, ou seulement courtisane ?
Expiait-elle les triomphes d'une jeunesse insolente au-
devant de laquelle s'étaient rués les plaisirs par une vieillesse
que fuyaient les passants ? Son regard blanc donnait froid,
sa figure rabougrie menaçait. Elle avait la voix clairette
d'une cigale criant dans son buisson aux approches de
l'hiver. Elle disait avoir pris soin d'un vieux monsieur
affecté d'un catarrhe à la vessie, et abandonné par ses
enfants, qui l'avaient cru sans ressource. Ce vieillard lui
avait légué mille francs de rente viagère, périodiquement
disputés par les héritiers, aux calomnies desquels elle était
en butte. Quoique le jeu des passions eût ravagé sa figure,
il s'y trouvait encore certains vestiges d'une blancheur

et d'une finesse dans le tissu qui permettait de supposer
que le corps conservait quelques restes de beauté.

M. Poiret était une espèce de mécanique. En l'apercevant
s'étendre comme une ombre grise le long d'une allée au
Jardin-des-Plantes, la tête couverte d'une vieille casquette
flasque, tenant à peine sa canne à pomme d'ivoire jauni
dans sa main, laissant flotter les pans flétris de sa redingote
qui cachait mal une culotte presque vide, et des jambes
en bas bleus qui flageolaient comme celles d'un homme
ivre, montrant son gilet blanc sale et son jabot de grosse
mousseline recroquevillée qui s'unissait imparfaitement à
sa cravate cordée autour de son cou de dindon, bien des
gens se demandaient si cette ombre chinoise appartenait à
la race audacieuse des fils de Japhet qui papillonnent sur le
boulevard italien. Quel travail avait pu le ratatiner ainsi?
quelle passion avait bistré sa face bulbeuse, qui, dessinée
en caricature, aurait paru hors du vrai? Ce qu'il avait été?
Mais peut-être avait-il été employé au Ministère de la
Justice, dans le bureau où les exécuteurs des hautes-œuvres
envoient leurs mémoires de frais, le compte des fournitures
de voiles noirs pour les parricides, de son pour les paniers,
de ficelle pour les couteaux. Peut-être avait-il été receveur
à la porte d'un abattoir, ou sous-inspecteur de la salubrité.
Enfin, cet homme semblait avoir été l'un des ânes de notre
grand moulin social, l'un de ces Ratons parisiens qui ne
connaissent même pas leurs Bertrands, quelque pivot sur
lequel avaient tourné les infortunes ou les saletés publiques,
enfin l'un de ces hommes dont nous disons, en les voyant:
«Il en faut pourtant comme ça.» Le beau Paris ignore ces
figures blêmes de souffrances morales ou physiques. Mais
Paris est un véritable océan. Jetez-y la sonde, vous n'en
connaîtrez jamais la profondeur. Parcourez-le, décrivez-le?
quelque soin que vous mettiez à le parcourir, à le décrire;
quelque nombreux et intéressés que soient les explorateurs
de cette mer, il s'y rencontrera toujours un lieu vierge, un

antre inconnu, des fleurs, des perles, des monstres, quelque chose d'inouï, oublié par les plongeurs littéraires. La Maison Vauquer est une de ces monstruosités curieuses.

*Le Père Goriot*

### 293        *Les maisons de jeu*

QUAND vous entrez dans une maison de jeu, la loi commence par vous dépouiller de votre chapeau. Est-ce une parabole évangélique et providentielle? N'est-ce pas plutôt une manière de conclure un contrat infernal avec vous en exigeant je ne sais quel gage? Serait-ce pour vous obliger à garder un maintien respectueux devant ceux qui vont gagner votre argent? Est-ce la police tapie dans tous les égouts sociaux qui tient à savoir le nom de votre chapelier ou le vôtre, et si vous l'avez inscrit sur la coiffe? Est-ce enfin pour prendre la mesure de votre crâne et dresser une statistique instructive sur la capacité cérébrale des joueurs? Sur ce point, l'administration garde un silence complet. Mais, sachez-le bien, à peine avez-vous fait un pas vers le tapis vert, déjà votre chapeau ne vous appartient pas plus que vous ne vous appartenez à vous-même: vous êtes au jeu, vous, votre fortune, votre coiffe, votre canne et votre manteau. A votre sortie, le JEU vous démontrera, par une atroce épigramme en action, qu'il vous laisse encore quelque chose en vous rendant votre bagage. Si toutefois vous avez une coiffure neuve, vous apprendrez à vos dépens qu'il faut se faire un costume de joueur...

Le soir, les maisons de jeu n'ont qu'une poésie vulgaire, mais dont l'effet est assuré comme celui d'un drame sanguinolent. Les salles sont garnies de spectateurs et de joueurs, de vieillards indigents qui s'y traînent pour s'y réchauffer, de faces agitées, d'orgies commencées dans le vin et décidées à finir dans la Seine. Si la passion y abonde, le trop grand nombre d'acteurs vous empêche de contem-

pler face à face le démon du jeu. La soirée est un véritable
morceau d'ensemble où la troupe entière crie, où chaque
instrument de l'orchestre module sa phrase. Vous verriez
là beaucoup de gens honorables qui viennent y chercher
des distractions et les payent comme ils payeraient le plaisir
du spectacle, de la gourmandise, ou comme ils iraient
dans une mansarde acheter à bas prix de cuisants regrets
pour trois mois. Mais comprenez-vous tout ce que doit
avoir de délire et de vigueur dans l'âme un homme qui
attend avec impatience l'ouverture d'un tripot? Entre le
joueur du matin et le joueur du soir il existe la différence
qui distingue le mari nonchalant, de l'amant pâmé sous
les fenêtres de sa belle. Le matin seulement arrivent la
passion palpitante et le besoin dans sa franche horreur.
En ce moment, vous pourrez admirer un véritable joueur
qui n'a pas mangé, dormi, vécu, pensé, tant il était rudement
flagellé par le fouet de sa martingale, tant il souffrait travaillé par le prurit d'un coup de *trente et quarante*. A cette
heure maudite, vous rencontrerez des yeux dont le calme
effraye, des visages qui vous fascinent, des regards qui
soulèvent les cartes et les dévorent.

*La Peau de chagrin*

# XIMÉNÈS DOUDAN

1800–1872

*294*      *Personne n'est poète dans son pays*

Coppet, 6 octobre 1844

Vous êtes bien bonne de n'oublier personne, même à la
vue de Malte et aux portes de la Grèce. J'espérais qu'à force
d'avoir prévu les horreurs d'une longue navigation, vous y
échapperiez en réalité; je vois bien que ce n'est pas non
plus un moyen infaillible de détourner les maux que de les
prévoir. On ne peut pourtant guère s'empêcher d'avoir

quelque confiance dans les prédictions pour éviter les
choses qu'on redoute. Votre mari n'a donc pas voulu
entendre ce cri plaintif : *Italiam! Italiam!* que vous jetiez
en vue des côtes de l'Italie. *Salve magna parens frugum,
Saturnia tellus!* mot à mot : *Salut! terre antique où l'on n'aurait
point mal au cœur!* Énée avait peut-être une émotion du
même genre quand il saluait les rivages de ce pays, mais le
mal de mer n'est jamais entré dans un hexamètre du temps
d'Auguste... Après tout, il ne faut pas vous attendre à
rencontrer beaucoup de poètes sur votre chemin. Ce sont
les gens du Nord qui sont poètes aujourd'hui, s'il y en a.
Il faut être bien vêtu, bien nourri, libre et bien portant
pour chanter des airs mélancoliques à la vue des ruines ; et
puis, du moins de notre temps, non seulement personne
n'est prophète dans son pays, mais personne n'est poète
dans son pays. Quand sur le penchant de la montagne on
voit la fumée s'élever du toit d'une cabane dans le bleu
du couchant, dès qu'on peut se dire : «C'est ma grand'mère
qui allume une bourrée pour faire la soupe», il n'y a presque plus de poésie, du moins telle que nous l'entendons
aujourd'hui. Il faut des lieux à peu près inconnus où l'on
rêve des habitants en harmonie avec la beauté de la nature.
Chaque fois qu'on ouvrira la porte d'une maison dans la
vallée de Lacédémone, vous croirez voir sortir quelque
fille d'Hélène, mais votre guide sait d'avance que c'est la
maison de sa cousine Éleuthère qu'il n'a pas voulu épouser
parce qu'elle est trop laide. Ainsi, peu à peu, dans le train
de la vie, le pays prend quelque chose des personnes, et
comme, en masse, les personnes n'ont pas l'éclat indes-
tructible de la nature, l'esprit des lieux devient prosaïque
par le reflet des habitants. Vous me direz que c'est pourtant
avec tout cela qu'on fait l'amour du pays, mais je chercherai
un autre jour à concilier cette contradiction. Vous voyez
toujours que vous avez, vous-même, trouvé Naples plus
beau qu'autrefois par l'unique raison que vous aviez un

peu oublié les Napolitains. Vous voilà bien avancée de savoir que Charybde ou Scylla est uni comme une glace; vous en lirez l'*Odyssée* avec un peu moins de plaisir. Ce n'est pas que je sois pour les illusions qu'on entretient de dessein prémédité. Derrière ces décorations que l'on nomme des illusions, il y a souvent une perspective plus profonde que ces oripeaux nous empêchent de voir.

Je vous écris encore un peu endolori d'une jolie chute de voiture qui n'a heureusement fait de mal sérieux à personne. Comme nous revenions l'autre soir, votre père, votre tante, M. Raulin et moi, de Chouilly où nous avions dîné chez madame de Chateauvieux, voici que cheminant dans la nuit noire, par une petite pluie fine et sans lanternes ou avec une seule lanterne, le cocher se trompe de chemin et prend gaiement un petit sentier abandonné d'une pente assez roide. Il n'avait pas fait dix pas dans ce maudit sentier, que la voiture, une jolie calèche à glaces et bien fermée, penche doucement, puis un peu plus fort et plus vite, puis enfin nous voilà tous un peu pêle-mêle et un peu la tête en bas, au milieu des débris de vitres cassées. La conversation s'engagea alors tranquillement sur la question de savoir si quelqu'un était blessé. Monsieur votre père déclare qu'il n'a pas le moindre mal; madame de Staël rien non plus; ni M. Raulin, ni moi. Seulement, nous trouvions que le cocher tardait un peu à ouvrir la portière par laquelle on voyait parfaitement le ciel au zénith, autant qu'on en peut voir par un jour de pluie, à neuf heures du soir. Enfin, on sort de son mieux par une ascension verticale et nous allons demander un peu d'aide pour remettre la voiture en état dans la maison la plus proche, où nous avons pris le thé pendant qu'on remettait la calèche dans la voie étroite qu'elle avait quittée à son grand détriment. Nous n'arrivâmes à Coppet qu'à minuit. Le docteur Mercier étant venu, par hasard, le lendemain, et trouvant que madame de Staël avait assez mal à la tête, lui a fait

mettre quelques sangsues. Aujourd'hui dimanche, après
sa chute de jeudi, elle est allée à Genève parfaitement remise.
Monsieur votre père a pris, de la secousse, un petit rhu-
matisme dans l'épaule, dont le médecin ne fait aucun cas.
M. Raulin a l'oreille déchirée, mais on prétend que c'est
pour s'être querellé avec des néo-catholiques qui l'ont
mordu sur la question des libertés de l'Église gallicane.
Voilà notre aventure en plaine; vous qui allez courir par
les montagnes, tâchez de n'en pas faire autant. Vous n'en
seriez pas quittes pour si peu...

*A madame la vicomtesse d'Haussonville*

# VICTOR JACQUEMONT

1801–1832

*295*    *L'instinct animal*

LA nuit fut pure et calme: la terre, longtemps après le
lever du soleil, resta couverte de givre. Elle était fortement
gelée. Le ruisseau près duquel mon camp était placé, était
couvert d'un pouce de glace. Je renvoyai mon bagage
à Ghuyoumœul, et commençai l'exploration des terrains
d'alentour.

Marchant d'abord dans la direction du village dont j'ai
parlé hier, je vis rassemblés, sur une sorte de col, une
quarantaine de montagnards, presque tous vêtus comme les
Lamas, de rouge et de jaune. Ils me firent signe de ne pas
avancer, et je continuai de marcher au pas de mon cheval,
sans tenir compte de leur injonction. Tous alors se levèrent
à la fois pour me fermer le passage; je leur commandai de
vider le chemin, et un geste menaçant du poing fermé fit
reculer la multitude: deux hommes seulement s'obstinèrent
à le barrer. J'en poussai un rudement: l'autre ne bougea pas.
Outré, je le battis: je n'avais que quatre de mes gens avec
moi, et aucun d'eux n'était armé; mais quand ils me virent
en train de battre, mes serviteurs montagnards levèrent

le poing aussi, fort à propos, je crois; car à ce moment il
n'eût pas été prudent de reculer. L'un d'eux, qui portait mon
fusil, me le donna; et bourrant du canon ceux qui tardaient
à me faire place, je continuai mon chemin sans embarras.

Je me demande encore pourquoi ces gens voulaient
m'empêcher de marcher vers leur village? pourquoi
étaient-ils venus en si grand nombre? pourquoi sans armes?
et pourquoi, en mesure de faire la loi, se la laissaient-ils
imposer? Mon fusil, dans la main d'un serviteur à quelques
pas derrière moi, ne devait guère leur en imposer; ne connaissant que le fusil à mèche, et ne voyant pas de mèche
allumée autour du mien, ce ne devait être pour eux qu'un
bâton. Mais j'étais le premier homme blanc, et, couleur à part,
j'étais aussi probablement le plus grand seigneur qu'ils eussent vu; ils avaient dû distinguer dans mon camp plusieurs
hommes armés; ils obéirent donc, parce que je commandai:
ils craignirent, parce que je menaçai. C'est l'instinct animal.

*Voyage dans l'Inde. Journal*

## *296*                  *L'Himalaya*

CE qu'il y a de grand dans l'Himalaya, ce qu'il y a d'étrange
et d'imposant, c'est moins la hauteur apparente des montagnes que l'espace qu'elles occupent. Voilà ce dont les
Alpes ne donnent aucune idée. Le diamètre de la bande que
leur chaîne couvre de ses cimes, est comparativement fort
étroit; et là où elle se divise et embrasse entre ses limites
extérieures de part et d'autre un espace plus large, les
vallées qu'elle enferme entre ses branches sont si ouvertes,
que les regards s'y promènent comme dans les plaines.
Tel est le Valais, tel est le Hasli du pied de l'Oberland
bernois. Dans l'Himalaya, au contraire, c'est toujours à des
sommets que la vue s'arrête; et quand on s'élève davantage,
on ne fait que découvrir des cimes nouvelles, plus
éloignées. Rarement les lignes de leurs sommets s'élèvent

parallèlement les unes derrière les autres ; elles s'inclinent et se croisent de mille façons. Le désordre de cet arrangement lointain se lit plus distinctement dans celui des montagnes plus voisines que l'on domine. Ici ce sont des croupes isolées et droites, que ne sillonne aucune ravine ; on dirait des tronçons de prismes triangulaires posés sur une de leurs faces. Là, ces croupes également isolées sont arquées ou coudées. Ailleurs, ce sont des pyramides entassées les unes sur les autres et qui projettent, dans toutes sortes de directions, des arêtes qui se rencontrent avec d'autres arêtes descendues de massifs semblables ; au lieu de leur jonction quelquefois elles se relèvent, d'autres fois elles s'abaissent brusquement pour former un col étroit. Les eaux suivent les routes tortueuses et divergentes que le caprice de la direction des montagnes leur impose, et avant que d'arriver des neiges de l'Himalaya, d'où presque toutes descendent, à l'entrée des plaines de l'Hindoustan, il est peu de torrents qui n'aient coulé vers tous les points du compas.

Un des traits qui distinguent surtout ces montagnes, et qui peut-être leur est propre, c'est l'absence également absolue de plateaux sur les cimes et de vallées à fond plat : les vallées les plus longues ne sont que d'étroites ravines ; on dirait qu'elles ont servi de moule aux montagnes qui les enferment. Les lignes horizontales que l'œil aperçoit çà et là dans le profil des montagnes, ne sont que des crêtes étroites ou émoussées, qui se soutiennent quelquefois sur d'assez grandes longueurs à un niveau égal. Des escarpements verticaux d'une hauteur considérable n'y manquent pas moins absolument. La même ligne pourrait servir à représenter la section transversales de toutes les vallées.

L'Himalaya n'a donc pour lui que la grandeur de ses dimensions. Mais bientôt l'œil s'accoutume à cet horizon de montagnes, et alors, il n'y trouve plus, comme dans les plaines, qu'une uniformité continuelle d'un autre genre.

*Voyage dans l'Inde. Journal*

# ÉMILE LITTRÉ
1801–1881

*297*      *Les veilles d'un lexicographe*

CE règlement comprenait les vingt-quatre heures de la journée, dont il était essentiel que le moins possible fût donné aux exigences courantes de l'existence. Je m'étais arrangé, en sacrifiant toute sorte de superflu, à avoir le luxe d'une habitation de campagne et d'une habitation de ville. L'habitation de campagne était à Ménil-le-Roi, Seine-et-Oise, petite et vieille maison, jardin d'un tiers d'hectare, bien planté, productif en fruits et en légumes, qui, comme au vieillard de Virgile, *dapibus mensas onerabat inemptis.* Là, dans une quasi-solitude (car mon village est à l'écart du courant des Parisiens qui s'échappent les dimanches de la grande ville), il était aisé de disposer des heures. Je me levais à huit heures du matin; c'est bien tard, dira-t-on, pour un homme si pressé. Attendez. Pendant qu'on faisait ma chambre à coucher, qui était en même temps mon cabinet de travail (vieille et petite maison, ai-je dit), je descendais au rez-de-chaussée, emportant quelque travail; c'est ainsi que, entre autres, je fis la préface de mon dictionnaire. Le chancelier d'Aguesseau m'avait appris à ne pas dédaigner des moments qui paraissent sans emploi, lui que sa femme inexacte faisait toujours attendre pour le dîner, et qui, lui présentant un livre, lui dit : «Voilà l'œuvre des avant-dîners. » A neuf heures, je remontais et corrigeais les épreuves venues dans l'intervalle jusqu'au déjeuner. A une heure je reprenais place à mon bureau, et, là, jusqu'à trois heures de l'après-midi, je me mettais en règle avec le *Journal des savants,* qui m'avait élu en 1855, et à qui j'avais à cœur d'apporter régulièrement ma contribution. De trois heures à six heures je prenais le dictionnaire. A six heures je descendais pour le dîner, toujours prêt; car ma femme ne faisait pas comme Mme d'Aguesseau. Une heure y suffisait environ.

On recommande en précepte hygiénique de ne pas se mettre à l'ouvrage de cabinet immédiatement après le repas. J'ai constamment enfreint ce précepte, après expérience faite que je ne souffrais pas de l'infraction. C'était autant de gagné, autant d'arraché aux nécessités corporelles. Remonté vers sept heures du soir, je reprenais le dictionnaire et ne le lâchais plus. Un premier relais me menait à minuit, où l'on me quittait. Le second me conduisait à trois heures du matin. D'ordinaire, ma tâche quotidienne était finie. Si elle ne l'était pas, je prolongeais la veille, et plus d'une fois, durant les longs jours, j'ai éteint ma lampe et continué à la lueur de l'aube qui se levait.

Mais ne transformons pas l'exception en règle. Le plus souvent trois heures était le terme où je quittais plume et papier et remettais tout en ordre, non pas pour le lendemain, car le lendemain était déjà venu, mais pour la tâche suivante. Mon lit était là qui touchait presque à mon bureau, et en peu d'instants j'étais couché. L'habitude et la régularité (remarque physiologique qui n'est pas sans intérêt) avaient éteint toute excitation de travail. Je m'endormais aussi facilement qu'aurait pu faire un homme de loisir; et c'est ainsi que je me levais à huit heures, heure de plusieurs paresseux. Ces veilles nocturnes n'étaient pas sans quelque dédommagement. Un rossignol avait établi sa demeure en une petite allée de tilleuls qui coupe transversalement mon jardin, et il emplissait le silence de la nuit et de la campagne de sa voix limpide et éclatante. Oh! Virgile, comment as-tu pu, toi l'homme des *Géorgiques*, faire un chant de deuil, *miserabile carmen*, de ces sons si glorieux?

A la ville, le temps était moins réglé. La journée avait des allants et venants et des dérangements imprévus. Mais, le soir, je redevenais mon maître complètement; ma nuit m'appartenait, et je l'employais exactement comme à Ménil-le-Roi; nuits d'hiver où manquaient et mon rossignol familier, et la vue de la campagne, et l'horizon étendu, mais qui avaient leur silence même dans Paris, alors que vers deux ou trois heures tout s'y taisait, et qui se passaient l'une après l'autre dans le recueillement du travail.

*Comment j'ai fait mon Dictionnaire de la Langue française*

# LE R. P. HENRI-DOMINIQUE LACORDAIRE

1802–1861

*298*      *Explication et Justification*

La Chesnaie, 4 décembre 1832

JE quitterai la Chesnaie ce soir. Je la quitte par un motif d'honneur, ayant la conviction que désormais ma vie vous serait inutile à cause de la différence de nos pensées sur l'Église et la société, qui n'a fait que s'accroître tous les jours, malgré mes efforts sincères pour suivre le développement de vos opinions. Je crois que, durant ma vie, et bien au delà, la république ne pourra s'établir ni en France ni en aucun autre lieu de l'Europe, et je ne pourrais prendre part à un système qui aurait pour base une persuasion contraire. Sans renoncer à mes idées libérales, je comprends et je crois que l'Église a eu de très-sages raisons, dans la profonde corruption des partis, pour refuser d'aller aussi vite que nous l'aurions voulu. Je respecte ses pensées et les miennes. Peut-être vos opinions sont plus justes, plus profondes, et, en considérant votre supériorité naturelle sur moi, je dois en être convaincu; mais la raison n'est pas tout l'homme, et, dès que je n'ai pu déraciner de mon être les idées qui nous séparent, il est juste que je mette un terme à une communauté de vie qui est tout à mon avantage et tout à votre charge. Ma conscience m'y oblige non moins que l'honneur, car il faut bien que je fasse de ma vie quelque chose pour Dieu, et, ne pouvant vous suivre, que ferais-je ici que vous fatiguer, vous décourager, mettre des entraves à vos projets, et m'anéantir moi-même ?

Vous ne saurez jamais que dans le ciel combien j'ai souffert depuis un an par la seule crainte de vous causer de la peine. Je n'ai regardé que vous dans toutes mes hésitations, mes perplexités, mes retours, et, quelque dure que puisse être un jour mon existence, aucun chagrin du cœur n'égalera jamais ceux que j'ai ressentis dans cette occasion. Je vous laisse aujourd'hui tranquille du côté de l'Église, plus élevé dans l'opinion que vous ne l'avez jamais été, si au-dessus de vos ennemis qu'ils ne sont plus rien ; c'est le meilleur moment que je puisse choisir pour vous faire un chagrin qui, croyez-moi, vous en épargne de bien plus grands. Je ne sais pas encore ce que je deviendrai, si je passerai aux États-Unis, ou si je resterai en France, et dans quelle position. Quelque part que je sois, vous aurez des preuves du respect et de l'attachement que je vous conserverai toujours, et je vous prie d'agréer cette expression qui part d'un cœur déchiré.

*Lettre à Lamennais écrite en quittant la Chesnaie*

## 299    *Éloge d'un libérateur*

TOUT être qui naît, naît avec un droit. La pierre même inanimée apporte avec elle au monde une loi qui la protège et l'ennoblit ; elle est sous la garde de la loi mathématique, loi éternelle, ne faisant qu'une même chose avec l'essence de Dieu, et qui ne vous permet pas de toucher, ne fût-ce qu'un atome, sans le respect de sa force et de son droit. Tout être naît ainsi, aussi faible qu'il soit, avec une part de la puissance et de l'éternité de Dieu, et à plus forte raison l'homme, créature qui pense et qui veut, fils aîné de l'intelligence et de la volonté divine, en sorte qu'ôter à un homme son droit natal, c'est un crime si grand, que la pierre même, si on pouvait lui ôter le sien, accuserait le ravisseur de parricide et de sacrilège. Que sera-ce donc d'enlever le droit d'un peuple? Eh bien! C'est ce qu'on a fait à ce peuple héroïque dont je vous dépeins le supplice et la fermeté! On a fait plus, Messieurs, ce rapt du droit, ce meurtre légal d'une nation, on ne l'a pas établi d'une manière absolue, mais d'une manière conditionnelle, en sorte qu'il fût toujours possible à la nation et à chacun de ses membres de se racheter de la mort publique et civile par l'apostasie. La loi leur disait: Vous n'êtes rien, apostasiez, et vous serez quelque chose. Vous êtes esclaves, apostasiez, et vous serez libres. Vous mourez de faim, apostasiez, et vous serez riches. Quelle tentation, Messieurs, et que le calcul était profond, si la conscience n'était pas plus profonde encore que l'enfer! Ne craignez rien pour le peuple martyr; voilà deux siècles qu'il est plus grand que cette séduction, et qu'il lève vers Dieu ses mains tranquilles, en disant dans son cœur: «Dieu les voit, et il nous voit aussi; ils auront leur récompense et nous la nôtre.»... Tout à coup les lacs de l'Irlande retinrent sur leurs flots les souffles qui les agitaient; ses forêts demeurèrent tremblantes et immobiles; ses montagnes firent comme un effort d'attention: l'Irlande entendait une parole libre et chrétienne, une parole pleine de Dieu et de la patrie, habile à soutenir le droit des faibles, demandant compte des abus de l'autorité, ayant conscience de sa force et la donnant à tout le peuple. Certes, c'est un jour heureux que celui où une femme met au monde son premier-né; c'est un autre jour heureux que celui où le prisonnier revoit l'ample lumière du ciel; c'est encore un jour heureux que celui où l'exilé rentre dans sa patrie: mais aucun de ces bonheurs, les plus grands de l'homme, ne produit et n'égale le tressaillement d'un peuple qui, après de longs siècles, entend pour la première fois la parole humaine et la parole divine dans la plénitude de leur liberté.

Et cette inénarrable joie, l'Irlande la devait à ce jeune homme de vingt-cinq ans, qui s'appelait Daniel O'Connell.

*Éloge funèbre de Daniel O'Connell*

# ALEXANDRE DUMAS
## (Dumas père)

1802-1870

### *300*     *Saint-Péray*

TELLE diligence que nous fissions, la nuit et la pluie nous prirent, assez loin encore de Valence. La pluie seule était un inconvénient; car, la route étant celle des voitures, il n'y avait aucune crainte de nous égarer : aussi prîmes-nous notre parti. Nous nous laissâmes bravement tremper, jusqu'à ce que, apercevant un petit cabaret, nous nous y réfugiâmes.

Il était plein de buveurs qui, surpris comme nous par l'orage, le laissaient tranquillement passer en faisant fête à un petit vin blanc assez agréable à la vue. Tout en nous séchant sur toutes les coutures, et en fumant des pieds à la tête, nous nous regardâmes, Jadin et moi, nous interrogeant de l'œil pour savoir si nous devions faire comme eux. Le vin de l'Ermitage, que nous avions bu le matin sur le coteau même, nous préparait mal à la piquette du cabaret. Cependant, à mesure que l'humidité extérieure disparaissait, nous éprouvions le besoin d'une réaction intérieure. Nous nous décidâmes, en conséquence, à demander à notre hôtesse, moitié par nécessité, moitié pour le payement de son hospitalité, le morceau de pain et de fromage de rigueur et la bouteille de vin du cru; ce qui nous fut servi à l'instant même.

Dans les circonstances épineuses du genre de celle où nous nous trouvions, c'était toujours Jadin qui se dévouait; il remplit donc son verre à moitié, le porta à la hauteur

de la lumière, le tourna un instant pour l'examiner sur
toutes ses faces, et, assez content de l'examen visuel, il le
porta à sa bouche avec plus de confiance. Quant à moi, je
suivais tous ses mouvements avec l'anxiété d'un homme
qui, sans se mettre en avant, doit partager la bonne et la
mauvaise fortune de son compagnon de route. Je vis
Jadin déguster silencieusement une première gorgée, puis
une seconde, puis une troisième, enfin vider son verre et
le remplir, le tout sans proférer une parole, et avec un
étonnement progressif, qui avait quelque chose de religieux
et de reconnaissant; ensuite il recommença l'essai avec
les mêmes précautions, et parut l'achever avec la même
jouissance.

— Eh bien? dis-je attendant toujours.

— Le véritable bonheur est au sein de la vertu, me répondit gravement Jadin; nous sommes vertueux, et Dieu
nous récompense: goûtez-moi ce vin-là.

Je ne me le fis pas dire deux fois; je tendis mon verre,
et j'avalai son contenu aussi consciencieusement que la
circonstance l'exigeait.

— Qu'en dites-vous? continua Jadin avec la satisfaction
d'un homme qui a découvert le premier une bonne chose,
et qui en a fait jouir son camarade.

— Mais je dis que l'hôtesse s'est trompée de tas ou de
tonneau, et qu'elle nous a donné du vin à cinq francs la
bouteille pour manger avec du pain et du fromage; ce qui
me paraît un luxe anormal et inopportun.

— Hé! la mère! dit Jadin appelant.

— Attendez, monsieur, reprit l'hôtesse: c'est que je suis
occupée à tirer mon chat des dents de votre chien.

— Milord! ah! brigand! s'écria Jadin en se levant: attends,
attends! mais tu ne sais donc pas où tu es, gredin?... Tu
vas nous faire chasser d'ici, misérable! Milord arriva en
se pourléchant. Le chat était trépassé; la femme venait,
tenant le défunt par la queue.

— Eh bien, ç'a été vite fait, dit-elle. Regarde donc, notre homme, ce pauvre Mistigri !

Nous nous attendions à un orage affreux, et nous nous regardions avec anxiété.

— Bah ! dit l'hôtelier sans seulement tourner la tête et en continuant de se chauffer les pieds et de pousser la fumée de sa pipe. Jette-la à la porte, ta charogne de chat, qui mangeait toujours le fromage et jamais les souris. — Viens, mon chien, continua l'hôte en caressant Milord, et, si tu en trouves d'autres dans la maison, je te les donne.

— Ah ! ça ! dis-je à Jadin, nous sommes sur la terre promise, mon cher ami ; et, si vous m'en croyez, nous ferons provision de vin et de chats dans ce pays-ci.

— Oui, dit Jadin ; seulement, le tout est de savoir ce qu'on les paye.

— Ces messieurs me demandaient ? dit l'hôtesse revenant du convoi de son animal.

— Oui, ma bonne femme ; nous voulons savoir ce que coûte votre vin et ce que vaut votre chat ?

— Le vin, monsieur, c'est cinq sous la bouteille.

— Et le chat ?...

— Ah ! le chat ?... Vous donnerez ce que vous voudrez à la fille.

— Mais où donc sommes-nous, m'écriai-je, que nous dressions des autels aux dieux ?...

— Vous êtes à Saint-Péray, mes bons messieurs.

— A Saint-Péray ! Alors, tâchez de nous trouver un rôti, une omelette, un souper quelconque, et apportez-nous deux autres bouteilles.

Nous fîmes, pour trois francs, y compris le chat, un des meilleurs repas que nous eussions encore faits de notre vie.

A Paris, Mistigri seul nous aurait coûté le double ; il est vrai qu'on nous l'aurait probablement servi en gibelotte.

*Impressions de voyage. Le midi de la France*

# VICTOR-MARIE HUGO

1802–1885

*301*　　*L'éveil des carillons*

Eт si vous voulez recevoir de la vieille ville une impression
que la moderne ne saurait plus vous donner, montez, un
matin de grande fête, au soleil levant de Pâques, ou de
la Pentecôte, montez sur quelque point élevé d'où vous
dominiez la capitale entière, et assistez à l'éveil des carillons.
Voyez à un signal parti du ciel, car c'est le soleil qui le
donne, ces mille églises tressaillir à la fois. Ce sont d'abord
des tintements épars, allant d'une église à l'autre, comme
lorsque des musiciens s'avertissent qu'on va commencer;
puis tout à coup voyez, car il semble qu'en certains instants
l'oreille aussi a sa vue, voyez s'élever au même moment
de chaque clocher comme une colonne de bruit, comme une
fumée d'harmonie. D'abord, la vibration de chaque cloche
monte droite, pure et pour ainsi dire isolée des autres, dans
le ciel splendide du matin. Puis, peu à peu, en grossissant
elles se fondent, elles se mêlent, elles s'effacent l'une dans
l'autre, elle s'amalgament dans un magnifique concert.
Ce n'est plus qu'une masse de vibrations sonores qui se
dégage sans cesse des innombrables clochers, qui flotte,
ondule, bondit, tourbillonne sur la ville, et prolonge bien
au delà de l'horizon le cercle assourdissant de ses oscillations. Cependant cette mer d'harmonie n'est point un
chaos, si grosse et si profonde qu'elle soit, elle n'a point
perdu sa transparence. Vous y voyez serpenter à part
chaque groupe de notes qui s'échappe des sonneries; vous
y pouvez suivre le dialogue, tour à tour grave et criard,
de la crécelle et du bourdon; vous y voyez sauter
les octaves d'un clocher à l'autre; vous les regardez
s'élancer ailées, légères et sifflantes de la cloche d'argent,
tomber cassées et boiteuses de la cloche de bois; vous
admirez au milieu d'elles la riche gamme qui descend et
remonte sans cesse les sept cloches de Saint-Eustache; vous

voyez courir tout au travers des notes claires et rapides qui font trois ou quatre zigzags lumineux et s'évanouissent comme des éclairs. Là-bas, c'est l'abbaye Saint-Martin, chanteuse aigre et fêlée; ici, la voix sinistre et bourrue de la Bastille; à l'autre bout, la grosse tour du Louvre, avec sa basse-taille. Le royal carillon du Palais jette sans relâche de tous côtés des trilles resplendissants sur lesquels tombent à temps égaux les lourdes couppetées du beffroi de Notre-Dame, qui les font étinceler comme l'enclume sous le marteau. Par intervalles vous voyez passer des sons de toute forme qui viennent de la triple volée de Saint-Germain-des-Prés. Puis encore de temps en temps cette masse de bruits sublimes s'entr'ouvre et donne passage à la strette de l'Ave-Maria qui éclate et pétille comme une aigrette d'étoiles. Au-dessous, au plus profond du concert, vous distinguez confusément le chant intérieur des églises qui transpire à travers les pores vibrants de leurs voûtes. — Certes, c'est là un opéra qui vaut la peine d'être écouté. D'ordinaire la rumeur qui s'échappe de Paris le jour, c'est la ville qui parle; la nuit, c'est la ville qui respire: ici, c'est la ville qui chante. Prêtez donc l'oreille à ce tutti des clochers, répandez sur l'ensemble le murmure d'un demi-million d'hommes, la plainte éternelle du fleuve, les souffles infinis du vent, le quatuor grave et lointain des quatre forêts disposées sur les collines de l'horizon comme d'immenses buffets d'orgue, éteignez-y ainsi que dans une demi-teinte tout ce que le carillon central aurait de trop rauque et de trop aigu, et dites si vous connaissez au monde quelque chose de plus riche, de plus joyeux, de plus doré, de plus éblouissant que ce tumulte de cloches et de sonneries; que cette fournaise de musique; que ces dix mille voix d'airain chantant à la fois dans des flûtes de pierre hautes de trois cents pieds; que cette cité qui n'est plus qu'un orchestre; que cette symphonie qui fait le bruit d'une tempête.

*Notre-Dame de Paris*

*302*        *La mort d'un homme de génie*

Messieurs, le nom de Balzac se mêlera à la trace lumineuse que notre époque laissera dans l'avenir.

M. de Balzac faisait partie de cette puissante génération des écrivains du dix-neuvième siècle qui est venue après Napoléon, de même que l'illustre pléiade du dix-septième est venue après Richelieu, — comme si, dans le développement de la civilisation, il y avait une loi qui fît succéder aux dominateurs par le glaive les dominateurs par l'esprit.

M. de Balzac était un des premiers parmi les plus grands, un des plus hauts parmi les meilleurs. Ce n'est pas le lieu de dire ici tout ce qu'était cette splendide et souveraine intelligence. Tous ses livres ne forment qu'un livre, livre vivant, lumineux, profond, où l'on voit aller et venir et marcher et se mouvoir, avec je ne sais quoi d'effaré et de terrible mêlé au réel, toute notre civilisation contemporaine ; livre merveilleux que le poëte a intitulé comédie et qu'il aurait pu intituler histoire, qui prend toutes les formes et tous les styles, qui dépasse Tacite et qui va jusqu'à Suétone, qui traverse Beaumarchais et qui va jusqu'à Rabelais ; livre qui est l'observation et qui est l'imagination ; qui prodigue le vrai, l'intime, le bourgeois, le trivial, le matériel, et qui par moments, à travers toutes les réalités brusquement et largement déchirées, laisse tout à coup entrevoir le plus sombre et le plus tragique idéal.

A son insu, qu'il le veuille ou non, qu'il y consente ou non, l'auteur de cette œuvre immense et étrange est de la forte race des écrivains révolutionnaires. Balzac va droit au but. Il saisit corps à corps la société moderne. Il arrache à tous quelque chose, aux uns l'illusion, aux autres l'espérance, à ceux-ci un cri, à ceux-là un masque. Il fouille le vice, il dissèque la passion. Il creuse et sonde l'homme, l'âme, le cœur, les entrailles, le cerveau, l'abîme que chacun a en soi. Et, par un don de sa libre et vigoureuse nature, par un privilège des intelligences de notre temps qui, ayant vu de près les révolutions, aperçoivent mieux la fin de l'humanité et comprennent mieux la providence, Balzac se dégage souriant et serein de ces redoutables études qui produisaient la mélancolie chez Molière et la misanthropie chez Rousseau.

Voilà ce qu'il a fait parmi nous. Voilà l'œuvre qu'il nous laisse, œuvre haute et solide, robuste entassement d'assises de granit, monument! œuvre du haut de laquelle resplendira désormais sa renommée. Les grands hommes font leur propre piédestal; l'avenir se charge de la statue.

Sa mort a frappé Paris de stupeur. Depuis quelques mois, il était rentré en France. Se sentant mourir, il avait voulu revoir la patrie, comme la veille d'un grand voyage on vient embrasser sa mère.

Sa vie a été courte, mais pleine; plus remplie d'œuvres que de jours.

Hélas! ce travailleur puissant et jamais fatigué, ce philosophe, ce penseur, ce poëte, ce génie, a vécu parmi nous de cette vie d'orages, de luttes, de querelles, de combats, commune dans tous les temps à tous les grands hommes. Aujourd'hui, le voici en paix. Il sort des contestations et des haines. Il entre, le même jour, dans la gloire et dans le tombeau. Il va briller désormais, au-dessus de toutes ces nuées qui sont sur nos têtes, parmi les étoiles de la patrie!

Vous tous qui êtes ici, est-ce que vous n'êtes pas tentés de l'envier?

Messieurs, quelle que soit notre douleur en présence d'une telle perte, résignons-nous à ces catastrophes. Acceptons-les dans ce qu'elles ont de poignant et de sévère. Il est bon peut-être, il est nécessaire peut-être, dans une époque comme la nôtre, que de temps en temps une grande mort communique aux esprits dévorés de doute et de scepticisme un ébranlement religieux. La providence sait ce qu'elle fait lorsqu'elle met ainsi le peuple face à face avec le mystère

suprême, et quand elle lui donne à méditer la mort, qui
est la grande égalité et qui est aussi la grande liberté.

La providence sait ce qu'elle fait, car c'est là le plus
haut de tous les enseignements. Il ne peut y avoir que
d'austères et sérieuses pensées dans tous les cœurs quand
un sublime esprit fait majestueusement son entrée dans
l'autre vie, quand un de ces êtres qui ont plané longtemps
au-dessus de la foule avec les ailes visibles du génie,
déployant tout à coup ces autres ailes qu'on ne voit pas,
s'enfonce brusquement dans l'inconnu.

Non, ce n'est pas l'inconnu! Non, je l'ai déjà dit dans
une autre occasion douloureuse, et je ne me lasserai pas
de le répéter, non, ce n'est pas la nuit, c'est la lumière!
Ce n'est pas la fin, c'est le commencement! Ce n'est pas
le néant, c'est l'éternité! N'est-il pas vrai, vous tous qui
m'écoutez? De pareils cercueils démontrent l'immortalité;
en présence de certains morts illustres, on sent plus distinctement les destinées divines de cette intelligence qui
traverse la terre pour souffrir et pour se purifier et qu'on
appelle l'homme, et l'on se dit qu'il est impossible que
ceux qui ont été des génies pendant leur vie ne soient pas
des âmes après leur mort!

*Funérailles de M. Honoré de Balzac* (21 août 1850)

# PROSPER MÉRIMÉE

1803-1870

*303*          *Le lendemain d'une fête*

— On m'a volé! s'écria-t-il en se tournant vers l'aubergiste.

Au lieu de vingt écus d'or que contenait sa bourse, il
n'en trouvait que deux.

Maître Eustache haussa les épaules et sourit d'un air de
mépris.

— On m'a volé! répéta Mergy en nouant sa ceinture à
la hâte. J'avais vingt écus d'or dans cette bourse, et je

prétends les ravoir : c'est dans votre maison qu'ils m'ont été
pris.

— Par ma barbe ! j'en suis bien aise, s'écria insolemment
l'aubergiste... Mergy avait fini de s'habiller tout à fait.

— Où est le capitaine ? cria-t-il d'une voix tonnante.

— Il est parti il y a plus de deux heures, et puisse-t-il aller
au diable ainsi que tous les huguenots en attendant que nous
les brûlions tous !

Un vigoureux soufflet fut la seule réponse que Mergy
put trouver dans le moment.

La surprise et la force du coup firent reculer l'aubergiste
de deux pas. Le manche de corne d'un grand couteau sortait
d'une poche de sa culotte ; il y porta la main. Sans doute
quelque grand malheur serait arrivé s'il eût cédé au premier
mouvement de sa colère. Mais la prudence arrêta l'effet de
son courroux en lui faisant remarquer que Mergy étendait
la main vers le chevet de son lit, d'où pendait une longue
épée. Il renonça aussitôt à un combat inégal, et descendit
précipitamment l'escalier en criant à tue-tête :

— Au meurtre ! au feu !

Maître du champ de bataille, mais fort inquiet des suites
de sa victoire, Mergy boucla son ceinturon, y passa ses
pistolets, ferma sa valise, et, la tenant à la main, il résolut
d'aller porter sa plainte au juge le plus proche. Il ouvrit sa
porte, et il mettait le pied sur la première marche de l'escalier,
quand une troupe ennemie se présenta inopinément à sa
rencontre.

L'hôte marchait le premier, une vieille hallebarde à la
main ; trois marmitons, armés de broches et de bâtons, le
suivaient de près ; un voisin, avec une arquebuse rouillée,
formait l'arrière-garde. De part et d'autre on ne s'attendait
pas à se rencontrer si tôt. Cinq ou six marches seulement
séparaient les deux partis ennemis.

Mergy laissa tomber sa valise et saisit un de ses pistolets.
Ce mouvement hostile fit voir à maître Eustache et à ses

acolytes combien leur ordre de bataille était vicieux. Ainsi que les Perses à la bataille de Salamine, ils avaient négligé de choisir une position où leur nombre pût se déployer avec avantage. Le seul de leur troupe qui portât une arme à feu ne pouvait s'en servir sans blesser ses compagnons qui le précédaient; tandis que les pistolets du huguenot, enfilant toute la longueur de l'escalier, semblaient devoir les renverser tous du même coup. Le petit claquement que fit le chien du pistolet quand Mergy l'arma retentit à leurs oreilles, et leur parut presque aussi effrayant qu'aurait été l'explosion même de l'arme. D'un mouvement spontané la colonne ennemie fit volte-face et courut chercher dans la cuisine un champ de bataille plus vaste et plus avantageux. Dans le désordre inséparable d'une retraite précipitée, l'hôte, voulant tourner sa hallebarde, l'embarrassa dans ses jambes et tomba. En ennemi généreux, dédaignant de faire usage de ses armes, Mergy se contenta de lancer sur les fugitifs sa valise, qui, tombant sur eux comme un quartier de roc, et accélérant son mouvement à chaque marche, acheva la déroute. L'escalier demeura vide d'ennemis, et la hallebarde rompue restait pour trophée.

Mergy descendit rapidement dans la cuisine, où déjà l'ennemi s'était reformé sur une seule ligne. Le porteur d'arquebuse avait son arme haute et soufflait sa mèche allumée. L'hôte, tout couvert de sang, car son nez avait été violemment meurtri dans sa chute, se tenait derrière ses amis, tel que Ménélas blessé derrière les rangs des Grecs. Au lieu de Machaon ou de Podalire, sa femme, les cheveux en désordre et sa coiffe dénouée, lui essuyait la figure avec une serviette sale.

Mergy prit son parti sans balancer. Il marcha droit à celui qui tenait l'arquebuse et lui présenta la bouche de son pistolet à la poitrine.

— Jette ta mèche ou tu es mort! s'écria-t-il.

La mèche tomba à terre, et Mergy, appuyant sa botte

sur le bout de corde enflammé, l'éteignit. Aussitôt tous les
confédérés mirent bas les armes en même temps.

*Chronique du règne de Charles IX*

*304*      *Des miracles et des merveilles*

Cannes, 5 février 1859

MON *nid*, qui m'a bien fait rire, est un appartement meublé
où je demeure avec deux anglaises d'un âge très canonique,
vieilles amies qui me soignent merveilleusement. J'ai
devant ma fenêtre la mer qui, la semaine passée, m'empêchait de dormir, contre l'usage de la méditerrannée [*sic*]
et du golphe de Cannes, qui est la douceur même. Mais,
madame, comme disait mon patron de barque qui me mène
quelquefois à l'île St-Honorat, «il ventait la peau du diable».
Ce n'était pourtant qu'un *Libeccio*. Ici nous sommes à peu
près protégés contre le mistral. A droite, j'ai les montagnes
de l'Esterel, qui, après celles de l'Attique, ont les formes
les plus élégantes que j'ai vues. Le soleil entre dans ma
chambre de très bonne heure et ne la quitte que pour se
coucher. Ce serait un pays de Cocagne que Cannes si la
cuisine n'y faisait pas défaut. Cet art est très peu avancé,
et bien que je ne sois pas difficile, je ne mange guères. Il
est vrai que cet air de montagnes nourrit et donne des forces.
J'ai de petits spasmes de temps en temps, moins forts qu'à
Paris. C'est peu qu'une vieille machine ne soit pas plus
détraquée.

Comment pouvez-vous croire un instant, madame, que
je n'aie été très touché et très sérieusement attendri de ce
que vous me dites à l'occasion de la conversion de St
Paul. C'est de tous les saints le plus grand à mon avis, car
c'est lui qui a le premier appris aux hommes à faire ab-
straction des castes et des nationalités. Ce qui est un truisme
aujourd'hui était au premier siècle la plus grande pensée
et en apparence la plus difficile à faire admettre. Cependant

il y avait déjà une tendance, et Sénèque avait inventé le
mot de Humanité, qui était un néologisme alors et qui dut
soulever l'Académie latine. Je me garderai bien de discuter
le miracle de sa conversion. Nous serons d'accord sur un
point, c'est qu'il eut la grâce, et malheureusement elle n'est
pas donnée à tout le monde. Lorsque je lisais autrefois
les Provinciales, l'inflexible logique de Pascal m'avait
rendu presque jésuite, car j'admirais fort alors les efforts
que les jésuites avaient fait [*sic*] pour dénaturer l'Écriture
(et aussi la nature) dans l'intérêt de la civilisation. Mais il
n'est que trop certain que tout le monde n'a pas la grâce.
Tout le monde n'a pas la faculté d'être heureux, et certainement la foi est un des grands moyens de l'être. Je ne crois
pas l'avoir jamais...

Savez-vous, madame, ce qu'est un Bernard l'ermite?
C'est une langouste très petite, de trois centimètres au
plus, dont la queue est dépourvue d'écailles. Elle serait fort
exposée à être mangée, si elle n'avait l'instinct de mettre
cette queue nue dans une coquille. Il y a des naturalistes
qui prétendent que Bernard mange le coquillage avant de
prendre sa maison. C'est peut-être un cancan. Je ramassai
l'autre jour un gros Bernard logé dans une coquille
d'où on ne voyait sortir que le bout de ses antennes
et ses deux petites pinces. Avec toutes les précautions
possibles, je cassai le coquillage et je mis la bête dans un
plat d'eau de mer. Elle y faisait piteuse figure, la queue
reployée, et les pinces en avant, déterminée pourtant à se
défendre jusqu'au bout. Je plaçai à quelque distance une
coquille vide. Aussitôt Bernard s'en approcha, en fit le
tour, étendit ses deux bras pour mesurer l'ouverture, puis
leva en l'air un seul bras, évidement [*sic*] pour aprécier [*sic*]
la hauteur de la maison. Il parut méditer pendant une
minute. Son calcul de tête terminé, il plongea un bras dans la
coquille pour s'assurer qu'elle était vide, puis faisant une
cabriole il se lança la tête en bas et la queue en l'air de façon à

retomber dans la coquille où il s'engaina comme un sabre dans son fourreau. Un moment après il se promenait fièrement dans le plat, traînant sa nouvelle coquille, avec l'aplomb et l'assurance d'un homme qui a un habit neuf. J'ai tellement admiré ce petit mathématicien que je l'ai reporté le lendemain à son rocher. Voilà, madame, mon histoire. J'aurais encore à vous conter celle d'une mante, *mantis religiosa* qu'on appelle ici Prega Diou, prie-Dieu — que j'ai transportée de Nice à Paris et de Paris à Cannes, mais elle est morte hier. C'était une étrange bête dont je vous ferai le portrait de grandeur naturelle. Elle marche debout sur quatre pattes, ses deux pinces rapprochées sous le menton. C'est pour cela qu'on l'appelle en patois prie-Dieu. Elle mangeait ses trois mouches par jour, mais à Paris elle avait jeûné pendant deux mois. Ses serres et son bec vus à la loupe étaient des armes terribles.

Adieu, madame, vous voyez que j'admire la création dans les petites merveilles, non moins merveilles que les grandes.

*Lettre à Madame de la Rochejaquelein*

# EDGAR QUINET

1803-1875

*305*    *La Convention*

Où s'est-il vu jamais une assemblée d'hommes ainsi présents partout, occupés de tout, de ce qui est loin et de ce qui est près, de l'ensemble et du détail, de l'infiniment grand et de l'infiniment petit, d'armées et de médailles antiques, de peuples et de bibliothèques, d'échafauds et de vases étrusques? Ubiquité, universalité, c'est le nom de la Convention.

Avec tant d'audaces, pourquoi n'aurait-elle pas osé fonder une ère nouvelle? Elle l'osa. Fabre d'Églantine apporte à la fin de 1793 le nouveau calendrier; Romme le commente. Les Français avaient tant besoin d'oublier

leur passé! Ils cherchèrent à oublier jusqu'aux noms antiques des jours, des mois, des saisons; ils crurent un moment
être arrachés à leurs gothiques fondements. Jamais, dans
le monde moderne, nation ne fit effort plus grand pour
effacer ses souvenirs.

Rien, au reste, ne semblait mieux calculé, plus réfléchi,
que cette révolte contre l'ère vulgaire. Les temps se partagent d'eux-mêmes: après la création, le Christ; après le
Christ, la Révolution. Tout était conforme à la science;
l'égalité des jours et des nuits, à l'équinoxe d'automne,
ouvrait au 22 septembre l'ère de l'égalité civile. Ainsi, on
reflétait dans la loi les pensées constellées de l'univers. La
grande République se trouve, comme une portion du firmament, inscrite dans la sphère céleste; elle s'ordonne
comme l'équation de la géométrie des mondes. Quelle
garantie pour l'édifice nouveau! Qui pourra le renverser
puisqu'il a pour lui l'armée des étoiles?

Qui eût cru que cette géométrie humaine, si profondément
calculée, s'écrivait sur le sable, et qu'après si peu d'années,
il n'en resterait plus de traces? Les Olympiades, les années
des consuls, ont duré pendant des siècles; l'Hégyre subsiste.
L'ère de l'an I a passé avant la génération qui l'a fondée.
Où sont les mois qui promettaient la moisson, germinal,
messidor, fructidor? Ils ont passé comme ceux qui annon-
çaient les tempêtes, brumaire, frimaire, nivôse. Rien n'est
resté, ni le printemps ni l'hiver. Où sont les fêtes du *Génie*,
des *Récompenses*, de l'*Opinion*?

Les cieux ont continué de graviter; ils ont ramené
l'égalité des jours et des nuits; mais ils ont laissé périr
l'égalité et la liberté promises, météores dissipés dans le
vide. La sphère poursuit sa course, sans s'apercevoir qu'au
22 septembre elle ne ramène plus avec elle l'ordre politique
qui la prenait à témoin. Les astres n'ont point épousé la
République de l'an I; ils ont mieux aimé leurs espaces
déserts que les cieux sanglants de l'esprit humain. Les

sans-culottes n'ont pu se populariser dans la plèbe des étoiles.

D'autre part, les peuples ont répudié l'ère nouvelle; ils sont revenus à l'ancienne. Pourquoi? Parce que les hommes de la Révolution ont cru prématurément que l'âge de la science est arrivé, et qu'il servira désormais de base unique à toutes les conceptions. Une croyance antique qu'ils avaient négligée, soit crainte, soit mépris, s'est retrouvée; un fantôme a apparu: un souffle grêle, comme celui de Samuel, s'est fait sentir; l'édifice si savamment construit, appuyé sur les mondes, s'est évanoui.

Pourtant, la chimère de l'ère nouvelle a existé douze ans; les peuples s'y étaient déjà accoutumés. Qui serait assez hardi pour affirmer que, dans les siècles des siècles, cet édifice ou un autre semblable ne se relèvera jamais?

*La Révolution*

## 306     *Robespierre*

ROBESPIERRE était alors[1] dans sa trente-cinquième année, mais il semblait n'avoir jamais été jeune. Jamais il n'avait porté sa tête avec tant de roideur, à la manière du boa qui se redresse sous le pied qui l'effleure. Cette tête n'attirait d'abord l'attention que par sa fixité; la première impression était la rigueur sèche d'un homme de loi. Comme il portait des lunettes, le regard lui manquait. Ses yeux fatigués ne jetaient qu'un demi-rayon clignotant, et seulement quand la colère s'y allumait. Les tempes et le front resserrés, où les grandes pensées devaient se trouver à l'étroit; le nez relevé, provoquant, la bouche trop grande, les lèvres minces et pincées, le sourire d'une fadeur insupportable quand il voulait en couvrir ses projets; le teint livide, cadavéreux, les joues convulsives; tout son aspect marquait

_____
[1] Thermidor, An II (July 1794)

l'effort constant, le défi, la volonté, la logique, mais non
assurément l'appétit du sang et la bête de proie, comme
on l'a dit. Le caractère de cette physionomie est de n'avoir
pas de trait dominant; elle vous fuit à mesure que vous
la cherchez. Elle est dans la couleur du visage plus que
dans le visage même, dans l'attitude plus que dans les traits,
dans les circonstances plus que dans le naturel, dans l'opinion plus que dans la réalité. La volonté intérieure, le système, éclairent seuls d'une lumière abstraite cette figure
géométrique, où la passion, le tempérament, ne percent pas.
La nature n'avait pas fait de Robespierre un mangeur
d'hommes. C'est au dedans qu'il faut lire sa destinée.
Elle n'est pas écrite au dehors. Si vous cherchez sur
son visage effacé la fascination de terreur dont il était
environné, il faut une grande complaisance d'imagination
pour la découvrir. La vérité est plus simple.

*La Révolution*

*307*            *Hérodote et Froissart*

JE crois qu'une âme qui, en des temps agités, a besoin de
retrouver l'équilibre, ne peut rien faire de mieux que de
se replacer dans le rythme des histoires d'Hérodote. Si
cette âme est capable de s'y conformer un moment, elle y
trouvera sa guérison. Nulle philosophie ne peut produire
la paix que donne le spectacle des choses héroïques,
impartialement réfléchi dans un esprit immortel.

Chez les hommes de nos jours le sentiment de la race
produit la haine, ou au moins l'antipathie.

Dans Hérodote, rien de semblable.

Il n'y a pas un mot véhément contre les étrangers. Il
se contente de les nommer *Barbares*.

Cette absence d'antipathies, ce grand, impartial regard
jeté sur toutes les races humaines commence par étonner.

Mais dans cette impartialité, il y a une si grande curiosité d'esprit, un désir si persévérant de voir et de savoir le vrai, qu'on se sent le besoin de le partager.

Je veux bien qu'il y ait aussi le sentiment de l'enfant qui regarde avec le même sérieux le brin d'herbe et le chêne, le nain et le géant. Mais cette innocence de l'esprit qui s'éveille sur toutes choses, ne s'est vue qu'une fois. Hérodote regarde avec la même surprise le grand et le petit, un dieu et un lézard. Tout est grand pour lui, et il donne la grandeur à tout.

Quand on compare Froissart à Hérodote, il ne faut pas oublier que le premier n'a eu à raconter que des guerres affreuses, les défaites des hommes de sa race, les pilleries des routiers. Crécy et Azincourt, qu'y a-t-il là de commun avec Salamine, Platée et Mycale!

Au milieu de ces désastres, le chroniqueur de Valenciennes reste impassible; il n'est que peintre; il jouit des tueries; il cherche la couleur, elle le console de tout.

Cela est le contraire d'Hérodote, qui projette sur son tableau la lumière des Thermopyles.

*Vie et Mort du Génie Grec*

# CHARLES-AUGUSTIN SAINTE-BEUVE

1804–1869

*308*       *Coppet*

LA vie de Coppet était une vie de château. Il y avait souvent jusqu'à trente personnes, étrangers et amis... Les conversations philosophiques, littéraires, toujours piquantes ou élevées, s'engageaient déjà vers onze heures du matin, à la réunion du déjeuner; on les reprenait au dîner, dans l'intervalle du dîner au souper, lequel avait lieu à onze heures du soir, et encore au delà souvent jusqu'après minuit. Benjamin Constant et Mme de Staël y tenaient surtout le dé. C'est là que Benjamin Constant, que nous, plus jeunes, n'avons guère vu que blasé, sortant de sa raillerie trop invétérée par un enthousiasme un peu factice, causeur toujours prodigieusement spirituel mais chez qui l'esprit, à la fin, avait hérité de toutes les autres facultés et passions plus puissantes; c'est là qu'il se montrait avec feu et naturellement ce que Mme de Staël le proclamait sans prévention, *le premier esprit du monde* : il était certes le plus grand des hommes distingués. Leurs esprits du moins, à tous les deux, se convenaient toujours; ils étaient sûrs de s'entendre par là. Rien, au dire des témoins, n'était éblouissant et supérieur comme leur conversation engagée dans ce cercle choisi, eux deux tenant la raquette magique du discours et se renvoyant, durant des heures, sans manquer jamais, le volant de mille pensées entre-croisées. Mais il ne faudrait pas croire qu'on fût là, de tout point, sentimental ou solennel; on y était souvent simplement gai; Corinne avait des jours d'abandon où elle se rapprochait de la signora *Fantastici*. On jouait souvent à Coppet des tragédies, des drames, ou les pièces chevaleresques de Voltaire, *Zaïre*, *Tancrède* si préféré de Mme de Staël, ou des pièces composées exprès par elle ou par ses amis. Ces dernières s'imprimaient quelquefois à Paris, pour qu'on pût ensuite apprendre plus commodément les rôles; l'intérêt qu'on mettait à ces envois était vif, et quand on avisait à de graves corrections dans l'intervalle, vite on expédiait un courrier, et, en certaines circonstances, un second pour rattraper ou modifier la correction déjà en route.

*Portraits de femmes* (Mme de Staël)

*309*        *La morale et le goût*

QUE la littérature actuelle soit assez peu prude, qu'elle aime les exceptions, les cas singuliers, les situations scabreuses ou violentes, je ne le nierai pas, et je lui souhaiterai un peu plus de tempérance, au nom de la morale sans doute, mais aussi au nom du goût. Le goût, il faut bien le dire, n'est pas tout à fait la même chose que la morale, bien qu'il n'y soit pas opposé. La morale, établie d'une façon stricte, peut être quelquefois en méfiance du goût et le faire taire; si difficile et si dédaigneux qu'il soit, elle est moins étendue et moins élastique que lui.

Quand une personne de principes et de croyance religieuse me parle contre un certain genre littéraire au nom de sa conscience, je m'incline et ne discute pas; c'est de sa part un motif supérieur qui interdit un danger, un écueil; il n'y a pas de comparaison à faire entre les avantages gracieux qu'on pourrait réclamer, et les inconvénients funestes qu'elle y croit voir. Quand Racine fut convaincu de la doctrine de Nicole, il cessa de faire des tragédies. C'était le parti le plus sûr. Devant Saint Paul, Anacréon et Horace n'existent pas; la ceinture de Vénus est à quitter pour l'austère cordon. Mais la société n'en est pas là, et, dans la discussion présente, lorsqu'en prenant le parti sévère, on se tient simplement à la morale du monde, à ce qu'on appelle être honnête homme, à la morale qui admet la comédie et la tragédie, *Tartufe* et *Phèdre*, et la ceinture de Vénus et les jardins d'Armide, oh! alors le goût peut intervenir en son nom et faire valoir ses motifs. Or, depuis qu'il y a des sociétés civilisées, des littératures polies, ces littératures, soit sur le théâtre, soit dans les poésies lyriques, soit dans les autres genres d'imagination, ont vécu sur des exceptions pathétiques, passionnées, criminelles souvent, sur des amours, des séductions, des faiblesses, et les œuvres qu'on admire le plus parmi les hommes sont celles qui ont triomphé dans la forme et l'expression, dans un certain charme qui y respire, dans une certaine moralité qui résulte autant de la beauté de la production que de la conclusion expresse, ou qui même est quelquefois en sens contraire de cette conclusion littérale qu'on y pourrait voir. Cette beauté, il faut en convenir, cette harmonie de contours et de composition, qui peut réparer jusqu'à un certain point les désordres du fond, nos écrivains modernes, si éclatants dans le détail, ne l'ont guère, et c'est là peut-être ce qu'il faudrait leur demander plutôt qu'une moralité directe que l'art véritable n'a jamais cherchée et qu'il fuirait, j'en suis sûr, obstinément, sitôt qu'on la lui afficherait avec solennité.

*Des jugements sur notre littérature contemporaine à l'étranger*

### *310    Comme une lumière réfléchie*

JE me suis quelquefois étonné et j'ai regretté qu'il n'y ait pas eu à Port-Royal, ou dans cette postérité qui suivit, un poëte comme William Cowper, l'ami de Jean Newton. Cowper était, comme Pascal, frappé de terreur à l'idée de la vengeance de Dieu; il avait de ces tremblements qu'inspirait M. de Saint-Cyran, et il a si tendrement chanté! Nous tâcherons du moins, Messieurs, de relever, chemin faisant, de recueillir et de vous communiquer ces doux éclairs d'un sujet si grave. Ce ne sera jamais une émotion vive, ardente, rayonnante: c'est moins que cela, c'est mieux que cela peut-être; une impression voilée, tacite, mais profonde; — quelque chose comme ce que je voyais ces jours derniers d'automne sur votre beau lac un peu couvert, et sous un ciel qui l'était aussi. Nulle part, à cause des nuages, on ne distinguait le soleil ni aucune place bleue qui fît sourire le firmament; mais, à un certain endroit du lac, sur une certaine zone indécise, on voyait, non pas l'image même du disque, pourtant une lumière blanche, éparse, réfléchie, de cet astre qu'on ne voyait pas. En regardant à des heures différentes, le ciel restant toujours voilé, le disque ne s'apercevant pas davantage, on suivait cette zone de lumière réfléchie, de lumière vraie, mais non éblouissante, qui avait cheminé sur le lac, et qui continuait de rassurer le regard et de consoler. La vie de beaucoup de

ces hommes austères que nous aurons à étudier, est un peu
ainsi, et elle ne passera pas sous nos yeux, vous le pressentez
déjà, sans certains reflets de douceur, sans quelque sujet
d'attendrissement.

*Port-Royal* (Discours préliminaire [6 nov. 1837])

### *311*        *Ce convoi idéal*

JE me demande ce que seraient à nos yeux les funérailles
de Montaigne; je me représente même ce convoi idéal et
comme perpétuel, que la postérité lui fait incessamment...
Montaigne est mort : on met son livre sur son cercueil;
le théologal Charron et Mlle de Gournay, — celle-ci, sa
fille d'alliance, en guise de pleureuse solennelle, — sont
les plus proches qui l'accompagnent, qui mènent le deuil ou
portent les coins du drap, si vous voulez. Bayle et Naudé,
comme sceptiques officiels, leur sont adjoints. Suivent les
autres qui plus ou moins s'y rattachent, qui ont profité en le
lisant, et y ont pris pour un quart d'heure de plaisir; ceux
qu'il a guéris un moment du solitaire ennui, qu'il a fait penser
en les faisant douter; La Fontaine, Mme de Sévigné comme
cousine et voisine; ceux comme la Bruyère, Montesquieu
et Jean-Jacques, qu'il a piqués d'émulation, et qui l'ont
imité avec honneur; — Voltaire à part, au milieu; —
beaucoup de moindres dans l'intervalle, pêle-mêle, Saint-
Évremond, Chaulieu, Garat..., j'allais nommer nos contemporains, nous tous peut-être qui suivons... Quelles
funérailles ! s'en peut-il humainement de plus glorieuses,
de plus enviables au *moi* ? Mais qu'y fait-on ? A part Mlle
de Gournay qui y pleure tout haut par cérémonie, on y
cause; on y cause du défunt et de ses qualités aimables, et
de sa philosophie tant de fois en jeu dans la vie, on y
cause de soi. On récapitule les points communs : «Il a
toujours pensé comme moi des matrones inconsolables»,
se dit La Fontaine. — «Et comme moi, des médecins assas-

sins », s'entredisent à la fois Le Sage et Molière. — Ainsi un chacun. Personne n'oublie sa dette; chaque pensée rend son écho. Et ce *moi* humain du défunt qui jouirait tant s'il entendait, où est-il? car c'est là toute la question. *Est*-il? et s'il est, tout n'est-il pas changé à l'instant? tout ne devient-il pas immense? Quelle comédie jouent donc tous ces gens, qui la plupart, et à travers leur qualité d'*illustres*, passaient pourtant pour raisonnables? Qui mènent-ils, et où le mènent-ils? où est la bénédiction? où est la prière? Je le crains, Pascal seul, s'il est du cortège, a prié.

*Port-Royal*

## *312  Qu'ai-je voulu? qu'ai-je fait? qu'y ai-je gagné?*

J'AI terminé cette Histoire commencée depuis si longtemps, et dont je ne me suis jamais séparé au milieu même des distractions en apparence les plus contraires, cette description fidèle d'une tribu, d'une race sainte.

Qu'ai-je voulu? qu'ai-je fait? qu'y ai-je gagné?

Jeune, inquiet, malade, amoureux et curieux des fleurs les plus cachées, je voulais surtout à l'origine, en pénétrant le mystère de ces âmes pieuses, de ces existences intérieures, y recueillir la poésie intime et profonde qui s'en exhalait. Mais à peine avais-je fait quelques pas, que cette poésie s'est évanouie ou a fait place à des aspects plus sévères : la religion seule s'est montrée dans sa rigueur, et le Christianisme dans sa nudité.

Cette religion, il m'a été impossible d'y entrer autrement que pour la comprendre, pour l'exposer. J'ai plaidé pour elle devant les incrédules et les railleurs; j'ai plaidé la *Grâce*, j'ai plaidé la *Pénitence*; j'en ai dit le côté élevé, austèrement vénérable, ou même tendrement aimable, j'ai cherché à en mesurer les degrés, — j'ai compté les degrés de l'Échelle de Jacob. Là s'est borné mon rôle, là mon fruit.

Directeurs redoutés et savants, illustres solitaires, parfaits confesseurs et prêtres, vertueux laïques qui seriez prêtres ailleurs et qui n'osiez prétendre à l'autel, vous tous, hommes de bien et de vérité, quelque respect que je vous aie voué, quelque attention que j'aie mise à suivre et à marquer vos moindres vestiges, je n'ai pu me ranger à être des vôtres. Si vous étiez vivants, si vous reveniez sur la terre, est-ce à vous que je courrais d'abord ? J'irais une ou deux fois peut-être pour vous saluer et comme par devoir, et aussi pour vérifier en vous l'exactitude de mes tableaux, mais je ne serais pas votre disciple. J'ai été votre biographe, je n'ose dire votre peintre ; hors de là, je ne suis point à vous... J'ai eu beau faire, je n'ai été et je ne suis qu'un investigateur, un observateur sincère, attentif et scrupuleux. Et même, à mesure que j'ai avancé, le charme s'en étant allé, je n'ai plus voulu être autre chose. Il m'a semblé qu'à défaut de la flamme poétique qui colore, mais qui leurre, il n'y avait point d'emploi plus légitime et plus honorable de l'esprit que de voir les choses et les hommes comme ils sont, et de les exprimer comme on les voit, de décrire autour de soi, en serviteur de la science, les variétés de l'espèce, les diverses formes de l'organisation humaine, étrangement modifiée au moral dans la société et dans le dédale artificiel des doctrines. Et quelle doctrine plus artificielle que la vôtre ! Vous avez toujours parlé de vérité, et vous avez tout sacrifié à ce qui vous est apparu sous ce nom : j'ai été à ma manière un homme de vérité, aussi avant que je l'ai pu atteindre.

Mais cela même, que c'est peu ! que notre regard est borné ! qu'il s'arrête vite ! qu'il ressemble à un pâle flambeau allumé un moment au milieu d'une nuit immense ! et comme celui qui avait le plus à cœur de connaître son objet, qui mettait le plus d'ambition à le saisir et le plus d'orgueil à le peindre, se sent impuissant et au-dessous de sa tâche, le jour où la voyant à peu près terminée, et le résultat obtenu, l'ivresse de sa force s'apaise, où la défaillance finale et l'inévitable dégoût le gagnent, et où il s'aperçoit à son tour qu'il n'est qu'une illusion des plus fugitives au sein de l'Illusion infinie !

*Port-Royal* (Conclusion)

# EUGÈNE SUE

1804-1875

*313*        *La Sologne*

CETTE partie de la Sologne, où viennent se confiner, du nord au sud, les départements du Loiret et de Loir-et-Cher, et dont une portion forme ce qu'on appelle le bassin de la *Sauldre*, offre une physionomie particulière : ce sont généralement d'immenses bois de sapins coupés çà et là par de grandes plaines de bruyères, ou par des terrains tourbeux, que submergent presque toujours les débordements des rivières et des ruisseaux. Ce sont encore de vastes étangs encadrés de touffes d'iris et de joncs fleuris, eaux dormantes souvent effleurées par le vol circulaire des *courlis*, des *arcanettes* ou des *martins-pêcheurs* ; çà et là quelques vallées de prairies, semées de massifs de chênes, rompent l'aspect uniforme de ce paysage aux lignes planes et tranquilles.

Rien ne saurait rendre le calme mélancolique de ce pays désert, aux vastes horizons formés par les masses toujours vertes des forêts de sapins ; de ces solitudes profondes, où résonne, de temps à autre, le choc sonore de la cognée du bûcheron, et d'où s'élève, lorsque le vent souffle, un bruit sourd, prolongé, imposant, comme le lointain mugissement de la mer ; bruit causé par l'agitation et le frôlement des branchages des arbres verts. Ce n'est pas non plus un spectacle sans majesté que de voir le soleil s'abaisser lentement derrière ces plaines immenses, unies comme un lac, et couvertes de bruyères roses et d'ajoncs d'un jaune d'or que la brise du soir fait doucement onduler, ainsi qu'une nappe de verdure et de fleurs.

Les oiseaux de proie, qui choisissent pour repaire les grands bois déserts, les *jeans-de-blanc*, les *aigles de Sologne*, les *bondrés*, les *faucons*, sont aussi nombreux dans ces solitudes que les oiseaux aquatiques.

Ce qui donne, surtout l'hiver, à cette contrée un aspect singulier, c'est l'éternelle et sombre verdure de ses sapinières mêlées de taillis de bouleaux et de chênes, où gitent toujours le renard, le chevreuil, le loup, et où s'aventurent souvent les cerfs et les sangliers des forêts voisines.

Aussi ce pays est-il la terre promise du chasseur et conséquemment du braconnier, car le lièvre, la perdrix rouge, le faisan y abondent, et le lapin y pullule de telle sorte que, depuis le riche propriétaire dont il ronge les jeunes bois, jusqu'au pauvre cultivateur dont il broute les maigres guérets, tous le regardent comme un fléau destructeur.

*Martin l'enfant trouvé*

# GEORGE SAND

1804-1876

*314*　　　　　*Que justice soit faite*

LA cour se retira pour délibérer, et, au bout d'une demi-heure, elle rentra, et rendit contre moi un arrêt qui me condamnait à la peine capitale... Il était deux heures du matin. L'audience durait depuis quatorze heures. Un silence de mort planait sur l'assemblée, qui était aussi attentive, aussi nombreuse, qu'au commencement, tant les hommes sont avides de spectacles. Celui qu'offrait l'enceinte de la cour criminelle en cet instant était lugubre. Ces hommes en robe rouge, aussi pâles, aussi absolus, aussi implacables que le conseil des Dix à Venise; ces

spectres de femmes coiffées de fleurs, que la lumière
blafarde des flambeaux faisait ressembler à des souvenirs
de la vie flottant dans les tribunes au-dessus des prêtres de
la mort; les mousquets de la garde étincelant dans l'ombre
des derniers plans; l'attitude brisée de mon pauvre sergent,
qui s'était laissé tomber à mes pieds; la joie muette et
puissante du trappiste, infatigablement debout auprès de
la barre; le son lugubre d'une cloche de couvent qui se
mit à sonner matines dans le voisinage, au milieu du silence
de l'assemblée: c'était de quoi émouvoir les nerfs des femmes de fermiers généraux et faire battre les larges poitrines
des corroyeurs du parterre.

Tout à coup, au moment où la cour allait se disperser
et annoncer la levée de la séance, une figure en tout semblable à celle qu'on prête au paysan du Danube, trapue,
en haillons, pieds nus, à la barbe longue, aux cheveux en
désordre, au front large et austère, au regard imposant et
sombre, se leva au milieu des mouvants reflets dont la
foule était à demi éclairée, et se dressa devant la barre en
disant d'une voix creuse et accentuée:

— Moi, Jean Le Houx, dit *Patience*, je m'oppose à ce
jugement, comme inique quant au fond et illégal quant
à la forme. Je demande qu'il soit revisé, afin que je puisse
faire ma déposition, qui est nécessaire, souveraine peut-
être, et qu'on aurait dû attendre.

— Et, si vous aviez quelque chose à dire, s'écria l'avocat
du roi avec passion, que ne vous présentiez-vous lorsque
vous en avez été requis? Vous en imposez à la cour en
prétendant que vous avez des motifs à faire valoir.

— Et vous, répondit Patience d'un ton plus lent et d'une
vois plus creuse encore qu'auparavant, vous en imposez
au public en disant que je n'en ai pas. Vous savez bien que
je dois en avoir...

— Témoin, dit le magistrat irrité, l'âcreté et l'insolence
de votre langage seront plus nuisibles qu'avantageuses à

l'accusé... Je vous préviens que, si vous ne changez de ton, je vais vous faire conduire en prison.

— Je vous préviens que, si vous aimez la justice et si vous servez Dieu, vous m'entendrez et suspendrez l'exécution de l'arrêt. Il n'appartient pas à celui qui apporte la vérité de s'humilier devant ceux qui la cherchent. Mais, vous qui m'entendez, hommes du peuple dont les grands ne voudraient sans doute pas se jouer, vous dont on appelle la voix *voix de Dieu*, joignez-vous à moi, embrassez la défense de la vérité, qui va être étouffée peut-être sous de malheureuses apparences, ou bien qui va triompher par de mauvais moyens. Mettez-vous à genoux, hommes du peuple, mes frères, mes enfants; priez, suppliez, obtenez que justice soit faite et colère réprimée. C'est votre devoir, c'est votre droit et votre intérêt; c'est vous qu'on insulte et qu'on menace quand on viole les lois.

Patience parlait avec tant de chaleur, et la sincérité éclatait en lui avec tant de puissance, qu'il y eut un mouvement sympathique dans tout l'auditoire. La philosophie était alors trop à la mode chez les jeunes gens de qualité pour que ceux-ci ne répondissent pas des premiers à un appel qui ne leur était pourtant pas adressé. Ils se levèrent avec une impétuosité chevaleresque et se tournèrent vers le peuple, qui se leva, entraîné par ce noble exemple. Il y eut une clameur furieuse, et chacun, sentant sa dignité et sa force, oublia les préventions personnelles pour se réunir dans le droit commun. Ainsi, quelquefois il suffit d'un noble élan et d'une parole vraie pour ramener les masses égarées par de longs sophismes.

Le sursis fut accordé, et je fus reconduit à ma prison au milieu des applaudissements.

*Mauprat*

## *315* *La Maria-Antonia*

SA cellule était située à côté de la nôtre et nous servait de cuisine, tandis que la dame était censée nous servir de ménagère... Elle possédait, en fait de mobilier, un lit de sangle, une chaufferette, un brasero, deux chaises de paille, un crucifix, et quelques plats de terre. Elle mettait tout cela à votre disposition avec beaucoup de générosité, et vous pouviez installer chez elle votre servante et votre marmite.

Mais aussitôt elle entrait en possession de tout votre ménage, et prélevait pour elle le plus pur de vos nippes et de votre dîner. Je n'ai jamais vu de bouche dévote plus friande, ni de doigts plus agiles pour puiser, sans se brûler, au fond des casseroles bouillantes, ni de gosier plus élastique pour avaler le sucre et le café de ses hôtes chéris à la dérobée, tout en fredonnant un cantique ou un boléro. C'eût été une chose curieuse et divertissante, si on eût pu être tout à fait désintéressé dans la question, que de voir cette bonne Antonia, et la Catalina, cette grande sorcière valldemosane qui nous servait de valet de chambre, et la *niña*, petit monstre ébouriffé qui nous servait de groom, aux prises toutes trois avec notre dîner. C'était l'heure de l'Angélus, et ces trois chattes ne manquaient pas de le réciter : les deux vieilles en duo, faisant main basse sur tous les plats, et la petite répondant *amen*, tout en escamotant avec une dextérité sans égale quelque côtelette ou quelque fruit confit. C'était un tableau à faire et qui valait bien la peine qu'on feignît de ne rien voir ; mais lorsque les pluies interceptèrent fréquemment les communications avec Palma, et que les aliments devinrent rares, *l'assistencia* de la Maria-Antonia et de sa clique devint moins plaisante, et nous fûmes forcés de nous succéder, mes enfants et moi, dans le rôle de planton pour surveiller les vivres. Je me souviens d'avoir couvé, presque sur mon chevet, certains paniers de biscottes bien nécessaires au déjeuner du

lendemain, et d'avoir plané comme un vautour sur certains
plats de poisson, pour écarter de nos fourneaux en plein
vent ces petits oiseaux de rapine qui ne nous eussent laissé
que les arêtes.

*Un Hiver à Majorque*

## *316* *Les Oliviers*

RIEN n'égale la force et la bizarrerie de formes de ces antiques pères nourriciers de Majorque. Les Majorquins en
font remonter la plantation la plus récente au temps de
l'occupation de leur île par les Romains. C'est ce que je ne
contesterai pas, ne sachant aucun moyen de prouver le
contraire, quand même j'en aurais envie, et j'avoue que
je n'en ai pas le moindre désir. A voir l'aspect formidable,
la grosseur démesurée et les attitudes furibondes de ces
arbres mystérieux, mon imagination les a volontiers accep-
tés pour des contemporains d'Annibal. Quand on se promène le soir sous leur ombrage, il est nécessaire de bien se
rappeler que ce sont là des arbres; car si on en croyait les
yeux et l'imagination, on serait saisi d'épouvante au milieu
de tous ces monstres fantastiques, les uns se courbant vers
vous comme des dragons énormes, la gueule béante et les
ailes déployées; les autres se roulant sur eux-mêmes comme
des boas engourdis; d'autres s'embrassant avec fureur
comme des lutteurs géants. Ici c'est un centaure au galop,
emportant sur sa croupe je ne sais quelle hideuse guenon;
là un reptile sans nom qui dévore une biche pantelante;
plus loin un satyre qui danse avec un bouc moins laid que
lui; et souvent c'est un seul arbre crevassé, noueux, tordu,
bossu, que vous prendriez pour un groupe de dix arbres
distincts, et qui représente tous ces monstres divers pour
se réunir en une seule tête, horrible comme celle des
fétiches indiens, et couronnée d'une seule branche verte
comme d'un cimier.

*Un Hiver à Majorque*

# EUGÉNIE DE GUÉRIN

1805-1848

*317*        *Ceci, c'est de l'intime*

Le 18 [novembre 1834]. — Je suis furieuse contre la chatte grise. Cette méchante bête vient de m'enlever un petit pigeon que je réchauffais au coin du feu. Il commençait à revivre, le pauvre animal; je voulais le priver, il m'aurait aimée, et voilà tout cela croqué par un chat! Que de mécomptes dans la vie! Cet événement et tous ceux du jour se sont passés à la cuisine; c'est là que je fais demeure toute la matinée et une partie du soir depuis que je suis sans Mimi. Il faut surveiller la cuisinière, papa quelquefois descend et je lui lis près du fourneau ou au coin du feu quelques morceaux des Antiquités de l'Église anglo-saxonne. Ce gros livre étonnait Pierril. *Qué de mouts aqui dédins!*[1] Cet enfant est tout à fait drôle. Un soir il me demanda si l'âme était immortelle; puis après, ce que c'était qu'un philosophe. Nous étions aux grandes questions, comme tu vois. Sur ma réponse que c'était quelqu'un de sage et de savant: «Donc, mademoiselle, vous êtes philosophe.» Ce fut dit avec un air de naïveté et de franchise qui aurait pu flatter Socrate, mais qui me fit tant rire que mon sérieux de catéchiste s'en alla pour la soirée. Cet enfant nous a quittés un de ces jours, à son grand regret; il était à terme le jour de la Saint-Brice. Le voilà avec son petit cochon cherchant les truffes. S'il vient par ici, j'irai le joindre pour lui demander s'il me trouve toujours l'air philosophe.

Dernier décembre [1834]. — ... La Noël est venue; belle fête, celle que j'aime le plus, qui me porte autant de joie qu'aux bergers de Bethléem. Vraiment, toute l'âme chante à la belle venue de Dieu, qui s'annonce de tous côtés par des cantiques et par le joli *nadalet*.[2] Rien à Paris ne donne

[1] (patois) Que de mots là-dedans!

[2] A particular manner of bell-ringing practised during the fortnight

l'idée de ce que c'est que Noël. Vous n'avez même pas
la messe de minuit. Nous y allâmes tous, papa en tête, par
une nuit ravissante. Jamais plus beau ciel que celui de
minuit, si bien que papa sortait de temps en temps la tête
de sous son manteau pour regarder en haut. La terre
était blanche de givre, mais nous n'avions pas froid; l'air
d'ailleurs était réchauffé devant nous par des fagots
d'allumettes que nos domestiques portaient pour nous
éclairer. C'était charmant, je t'assure, et je t'aurais voulu
voir là cheminant comme nous vers l'église, dans ces chemins bordés de petits buissons blancs comme s'ils étaient
fleuris. Le givre fait de belles fleurs. Nous en vîmes un brin
si joli que nous en voulions faire un bouquet au saint Sacre-
ment, mais il fondit dans nos mains: toute fleur dure peu.
Je regrettai fort mon bouquet: c'était triste de le voir se
fondre et diminuer goutte à goutte.

A huit heures [le 24 avril 1835]. — Il faut que je note
en passant un excellent souper que nous venons de faire,
papa, Mimi et moi, au coin du feu de la cuisine, avec de la
soupe des domestiques, des pommes de terre bouillies et
un gâteau que je fis hier au four du pain. Nous n'avions
pour serviteurs que nos chiens, Lion, Wolf et Trilby,
qui léchaient aussi les miettes. Tous nos gens sont à
l'église, à l'instruction qui se fait chaque soir pour la con-
firmation. Ce repas au coin du feu, parmi chiens et chats,
ce couvert mis sur les bûches, est chose charmante. Il n'y
manquait que le chant du grillon et toi, pour compléter
le charme. Est-ce assez bavardé aujourd'hui?

Le 29 [mai 1835]. — Jamais orage plus long, il dure
encore, depuis trois jours le tonnerre et la pluie vont
leur train. Tous les arbres s'inclinent sous ce déluge: c'est

before Christmas and called *nadal* in the patois of Languedoc [from
editor's note]

pitié de leur voir cet air languissant et défait dans le beau triomphe de mai. Nous disions cela ce soir, à la fenêtre de la salle, en voyant les peupliers du Pontet penchant leur tête tout tristement, comme quelqu'un qui plie sous l'adversité. Je les plaignais ou peu s'en faut; il me semble que tout ce qui paraît souffrir a une âme.

Le 30. — Toujours, toujours la pluie. C'est un temps à faire de la musique ou de la poésie. Tout le monde bâille en comptant les heures qui jamais ne finissent. C'est un jour éternel pour papa surtout qui aime tant le dehors et ses distractions. Le voilà comme en prison, feuilletant de temps en temps une vieille histoire de l'Académie de Berlin, porte-sommeil, assoupissante lecture, qui m'a fait courir dès avoir touché le volume. Juge! je suis tombée sur la *théologie de l'Être*. Vite j'ai fermé, j'ai cru voir un puits, un puits sans eau; le vide obscur m'a toujours fait peur.

Le 9 [juillet 1838]. — Premier jour des moissons. Rien n'est joli à la campagne comme ces champs de blé mûr, d'une dorure admirable. Pour peu que le vent souffle, ces épis coulant l'un sur l'autre font de loin l'effet des vagues; le grand champ du nord est une mer jaune. A tout moment tu verrais papa à la fenêtre de la salle, contemplant sa belle récolte. Douce jouissance du cultivateur!

Le 1er mai [1840]. — ... Poésie interrompue par la foudre. Quel bruit, quels éclats, quel accompagnement de pluie, de vent, d'éclairs, d'ébranlements! rugissement, terribles voix d'orages! Et cependant le rossignol chantait, abrité sous quelque feuille; on aurait dit qu'il se moquait de l'orage ou qu'il luttait avec la foudre; coup de tonnerre et coup de gosier faisaient charmant contraste que j'ai écouté, appuyée sur ma fenêtre; jai joui de ce chant si doux dans ce bruit épouvantable.

Le 1er juin [1840]. — Visite rare, conversation distinguée.
Il passe par intervalle quelque passant aimable au Cayla, le
grand désert vide ou peuplé à peu près comme était la
terre avant qu'y parût l'homme. On y passe des jours à ne
voir que des moutons, à n'entendre que des oiseaux.
Solitude qui n'est pas sans charme pour l'âme non liée au
monde, désabusée du monde.

*Journal et Fragments*

# ALEXIS DE TOCQUEVILLE

1805-1859

*318*        *Le Roi Louis-Philippe*

Ce fut un singulier composé que ce prince... Quoique il
fût issu de la race la plus noble de l'Europe, qu'au fond de
son âme il en cachât tout l'orgueil héréditaire et ne se crût
assurément le semblable d'aucun autre homme, il possédait
cependant la plupart des qualités et des défauts qui appartiennent plus particulièrement aux rangs subalternes de la
société. Il avait des mœurs régulières et voulait qu'on les
eût telles autour de lui. Il était rangé dans sa conduite,
simple dans ses habitudes, mesuré dans ses goûts; naturellement ami de la loi et ennemi de tous les excès, tempéré
dans tous ses procédés sinon dans ses désirs, humain sans
être sensible, cupide et doux; point de passions bruyantes;
point de faiblesses ruineuses; point de vices éclatants; une
seule vertu de roi, le courage. Il avait une politesse extrême
mais sans choix ni grandeur, une politesse de marchand
plutôt que de prince. Il ne goûtait guère les lettres ni les
beaux-arts, mais il aimait passionnément l'industrie. Sa
mémoire était prodigieuse et propre à retenir obstinément
les moindres détails. Sa conversation prolixe, diffuse,
originale, triviale, anecdotique, pleine de petits faits, de
sel et de sens, procurait tout l'agrément qu'on peut trouver
dans les plaisirs de l'intelligence quand la délicatesse et

l'élévation n'y sont point. Son esprit était distingué, mais resserré et gêné par le peu de hauteur et d'étendue de son âme. Éclairé, fin, souple et tenace; tourné seulement vers l'utile et rempli d'un mépris si profond pour la vérité et d'une si grande incrédulité dans la vertu que ses lumières en étaient obscurcies, et que non seulement il ne voyait pas la beauté que montrent toujours le vrai et l'honnête, mais qu'il ne comprenait plus l'utilité qu'ils ont souvent; connaissant profondément les hommes mais par leurs vices seulement; incrédule en matière de religion comme le XVIIIᵉ siècle et sceptique en politique comme le XIXᵉ; sans croyance lui-même; n'ayant nulle foi dans celle des autres; aussi naturellement amateur du pouvoir et des courtisans malhonnêtes, médiocres, faciles et plats que s'il fût né réellement sur le trône; d'une ambition qui n'était bornée que par la prudence, qui jamais ne se rassasiait ni ne s'emportait et qui toujours se tenait près de terre.

Il y a plusieurs princes qui ont ressemblé à ce portrait, mais ce qui fut très particulier à Louis-Philippe ce fut l'analogie, ou plutôt l'espèce de parenté et de consanguinité qui se rencontra entre ses défauts et ceux de son temps; ce qui le rendit pour ses contemporains et, en particulier, pour la classe qui possédait le pouvoir, un prince attrayant et singulièrement dangereux et corrupteur. Chef de la bourgeoisie, il poussa celle-ci sur la pente naturelle qu'elle n'avait que trop de penchant à suivre. Ils marièrent leurs vices en famille et cette union, qui fit d'abord la force de l'un, acheva la démoralisation de l'autre et finit par les perdre tous les deux.

*Souvenirs*

## *319*     *La Fête de la Concorde: 1848*

MALGRÉ l'état effroyable des finances, le Gouvernement provisoire avait décidé qu'une somme de un ou deux millions serait employée pour célébrer dans le Champ de

Mars la fête de la Concorde ... Le programme avait dit qu'il
devait régner une *confusion fraternelle*. Il y eut, en effet,
une confusion extrême, mais pas de désordre, car, nous
sommes d'étranges gens : nous ne pouvons nous passer
de la police quand nous sommes en bon ordre, et, dès que
nous entrons en révolution, elle semble devenue inutile...
La Commission exécutive occupait une partie de l'immense estrade qui avait été élevée le long de l'École militaire
et l'Assemblée nationale, l'autre. On fit d'abord défiler,
devant nous, tous les différents emblèmes des nations, ce
qui prit un temps énorme, à cause de la confusion fraternelle dont avait parlé le programme, puis vint le char et
enfin les jeunes filles vêtues de blanc. Il y en avait là au
moins trois cents qui portaient leur costume virginal d'une
façon si virile qu'on eût pu les prendre pour des garçons
habillés en filles. On leur avait mis chacune dans la main
un gros bouquet qu'elles nous firent la galanterie de nous
jeter en passant. Comme c'étaient des commères qui avaient
des bras fort nerveux et qui étaient plus habituées, je pense,
à pousser le battoir qu'à répandre des fleurs, ces bouquets
tombaient sur nous comme une grêle fort drue et fort
incommode.

Une grande jeune fille se détacha de ses compagnes et,
s'arrêtant devant Lamartine, récita un hymne à sa gloire ;
peu à peu, elle s'anima en parlant de telle sorte qu'elle prit
une figure effrayante et se mit à faire des contorsions épouvantables. Jamais l'enthousiasme ne m'avait paru si près de
l'épilepsie ; quand elle eut fini, le peuple voulut néanmoins
que Lamartine l'embrassât ; elle lui présenta deux grosses
joues ruisselantes de sueur qu'il baisa du bout des lèvres
et d'assez mauvaise grâce.

La seule partie sérieuse de la fête fut la revue ; je n'ai
jamais aperçu sur un seul point tant d'hommes armés de ma
vie, et je pense que peu en ont vu davantage ; indépendamment de la foule innombrable de curieux que renfermait le

Champ de Mars, on y apercevait un peuple tout entier sous les armes.

*Souvenirs*

# GÉRARD DE NERVAL

1808–1855

*320*        *Un Rêve*

JE me trouvai tout à coup dans une salle qui faisait partie de la demeure de mon aïeul. Elle semblait s'être agrandie seulement. Les vieux meubles luisaient d'un poli merveilleux, les tapis et les rideaux étaient comme remis à neuf, un jour trois fois plus brillant que le jour naturel arrivait par la croisée et par la porte, et il y avait dans l'air une fraîcheur et un parfum des premières matinées du printemps. Trois femmes travaillaient dans cette pièce, et représentaient, sans leur ressembler absolument, des parentes et des amies de ma jeunesse. Il semblait que chacune eût les traits de plusieurs de ces personnes. Les contours de leurs figures variaient comme la flamme d'une lampe, et à tout moment quelque chose de l'une passait dans l'autre; le sourire, la voix, la teinte des yeux, de la chevelure, la taille, les gestes familiers, s'échangeaient comme si elles eussent vécu de la même vie, et chacune était ainsi un composé de toutes, pareille à ces types que les peintres imitent de plusieurs modeles pour réaliser une beauté complète.

La plus âgée me parlait avec une voix vibrante et mélodieuse que je reconnaissais pour l'avoir entendue dans l'enfance, et je ne sais ce qu'elle me disait qui me frappait par sa profonde justesse. Mais elle attira ma pensée sur moi-même, et je me vis vêtu d'un petit habit brun de forme ancienne, entièrement tissé à l'aiguille de fils ténus comme ceux des toiles d'araignées. Il était coquet, gracieux et imprégné de douces odeurs. Je me sentais tout rajeuni et

tout pimpant dans ce vêtement qui sortait de leurs doigts
de fée, et je les remerciai en rougissant, comme si je n'eusse
été qu'un petit enfant devant de grandes belles dames.
Alors l'une d'elles se leva et se dirigea vers le jardin.

Chacun sait que, dans les rêves, on ne voit jamais le
soleil, bien qu'on ait souvent la perception d'une clarté
beaucoup plus vive. Les objets et les corps sont lumineux
par eux-mêmes. Je me vis dans un petit parc où se prolon-
geaient des treilles en berceaux chargés de lourdes grappes
de raisins blancs et noirs; à mesure que la dame qui me
guidait s'avançait sous ces berceaux, l'ombre des treillis
croisés variait pour mes yeux ses formes et ses vêtements.
Elle en sortit enfin, et nous nous trouvâmes dans un espace
découvert. On y apercevait à peine la trace d'anciennes
allées qui l'avaient jadis coupé en croix. La culture était
négligée depuis de longues années, et des plants épars de
clématites, de houblon, de chèvrefeuille, de jasmin, de
lierre, d'aristoloche, étendaient entre des arbres d'une
croissance vigoureuse leurs longues traînées de lianes. Des
branches pliaient jusqu'à terre chargées de fruits, et parmi
des touffes d'herbes parasites s'épanouissaient quelques
fleurs de jardin revenues à l'état sauvage.

De loin en loin s'élevaient des massifs de peupliers,
d'acacias et de pins, au sein desquels on entrevoyait des
statues noircies par le temps. J'aperçus devant moi un
entassement de rochers couverts de lierre d'où jaillissait
une source d'eau vive, dont le clapotement harmonieux
résonnait sur un bassin d'eau dormante à demi voilée
des larges feuilles du nénuphar.

La dame que je suivais, développant sa taille élancée
dans un mouvement qui faisait miroiter les plis de sa robe
en taffetas changeant, entoura gracieusement de son bras
nu une longue tige de rose trémière, puis elle se mit à
grandir sous un clair rayon de lumière, de telle sorte que
peu à peu le jardin prenait sa forme, et les parterres et les

arbres devenaient les rosaces et les festons de ses vêtements; tandis que sa figure et ses bras imprimaient leurs contours aux nuages pourprés du ciel. Je la perdais ainsi de vue à mesure qu'elle se transfigurait, car elle semblait s'évanouir dans sa propre grandeur. «Oh! ne fuis pas! m'écriai-je... car la nature meurt avec toi!»

Disant ces mots, je marchais péniblement à travers les ronces, comme pour saisir l'ombre agrandie qui m'échappait: mais je me heurtai à un pan de mur dégradé, au pied duquel gisait un buste de femme. En le relevant j'eus la persuasion que c'était *le sien*... Je reconnus des traits chéris, et, portant les yeux autour de moi, je vis que le jardin avait pris l'aspect d'un cimetière. Des voix disaient: «L'Univers est dans la nuit!»

*Aurélia*

*321*          *Un ouvrage intitulé: Perceforest*

LE jour de la révolution de février,[1] on brûla quelques voitures, — dites de la liste civile; — ce fut, certes, un grand tort, qu'on reproche durement aujourd'hui à cette foule mélangée... Le bibliophile dont je parle se rendit ce soir-là au Palais-National. Sa préoccupation ne s'adressait pas aux voitures; il était inquiet d'un ouvrage en quatre volumes in-folio intitulé *Perceforest*.

C'était un de ces *roumans* du cycle d'Artus, — ou du cycle de Charlemagne, — où sont contenues les épopées de nos plus anciennes guerres chevaleresques.

Il entra dans la cour du palais, se frayant un passage au milieu du tumulte. — C'était un homme grêle, d'une figure sèche, mais ridée parfois d'un sourire bienveillant, correctement vêtu d'un habit noir, et à qui l'on ouvrit passage avec curiosité.

— Mes amis, dit-il, a-t-on brûlé le *Perceforest*?

[1] 24 février 1848

— On ne brûle que les voitures.

— Très bien. Continuez. Mais la bibliothèque?

— On n'y a pas touché... Ensuite, qu'est-ce que vous demandez?

— Je demande qu'on respecte l'édition en quatre volumes du *Perceforest*, — un héros d'autrefois...; édition unique, avec deux pages transposées et une énorme tache d'encre au troisième volume.

On lui répondit:

— Montez au premier.

Au premier, il trouva des gens qui lui dirent:

— Nous déplorons ce qui s'est fait dans le premier moment... On a, dans le tumulte, abîmé quelques tableaux....

— Oui, je sais, un Horace Vernet, un Gudin... Tout cela n'est rien: — le *Perceforest*?...

On le prit pour un fou. Il se retira et parvint à découvrir la concierge du palais, qui s'était retirée chez elle.

— Madame, si l'on n'a pas pénétré dans la bibliothèque, assurez-vous d'une chose: c'est de l'existence du *Perceforest*, — édition du seizième siècle, reliure en parchemin, de Gaume. Le reste de la bibliothèque, ce n'est rien... mal choisi! — des gens qui ne lisent pas! — Mais le *Perceforest* vaut quarante mille francs sur les tables.

La concierge ouvrit de grands yeux.

— Moi, j'en donnerais, aujourd'hui, vingt mille... malgré la dépréciation des fonds que doit amener nécessairement une révolution.

— Vingt mille francs!

— Je les ai chez moi. Seulement ce ne serait que pour rendre le livre à la nation. C'est un monument.

La concierge, étonnée, éblouie, consentit avec courage à se rendre à la bibliothèque et à y pénétrer par un petit escalier. L'enthousiasme du savant l'avait gagnée.

[1] Théodore Gudin (1802–80), painter and lithographer

Elle revint, après avoir vu le livre sur le rayon où le bibliophile savait qu'il était placé.

— Monsieur, le livre est en place. Mais il n'y a que trois volumes... Vous vous êtes trompé.

— Trois volumes!... Quelle perte!... Je m'en vais trouver le gouvernement provisoire, — il y en a toujours un... Le *Perceforest* incomplet! Les révolutions sont épouvantables!

Le bibliophile courut à l'Hôtel-de-Ville. — On avait autre chose à faire que de s'occuper de bibliographie. Pourtant il parvint à prendre à part M. Arago, — qui comprit l'importance de sa réclamation, et des ordres furent donnés immédiatement.

Le *Perceforest* n'était incomplet que parce qu'on en avait prêté précédemment un volume.

Nous sommes heureux de penser que cet ouvrage a pu rester en France.

*Angélique*

# JULES-AMÉDÉE BARBEY
# D'AUREVILLY

1808-1889

*322*     *L'entrée nocturne dans Coutances*

«EN nous approchant de la ville, nous fûmes un peu rassurés par un petit brouillard qui commença à s'élever du sol, comme la fumée d'un feu de tourbière dans un champ. Nous eûmes l'espoir que ce brouillard s'épaissirait assez, du moins, pour qu'on ne pût rien distinguer de bien net dans ces rues de Coutances, plus étroites que celles d'Avranches, par conséquent plus plongées dans l'ombre tombant des maisons. Nous entrâmes dans la ville à minuit moins un quart, qui tinta à la Cathédrale et que répétèrent pour les échos seuls les autres horloges de cette ville, qui dormait comme une assemblée de justes, quoique ce fût une ville de coquins révolutionnaires. Les rues étaient muettes; pas un chat n'y passait. Que fût-il arrivé de nous tous, de Des Touches, de notre projet, si nous avions rencontré seulement une patrouille? Nous savions bien ce qui, dans ce cas, serait arrivé; mais nous n'avions la liberté d'aucun choix: il fallait aller, s'exposer à tout, jouer son va-tout enfin, ou, pas de milieu, demain Des Touches serait guillotiné! Heureusement, nous n'aperçûmes pas l'ombre d'une patrouille dans cette ville, morte de sommeil. Des réverbères très rares, et à de grandes distances les uns des autres, tremblaient au vent à l'angle des rues. Suspendus à de longues perches noires transversalement coupées par une solive, et figurant un T inachevé, ils avaient assez l'air de potences. Tout cela était morne, mais peu effrayant. Nous enfilâmes une rue, puis une autre. Toujours même silence et même solitude. La lune, qui se brouillait de plus en plus, se regardait encore un peu dans les vitres des fenêtres, derrière lesquelles on ne voyait pas même la lueur d'une veilleuse expirante. Nous assoupissions le bruit de nos pas en marchant.

«Le moment était pour nous si solennel, monsieur de Fierdrap, que j'ai gardé les moindres impressions de cette nocturne entrée dans Coutances et le long de ces rues où nous avancions comme sur une trappe dont on se défie et qui peut s'ouvrir tout à coup et vous avaler, et que je me rappelle parfaitement une vieille femme en cornette de nuit et en serre-tête, le seul être vivant de cette ville ensevelie tout entière dans ses maisons comme dans des tombes, laquelle, à la fenêtre d'un haut étage, vidait, au clair de la lune, une cuvette avec précaution et mystère, et mettait à cela une telle lenteur, que les gouttes du liquide qu'elle versait auraient eu le temps de se cristalliser avant de tomber sur le sol, s'il avait fait un peu plus froid. Elle en accompagnait la chute de l'avertissement charitable: «*Gare l'eau! gare l'eau!*» prononcé d'une voix tremblotante, qu'elle veloutait pour n'éveiller personne, et qui disait à

quel point elle était consciencieuse dans ce qu'elle faisait,
et même timorée. A chaque goutte qui tombait ou qui ne
tombait pas, elle répétait du même ton dolent son «*Gare
«l'eau!*» monotone... Nous nous rangeâmes contre le mur
d'en face, craignant qu'elle ne nous aperçût... Mais, trop
occupée pour cela, elle continua d'épancher sa source
éternelle, en disant toujours son «*Gare l'eau!*»

« — Dans mon pays, — dit à voix basse La Bochonnière,
«— les moulins à eau s'appellent des *Écoute-s'il-pleut*;
«mais, du diable! en voilà un comme je n'en avais jamais
«vu.

«— Cela l'étonnerait un peu si, d'une balle, on lui
«cassait sa cuvette au rez de la main», — fit Cantilly, très
fort au pistolet, qui jetait en l'air une paire de gants et la
perçait d'une balle avant qu'elle ne fût retombée.

«Nous rîmes et nous passâmes, oubliant la bonne femme
en tournant le coin de la rue et en nous trouvant nez à
nez avec la guillotine, droite et menaçante devant nous,
attendant son homme... Embuscade funèbre! C'était la
place des exécutions. La prison n'était pas loin de là.
Nous descendîmes, comme des gens qui dévalent à
l'abîme, cette rue qui va de la prison à la place de l'échafaud,
et qu'on appelle dans toute ville la rue *Monte-à-Regret*,
cette rue qu'il nous fallait empêcher Des Touches de monter
le lendemain! La prison blanchissait au bout de cette espèce
de boyau sombre, sur une autre place. Nous nous arretâmes... le temps de respirer.»

Elle contait comme quelqu'un qui a vécu de la vie de
son conte. L'abbé et le baron, eux, ne respiraient plus.

«Ah! c'était le moment, — fit-elle, — le moment terrible
où l'on va casser le vitrage et où l'on serait perdu si, en la
brisant, une seule vitre allait faire du bruit!... La sentinelle,
dans sa houppelande bleue, se promenait nonchalamment,
son fusil penché dans l'angle de son bras, de l'un à l'autre
côté du porche, comme un chappier d'église, à vêpres. Le

dernier rayon vacillant de cette lune, qui devait ressembler une heure après à un chaudron de bouillie froide et qui nous rendit ce dernier service, tombait à plein dans la figure du soldat en faction et l'empêchait de distinguer nos ombres mobiles dans l'ombre arrêtée des maisons.

«— Je me charge de la sentinelle», dit à voix basse Juste Le Breton à M. *Jacques*, et d'un bond il fut sur elle et l'enleva, houppelande, fusil, homme et tout, et disparut avec ce paquet sous le porche de la prison, en nous faisant le passage libre. Comment s'y était-il pris, ce diable de Juste?... Mais la sentinelle n'avait pas poussé un seul cri.

«— Il l'aura poignardée! — fit M. *Jacques*. — Allons! «C'est à notre tour, messieurs. Nous pouvons avancer...»

«Et tous, avec lui, serrés les uns contre les autres comme les grains d'une grappe, nous nous précipitâmes sous le porche nettoyé par Juste, et nous entrâmes dans la première cour de la prison.»

*Le Chevalier Des Touches*

# ALFRED DE MUSSET
1810–1857

*323*         *Les enfants du siècle*

Pendant les guerres de l'Empire, tandis que les maris et les frères étaient en Allemagne, les mères inquiètes avaient mis au monde une génération ardente, pâle, nerveuse. Conçus entre deux batailles, élevés dans les collèges aux roulements des tambours, des milliers d'enfants se regardaient entre eux d'un œil sombre, en essayant leurs muscles chétifs. De temps en temps leurs pères ensanglantés apparaissaient, les soulevaient sur leurs poitrines chamarrées d'or, puis les posaient à terre et remontaient à cheval.

Un seul homme était en vie alors en Europe; le reste des êtres tâchaient de se remplir les poumons de l'air qu'il avait respiré. Chaque année, la France faisait présent à cet

homme de trois cent mille jeunes gens; et lui, prenant avec
un sourire cette fibre nouvelle arrachée au cœur de l'humanité, il la tordait entre ses mains, et en faisait une corde
neuve à son arc; puis il posait sur cet arc une de ces flèches
qui traversèrent le monde, et s'en furent tomber dans une
petite vallée d'une île déserte, sous un saule pleureur.

Jamais il n'y eut tant de nuits sans sommeil que du
temps de cet homme; jamais on ne vit se pencher sur les
remparts des villes un tel peuple de mères désolées;
jamais il n'y eut un tel silence autour de ceux qui parlaient
de mort. Et pourtant jamais il n'y eut tant de joie, tant de
vie, tant de fanfares guerrières dans tous les cœurs; jamais
il n'y eut de soleils si purs que ceux qui séchèrent tout ce
sang. On disait que Dieu les faisait pour cet homme, et on
les appelait ses soleils d'Austerlitz. Mais il les faisait bien
lui-même avec ses canons toujours tonnants, et qui ne
laissaient de nuages qu'aux lendemains de ses batailles.

C'était l'air de ce ciel sans tâche, où brillait tant de gloire,
où resplendissait tant d'acier, que les enfants respiraient
alors. Ils savaient bien qu'ils étaient destinés aux héca-
tombes; mais ils croyaient Muratin vulnérable, et on avait
vu passer l'empereur sur un pont où sifflaient tant de balles,
qu'on ne savait s'il pouvait mourir. Et quand même on
aurait dû mourir, qu'était-ce que cela? La mort elle-même
était si belle alors, si grande, si magnifique dans sa pourpre
fumante! Elle ressemblait si bien à l'espérance, elle fauchait
de si verts épis qu'elle en était comme devenue jeune, et
qu'on ne croyait plus à la vieillesse. Tous les berceaux de
France étaient des boucliers; tous les cercueils en étaient
aussi; il n'y avait vraiment plus de vieillards; il n'y avait
que des cadavres ou des demi-dieux.

Cependant l'immortel empereur était un jour sur une
colline à regarder sept peuples s'égorger; comme il ne
savait pas encore s'il serait le maître du monde ou seulement de la moitié. Azraël passa sur la route; il l'effleura du

bout de l'aile, et le poussa dans l'Océan. Au bruit de sa chute, les vieilles croyances moribondes se redressèrent sur leurs lits de douleur, et, avançant leurs pattes crochues, toutes les royales araignées découpèrent l'Europe, et de la pourpre de César se firent un habit d'Arlequin... La vieille armée en cheveux gris rentra épuisée de fatigue, et les foyers des châteaux déserts se rallumèrent tristement.

Alors ces hommes de l'Empire, qui avaient tant couru et tant égorgé, embrassèrent leurs femmes amaigries et par-lèrent de leurs premières amours; ils se regardèrent dans les fontaines de leurs prairies natales, et ils s'y virent si vieux, si mutilés, qu'ils se souvinrent de leurs fils, afin qu'on leur fermât les yeux. Ils demandèrent où ils étaient; les enfants sortirent des collèges, et, ne voyant plus ni sabres, ni cuirasses, ni fantassins, ni cavaliers, ils deman-dèrent à leur tour où étaient leurs pères. Mais on leur répon-dit que la guerre était finie, que César était mort, et que les portraits de Wellington et de Blücher étaient suspendus dans les antichambres des consulats et des ambassades, avec ces deux mots au bas : *salvatoribus mundi*.

Alors s'assit sur un monde en ruines une jeunesse soucieuse. Tous ces enfants étaient des gouttes d'un sang brûlant qui avait inondé la terre; ils étaient nés au sein de la guerre, pour la guerre. Ils avaient rêvé pendant quinze ans des neiges de Moscou et du soleil des pyramides; on les avait trempés dans le mépris de la vie comme de jeunes épées. Ils n'étaient pas sortis de leurs villes, mais on leur avait dit que par chaque barrière de ces villes on allait à une capitale d'Europe. Ils avaient dans la tête tout un monde; ils regardaient la terre, le ciel, les rues et les chemins; tout cela était vide, et les cloches de leurs paroisses résonnaient seules dans le lointain... Trois éléments partageaient donc la vie qui s'offrait alors aux jeunes gens : derrière eux un passé à jamais détruit, s'agitant encore sur ses ruines, avec tous les fossiles des siècles de l'absolutisme; devant eux l'aurore d'un immense horizon, les premières clartés de l'avenir; et entre ces deux mondes... quelque chose de semblable à l'Océan qui sépare le vieux continent de la jeune Amérique, je ne sais quoi de vague et de flottant, une mer houleuse et pleine de naufrages, traversée de temps en temps par quelque blanche voile lointaine ou par quelque navire soufflant une lourde vapeur; le siècle présent, en un mot, qui sépare le passé de l'avenir, qui n'est ni l'un ni l'autre et qui ressemble à tous deux à la fois, et où l'on ne sait, à chaque pas qu'on fait, si l'on marche sur une semence ou sur un débris.

Voilà dans quel chaos il fallut choisir alors; voilà ce qui se présentait à des enfants pleins de force et d'audace, fils de l'Empire et petits fils de la Révolution.

La Confession d'un enfant du siècle

## MAURICE DE GUÉRIN
1810–1839

*324*      *La jeunesse d'un centaure*

UNE inconstance sauvage et aveugle disposait de mes pas. Au milieu des courses les plus violentes, il m'arrivait de rompre subitement mon galop, comme si un abîme se fût rencontré à mes pieds, ou bien un dieu debout devant moi. Ces immobilités soudaines me laissaient ressentir ma vie tout émue par les emportements où j'étais. Autrefois j'ai coupé dans les forêts des rameaux qu'en courant j'élevais par-dessus ma tête; la vitesse de la course suspendait la mobilité du feuillage qui ne rendait plus qu'un frémissement léger; mais au moindre repos le vent et l'agitation rentraient dans le rameau, qui reprenait le cours de ses murmures. Ainsi ma vie, à l'interruption subite des carrières impétueuses que je fournissais à travers ces vallées, frémissait dans tout mon sein. Je l'entendais courir en bouillonnant et rouler le feu qu'elle avait pris dans l'espace ardemment franchi. Mes flancs animés luttaient contre ses flots dont ils étaient pressés intérieurement, et goûtaient dans ces tempêtes la volupté qui n'est connue que des rivages de la mer, de renfermer sans aucune perte une vie montée à son comble et irritée. Cependant, la tête inclinée au vent qui m'apportait le frais, je considérais la cime des montagnes devenues lointaines en quelques instants, les arbres des rivages et les eaux des fleuves, celles-ci portées d'un cours traînant, ceux-là attachés dans le sein de la terre, et mobiles seulement par leurs branchages soumis aux souffles de l'air qui les font gémir. «Moi seul, me disais-je, j'ai le mouvement libre, et j'emporte à mon gré ma vie de l'un à l'autre bout de ces vallées. Je suis plus heureux que les torrents qui tombent des montagnes pour n'y plus remonter. Le roulement de mes pas est plus beau que les plaintes des bois et que les bruits de l'onde; c'est le retentissement du centaure errant et qui se guide lui-même.» Ainsi, tandis que mes flancs agités possédaient l'ivresse de la course, plus haut j'en ressentais l'orgueil, et, détournant la tête, je m'arrêtais quelque temps à considérer ma croupe fumante.

*Le Centaure*

### 325   *Le temple intérieur de l'indépendance*

Paris, le 20 août [1834]

QUITTER la solitude pour la foule, les chemins verts et déserts pour les rues encombrées et criardes où circule pour toute brise un courant d'haleine humaine chaude et empestée; passer du quiétisme à la vie turbulente, et des vagues mystères de la nature à l'âpre réalité sociale, a toujours été pour moi un échange terrible, un retour vers le mal et le malheur. A mesure que je vais et que j'avance dans le discernement du vrai et du faux dans la société, mon inclination à vivre, non pas en sauvage ni en misanthrope, mais en homme de solitude sur les limites de la société, sur les lisières du monde, s'est renforcée et étendue. Les oiseaux voltigent, picorent, établissent leurs nids autour de nos habitations, ils sont comme concitoyens des fermes et des hameaux ; mais ils volent dans le ciel qui est immense ; mais la main de Dieu seule leur distribue et leur mesure le grain de la journée ; mais ils bâtissent leurs nids au cœur des buissons ou les suspendent à la cime des arbres. Ainsi je voudrais vivre, rôdant autour de la société et toujours ayant derrière moi un champ de liberté vaste comme le ciel. Si mes facultés ne sont pas encore nouées, s'il est vrai qu'elles n'ont pas atteint toute leur croissance, elles ne feront leur développement qu'au plein vent et dans une exposition un peu sauvage. Mon dernier séjour à la campagne a redoublé ma conviction sur ce point.

J'ai chômé dans l'inaction la plus complète mes six semaines de vacances. A peine, pour rompre l'uniformité du *farniente*, faisais-je quelque lecture nonchalante, étendu sous un arbre, et encore plus de la moitié de mon attention était-elle emportée par une brise ou un oiseau filant à travers les bois, par le chant d'un merle ou d'une alouette, que sais-je ? par tout ce qui passe dans les airs de vague et de ravissant pour un homme couché sur l'herbe fraîche, sous le couvert d'un arbre, au milieu d'une campagne enivrée de vie et de soleil. Mais ce repos, cette *accalmie* n'avait pas éteint le jeu de mes facultés ni arrêté la circulation mystérieuse de la pensée dans les parties les plus vives de mon âme. J'étais comme un homme lié par le sommeil magnétique : ses yeux sont clos, ses membres détendus, tous les sens sont fermés, mais sous ce voile qui couvre presque tous les phénomènes de la vie physique, son âme est bien plus vive qu'à l'état de veille et d'activité naturelle : elle perce d'épaisses ténèbres au delà desquelles elle voit à nu certains mystères ou jouit des visions les plus douces ; elle s'entretient avec des apparitions, elle se fait ouvrir

les portes d'un monde merveilleux. Je goûtais simultanément deux voluptés dont une seule eût suffi pour remplir
tout mon être et au delà, et néanmoins toutes deux y
trouvaient place et s'y étendaient librement sans se combattre ni se confondre. Je jouissais de toutes deux à la fois
et de chacune aussi distinctement que si je n'en eusse
possédé qu'une seule; nulle confusion, nul mélange, nulle
altération de la vivacité de l'une par l'activité de l'autre.
La première consistait dans l'indicible sentiment d'un
repos accompli, continu et approchant du sommeil; la
seconde me venait du mouvement progressif, harmonique,
lentement cadencé des plus intimes facultés de mon âme,
qui se dilataient dans un monde de rêves et de pensées,
qui, je crois, était une sorte de vision en ombres vagues et
fuyantes des beautés les plus secrètes de la nature et de ses
forces divines. Quand l'heure du départ a rompu le charme,
et que j'ai ressaisi le sentiment habituel de mon être, je
me suis retrouvé pauvre et déplorable comme devant; mais
à la marche plus vive de mes pensées, à une délicatesse
plus subtile de sensations, à un accroissement marqué de
mes forces morales et intellectuelles, j'ai reconnu que mes
six semaines d'oisiveté n'étaient pas perdues, que le flot de
rêves étranges qui avait inondé mon âme l'avait soulevée
et portée plus haut.

*Journal intime*

# THÉOPHILE GAUTIER
1811–1872

326                    *Un monde fantastique*

TOUT en causant ainsi, nous entrâmes dans une salle basse
dont les murs étaient décorés d'une tapisserie de haute
lisse de Flandre. — De grands arbres à feuilles aiguës y
soutenaient des essaims d'oiseaux fantastiques; les couleurs
altérées par le temps produisaient de bizarres transpositions

de nuances; le ciel était vert, les arbres bleu de roi avec des lumières jaunes et dans les draperies des personnages l'ombre était souvent d'une couleur opposée au fond de l'étoffe; — les chairs ressemblaient à du bois, et les nymphes qui se promenaient sous les ombrages déteints de la forêt avaient l'air de momies démaillotées; leur bouche seule, dont la pourpre avait conservé sa teinte primitive, souriait avec une apparence de vie. Sur le devant, se hérissaient de hautes plantes d'un vert singulier avec de larges fleurs panachées dont les pistils ressemblaient à des aigrettes de paon. Des hérons à la mine sérieuse et pensive, la tête enfoncée dans les épaules, leur long bec reposant sur leur jabot rebondi, se tenaient philosophiquement debout sur une de leurs maigres pattes, dans une eau dormante et noire, rayée de fils d'argent ternis; par les échappées du feuillage, on voyait dans le lointain de petits châteaux avec des tourelles pareilles à des poivrières et des balcons chargés de belles dames en grands atours qui regardaient passer des cortèges ou des chasses.

Des rocailles capricieusement dentelées, d'où tombaient des torrents de laine blanche, se confondaient au bord de l'horizon avec des nuages pommelés.

Une des choses qui me frappèrent le plus, ce fut une chasseresse qui tirait un oiseau. — Ses doigts ouverts venaient de lâcher la corde, et la flèche était partie; mais, comme cet endroit de la tapisserie se trouvait à une encoignure, la flèche était de l'autre côté de la muraille et avait décrit un grand crochet; pour l'oiseau, il s'envolait sur ses ailes immobiles et semblait vouloir gagner une branche voisine.

Cette flèche empennée et armée d'une pointe d'or, toujours en l'air et n'arrivant jamais au but, faisait l'effet le plus singulier, était comme un triste et douloureux symbole de la destinée humaine, et plus je la regardais, plus j'y découvrais de sens mystérieux et sinistres. — La chasseresse était là, debout, le pied tendu en avant, le jarret plié, son œil aux paupières de soie tout grand ouvert et ne pouvant plus voir sa flèche déviée de son chemin: elle semblait chercher avec anxiété le phénicoptère aux plumes bigarrées qu'elle voulait abattre et qu'elle s'attendait à voir tomber devant elle percé de part en part. — Je ne sais si c'est une erreur de mon imagination, mais je trouvais à cette figure une expression aussi morne et aussi désespérée que celle d'un poète qui meurt sans avoir écrit l'ouvrage sur lequel il comptait pour fonder sa réputation, et que le râle impitoyable saisit au moment où il essaye de le dicter...

J'aime passionnément cette végétation imaginaire, ces fleurs et ces plantes qui n'existent pas dans la réalité, ces forêts d'arbres inconnus où errent des licornes, des caprimules et des cerfs couleur de neige, avec un crucifix d'or entre leurs rameaux, habituellement poursuivis par des chasseurs à barbe rouge et en habit de Sarrasins... Que de choses ces graves personnages auraient à dire, s'ils pouvaient ouvrir leurs lèvres de fil rouge, et si les sons pouvaient pénétrer dans la conque de leur oreille brodée. De combien de meurtres, de trahisons, d'adultères infâmes et de monstruosités de toutes sortes ne sont-ils pas les silencieux et impassibles témoins!

*Mademoiselle de Maupin*

## 327 *Et quel sourire...!*

L'IDÉAL du Vinci, quoiqu'il ait la pureté, la grâce et la perfection de l'antique, est tout moderne par le sentiment. Il exprime des finesses, des suavités et des élégances inconnues aux anciens: les belles têtes grecques, dans leur irréprochable correction, sont sereines seulement; celles de Vinci sont douces, mais d'une douceur particulière, qui vient plutôt d'une indulgente supériorité que d'une faiblesse d'âme; il semble que des esprits d'une autre nature que la nôtre nous regardent comme à travers les trous d'un masque par ces yeux cerclés d'ombres, avec un air de tendre commisération qui n'est pas sans quelque malice.

Et quel sourire il fait jouer sur ces lèvres flexibles, qui se perdent dans des commissures veloutées, spirituellement tordues par la volupté et l'ironie! Nul n'a pu encore déchiffrer l'énigme de son expression: il raille et attire, refuse et promet, enivre et rend pensif. A-t-il réellement voltigé sur des bouches humaines, ou est-il pris aux sphinx moqueurs qui gardent le palais du beau? Plus tard, Corrège le retrouvera, ce sourire; mais en lui donnant plus d'amour, il lui ôtera son mystère.

*Léonard de Vinci*

# LOUIS BLANC

1811–1882

## *328    Les Anglais qui s'adressent au* Times

10 oct. [1863]

LE grand événement, je me trompe, le grand accident de la semaine a été un tremblement de terre, qui, sans tuer personne, sans rien renverser, sans avoir eu d'autre effet fâcheux que de secouer d'une façon un peu rude beaucoup de dormeurs, s'est fait sentir sur plusieurs points de l'Angleterre, et plus particulièrement dans les environs de Liverpool, de Hereford, de Worcester et de Derby. Quand quelque chose d'extraordinaire arrive en ce pays, c'est merveille avec quel superstitieux empressement une foule de gens s'adressent au *Times*, soit pour lui confier leurs espérances ou leurs craintes, soit pour lui communiquer leurs idées, soit pour le mettre dans le secret de leurs émotions.

Ne soyez donc pas surpris si le tremblement de terre en question nous a valu, dans le *Times*, jusqu'à cinquante-trois lettres, qui n'y remplissent pas moins de sept colonnes et demie. Les signataires ont cru indispensable d'apprendre au public, ceux-ci comme quoi ils n'avaient eu rien de plus pressé que de se cacher la tête dans leurs couvertures; ceux-là comme quoi ils avaient hésité à sauter en bas du lit ou bien l'avaient fait sans hésiter. De ceux qui, réveillés en sursaut, se sont mis à crier au voleur, le chiffre est imposant et révèle dans les *householders* une préoccupation dominante. Plusieurs de ces épanchements épistolaires laissent tomber le jour de la publicité sur des détails de chambre à coucher d'un intérêt plus ou moins équivoque, et nous fourniraient au besoin une chronique digne du *Diable boiteux*. Un des signataires, par exemple, nous raconte que sa femme, couchée à côté de lui, n'a pu s'empêcher d'éprouver une violente palpitation de cœur, bien que, nous assure-t-il, ce soit une femme d'un mâle courage; quant à lui, il a senti son sang circuler plus librement, et il fait savoir au public, par l'intermédiaire du *Times*, qu'une agréable chaleur répandue dans tout son être est l'unique sensation dont il ait à rendre compte. Voilà, si je ne me trompe, un trait de mœurs. Les Anglais, qui, sous certains rapports, semblent si fort redouter la publicité, la recherchent, sous certains autres, avec une ardeur enfantine. Ils défendront leur porte contre le passant par des grilles et des fossés; ils s'entoureront de murs, s'ils peuvent; ils ne se croient jamais suffisamment chez eux. Mais vienne l'occasion d'introduire, au moyen de la presse, le monde entier dans leur ruelle, ils n'y voient pas le moindre inconvénient. Encore une de ces contradictions innombrables dont se compose, en apparence, l'histoire morale de ce peuple si remarquable et si singulier.

*Lettres sur l'Angleterre*

# LOUIS VEUILLOT

1813–1883

*329*        *Le monde de la Bohême*

Il existe à Paris, autour des ateliers intellectuels, une tribu de parasites, ingénieux dans la critique, impuissants dans l'œuvre, qui dissertent toujours et ne créeront jamais. Esprits sans organes, langues sans mains. Ces hommes se disent paresseux pour couvrir leur amour-propre, comme si la conception intellectuelle permettait la paresse et que le vrai artiste pût ne point produire quand l'outil ne fait pas absolument défaut. Après de vaines tentatives, connaissant enfin qu'ils ne donneront ni statue, ni tableau, ni livre, ni chanson, qu'ils ne donneront jamais rien que leur avis, ces pauvres diables perdent même la faculté de donner un avis. Ils deviennent jaloux, tristes, bizarres; leur goût, que plusieurs avaient naturellement juste et fin, se perd tout à fait. Ils ne veulent pas étudier : ne se sentant point la capacité de l'étude, ils ont regardé l'étude comme une bassesse qui désennoblit le génie. Ils veulent bien moins encore quitter le péristyle de ce temple de l'Art où ils ne pénétreront pas. Ils restent à rôder aux alentours, sifflant ceux qui entrent, admirant ceux des leurs qui, faisant mine de forcer les portes, n'ont encore subi que les premiers refus. Entre eux, ils se donnent le glorieux nom de *réfractaires*, à peu près comme l'eunuque brûlé de convoitises, qui ferait étalage de vertu contre les agaceries des sultanes. La misère les achève; ils vivent de gueuser, ils glissent dans le cynisme et dans la folie, et vont mourir à l'hôpital. Quand ce dénouement arrive, une clameur s'élève du sein de la tribu contre la société. La société ne s'en émeut guère. En vérité, elle a de plus condamnables indifférences.

C'est là ce que l'on nomme la *Bohême*, par analogie avec ces coureurs de chemins qui vivent tolérés en dehors des lois, sans patrie, sans foyer, sans culte, sans ressources,

sans industrie classée et sans méfaits définis; un peu
vétérinaires et médecins marrons, un peu tireurs de cartes,
un peu ruffians, un peu écumeurs de vergers, se glissant à
travers les haies, n'escaladant jamais les murs; enfin, des
vagabonds.

*Les Odeurs de Paris*

# JOSEPH-ARTHUR,
# COMTE DE GOBINEAU

1816-1882

## 330    *Le Missionnaire*

LE missionnaire n'était ecclésiastique à aucun degré. Issu
d'une bonne famille, il s'était mis dans le commerce, où ses
goûts ne l'attiraient guère, et y avait mangé son bien. Pour
se refaire, il s'était marié à la quatrième fille d'un lieutenant
irlandais en demi-solde, et cette excellente femme, sentant,
au bout de quelques années d'une existence très médiocre,
que son époux n'avait pas pris en la choisissant le meilleur
chemin pour arriver à la fortune, se laissa mourir, sans doute
par dévouement, en donnant le jour à Georges. Le malheureux Coxe comprit mal le service éminent que lui
rendait la pauvre Kate. De chagrin, il faillit aller la rejoindre. Ses maigres ressources, qui ne provenaient que
d'un métier précaire d'agent subalterne d'une compagnie
d'assurances contre les épizooties, ne lui permettaient ni
un splendide logement, ni un nombreux domestique, dans
la petite ville du nord de l'Angleterre où il s'était retiré
après son mariage. Il n'avait, pour soigner le baby, qu'une
servante de douze ans, de sorte qu'en réalité il en prenait
soin lui-même, et, pour montrer les choses sous leur vrai
jour, Molly lui était d'une si complète inutilité, qu'il l'eût
renvoyée sans doute, et la raison le lui conseillait; mais que
fût devenue Molly, orpheline de père et de mère? De sorte
que Coxe dirigeait Molly et Harriet. On le voyait, quand

il faisait beau, se promener par les champs en tenant
l'enfant au maillot entre ses bras, Harriet marchant à son
côté, et enjoignant d'une voix paternelle à Molly de ne
pas s'éloigner dans le but trop évident d'aller voler des
pommes.

J'aurais conscience de vous induire en tentation de faire
des sottises, si j'avais l'air de vous insinuer que la Providence protège les excentricités; il arriva pourtant que
quelques personnes furent touchées de la façon de vivre de
Coxe. On en parla dans les bonnes maisons du pays; une
dame, connue pour son exquise sensibilité, en fit même une
romance, ce qui contribua plus à la gloire du patient qu'au
perfectionnement de son ordinaire, et, enfin, un architecte
qui connaissait un évêque, obtint de ce prélat de recom-
mander Coxe à un constructeur de navires, lequel parla
avec chaleur à un directeur de théâtre, et celui-ci s'adressa
à une danseuse; la danseuse insista auprès d'un vieux
général; le héros laissa tomber quelques paroles dans
l'oreille d'un antiquaire, et c'est ainsi que la proposition
fut faite à Coxe de se charger d'aller répandre la connaissance du livre saint parmi les populations encore très
arriérées, malheureusement, de la partie septentrionale du
royaume d'Ava.

Quand cette brillante ouverture fut présentée au pauvre
veuf, il était à la tête d'une somme de deux shellings six
pence, et, de plus, il devait son loyer. Comme sa compagnie
d'assurances contre les épizooties avait omis de s'assurer
elle-même contre la déconfiture, elle venait de tomber en
faillite, de sorte qu'une fois les deux shellings six pence
dévorés, ce qui ne pouvait pas prendre beaucoup de temps,
Coxe ne savait absolument ce qu'allaient devenir Georges,
Harriet, Molly et lui.

Il accepta donc avec une gratitude exaltée l'emploi qui
lui était offert, attendri jusqu'aux larmes par la sollicitude
de la Providence, indulgente au point de ne l'envoyer

chercher son pain qu'au bout du monde, quand il lui
aurait été si facile de le laisser aller au diable, et il partit.
C'est ainsi que, sans l'avoir jamais ni prévu ni voulu,
il devint distributeur de Bibles; et j'ai remarqué, depuis
lors, combien c'est un effet ordinaire de notre grande
civilisation, et je dirai même un de ses effets les plus
constants, que de secouer si bien les hommes dans le sac
de la nécessité, comme des numéros de loterie dans le leur,
qu'ils vont, le plus généralement, tomber la tête la première
sur des professions où leur instinct ne les eût portés en
aucune sorte. De là des prêtres qui sont des furibonds, des
guerriers qui feraient mieux de paître les brebis, des poètes
inspirés commes des mécaniciens, etc.

Les gens malheureux deviennent ridicules; c'est, à peu
près, ce que voulait dire Plutarque, en affirmant que les
plus grandes âmes perdaient de leur magnanimité dans
l'esclavage. Coxe était donc un peu ridicule; mais il avait
du sens, un savoir étendu, de la fermeté, de l'honneur, et
je n'ai plus à parler de sa bonté. Il remplit très bien les
fonctions dont il était chargé.

*Les Pléiades*

# EUGÈNE FROMENTIN

1820-1876

*331* *Une fête arabe*

Boghari 26 mai [1853] au matin

Le village est blanc, veiné de brun, veiné de lilas. Il
domine un petit ravin, formant égout, où végètent par
miracle deux ou trois figuiers très-verts et autant de lentisques, et qui semble taillé dans un bloc de porphyre ou
d'agate, tant il est richement marbré de couleurs, depuis la
lie de vin jusqu'au rouge sang. Hormis ces quelques
rejetons poussés sous les gouttières du village, il n'y a
rien autour de Boghari qui ressemble à un arbre, pas même

à de l'herbe. Le sol, en quelques endroits sablonneux, est partout aussi nu que de la cendre. Nous campons au pied du village, sur un terrain battu qui a l'apparence d'un champ de foire, et où bivouaquent les caravanes du sud. Depuis hier, nous y vivons en compagnie des vautours, des aigles et des corbeaux.

Ici, point de réception. Le pays est pauvre; et forcés de pourvoir nous-mêmes à nos divertissements, nous avons fait venir, cette nuit, de Boghari, des danseuses et des musiciens... On alluma donc de grands feux en avant de la tente rouge qui nous servait de salle à manger; et pendant ce temps on dépêcha quelqu'un vers le village. Tout le monde y dormait, car il était dix heures, et l'on eut sans doute quelque peine à réveiller ces pauvres gens; pourtant, au bout d'une bonne heure d'attente, nous vîmes un feu, comme une étoile plus rouge que les autres, se mouvoir dans les ténèbres à hauteur du village; puis le son languissant de la flûte arabe descendit à travers la nuit tranquille et vint nous apprendre que la fête approchait.

Cinq ou six musiciens armés de tambourins et de flûtes, autant de femmes voilées, escortées d'un grand nombre d'Arabes qui s'invitaient d'eux-mêmes au divertissement, apparurent enfin au milieu de nos feux, y formèrent un grand cercle, et le bal commença.

Cela n'était pas du Delacroix. Toute couleur avait disparu pour ne laisser voir qu'un dessin tantôt estompé d'ombres confuses, tantôt rayé de larges traits de lumière, avec une fantaisie, une audace, une furie d'effet sans pareilles. C'était quelque chose comme la *Ronde de nuit* de Rembrandt, ou plutôt, comme une de ses eaux-fortes inachevées. Des têtes coiffées de blanc et comme enlevées à vif d'un revers de burin; des bras sans corps, des mains mobiles dont on ne voyait pas les bras, des yeux luisants et des dents blanches au milieu de visages presque invisibles, la moitié d'un vêtement attaqué tout à coup en lumière et dont le reste n'existait pas, émergeaient au hasard et avec d'effrayants caprices d'une ombre opaque et noire comme de l'encre. Le son étourdissant des flûtes sortait on ne voyait pas d'où, et quatre tambourins de peau, qui se montraient à l'endroit le plus éclairé du cercle, comme de grands disques dorés, semblaient s'agiter et retentir d'eux-mêmes. Nos feux, qu'on entretenait de branchages secs, pétillaient et s'enveloppaient de longs tourbillons de fumée mêlés de paillettes de braise. En dehors de cette scène étrange, on ne voyait ni bivouac, ni ciel, ni terre; au-dessus, autour, partout, il n'y avait plus rien que le noir, ce noir absolu qui doit exister seulement dans l'œil éteint des aveugles.

Aussi, la danseuse, debout au centre de cette assemblée attentive à l'examiner, se remuant en cadence avec de longues ondulations de corps ou de petits trépignements convulsifs, tantôt la tête à moitié renversée dans une pâmoison mystérieuse, tantôt ses belles mains (les mains sont en général fort belles) allongées et ouvertes, comme pour une conjuration, la danseuse, au premier abord, et malgré le sens très-évident de sa danse, avait-elle aussi bien l'air de jouer une scène de *Macbeth* que de représenter autre chose.

*Un Été dans le Sahara*

## 332    *Douceur et Tristesse*

M. DE NIÈVRES était chasseur, et c'est à lui que je dois de l'être devenu. Il me dirigeait avec beaucoup de cordialité dans ces premiers essais d'un exercice que depuis j'ai passionnément aimé. Quelquefois madame de Nièvres et Julie nous accompagnaient à distance ou nous attendaient sur les falaises pendant que nous faisions de longues battues dans la direction de la mer. On les apercevait de loin, comme de petites fleurs brillantes posées sur les galets, tout à fait au bord des flots bleus. Quand le hasard de la

chasse nous avait entraînés trop avant dans la campagne
ou retenus trop tard, alors on entendait la voix de Madeleine
qui nous invitait au retour. Elle appelait tantôt son mari,
tantôt Olivier ou moi. Le vent nous apportait ces appels
alternatifs de nos trois noms. Les notes grêles de cette
voix, lancée du bord de la mer dans de grands espaces,
s'affaiblissaient à mesure en volant au-dessus de ce pays
sans écho. Elles ne nous arrivaient plus que comme un
souffle un peu sonore, et quand j'y distinguais mon nom,
je ne puis vous dire la sensation de douceur et de tristesse
infinies que j'en éprouvais. Quelquefois le soleil se couchait
que nous étions encore assis sur la côte élevée, occupés à
regarder mourir à nos pieds les longues houles qui venaient
d'Amérique. Des navires passaient tout empourprés des
lueurs du soir. Des feux s'allumaient à fleur d'eau : soit
la vive étincelle des phares, soit le fanal rougeâtre des
bateaux mouillés en rade, ou les feux résineux des canots de
pêche. Et le vaste mouvement des eaux, qui continuait à
travers la nuit et ne se révélait plus que par ses rumeurs,
nous plongeait dans un silence où chacun de nous pouvait
recueillir un nombre incalculable de rêveries.

*Dominique*

# CHARLES BAUDELAIRE

1821–1867

333   *Quelques méditations sur Tannhaeuser et
Lohengrin*

Vendredi 17 février 1860

MONSIEUR,

Je me suis toujours figuré que si accoutumé à la gloire
que fût un grand artiste, il n'était pas insensible à un
compliment sincère, quand ce compliment était comme
un cri de reconnaissance, et enfin que ce cri pouvait avoir

une valeur d'un genre *singulier* quand il venait d'un Français, c'est-à-dire d'un homme peu fait pour l'enthousiasme et né dans un pays où l'on ne s'entend guères plus à la poésie et à la peinture qu'à la musique. Avant tout, je veux vous dire que je vous dois *la plus grande jouissance musicale que j'aie jamais éprouvée.* Je suis d'un âge où on ne s'amuse plus guères à écrire aux hommes célèbres, et j'aurais hésité longtemps encore à vous témoigner par lettre mon admiration, si tous les jours mes yeux ne tombaient sur des articles indignes, ridicules, où on fait tous les efforts possibles pour diffamer votre génie. Vous n'êtes pas le premier homme, monsieur, à l'occasion duquel j'ai eu à souffrir et à rougir de mon pays. Enfin l'indignation m'a poussé à vous té- moigner ma reconnaissance; je me suis dit : je veux être distingué de tous ces imbéciles.

La première fois que je suis allé aux Italiens pour en- tendre vos ouvrages, j'étais assez mal disposé, et même, je l'avouerai, plein de mauvais préjugés; mais je suis excusable; j'ai été si souvent dupe; j'ai entendu tant de musique de charlatans à grandes prétentions. Par vous j'ai été vaincu tout de suite. Ce que j'ai éprouvé est indescrip- tible, et si vous daignez ne pas rire, j'essaierai de vous le traduire. D'abord il m'a semblé que je connaissais cette musique, et plus tard en y réfléchissant, j'ai compris d'où venait ce mirage; il me semblait que cette musique était *la mienne*, et je la reconnaissais comme tout homme reconnaît les choses qu'il est destiné à aimer. Pour tout autre que pour un homme d'esprit, cette phrase serait immensément ridicule, surtout écrite par quelqu'un qui, comme moi, *ne sait pas la musique*, et dont toute l'éducation se borne à avoir entendu (avec grand plaisir, il est vrai) quelques beaux morceaux de Weber et de Beethoven.

Ensuite le caractère qui m'a principalement frappé, ç'a été la grandeur. Cela représente le grand, et cela pousse au grand. J'ai retrouvé partout dans vos ouvrages la

solennité des grands bruits, des grands aspects de la
Nature, et la solennité des grandes passions de l'homme.
On se sent tout de suite enlevé et subjugué. L'un des morceaux les plus étranges et qui m'ont apporté une sensation
musicale nouvelle est celui qui est destiné à peindre une
extase religieuse. L'effet produit par l'*Introduction des
invités* et par la *Fête nuptiale* est immense. J'ai senti toute
la majesté d'une vie plus large que la nôtre. Autre chose
encore : j'ai éprouvé souvent un sentiment d'une nature
assez bizarre, c'est l'orgueil et la jouissance de comprendre,
de me laisser pénétrer, envahir, volupté vraiment sensuelle,
et qui ressemble à celle de monter dans l'air ou de rouler
sur la mer. Et la musique en même temps respirait quelquefois l'orgueil de la vie. Généralement ces profondes har-
monies me paraissaient ressembler à ces excitants qui
accélèrent le pouls de l'imagination. Enfin j'ai éprouvé
aussi, et je vous supplie de ne pas rire, des sensations qui
dérivent probablement de la tournure de mon esprit et de
mes préoccupations fréquentes. Il y a partout quelque chose
d'enlevé et d'enlevant, quelque chose aspirant à monter
plus haut, quelque chose d'excessif et de superlatif. Par
exemple, pour me servir de comparaisons empruntées à la
peinture, je suppose devant mes yeux une vaste étendue
d'un rouge sombre. Si ce rouge représente la passion, je
le vois arriver graduellement, par toutes les transitions de
rouge et de rose, à l'incandescence de la fournaise. Il
semblerait difficile, impossible même d'arriver à quelque
chose de plus ardent; et cependant une dernière fusée
vient tracer un sillon plus blanc sur la blanc qui lui sert de
fond. Ce sera, si vous voulez, le cri suprême de l'âme montée
à son paroxysme... — Une fois encore, Monsieur, je vous
remercie; vous m'avez rappelé à moi-même et au grand,
dans de mauvaises heures.

*A Richard Wagner*

# GUSTAVE FLAUBERT

1821–1880

*334*              *La série des mêmes journées*

COMME elle était triste, le dimanche, quand on sonnait les vêpres ! Elle écoutait, dans un hébètement attentif, tinter un à un les coups fêlés de la cloche. Quelque chat sur les toits, marchant lentement, bombait son dos aux rayons pâles du soleil. Le vent, sur la grande route, soufflait des traînées de poussière. Au loin, parfois, un chien hurlait : et la cloche, à temps égaux, continuait sa sonnerie monotone qui se perdait dans la campagne.

Cependant on sortait de l'église. Les femmes en sabots cirés, les paysans en blouse neuve, les petits enfants qui sautillaient nu-tête devant eux, tout rentrait chez soi. Et jusqu'à la nuit, cinq ou six hommes, toujours les mêmes, restaient à jouer au bouchon, devant la grande porte de l'auberge.

L'hiver fut froid. Les carreaux, chaque matin, étaient chargés de givre, et la lumière, blanchâtre à travers eux, comme par des verres dépolis, quelquefois ne variait pas de la journée. Dès quatre heures du soir, il fallait allumer la lampe.

Les jours qu'il faisait beau, elle descendait dans le jardin. La rosée avait laissé sur les choux des guipures d'argent avec de longs fils clairs qui s'étendaient de l'un à l'autre. On n'entendait pas d'oiseaux, tout semblait dormir, l'espalier couvert de paille et la vigne comme un grand serpent malade sous le chaperon du mur, où l'on voyait, en s'approchant, se traîner des cloportes à pattes nombreuses. Dans les sapinettes, près de la haie, le curé en tricorne qui lisait son bréviaire avait perdu le pied droit, et même le plâtre, s'écaillant à la gêlée, avait fait des gales blanches sur sa figure.

Puis elle remontait, fermait la porte, étalait les charbons, et, défaillant à la chaleur du foyer, sentait l'ennui plus lourd qui retombait sur elle. Elle serait bien descendue causer avec la bonne, mais une pudeur la retenait.

Tous les jours, à la même heure, le maître d'école, en bonnet de soie noire, ouvrait les auvents de sa maison, et le garde champêtre passait, portant son sabre sur sa blouse. Soir et matin, les chevaux de la poste, trois par trois, traversaient la rue pour aller boire à la mare. De temps à autre, la porte d'un cabaret faisait tinter sa sonnette, et, quand il y avait du vent, l'on entendait grincer sur leurs deux tringles les petites cuvettes en cuivre du perruquier, qui servaient d'enseigne à sa boutique. Elle avait pour décoration une vieille gravure de modes collée contre un carreau et un buste de femme en cire, dont les cheveux étaient jaunes. Lui aussi, le perruquier, il se lamentait de sa vocation arrêtée, de son avenir perdu, et, rêvant quelque boutique dans une grande ville, comme à Rouen, par exemple, sur le port, près du théâtre, il restait toute la journée à se promener en long, depuis la mairie jusqu'à l'église, sombre, et attendant la clientèle. Lorsque madame Bovary levait les yeux, elle le voyait toujours là, comme une sentinelle en faction, avec son bonnet grec sur l'oreille et sa veste de lasting.

Dans l'après-midi, quelquefois, une tête d'homme apparaissait derrière les vitres de la salle, tête hâlée, à favoris noirs, et qui souriait lentement d'un large sourire doux à dents blanches. Une valse aussitôt commençait, et, sur l'orgue, dans un petit salon, des danseurs hauts comme le doigt, femmes en turban rose, Tyroliens en jaquette, singes en habit noir, messieurs en culotte courte, tournaient, tournaient entre les fauteuils, les canapés, les consoles, se répétant dans les morceaux de miroir que raccordait à leurs angles un filet de papier doré. L'homme faisait aller sa manivelle, regardant à droite, à gauche et vers les fenêtres. De temps à autre, tout en lançant contre

la borne un long jet de salive brune, il soulevait du genou
son instrument, dont la bretelle dure lui fatiguait l'épaule;
et, tantôt dolente et traînarde, ou joyeuse et précipitée,
la musique de la boîte s'échappait en bourdonnant à travers
un rideau de taffetas rose, sous une griffe de cuivre en
arabesque. C'étaient des airs que l'on jouait ailleurs, sur les
théâtres, que l'on chantait dans les salons, que l'on dansait
le soir sous des lustres éclairés, échos du monde qui
arrivaient jusqu'à Emma. Des sarabandes à n'en plus
finir se déroulaient dans sa tête, et, comme une bayadère
sur les fleurs d'un tapis, sa pensée bondissait avec les notes,
se balançait de rêve en rêve, de tristesse en tristesse. Quand
l'homme avait reçu l'aumône dans sa casquette, il rabattait
une vieille couverture de laine bleue, passait son orgue sur
son dos et s'éloignait d'un pas lourd. Elle le regardait
partir.

*Madame Bovary*

### 335                    *Ils devaient s'enfuir*

EMMA ne dormait pas, elle faisait semblant d'être endormie;
et, tandis qu'il s'assoupissait à ses côtés, elle se réveillait en
d'autres rêves.

Au galop de quatre chevaux, elle était emportée depuis
huit jours vers un pays nouveau, d'où ils ne reviendraient
plus. Ils allaient, ils allaient, les bras enlacés, sans parler.
Souvent, du haut d'une montagne, ils apercevaient tout à
coup quelque cité splendide avec des dômes, des ponts,
des navires, des forêts de citronniers et des cathédrales de
marbre blanc, dont les clochers aigus portaient des nids
de cigognes. On marchait au pas, à cause des grandes dalles,
et il y avait par terre des bouquets de fleurs que vous
offraient des femmes habillées en corset rouge. On entendait
sonner des cloches, hennir des mulets, avec le murmure des
guitares et le bruit des fontaines, dont la vapeur s'envolant

rafraîchissait des tas de fruits, disposés en pyramides au pied des statues pâles, qui souriaient sous les jets d'eau. Et puis ils arrivaient, un soir, dans un village de pêcheurs, où des filets bruns séchaient au vent, le long de la falaise et des cabanes. C'est là qu'ils s'arrêteraient pour vivre : ils habiteraient une maison basse à toit plat, ombragée d'un palmier, au fond d'un golfe, au bord de la mer. Ils se promèneraient en gondole, ils se balanceraient en hamac; et leur existence serait facile et large comme leur vêtements de soie, toute chaude et étoilée comme les nuits douces qu'ils contempleraient. Cependant, sur l'immensité de cet avenir qu'elle se faisait apparaître, rien de particulier ne surgissait : les jours, tous magnifiques, se ressemblaient comme des flots; et cela se balançait à l'horizon infini, harmonieux, bleuâtre et couvert de soleil. Mais l'enfant se mettait à tousser dans son berceau, ou bien Bovary ronflait plus fort, et Emma ne s'endormait que le matin, quand l'aube blanchissait les carreaux et que déjà le petit Justin, sur la place, ouvrait les auvents de la pharmacie.

*Madame Bovary*

### *336   L'amour doit rester dans l'arrière-boutique*

Tu veux savoir si je t'aime, pour trancher tout d'un coup et en finir franchement. N'est-ce pas ce que tu m'écris hier ? C'est une question trop large pour qu'on y réponde par un «OUI» ou par un «NON». C'est ce que je vais pourtant tâcher de faire afin que tu ne m'accuses plus de toujours biaiser. J'espère qu'aujourd'hui au moins tu me rendras justice. Je ne suis pas gâté de ce côté !

Pour moi, l'amour n'est pas et ne doit pas être au premier plan de la vie; il doit rester dans l'arrière-boutique. Il y a d'autres choses avant lui, dans l'âme, qui sont, il me semble, plus près de la lumière, plus rapprochées du soleil.

Si donc tu prends l'amour comme mets principal de l'existence : NON. Comme assaisonnement : OUI.

Si tu entends par aimer avoir une préoccupation exclusive de l'être aimé, ne vivre que par lui, ne voir que lui au monde de tout ce qu'il y a sur le monde, être plein de son idée, en avoir le cœur comblé ainsi que le tablier d'une enfant qui est rempli de fleurs et qui déborde de tous côtés, quoiqu'elle en porte les coins dans sa bouche et qu'elle le serre avec ses mains, sentir enfin que votre vie est liée à cette vie-là et que cela est devenu un organe particulier de votre âme : NON.

Si tu entends par aimer vouloir prendre de ce double contact la mousse qui flotte dessus sans remuer la lie qui peut être au fond, s'unir avec un mélange de tendresse et de plaisir, se voir avec charme et se quitter sans désespoir (alors qu'on n'était pas désespéré non plus quand on embrassait dans leur bière ses plus tendrement chères), pouvoir vivre l'un sans l'autre, puisqu'on vit bien sevré de tout ce qu'on convoite, orphelin de tout ce qu'on a aimé, veuf de tout ce qu'on rêve, mais éprouver pourtant à ces rapprochements des défaillances qui font sourire comme par des chatouillements étranges, sentir enfin que cela est venu parce que ça devait venir et que ça se passera parce que tout passe, en se jurant d'avance de n'accuser ni l'autre ni soi-même, et, au milieu de cette joie, vivre comme on vit, si ce n'est un peu mieux, avec un fauteuil de plus pour y poser votre cœur les jours de fatigue, sans que, pour cela, on en soit pas beaucoup plus amusé de se lever tous les matins ; si tu admets qu'on puisse aimer et en même temps être pris d'une pitié démesurée en comparant les admirations de l'amour aux admirations de l'art, ayant pour tout ce qui vous fait rentrer dans l'organisme d'ici-bas un dédain facétieux et amer ; si tu admets qu'on puisse aimer quand on sent qu'un vers de Théocrite vous fait plus rêver que vos meilleurs souvenirs, quand il vous

semble en même temps que tous les grands sacrifices
(j'entends ce à quoi on tient le plus, la vie, l'argent) ne
vous coûteraient rien, et que les petits vous coûtent : OUI.

*Lettre à Louise Colet*, avril 1847

*337*     *Cette petite nourriture quotidienne*

Croisset,... 15-16 mai 1852

J'AI lu *Rodogune*[1] et *Théodore*[1] cette semaine. Quelle immonde
chose que les commentaires de M. de Voltaire! Est-ce
bête! Et c'était pourtant un homme d'esprit. Mais l'esprit
sert à peu de choses dans les arts, à empêcher l'enthousiasme
et nier le génie, voilà tout.

Quelle pauvre occupation que la critique, puisqu'un
homme de cette trempe-là nous donne un pareil exemple!
Mais il est si doux de faire le pédagogue, de reprendre les
autres, d'apprendre aux gens leur métier! La manie du
rabaissement, qui est la lèpre morale de notre époque, a
singulièrement favorisé ce penchant dans la gent écrivante.
La médiocrité s'assouvit à cette petite nourriture quotidienne qui, sous des apparences sérieuses, cache le vide.
Il est bien plus facile de discuter que de comprendre, et de
bavarder art, idée du beau, idéal, etc., que de faire le moindre sonnet ou la plus simple phrase. J'ai eu envie souvent
de m'en mêler aussi et de faire d'un seul coup un livre sur
tout cela. Ce sera pour ma vieillesse, quand mon encrier
sera sec. Quel crâne ouvrage, et original, il y aurait à écrire
sous ce titre : «De l'interprétation de l'antiquité»! Ce serait
l'œuvre de toute une vie. Et puis à quoi bon ? De la musique!
De la musique plutôt! Tournons au rythme, balançons-
nous dans les périodes, descendons plus avant dans les
caves du cœur.

Cette manie du rabaissement, dont je parle, est profondé-

[1] Voltaire's *Théâtre de Pierre Corneille avec des commentaires* (12 vols.)
was published in 1764.

ment française, pays de l'égalité et de l'antiliberté. Car on déteste la liberté dans notre chère patrie. L'idéal de l'État, selon les socialistes, n'est-il pas une espèce de vaste monstre, absorbant en lui toute action individuelle, toute personnalité, toute pensée, et qui dirigera tout, fera tout?... Qu'est-ce donc que l'Égalité si ce n'est pas la négation de toute liberté, de toute supériorité et de la nature elle-même? L'Égalité, c'est l'esclavage. Voilà pourquoi j'aime l'Art. C'est que là, au moins, tout est liberté dans ce monde des fictions. On y assouvit tout, on y fait tout, on est à la fois son roi et son peuple, actif et passif, victime et prêtre. Pas de limites; l'humanité est pour vous un pantin à grelots que l'on fait sonner au bout de sa phrase comme un bateleur au bout de son pied (je me suis souvent, ainsi, bien vengé de l'existence; je me suis repassé un tas de douceurs avec ma plume; je me suis donné des femmes, de l'argent, des voyages), comme l'âme courbée se déploie dans cet azur qui ne s'arrête qu'aux frontières du Vrai. Où la Forme, en effet, manque, l'idée n'est plus. Chercher l'un, c'est chercher l'autre. Ils sont aussi inséparables que la substance l'est de la couleur et c'est pour cela que l'Art est la vérité même. Tout cela, délayé en vingt leçons au Collège de France, me ferait passer, près de beaucoup de petits jeunes gens, de messieurs forts et de femmes distinguées, pour grand homme pendant quinze jours.

*A la même*

## HENRI-FRÉDÉRIC AMIEL

1821–1881

*338*        *Ces instants sublimes*

*31 août 1856 (dimanche, onze heures du matin).* — Je ne trouve aucune voix pour ce que j'éprouve. La rue est silencieuse, un rayon de soleil tombe dans ma chambre, un recueillement profond se fait en moi; j'entends battre mon cœur et passer ma vie. Je ne sais quoi de solennel, la paix des tombes sur lesquelles chantent les oiseaux, l'immensité tranquille, le calme infini du repos, m'envahit, me pénètre, me subjugue. Il me semble que je suis devenu une statue sur les bords du fleuve du temps, que j'assiste à quelque mystère, d'où je vais sortir vieux et sans âge. Je ne sens ni désir, ni crainte, ni mouvement, ni élan particulier; je me sens anonyme, impersonnel, l'œil fixe comme un mort, l'esprit vague et universel comme le néant ou l'absolu; je suis en suspens, je suis comme n'étant pas. — Dans ces moments, il me semble que ma conscience se retire dans son éternité; elle regarde circuler en dedans d'elle ses astres et sa nature avec ses saisons et ses myriades de choses individuelles, elle s'aperçoit dans sa substance même, supérieure à toute forme, contenant son passé, son présent et son avenir, vide qui renferme tout, milieu invisible et fécond, virtualité d'un monde, qui se dégage de sa propre existence pour se ressaisir dans son intimité pure. En ces instants sublimes, le corps a disparu, l'esprit s'est simplifié, unifié; passion, souffrances, volontés, idées, se sont résorbées dans l'être, comme les gouttes de pluie dans l'océan qui les a engendrées. L'âme est rentrée en soi, retournée à l'indétermination, elle s'est *réimpliquée* au delà de sa propre vie; elle remonte dans le sein de sa mère, redevient embryon divin. Jours vécus, habitudes formées, plis marqués, individualité façonnée, tout s'efface, se détend, se dissout, reprend l'état primitif, se replonge dans la fluidité originelle, sans figure, sans angle, sans dessin arrêté. C'est l'état sphéroïdal, l'indivise et homogène unité, l'état de l'œuf où la vie va germer. Ce retour à la semence est un phénomène connu des druides et des brahmanes, des néoplatoniciens et des hiérophantes. Il est contemplation et non stupeur; il n'est ni douloureux, ni joyeux, ni triste; il est en dehors de tout sentiment spécial, comme de toute pensée finie. Il est la conscience de l'être,

et la conscience de l'omni-possibilité latente au fond de cet
être. C'est la sensation de l'infini spirituel. C'est le fond de
la liberté. — A quoi sert-il ? à dominer tout le fini, à se
dessiner soi-même, à donner la clé de toutes les méta-
morphoses, à guérir de toutes les courbatures morales,
à maîtriser le temps et l'espace, à reconquérir sa propre
totalité en se dépouillant de tout ce qui en nous est adven-
tice, artificiel, meurtri, altéré. Ce retour à la semence est
un rajeunissement momentané, et de plus, il est un moyen
de mesurer le chemin parcouru par la vie, puisqu'il ramène
jusqu'au point de départ.

*Fragments d'un Journal intime*

### 339        *La connaissance de soi-même*

*20 août 1860 (soir).* — Mon péché, c'est le découragement;
mon malheur c'est l'indétermination; mon effroi, c'est
d'être dupe, et dupe de moi-même; mon idole, c'est la
liberté; ma croix, c'est de vouloir; mon entrave, c'est le
doute; ma faute éternelle, c'est l'ajournement; mon idole,
c'est la contemplation stérile substituée à la régénération;
mon goût le plus constant c'est la psychologie; mon tort
ordinaire est de méconnaître l'occasion; ma passion est
l'inutile; mon faible, d'être aimé et conseillé; ma sottise, de
vivre sans but...

*Fragments d'un Journal intime*

### 340        *Mon esprit est en dehors du temps*

LE temps m'est chose indifférente et ne marque pas sur ma
mémoire. Les dates relatives aux choses du dehors m'intéressent et prennent encore quelque valeur pour ma pensée;
mais ma propre vie ne se catégorise pas chronologique-
ment, je ne me vois pas *sub specie temporis*; ces divisions de
semaines, mois, années, décades ne se relient à rien dans
mon âme et lui demeurent étrangères. Pourquoi ? parce que

l'action n'est pas ma forme d'existence et que l'action seule nous engrène avec le monde extérieur régi par le calendrier. La vie intérieure, comme le rêve, n'a rien à faire avec ces raies et coches artificielles de la durée. Mon autobiographie, comme l'histoire de l'Inde, serait pour moi, si je perdais ces cahiers de journaux, impossible à reconstruire. Je n'aperçois en moi ni marche, ni progrès, ni croissance, ni événements. Je me sens *être* avec plus ou moins d'intensité, de tristesse ou de joie, de santé ou de lucidité, mais il n'arrive rien dans ma vie et je ne parcours pas une carrière, m'éloignant d'un point fixe et me rapprochant d'un terme désiré. Mon ambition (si le mot n'est pas énorme et impropre) c'est d'éprouver la vie, de prendre conscience des modes de l'être humain, c'est de sentir et de penser, non de vouloir, autrement dit de contempler. Pour la contemplation, l'éternité dévore le temps. Et voilà pourquoi je ne m'aperçois du temps révolu et des années écoulées que par des observations extérieures, en voyant par exemple un de mes camarades devenu grand-père, mais non par perception personnelle et directe.

Mon extrait de baptême me prouve que j'ai dépassé le demi-siècle; mais j'atteindrais au double que je ne serais pas encore habitué au monde et pas même à mon propre corps. Le roulis du temps me paraît curieux et m'étrange encore autant et plus qu'il y a vingt-cinq ans. J'assiste à ma propre lanterne magique, mais le moi qui regarde ne s'identifie pas avec le spectacle. Je suis à moi-même l'espace immobile dans lequel tournent mon soleil et mes étoiles. Mon esprit est le lieu de mes phénomènes; il a le temps en lui, et par conséquent est en dehors du temps. Il est à lui-même ce que Dieu est au monde, éternel par opposition à ce qui apparaît et disparaît, commence et finit, à ce qui se métamorphose continuellement.

*Fragments d'un Journal intime*

# EDMOND ET JULES DE GONCOURT

1822–1896; 1830–1870

*341*　　　　　*Une vraie paire d'amis*

Assis le derrière par terre, sur le parquet, Anatole passait
des journées à observer le singe qu'on appelait Vermillon,
à cause du goût qu'il avait pour les vessies de *minium*.
Le singe s'épouillait attentivement, allongeant une de ses
jambes, tenant dans une de ses mains son pied tordu comme
une racine; ayant fini de se gratter, il se recueillait sur son
séant, dans des immobilités de vieux bonze: le nez dans
le mur, il semblait méditer une philosophie religieuse,
rêver au Nirvanâ des macaques. Puis c'était une pensée
infiniment sérieuse et soucieuse, une préoccupation d'affaire
couvée, creusée, comme un plan de filou, qui lui plissait le
front, lui joignait les mains, le pouce de l'une sur le pouce
de l'autre. Anatole suivait tous ces jeux de sa physionomie,
les impressions fugaces et multiples traversant ces petits
animaux, l'air inquiétant de pensée qu'ils ont, ce ténébreux
travail de malice qu'ils semblent faire, leurs gestes, leurs
airs volés à l'ombre de l'homme, leur manière grave de
regarder avec une main posée sur la tête, tout l'indé-
chiffrable des choses prêtes à parler qui passent dans leur
grimace et leur mâchonnement continuel. Ces petites
volontés courtes et frénétiques des petits singes, ces envies
coléreuses d'un objet qu'ils abandonnent, aussitôt qu'ils le
tiennent, pour se gratter le dos, ces tremblements tout
palpitants de désir et d'avidité empoignante, ces appétences
d'une petite langue qui bat, puis tout à coup ces oublis,
ces bouderies en poses ennuyées, de côté, les yeux dans
le vide, les mains entre les deux cuisses: le caprice des
sensations, la mobilité de l'humeur, les prurigos subits,
les passages de la gravité à la folie, les variations, les sautes

d'idées qui, dans ces bêtes, semblent mettre en une heure le caractère de tous les âges, mêler des dégoûts de vieillard à des envies d'enfant, la convoitise enragée à la suprême indifférence — tout cela faisait la joie, l'amusement, l'étude et l'occupation d'Anatole.

Bientôt avec son goût et son talent d'imitation, il arriva à singer le singe, à lui prendre toutes ses grimaces, son claquement de lèvres, ses petits cris, sa façon de cligner des yeux et de battre des paupières. Il s'épouillait comme lui, avec des grattements sur les pectoraux ou sous le jarret d'une jambe levée en l'air. Le singe, d'abord étonné, avait fini par voir un camarade dans Anatole. Et ils faisaient tous deux des parties de jeu de gamins. Tout à coup, dans l'atelier, des bonds, des élancements, une espèce de course volante entre l'homme et la bête, un bousculement, un culbutis, un tapage, des cris, des rires, des sauts, une lutte furieuse d'agilité et d'escalade, mettaient dans l'atelier le bruit, le vertige, le vent, l'étourdissement, le tourbillon de deux singes qui se donnent la chasse. Les meubles, les plâtres, les murs en tremblaient. Et tous deux, au bout de la course, se trouvant nez à nez, il arrivait presque toujours ceci : excité par le plaisir nerveux de l'exercice, l'irritation du jeu, l'enivrement du mouvement, Vermillon, piété sur ses quatre pattes, la queue roide, sa raie de vieille femme dessinée sur son front qui se fronçait, les oreilles aplaties, le museau tendu et plissé, ouvrait sa gueule avec la lenteur d'un ressort à crans, et montrait des crocs prêts à mordre. Mais à ce moment, il trouvait en face de lui une tête qui ressemblait tellement à la sienne, une répétition si parfaite de sa colère de singe, que tout décontenancé, comme s'il se voyait dans une glace, il sautait après sa corde et s'en allait réfléchir tout en haut de l'atelier à ce singulier animal qui lui ressemblait tant.

C'était une vraie paire d'amis. Ils ne pouvaient se passer l'un de l'autre.                    *Manette Salomon*

## [EDMOND DE GONCOURT *seul*]

*342*     *Novembre 1870 à Paris*

Samedi 26 novembre

AUJOURD'HUI, c'est le dernier jour des portes ouvertes ; demain, Paris finit aux remparts et le Bois de Boulogne ne sera plus parisien. Je veux, avant qu'il ne disparaisse peut-être, m'y promener toute la journée...

La porte du pré Catelan est ouverte. Des canons sont rangés sur sa pelouse et des artilleurs font signe de passer au large. Du pré Catelan, je pousse au Jardin d'Acclimatation par ce joli chemin côtoyant un ruisseau, sous des arbres verts. Là, une bande d'enfants, de femmes et d'hommes brise, casse ces pauvres arbres, qui restent après leur passage avec des arrachis blancs, des branches pendantes à terre, des tortils de bois révolté, — un saccagement qui révolte et dévoile l'amour de la destruction de la population parisienne. Un vieil homme de la campagne, qui passe par là et qui aime les arbres comme la Vieillesse, lève les yeux au ciel d'une manière douloureuse.

En revenant, je suis un peu rasséréné par la vue de la grande île, préservée par l'eau qui l'entoure, et qui, au milieu de la dévastation générale, garde intacts et sans blessures ses arbres verts, ses arbrisseaux, sa propreté anglaise. Au bord du lac, près de ce bord si couru, se promène seul un long prêtre maigre, qui lit son bréviaire.

Je me hâte pour l'heure de cinq heures. La pelouse, qui va de la butte Mortemart à la porte de Boulogne, est toute couverte de mobiles, qui y vont camper la nuit. C'est charmant, toute cette multitude bleuâtre, toutes ces petites tentes blanches, soldats et tentes se dégradant jusqu'en bas en petits hommes, en petits carrés de toile microscopiques, au milieu des fumées de *popotes*, qui font un vrai nuage à l'horizon, d'où se détachent les grands arbres des côtés,

avec des tournures d'arbres, de portants de coulisses, et où
perce, tout au fond, un rien de l'architecture de l'église de
Saint-Cloud, noyée et sombrée comme un édifice d'apo-
théose au moment de la tombée de la toile.

Cinq heures sonnent. On se presse, on se bouscule. Il y
a un encombrement de caissons d'artillerie qui rend le
passage difficile. Un pauvre vieil homme prend peur sur le
pont-levis à côté de moi et tombe. Je le vois rapporté sur
les épaules de quatre hommes, inerte, la tête brinqueball-
lante. Il s'est cassé la colonne vertébrale.

*Mardi 29 novembre*

La viande salée, délivrée par le gouvernement, est in-
désalable et immangeable. J'en suis réduit à tuer moi-
même une de mes petites poules, avec un sabre japonais.
Ç'a été affreux, ce volatile m'échappant et voletant dans le
jardin, sans tête.

Aujourd'hui, il y a chez tous un recueillement concentré.
Dans les voitures publiques, personne ne parle, tout le
monde est enfermé en lui-même et les femmes du peuple
ont comme un regard d'aveugle pour ce qui se passe
autour d'elles.

La Seine est couverte de *mouches*, qui chauffent, pavoisées
du drapeau des ambulances et toutes prêtes à aller chercher
les blessés.

Au Champ-de-Mars, de petites voitures d'ambulance
de l'armée, précédées d'une ligne interminable de mulets
chargés de l'attirail de campagne. Sur le pont, des artilleurs,
arrêtés près de leur caisson, serrent contre eux, par le froid
humide, leurs grands manteaux blancs, sur lesquels sont
passés les mousquetons.

L'émotion de l'attente est dans les rues. Il y a des groupes
qui stationnent sur les places. Tout homme qui parle, tout
homme dont on espère un renseignement est entouré.
Et avec la nuit qui tombe, les groupes deviennent énormes,

débordant les trottoirs, les refuges et coulant sur la chaussée. Des voitures d'ambulance descendent au pas de la barrière d'Italie, cortégées de femmes, parmi lesquelles une se hasarde quelquefois à ouvrir la portière du fond, pour regarder les mutilés.

*Journal*

## ERNEST RENAN

1823–1892

### 343　*Le but de l'humanité*

LE but de l'humanité n'est pas le bonheur; c'est la perfection intellectuelle et morale. Il s'agit bien de se reposer, grand Dieu! quand on a l'infini à parcourir et le parfait à atteindre! L'humanité ne se reposera que dans le parfait. Il serait trop étrange que des hommes, intéressés par des considérations de bourse ou de boutique, arrêtassent le mouvement de l'esprit, le vrai mouvement religieux. L'état le plus dangereux pour l'humanité serait celui où la majorité, se trouvant à l'aise et ne voulant pas être dérangée, maintiendrait son repos aux dépens des penseurs et d'une minorité. Ce jour-là, il n'y aurait plus de salut que dans les barbares. Le barbare, en effet, représentant quelque chose d'inassouvi, est l'éternel trouble-fête des siècles satisfaits. Or, les barbares ne font jamais défaut. Quand ceux du dehors sont épuisés, il y a ceux du dedans.

... Si le travail de la pensée est la chose la plus sérieuse qu'il y ait, si les destinées de l'humanité et la perfection de l'individu y sont attachées, ce travail a, comme les choses religieuses, une valeur de tous les jours et de tous les instants. Ne donner à l'étude et à la culture intellectuelle que les moments de calme et de loisir, c'est faire injure à l'esprit humain, c'est supposer qu'il y a quelque chose de plus sérieux que la recherche de la vérité.

*Réflexions sur l'état des esprits*

## *344*      *Le premier cénacle*

TEL était le groupe qui, sur les bords du lac de Tibériade, se pressait autour de Jésus. L'aristocratie y était représentée par un douanier et par la femme d'un régisseur. Le reste se composait de pêcheurs et de simples gens. Leur ignorance était extrême; ils avaient l'esprit faible, ils croyaient aux spectres et aux esprits. Pas un élément de culture hellénique n'avait pénétré dans ce premier cénacle; l'instruction juive y était aussi fort incomplète; mais le cœur et la bonne volonté y débordaient. Le beau climat de la Galilée faisait de l'existence de ces honnêtes pêcheurs un perpétuel enchantement. Ils préludaient vraiment au royaume de Dieu, simples, bons, heureux, bercés doucement sur leur délicieuse petite mer, ou dormant le soir sur ses bords. On ne se figure pas l'enivrement d'une vie qui s'écoule ainsi à la face du ciel, la flamme douce et forte que donne ce perpétuel contact avec la nature, les songes de ces nuits passées à la clarté des étoiles, sous un dôme d'azur d'une profondeur sans fin. Ce fut durant une telle nuit que Jacob, la tête appuyée sur une pierre, vit dans les astres la promesse d'une postérité innombrable, et l'échelle mystérieuse par laquelle les Élohim allaient et venaient du ciel à la terre. A l'époque de Jésus, le ciel n'était pas fermé, ni la terre refroidie. La nue s'ouvrait encore sur le fils de l'homme; les anges montaient et descendaient sur sa tête; les visions du royaume de Dieu étaient partout; car l'homme les portait en son cœur. L'œil clair et doux de ces âmes simples contemplait l'univers en sa source idéale; le monde dévoilait peut-être son secret à la conscience divinement lucide de ces enfants heureux, à qui la pureté de leur cœur mérita un jour de voir Dieu.

*Vie de Jésus*

### 345     *Tard je t'ai connue, beauté parfaite*

O NOBLESSE! ô beauté simple et vraie! déesse dont le
culte signifie raison et sagesse, toi dont le temple est une
leçon éternelle de conscience et de sincérité, j'arrive tard au
seuil de tes mystères; j'apporte à ton autel beaucoup de
remords. Pour te trouver, il m'a fallu des recherches infinies. L'initiation que tu conférais à l'Athénien naissant par
un sourire, je l'ai conquise à force de réflexions, au prix
de longs efforts.

Je suis né, déesse aux yeux bleus, de parents barbares,
chez les Cimmériens bons et vertueux qui habitent au bord
d'une mer sombre, hérissée de rochers, toujours battue
par les orages. On y connaît à peine le soleil; les fleurs sont
les mousses marines, les algues et les coquillages coloriés
qu'on trouve au fond des baies solitaires. Les nuages y
paraissent sans couleur, et la joie même y est un peu triste;
mais des fontaines d'eau froide y sortent du rocher, et les
yeux des jeunes filles y sont comme ces vertes fontaines
où, sur des fonds d'herbes ondulées, se mire le ciel.

Mes pères, aussi loin que nous pouvons remonter,
étaient voués aux navigations lointaines, dans des mers
que tes Argonautes ne connurent pas. J'entendis, quand
j'étais jeune, les chansons des voyages polaires; je fus
bercé au souvenir des glaces flottantes, des mers brumeuses
semblables à du lait, des îles peuplées d'oiseaux qui
chantent à leurs heures et qui, prenant leur volée tous
ensemble, obscurcissent le ciel.

Des prêtres d'un culte étranger, venu des Syriens de
Palestine, prirent soin de m'élever. Ces prêtres étaient
sages et saints. Ils m'apprirent les longues histoires de
Cronos, qui a créé le monde, et de son fils, qui a, dit-on,
accompli un voyage sur la terre. Leurs temples sont trois
fois hauts comme le tien, ô Eurhythmie, et semblables à
des forêts; seulement ils ne sont pas solides; ils tombent en

ruine au bout de cinq ou six cents ans; ce sont des fantaisies
de barbares, qui s'imaginent qu'on peut faire quelque chose
de bien en dehors des règles que tu as tracées à tes inspirés,
ô Raison. Mais ces temples me plaisaient; je n'avais pas
étudié ton art divin; j'y trouvais Dieu. On y chantait des
cantiques dont je me souviens encore: «Salut, étoile de la
mer... reine de ceux qui gémissent en cette vallée de
larmes»; ou bien: «Rose mystique, Tour d'ivoire, Maison
d'or, Étoile du matin...». Tiens, déesse, quand je me
rappelle ces chants, mon cœur se fond, je deviens presque
apostat. Pardonne-moi ce ridicule; tu ne peux te figurer le
charme que les magiciens barbares ont mis dans ces vers,
et combien il m'en coûte de suivre la raison toute nue...
Les dieux passent comme les hommes, et il ne serait pas
bon qu'ils fussent éternels. La foi qu'on a eue ne doit
jamais être une chaîne. On est quitte envers elle quand
on l'a soigneusement roulée dans le linceul de pourpre
où dorment les dieux morts.

*Prière sur l'Acropole*

## 346        A quoi donc servent les saints?

UNE pensée triste accompagne le lecteur durant tout le
cours de cette belle histoire[1] que M. Sainte-Beuve a si
finement racontée. Ces saints et ces saintes qui, en plein
XVIIe siècle, ont ramené les jours antiques, qui ont créé
une Thébaïde à deux pas de Versailles, à quoi ont-ils
servi? Les réformes pour lesquelles ils ont froissé la
nature, foulé aux pieds les plus légitimes instincts, bravé le
sens humain, encouru l'anathème, nous paraissent puériles.
Cet idéal de vie qu'ils croyaient le seul bon n'est plus le
nôtre. Nous sommes pour les abus qu'ils réformèrent,
et la sœur Morel, qui scandalisa si longtemps toute la maison
en ne voulant pas céder son petit jardin, ne nous paraît

[1] *Port-Royal*

pas fort coupable. Bien plus, en les voyant se séparer à ce point de la condition humaine, de ses joies et de ses tristesses, nous regrettons en eux quelque chose, et leur perfection nous semble voisine de la sécheresse du cœur. Le Maistre de Sacy confessant sa mère au lit de mort, sainte Françoise de Chantal abandonnant ses enfants pour suivre François de Sales, M$^{me}$ de Maintenon enlevant les filles à leur mère pour le salut de leur âme, nous paraissent avoir péché contre la nature. A quoi donc servent les saints? A quoi ont servi les stoïciens? A quoi ont servi tant de belles âmes de l'antiquité mourante? A quoi ont servi ces bouddhistes de l'Inde, si doux que leurs adversaires ont pu faire disparaître jusqu'à leur trace? On ne sortirait pas de ce doute, si l'on s'en tenait à une conception étroite de la vie humaine. Les plus beaux miracles de dévouement et de patience ont été infructueux; mais, quand on s'est rendu compte de ce qu'est le devoir, on arrive à croire qu'en morale l'effort vaut mieux que le résultat. Le résultat n'a de valeur que dans le temps; l'effort vaut pour l'éternité. Témoignages vivants de la nature transcendante de l'homme, les saints sont ainsi la pierre angulaire du monde et le fondement de nos espérances. Ils rendent nécessaire l'immortalité; c'est grâce à eux que le découragement moral et le scepticisme pratique peuvent être invinciblement réfutés. La sœur Marie-Claire rendant le dernier soupir en s'écriant: «Victoire! victoire!» put être soutenue par des principes qui ne sont plus les nôtres; mais elle prouva que l'homme crée par sa volonté une force étrange dont la loi n'est pas celle de la chair; elle révéla l'esprit par un argument meilleur que tous ceux de Descartes, et, en nous montrant l'âme se détacher comme un fruit mûr de sa tige, elle nous apprit à ne pas nous prononcer légèrement sur les limites de sa destinée.

*Compte-rendu de 'Port-Royal'*

347          *Les morts ne savent rien*

J'AI donc réfléchi à tout cela, et le fruit de mes réflexions a été que le sort des justes et des sages, comme celui de tout le monde, est, quoi qu'ils fassent, dans la main de Dieu. Amour et haine sont également frivoles. L'homme ne sait rien; tout ce qui le touche est vanité.

Il n'y a, en effet, qu'une même destinée pour tous, pour le juste comme pour le méchant, pour l'homme vertueux comme pour l'impie, pour celui qui est pur comme pour celui qui est souillé, pour celui qui sacrifie comme pour celui qui ne sacrifie pas. Le meilleur des hommes est traité comme le pécheur, le parjure comme celui qui respecte le serment.

Voilà le plus grand mal qu'il y ait sous le soleil, c'est qu'il n'y ait qu'une même destinée pour tous. Voilà pourquoi l'âme des enfants d'Adam est pleine de méchanceté. La folie habite leur cœur pendant leur vie; après cela, ils s'en vont chez les morts. Or cela vaut-il mieux? Non. Les vivants au moins ont l'espoir. Un chien vivant vaut mieux qu'un lion mort. Les vivants savent qu'ils mourront, tandis que les morts ne savent rien. Pour eux, plus de récompense, car leur mémoire est oubliée. Leurs amours, leurs haines, leurs rivalités ont péri depuis longtemps, et il n'y a plus désormais de part pour eux en tout ce qui se fait sous le soleil.

Or sus donc! mange ton pain en liesse, bois ton vin en bonne humeur, puisque Dieu a fait prospérer tes affaires. Que toujours tes habits soient blancs, que les parfums ne cessent de couler sur ta tête. Savoure la vie avec la femme que tu aimes, tous les jours de ce court passage que Dieu t'a donné d'accomplir sous le soleil, tous les jours, dis-je, de ta frivole existence; car voilà ton vrai lot, le prix des peines que tu t'es données sous le soleil.

Toute affaire qui se présente à la portée de ta main, fais-la vite; car il n'y aura ni activité, ni pensée, ni savoir, ni sagesse dans le *scheol*, vers lequel se dirigent tous les pas.

*L'Ecclésiaste* XXI

# JEAN-HENRI FABRE

1823-1915

*348*        *Une chanteuse calomniée*

Et, par exemple, qui ne connaît, au moins de nom, la Cigale? Où trouver, dans le monde entomologique, une renommée pareille à la sienne? Sa réputation de chanteuse passionnée, imprévoyante de l'avenir, a servi de thème à nos premiers exercices de mémoire. En de petits vers, aisément appris, on nous la montre fort dépourvue quand la bise est venue et courant crier famine chez la Fourmi, sa voisine. Mal accueillie, l'emprunteuse reçoit une réponse topique, cause principale du renom de la bête. Avec leur triviale malice, les deux courtes lignes :

Vous chantiez! j'en suis bien aise,

Eh bien, dansez maintenant,

ont plus fait pour la célébrité de l'insecte que ses exploits de virtuosité. Cela pénètre comme un coin dans l'esprit infantile et n'en sort jamais plus.

La plupart ignorent le chant de la Cigale, cantonnée dans la région de l'olivier; nous savons tous, grands et petits, sa déconvenue auprès de la Fourmi. A quoi tient donc la renommée! Un récit de valeur fort contestable, où la morale est offensée tout autant que l'histoire naturelle, un conte de nourrice dont tout le mérite est d'être court, telle est la base d'une réputation qui dominera les ruines des âges tout aussi crânement que pourront le faire les bottes du Petit Poucet et la galette du Chaperon Rouge.

L'enfant est le conservateur par excellence. L'usage, les traditions, deviennent indestructibles une fois confiés aux

archives de sa mémoire. Nous lui devons la célébrité de
la Cigale, dont il a balbutié les infortunes en ses premiers
essais de récitation. Avec lui se conserveront les grossiers
non-sens qui font le tissu de la fable : la Cigale souffrira
toujours de la faim quand viendront les froids, bien qu'il
n'y ait plus de Cigales en hiver ; elle demandera toujours
l'aumône de quelques grains de blé, nourriture incompatible
avec son délicat suçoir ; en suppliante, elle fera la quête de
mouches et de vermisseaux, elle qui ne mange jamais.

A qui revient la responsabilité de ces étranges erreurs ?
La Fontaine, qui nous charme dans la plupart de ses fables
par une exquise finesse d'observation, est ici bien mal inspiré. Il connaît à fond ses premiers sujets, le Renard, le
Loup, le Chat, le Bouc, le Corbeau, le Rat, la Belette et
tant d'autres, dont il nous raconte les faits et gestes avec
une délicieuse précision de détails. Ce sont des personnages
du pays, des voisins, des commensaux. Leur vie publique
et privée se passe sous ses yeux ; mais la Cigale est étrangère
là où gambade Jeannot Lapin ; La Fontaine ne l'a jamais
entendue, ne l'a jamais vue. Pour lui, la célèbre chanteuse
est certainement une sauterelle... La vérité rejette comme
invention insensée ce que nous dit le fabuliste. Qu'il y ait
parfois des relations entre la Cigale et la Fourmi, rien de
plus certain ; seulement ces relations sont l'inverse de
ce qu'on nous raconte. Elles ne viennent pas de l'initiative
de la première, qui n'a jamais besoin du secours d'autrui
pour vivre ; elles viennent de la seconde, rapace exploiteuse,
accaparant dans ses greniers toute chose comestible. En
aucun temps, la Cigale ne va crier famine aux portes des
fourmilières, promettant loyalement de rendre intérêt et
principal ; tout au contraire, c'est la Fourmi qui, pressée
par la disette, implore la chanteuse. Que dis-je, implore !
Emprunter et rendre n'entrent pas dans les mœurs de
la pillarde. Elle exploite la Cigale, effrontément la dévalise.

*Mœurs des insectes*

## 349 FERDINAND FABRE

### Le Catafalque

L'ORAGE continuait effroyable. Un vent violent s'était
levé et avait éteint les réverbères, dont les cordages, secoués
par la rafale, faisaient grincer aigrement les poulies. La nuit
était compacte, tassée, horrible. Au ciel, mêmes ténèbres
que dans les rues. Le tonnerre se taisait un moment;
mais le bruit des eaux s'épanchant de toutes parts sur le
pavé sonore lui avait succédé comme un vaste murmure
destiné à en prolonger les rugissements. Au loin, on entendait l'Arbouse précipitant avec fracas ses cascades du haut
ce ses digues rompues.

Il pleuvait toujours.

Cependant une lueur, vague d'abord, puis plus nette et
plus franche, blanchit de ses reflets les ombres accumulées.
Tout à coup, les sept grandes fenêtres sveltes et légères
qui font du chœur de Saint-Irénée une merveille d'architecture gothique, s'illuminèrent. Une à une, les élégantes
rosaces des chapelles latérales rougirent. Bientôt l'enorme
vaisseau de la cathédrale, dont toutes les ouvertures firent
feu, s'enleva dans l'obscurité opaque, flamboyant, rayon-
ant, splendide.

Après avoir fait déposer le cercueil de Monseigneur de
Roquebrun sur le marchepied du maître-autel, l'abbé
Lavernède avait voulu édifier à l'évêque défunt une chapelle ardente capable de le venger de tous les affronts. Armé
des clefs qui devaient lui ouvrir les tiroirs de la sacristie
contenant les réserves en luminaires de toutes sortes, il y
avait puisé à pleines mains. Pas un candélabre, pas une
torchère, pas un chandelier qui, dans cette fête singulière,
n'eût reçu son cierge ou sa bougie. Au bout d'une heure de
cette activité, on eût dit d'un incendie dans l'intérieur de
Saint-Irenée.

C'est au milieu de cet éclat lumineux, bien fait pour contraster avec l'épaisseur des ténèbres et le bouleversement redoutable de cette affreuse nuit, que les Religieux, — Capucins, Barnabites, Dominicains, Maristes, — suivis de quelques prêtres diocésains restés fidèles à la mémoire de Monseigneur de Roquebrun, sortant de la sacristie, se dirigèrent à la file vers le chœur de la basilique. Chacun de son mieux avait dissimulé le désordre de sa toilette : celui-ci revêtant une chappe de deuil pour cacher la boue qui lui avait rejailli jusqu'aux genoux ; celui-là échangeant son surplis trempé jusqu'au dernier fil contre le rochet de quelque chanoine prébendier.

Le Provincial des Capucins, morne et beau avec sa longue barbe blanche, marchait en arrière du cortège. La colonne tout entière défila devant le cercueil de l'évêque, mit un genou en terre, puis, se partageant, une partie alla occuper les stalles à droite du maître-autel, tandis que l'autre, recueillie, s'établissait dans les stalles de gauche. Ces divers mouvements furent accomplis dans le plus absolu silence, avec la gravité majestueuse dont le catholicisme a su empreindre ses cérémonies.

Les chants funèbres commencèrent.

Véritablement, ce fut quelque chose à la fois de grandiose et de terrible que cet office des morts célébré en pleine nuit par une centaine d'ecclésiastiques qui redoutaient, à chaque minute, de voir leurs prières interrompues par l'arrivée de l'abbé Capdepont. Sous les ondes de lumière qui tombaient des murailles, des voûtes où brillaient des lustres nombreux, quelques visages paraissaient inquiets. Que se passerait-il, si le Vicaire-Général surgissait tout à coup au milieu de la nef ? Pourtant, malgré les préoccupations qui troublaient les âmes et faisaient trembler plus d'un cœur, les psalmodies allaient leur train.

Une fois, un bruit sinistre, épouvantable, ébranla les quatre murs de l'édifice. Les colonnes vacillèrent, les

candélabres frémirent sur les gradins de l'autel et les vieilles
stalles de noyer se plaignirent bruyamment. Les têtes,
effarées, se retournèrent toutes vers la porte de la cathédrale
restée ouverte. Satan allait-il faire irruption dans Saint-
Irénée? On se rassura: c'était le tonnerre qui, avant le
jour, pressé sans doute par le soleil de finir sa besogne,
tirait ses derniers coups de canon dans les nuées.

«*Miserere mei!...*» entonna le Provincial des Capucins.

*L'Abbé Tigrane*

# HIPPOLYTE TAINE

1828-1893

*350* *La Grèce*

C'est un beau pays qui tourne l'âme vers la joie et pousse
l'homme à considérer la vie comme une fête. Il n'en reste
guère aujourd'hui que le squelette; comme notre Provence,
et encore plus que notre Provence, il a été dépouillé,
gratté et, pour ainsi dire, raclé; la terre s'est éboulée, la
végétation est devenue rare; la pierre âpre et nue, à peine
tachetée ça et là de maigres buissons, usurpe l'espace et
couvre les trois quarts de l'horizon. Pourtant on peut se
faire une idée de ce qu'il était, en suivant les côtes encore
intactes de la Méditerranée, de Toulon à Hyères, de Naples
à Sorrente et à Amalfi; seulement, il faut se représenter un
ciel plus bleu, un air plus transparent, des formes de
montagnes plus nettes et plus harmonieuses. Il semble
qu'en ce pays il n'y ait point d'hiver. Les chênes-lièges,
les oliviers, les orangers, les citronniers, les cyprès, font
dans les creux et sur les flancs des gorges un éternel paysage d'été; ils descendent jusqu'au bord de la mer; en
février, à certains endroits, des oranges qui se détachent
de leur tige, tombent dans le flot. Point de brume, presque point de pluie; l'air est tiède; le soleil bon et doux.
L'homme n'est pas forcé, comme dans nos climats du Nord,

de se défendre contre l'inclémence des choses à force d'inventions compliquées et d'employer le gaz, les poêles, l'habit double, triple et quadruple, les trottoirs, les balayeurs et le reste pour rendre habitable le cloaque de boue froide dans lequel, sans sa police et son industrie, il barboterait. Il n'a pas besoin d'inventer des salles de spectacle et des décors d'opéra; il n'a qu'à regarder autour de lui; la nature les lui fournit plus beaux que ne ferait son art. A Hyères, en janvier, je voyais le soleil se lever derrière une île; la lumière croissait, emplissait l'air; tout d'un coup, au sommet d'un roc, une flamme jaillissait; le grand ciel de cristal élargissait sa voûte sur la plaine immense de la mer, sur les innombrables petits flots, sur le bleu puissant de l'eau uniforme où s'allongeait un ruisseau d'or; au soir, les montagnes lointaines prenaient des teintes de mauve, de lilas, de rose-thé. En été, l'illumination du soleil épanche dans l'air et sur la mer une telle splendeur, que les sens et l'imagination comblés se croient transportés dans un triomphe et dans une gloire; tous les flots pétillent; l'eau prend des tons de pierres précieuses, turquoises, améthystes, saphirs, lapis-lazulis, onduleux et mouvants sous la blancheur universelle et immaculée du ciel. C'est dans cette inondation de clarté qu'il faut imaginer les côtes de la Grèce, comme des aiguières et des vasques de marbre jetées çà et là au milieu de l'azur.

*Philosophie de l'Art en Grèce*

## 351 C'est Mozart qui chante au-dedans de moi

JE suis venu écouter dix fois *Cosi fan tutte*, l'année dernière... Je revois la scène et la tiède contrée lumineuse. La terrasse s'élève au bord de la mer, parmi les buissons de cactus, avec un berceau enguirlandé de roses, au bord duquel un figuier pose ses lourdes feuilles dentelées. La félicité, la tendresse, l'amour comblé, abandonné, tranquille, sont là

dans leur patrie. L'air est si doux qu'il suffit de le respirer
pour être content. La campagne lointaine est si veloutée
que les yeux ne sont jamais las de la contempler. La large
mer s'étend en face, rayonnante et paisible, et sa couleur
lustrée a la délicatesse d'une pervenche épanouie. Une
montagne rayée tourne sa croupe bleuie et dorée au bord
du ciel; la lumière habite dans ses creux; elle y dort em-
prisonnée par l'air et la distance, elle lui fait comme un
vêtement, et, plus loin encore, les dernières chaînes en-
veloppées d'un violet pâle nagent et vont s'effaçant dans
l'immuable azur. Les plus riches ornements d'une fleur de
serre, les veines nacrées d'un orchis, le velours tendre qui
borde les ailes d'un papillon ne sont pas plus suaves et
à la fois plus splendides. On pense involontairement aux
plus beaux objets du luxe et de la nature, aux jupes de soie
ruisselantes de lumière, aux broderies qui rayent une moire,
à la chair rosée, vivante, qui palpite sous un voile. Est-ce
qu'on peut songer ici à autre chose qu'à être heureux et
amoureux?

Mozart n'a pas songé à autre chose. La pièce n'a pas le
sens commun, et c'est tant mieux. Est-ce qu'un rêve doit
être vraisemblable? Est-ce que la vraie fantaisie, le sentiment pur et complet ne peut pas planer au-dessus des lois
de la vie? Est-ce que dans la contrée idéale, comme la
forêt d'*As You Like it*, les amants ne sont pas affranchis
des nécessités qui nous contraignent et des chaînes sous
lesquelles nous rampons? Ceux-ci se déguisent en Turcs
pour éprouver leurs maîtresses, ils feignent de s'empoison-
ner, la suivante se fait tour à tour médecin, notaire; et
leurs maîtresses croient tout cela. Moi aussi, je veux croire
ces folies, un instant, si peu d'instants qu'il vous plaira;
et c'est justement pour cela que mon émotion est charmante.
Je ferai comme le musicien, j'oublierai l'intrigue; la pièce
est satirique et bouffonne; je veux avec lui la voir sentimentale et tendre; sur le théâtre, il y a deux coquettes

italiennes qui rient et mentent; mais, *dans la musique*, personne ne ment et personne ne rit; on sourit tout au plus; même les larmes sont voisines du sourire. Quand Mozart est gai, il ne cesse jamais d'être noble; ce n'est pas un bon vivant, un simple épicurien brillant, comme Rossini; il ne se moque point de ses sentiments; il ne se contente point de l'allégresse vulgaire; il y a une finesse suprême dans sa gaîté; s'il y arrive, c'est par intervalles, parce que son âme est flexible, et que, dans un grand artiste comme dans un instrument complet, aucune corde ne manque. Mais son fonds est l'amour absolu de la beauté accomplie et heureuse; il ne se divertira pas avec sa maîtresse, il l'adorera, il demeurera longuement le regard attaché sur ses yeux, comme sur ceux d'une créature divine; il sentira devant elle son cœur se fondre, et le sourire qui viendra entr'ouvrir ses lèvres sera un soupir de bonheur.

Bien mieux, il a mis la bonté dans l'amour. Il ne songe point, comme Rossini, à prendre du plaisir; il n'est pas transporté, comme Beethoven, par un sentiment sublime, par le violent contraste du ciel subitement ouvert au milieu d'un désespoir continu. Il songe à rendre heureuse la personne qu'il aime. Quel air divin que la cavatine du second acte! Comme il est suavement mélancolique et tendre! Comme l'accompagnement, si fondu, si doux, s'enroule autour de la mélodie! Et comme, un instant auparavant, les accents tristes des adieux s'enflaient et s'abaissaient en modulations affectueuses et caressantes! Mozart est bon autant qu'il est noble, et il me semble que, si j'étais femme, je ne pourrais m'empêcher de l'aimer.

Les flûtes et les voix s'accordent parmi les fins traits des violons qui, capricieusement, y entrelacent leurs broderies. La voluptueuse harmonie arrive comme un nuage de parfums, qu'une brise lente vient de recueillir en passant sur un jardin en fleurs. De fraîches joues, des yeux riants apparaissent par éclairs, et le corsage bleu, la taille

penchée, l'épaule ronde et blanche, se détachent distinctement sur le bord de la terrasse. Au delà, le grand ciel ouvert,
la mer azurée, luisent toujours, avec la sérénité de leur joie
et de leur jeunesse immortelles.

*Notes sur Paris. Vie et Opinions de M. Frédéric-Thomas Graindorge*

## 352        *Un dialogue de Platon*

DANS cette page, et dans tout le livre, il s'agissait de gens
qui causaient entre eux, comme cela se fait au collège.
Ils avaient aussi leurs collèges, mais point de classes;
ils entraient dans une cour, sortaient, se promenaient librement entre les colonnes, raisonnaient entre eux et avec
leurs maîtres, aussi peu et aussi longtemps qu'il leur plaisait;
quelques-uns jouaient aux osselets, d'autres traçaient des
figures de géométrie sur le sable. Le livre montrait leurs
gestes et leurs attitudes, comment ils se serraient autour
de Socrate pour mieux entendre, comment ils marchaient
à reculons jusqu'au bout du vestibule pour garder leurs
yeux fixés sur la bouche de Protagoras. Les menus détails
de la conversation familière étaient marqués, éclats de voix,
rires, rougeurs, petites colères, confiance déraisonnable en
soi, confessions loyales d'ignorance, plaisir subit de la
découverte. Une fois, le lieu de l'entretien se trouvait être
le bord d'une petite rivière; ils ôtaient leurs chaussures
pour traverser l'eau, les petits flots rafraîchissaient leurs
pieds, et ils se couchaient pour lire et converser sur
l'herbe abondante au pied d'un platane. Étienne pensa à
la rivière de son pays, près de laquelle il avait si souvent
erré seul; il revit en imagination ses remous bleus, sa
nappe étalée entre les grèves blanches, les panaches d'une
oseraie qui chuchotaient à côté dans une lagune, et tout à
l'entour, la campagne pacifique endormie dans le silence
d'août. Pour la première fois de sa vie, il lisait *par delà
l'imprimé*, il achevait tout bas les réponses commencées, il

entrevoyait des couleurs et des formes, chaque phrase
tombait sur une expérience faite, éveillant non plus une
idée sèche, mais un groupe d'émotions, de pressentiments
et de souvenirs. Ce qui l'attachait encore à son livre, c'est
qu'il y comprenait tout, tant les mots et les tours y étaient
simples : les choses y étaient nommées par leur nom, et
beaucoup de phrases ressemblaient tout à fait à celles qu'on
fait en parlant; même elles étaient plus claires; quand un
personnage devenait gai, ou se mettait en colère, ou souhaitait quelque chose, on voyait sa gaieté, sa colère et son
désir, comme on voit les cailloux sous une eau de roche.
Mais ce qui séduisait surtout Étienne, c'était la noblesse
naturelle des jeunes gens; ils se parlaient comme les écoliers
de la cour, et pourtant ils n'avaient point d'argot, ils
n'étaient ni aigres, ni rudes, ni polissons, ni menteurs; ils
ne ressemblaient point à des chiens à l'attache, enclins à
mordre ou à se cacher dans leur niche. Ils disaient leur
pensée librement, on tenait compte de leur avis, on
soumettait les opinions à leur jugement, ils avouaient sans
peine leur embarras ou leur erreur; enfin ils n'admettaient
rien qu'après examen, et ils s'enquéraient entre eux des
choses qui depuis longtemps inquiétaient Étienne, sans
qu'il eût pu trouver par lui-même une réponse ou en obtenir
une d'autrui; ils tâchaient de savoir ce que c'est que la
justice, la beauté, la science, et ils en raisonnaient au moyen
de petits exemples tirés de la vie courante. Sans doute
plusieurs de ces raisonnements demeuraient obscurs pour
lui, et certains traits de mœurs lui semblaient étranges;
mais il se sentait parmi ces jeunes gens comme on se sent
avec des amis nouveaux dont on comprendra plus tard
toute la conduite, et il lui semblait que s'il avait pu vivre
avec Lysis, Charmide, surtout avec Théétète, il aurait été
parfaitement heureux.

*Étienne Mayran*

# NUMA-DENIS FUSTEL
# DE COULANGES

1830–1889

*353*      *Les deux ordres de croyances*

AVANT de passer de la formation des tribus à la naissance
des cités, il faut mentionner un élément important de la vie
intellectuelle de ces antiques populations.

Quand nous avons recherché les plus anciennes croyances de ces peuples, nous avons trouvé une religion
qui avait pour objet les ancêtres et pour principal symbole
le foyer; c'est elle qui a constitué la famille et établi les
premières lois. Mais cette race a eu aussi, dans toutes ses
branches, une autre religion, celle dont les principales
figures ont été Zeus, Héra, Athéné, Junon, celle de l'Olympe
hellénique et du Capitole romain.

De ces deux religions, la première prenait ses dieux dans
l'âme humaine; la seconde prit les siens dans la nature
physique. Si le sentiment de la force vive et de la conscience
qu'il porte en lui avait inspiré à l'homme la première
idée du divin, la vue de cette immensité qui l'entoure et
qui l'écrase traça à son sentiment religieux un autre cours.

L'homme des premiers temps était sans cesse en présence
de la nature; les habitudes de la vie civilisée ne mettaient
pas encore un voile entre elle et lui. Son regard était charmé
par ces beautés ou ébloui par ces grandeurs. Il jouissait de la
lumière, il s'effrayait de la nuit, et quand il voyait revenir
«la sainte clarté des cieux», il éprouvait de la reconnaissance.
Sa vie était dans les mains de la nature; il attendait le nuage
bienfaisant d'où dépendait sa récolte; il redoutait l'orage
qui pouvait détruire le travail et l'espoir de toute une année.
Il sentait à tout moment sa faiblesse et l'incomparable force
de ce qui l'entourait. Il éprouvait perpétuellement un
mélange de vénération, d'amour et de terreur, pour cette
puissante nature.

Ce sentiment ne le conduisit pas tout de suite à la conception d'un Dieu unique régissant l'univers. Car il n'avait pas encore l'idée de l'univers. Il ne savait pas que la terre, le soleil, les astres, sont des parties d'un même corps; la pensée ne lui venait pas qu'ils pussent être gouvernés par un même Être. Aux premiers regards qu'il jeta sur le monde extérieur, l'homme se le figura comme une sorte de république confuse où des forces rivales se faisaient la guerre. Comme il jugeait les choses extérieures d'après lui-même et qu'il sentait en lui une personne libre, il vit aussi dans chaque partie de la création, dans le sol, dans l'arbre, dans le nuage, dans l'eau du fleuve, dans le soleil, autant de personnes semblables à la sienne; il leur attribua la pensée, la volonté, le choix des actes; comme il les sentait puissants et qu'il subissait leur empire, il avoua sa dépendance; il les pria et les adora; il en fit des dieux.

Ainsi, dans cette race, l'idée religieuse se présenta sous deux formes très-différentes. D'une part, l'homme attacha l'attribut divin au principe invisible, à l'intelligence, à ce qu'il entrevoyait de l'âme, à ce qu'il sentait de sacré en lui. D'autre part, il appliqua son idée du divin aux objets extérieurs qu'il contemplait, qu'il aimait ou redoutait, aux agents physiques qui étaient les maîtres de son bonheur et de sa vie.

*La Cité antique*

# PHILIPPE-AUGUSTE COMTE DE VILLIERS DE L'ISLE-ADAM

1838–1889

*354*     *L'option suprême*

AXËL, toujours tranquille et grave.

Laisse tomber ces draperies, Sara: j'ai assez vu le soleil.

Un silence.

SARA, anxieuse, à elle-même et l'observant encore.

Pâle, — et les yeux fixés à terre, — il médite quelque projet.

AXËL, à demi-voix, pensif, et comme à lui-même.

Sans doute, un dieu me jalouse en cet instant, moi qui peux mourir.

### SARA

Axël, Axël, m'oublies-tu déjà, pour des pensées divines?... Viens, voici la terre! viens vivre!

AXËL, froid, souriant et scandant nettement ses paroles.

Vivre? Non. — Notre existence est remplie, — et sa coupe déborde! — Quel sablier comptera les heures de cette nuit! L'avenir?... Sara, crois en cette parole : nous venons de l'épuiser. Toutes les réalités, demain, que seraient-elles, en comparaison des mirages que nous venons de vivre? A quoi bon monnayer, à l'exemple des lâches humains, nos anciens frères, cette drachme d'or à l'effigie du rêve, — obole du Styx — qui scintille entre nos mains triomphales!

La qualité de notre espoir ne nous permet plus la terre. Que demander, sinon de pâles reflets de tels instants, à cette misérable étoile, où s'attarde notre mélancolie? La Terre, dis-tu? Qu'a-t-elle donc jamais réalisé, cette goutte de fange glacée, dont l'Heure ne sait que mentir au milieu du ciel? C'est elle, ne le vois-tu pas, qui est devenue l'Illusion! Reconnais-le, Sara : nous avons détruit, dans nos étranges cœurs, l'amour de la vie — et c'est bien EN RÉALITÉ que nous sommes devenus nos âmes! Accepter, désormais, de vivre, ne serait plus qu'un sacrilège envers nous-mêmes. Vivre? les serviteurs feront cela pour nous.

Rassasiés pour une éternité, levons-nous de table et, en toute justice, laissons aux malheureux dont la nature est de ne pouvoir mesurer qu'à la Sensation la valeur des réalités le soin de ramasser les miettes du festin. — J'ai trop pensé pour daigner agir!

SARA, troublée et inquiète.

Ce sont là des paroles surhumaines : comment oser les comprendre! — Axël, ton front doit brûler; tu as la fièvre : laisse ma douce voix te guérir!

AXËL, avec une impassibilité souveraine.

Mon front ne brûle pas; je ne parle pas vainement — et la seule fièvre dont il faille, en effet, nous guérir, est celle d'exister. — Chère pensée, écoute! et toi-même décideras, ensuite. — Pourquoi chercher à ressusciter une à une des ivresses dont nous venons d'éprouver la somme idéale et vouloir plier nos si augustes désirs à des concessions de tous les instants où leur essence même, amoindrie, s'annulerait demain sans doute? Veux-tu donc accepter, avec nos *semblables*, toutes les pitiés que *Demain* nous réserve, les satiétés, les maladies, les déceptions constantes, la vieillesse et donner le jour encore à des êtres voués à l'ennui de continuer?... Nous, dont un Océan n'apaiserait pas la soif, allons-nous consentir à nous satisfaire de quelques gouttes d'eau, parce que tels insensés ont prétendu, avec d'insignifiants sourires, qu'après tout c'était la sagesse? Pourquoi daigner répondre *amen* à toutes ces litanies d'esclaves? — Fatigues bien stériles, Sara! et peu dignes de succéder à cette miraculeuse nuit nuptiale où, vierges encore, nous nous sommes cependant à jamais possédés!

SARA, d'une voix oppressée.

Ah! c'est presque divin! Tu veux mourir.

AXËL

Tu vois le monde extérieur à travers ton âme : il t'éblouit! mais il ne peut nous donner une seule heure comparable, en intensité d'existence, à une seconde de celles que nous venons de vivre. L'accomplissement réel, absolu, parfait, c'est le moment intérieur que nous avons éprouvé l'un de l'autre, dans la splendeur funèbre de ce caveau. Ce moment idéal, nous l'avons subi : le voici donc irrévocable, de quelque nom que tu le nommes ! Essayer de le revivre, en modelant, chaque jour, à son image, une poussière, toujours décevante, d'apparences extérieures, ne serait que risquer de le dénaturer, d'en amoindrir l'impression divine, de l'anéantir au plus pur de nous-mêmes. Prenons garde de ne pas savoir mourir pendant qu'il en est temps encore.

Oh ! le monde extérieur ! Ne soyons pas dupes du vieil esclave, enchaîné à nos pieds, dans la lumière, et qui nous promet les clefs d'un palais d'enchantements, alors qu'il ne cache, en sa noire main fermée, qu'une poignée de cendres ! Tout à l'heure, tu parlais de Bagdad, de Palmyre, que sais-je ? de Jérusalem. Si tu savais quel amas de pierres inhabitables, quel sol stérile et brûlant, quels nids de bêtes immondes, sont, en *réalité*, ces pauvres bourgades, qui t'apparaissent, resplendissantes de souvenirs, au fond de cet Orient que tu portes en toi-même ! Et quelle tristesse ennuyée te causerait leur seul aspect !... Va, tu les as pensées ? il suffit : ne les regarde pas. La terre, te dis-je, est gonflée comme une bulle brillante, de misère et de mensonges, et, fille du néant originel, crève au moindre souffle, Sara, de ceux qui s'en approchent ! Éloignons-nous d'elle, tout à fait ! brusquement ! dans un sursaut sacré !... Le veux-tu ? Ce n'est pas une folie : tous les dieux qu'adora l'Humanité l'ont accompli avant nous, sûrs d'un Ciel, du ciel de leurs êtres !... Et je trouve, à leur exemple, que nous n'avons plus rien à faire ici.

*Axël*

# ÉMILE ZOLA

1840–1902

*355*            *Un tour dans les Halles*

—Maintenant [dit Claude], si cela vous plaît, nous allons faire un tour dans les Halles.

Florent le suivait, s'abandonnait. Une lueur claire, au fond de la rue Rambuteau, annonçait le jour. La grande voix des Halles grondait plus haut ; par instants, des volées de cloche, dans un pavillon éloigné, coupaient cette clameur roulante et montante. Ils entrèrent sous une des rues couvertes, entre le pavillon de la marée et le pavillon de la volaille. Florent levait les yeux, regardait la haute voûte, dont les boiseries intérieures luisaient, entre les dentelles noires des charpentes de fonte. Quand il déboucha dans la grande rue du milieu, il songea à quelque ville étrange, avec ses quartiers distincts, ses faubourgs, ses villages, ses promenades et ses routes, ses places et ses carrefours, mise toute entière sous un hangar, un jour de pluie, par quelque caprice gigantesque. L'ombre, sommeillant dans les creux des toitures, multipliait la forêt des piliers, élargissait à l'infini les nervures délicates, les galeries découpées, les persiennes transparentes ; et c'était, au-dessus de la ville, jusqu'au fond des ténèbres, toute une végétation, toute une floraison, monstrueux épanouissement de métal, dont les tiges qui montaient en fusée, les branches qui se tordaient et se nouaient, couvraient un monde avec les légèretés de feuillage d'une futaie séculaire. Des quartiers dormaient encore, clos de leurs grilles. Les pavillons du beurre et de la volaille alignaient leurs petites boutiques treillagées, allongeaient leurs ruelles désertes sous les files des becs de gaz. Le pavillon de la marée venait d'être ouvert ; des femmes traversaient les rangées de pierres blanches, tachées de l'ombre des paniers et des linges oubliés. Aux gros légumes, aux fleurs et aux fruits, le vacarme allait grandissant. De proche en proche, le réveil gagnait la ville, du quartier populeux où les choux s'entassent dès quatre heures du matin, au quartier paresseux et riche qui n'accroche des poulardes et des faisans à ses maisons que vers les huit heures.

Mais, dans les grandes rues couvertes, la vie affluait. Le long des trottoirs, aux deux bords, des maraîchers étaient encore là, de petits cultivateurs, venus des environs de Paris, étalant sur des paniers leur récolte de la veille au soir, bottes de légumes, poignées de fruits. Au milieu du va-et-vient incessant de la foule, des voitures entraient sous les voûtes, en ralentissant le trot sonnant de leurs chevaux. Deux de ces voitures, laissées en travers, barraient la rue. Florent, pour passer, dut s'appuyer contre un des sacs grisâtres, pareils à des sacs de charbon, et dont l'énorme charge faisait plier les essieux; les sacs, mouillés, avaient une odeur fraîche d'algues marines; un d'eux, crevé par un bout, laissait couler un tas noir de grosses moules. A tous les pas, maintenant, ils devaient s'arrêter. La marée arrivait, les camions se succédaient, charriant les hautes cages de bois pleines de bourriches, que les chemins de fer apportent toutes chargées de l'Océan. Et, pour se garer des camions de la marée de plus en plus pressés et inquiétants, ils se jetaient sous les roues des camions du beurre, des œufs et des fromages, de grands chariots jaunes, à quatre chevaux, à lanternes de couleur; des forts enlevaient les caisses d'œufs, les paniers de fromages et de beurre, qu'ils portaient dans le pavillon de la criée, où des employés en casquette écrivaient sur des calepins, à la lueur du gaz. Claude était ravi de ce tumulte; il s'oubliait à un effet de lumière, à un groupe de blouses, au déchargement d'une voiture. Enfin, ils se dégagèrent. Comme ils longeaient toujours la grande rue, ils marchèrent dans une odeur exquise qui traînait autour d'eux et semblait les suivre. Ils étaient au milieu du marché des fleurs coupées. Sur le carreau, à droite et à gauche, des femmes assises avaient devant elles des corbeilles carrées, pleines de bottes de roses, de violettes, de dahlias, de marguerites. Les bottes s'assombrissaient, pareilles à des taches de sang, pâlissaient doucement avec des gris argentés d'une grande délicatesse. Près d'une corbeille, une bougie allumée mettait là, sur tout le noir d'alentour, une chanson aiguë de couleur, les panachures vives des marguerites, le rouge saignant des dahlias, le bleuissement des violettes, les chairs vivantes des roses. Et rien n'était plus doux ni plus printanier que les tendresses de ce parfum rencontrées sur un trottoir, au sortir des souffles âpres de la marée et de la senteur pestilentielle des beurres et des fromages.

Claude et Florent revinrent sur leurs pas, flânant, s'attardant au milieu des fleurs. Ils s'arrêtèrent curieusement devant des femmes qui vendaient des bottes de fougère et des paquets de feuilles de vigne, bien réguliers, attachés par quarterons. Puis ils tournèrent dans un bout de rue couverte, presque désert, où leurs pas sonnaient comme sous la voûte d'une église. Ils y trouvèrent, attelé à une voiture grande comme une brouette, un tout petit âne qui s'ennuyait sans doute, et qui se mit à braire en les voyant, d'un ronflement si fort et si prolongé, que les vastes toitures des Halles en tremblaient. Des hennissements de chevaux répondirent; il y eut des piétinements, tout un vacarme au loin, qui grandit, roula, alla se perdre. Cependant, en face d'eux, rue Berger, les boutiques nues des commissionnaires, grandes ouvertes, montraient, sous la clarté vive du gaz, des amas de paniers et de fruits, entre les trois murs sales couverts d'additions au crayon. Et comme ils étaient là, ils aperçurent une dame bien mise, pelotonnée d'un air de lassitude heureuse dans le coin d'un fiacre, perdu au milieu de l'encombrement de la chaussée, et filant sournoisement.

— C'est Cendrillon qui rentre sans pantoufles, dit Claude avec un sourire.                              *Le Ventre de Paris*

# STÉPHANE MALLARMÉ

1842–1898

*356*                    *La Pipe*

HIER, j'ai trouvé ma pipe en rêvant une longue soirée
de travail, de beau travail d'hiver. Jetées les cigarettes avec
toutes les joies enfantines de l'été dans le passé qu'illuminent
les feuilles bleues de soleil, les mousselines et reprise ma
grave pipe par un homme sérieux qui veut fumer longtemps sans se déranger, afin de mieux travailler : mais je
ne m'attendais pas à la surprise que préparait cette délaissée,
à peine eus-je tiré la première bouffée, j'oubliai mes grands
livres à faire, émerveillé, attendri, je respirai l'hiver dernier
qui revenait. Je n'avais pas touché à la fidèle amie depuis
ma rentrée en France, et tout Londres, Londres tel que je
le vécus en entier à moi seul, il y a un an, est apparu ;
d'abord les chers brouillards qui emmitouflent nos cer-
velles et ont, là-bas, une odeur à eux, quand ils pénètrent
sous la croisée. Mon tabac sentait une chambre sombre
aux meubles de cuir saupoudrés par la poussière du charbon
sur lesquels se roulait le maigre chat noir ; les grands feux !
et la bonne aux bras rouges versant les charbons, et le bruit
de ces charbons tombant du seau de tôle dans la corbeille
de fer, le matin — alors que le facteur frappait le double
coup solennel, qui me faisais vivre ! J'ai revu par les
fenêtres ces arbres malades du square desert — j'ai vu
le large, si souvent traversé cet hiver-là, grelottant sur le
pont du steamer mouillé de bruine et noirci de fumée —
avec ma pauvre bien-aimée errante, en habits de voyageuse,
une longue robe terne couleur de la poussière des routes,
un manteau qui collait humide à ses épaules froides, un de
ces chapeaux de paille sans plume et presque sans rubans,
que les riches dames jettent en arrivant, tant ils sont
déchiquetés par l'air de la mer et que les pauvres bien-
aimées regarnissent pour bien des saisons encore. Autour

de son cou s'enroulait le terrible mouchoir qu'on agite
en se disant adieu pour toujours.

*La Pipe*

*357*          *Ma Pensée s'est pensée*

Besançon, 36 rue de Poithune
Vendredi 14 mai 1867

CHER ET CHER,

Je profite pour te répondre de l'émotion charmante
causée en moi par ta lettre.

Tu as raison, que se dire? Autant, si l'on était l'un près
de l'autre, on se laisserait aller, la main dans la main, à
d'interminables causeries, dans une grande allée que
terminerait un jet d'eau, autant l'effroi d'une feuille de
papier blanc, qui semble demander les vers si longtemps
rêvés et qui n'aurait que quelques lignes d'une amitié
qui a fini tellement par faire partie de vous-même qu'on
l'a oubliée, comme le reste de soi, vous écarte presque d'un
sacrilège!

Je viens de passer une année effrayante: ma Pensée
s'est pensée, et est arrivée à une Conception pure. Tout
ce que, par contrecoup, mon être a souffert, pendant cette
longue agonie, est inénarrable, mais heureusement, je
suis parfaitement mort, et la région la plus impure où
mon Espit puisse s'aventurer est l'Éternité, mon Esprit,
ce solitaire habituel de sa propre Pureté, que n'obscurcit
plus même le reflet du Temps.

Malheureusement, j'en suis arrivé là par une horrible
sensibilité, et il est temps que je l'enveloppe d'une indifférence extérieure, qui remplacera pour moi la force perdue.
J'en suis, après une synthèse suprême, à cette lente acquisition de la force — incapable tu le vois de me distraire.
Mais combien plus je l'étais, il y a plusieurs mois, d'abord
dans ma lutte terrible avec ce vieux et méchant plumage,

terrassé, heureusement, Dieu. Mais comme cette lutte
s'était passée sur son aile osseuse qui, par une agonie plus
vigoureuse que je ne l'eusse soupçonné chez lui, m'avait
emporté dans les Ténèbres, je tombai, victorieux, éperdument et infiniment — jusqu'à ce qu'enfin je me sois
revu un jour devant ma glace de Venise, tel que je m'étais
oublié plusieurs mois auparavant.

J'avoue de reste, mais à toi seul, que j'ai encore besoin,
tant ont été grandes les avanies de mon triomphe, de me
regarder dans cette glace pour penser et que si elle n'était
pas devant la table où je t'écris cette lettre, je redeviendrais
le Néant. C'est t'apprendre que je suis maintenant impersonnel et non plus Stéphane que tu as connu, — mais une
aptitude qu'a l'Univers spirituel à se voir et à se développer,
à travers ce qui fut moi.

Fragile comme est mon apparition terrestre, je ne puis
subir que les développements absolument nécessaires pour
que l'Univers retrouve, en ce moi, son identité. Ainsi je
viens, à l'heure de la Synthèse, de délimiter l'œuvre qui
sera l'image de ce développement. Trois poèmes en vers,
dont *Hérodiade* est l'Ouverture, mais d'une pureté que
l'homme n'a pas atteinte et n'atteindra peut-être jamais,
car il se pourrait que je ne fusse le jouet que d'une illusion,
et que la machine humaine ne soit pas assez parfaite pour
arriver à de tels résultats. Et quatre poèmes en prose, sur la
conception spirituelle du Néant.

Il me faut dix ans : les aurai-je ?...

*Lettre à Henri Cazalis*

# ALBERT SOREL
1842–1906

*358      Une banqueroute cynique*

La Révolution française, dès son début et par les seules
conséquences de son premier principe, sape par la base et

ruine tout l'édifice de la vieille Europe monarchique. Elle
proclame la souveraineté du peuple, elle présente ses
doctrines comme des vérités évidentes et universelles, elle
menace tous les pouvoirs établis, elle invite toutes les
nations à se révolter et à s'affranchir. Ce qui est le plus
étrange ici, ce n'est ni le caractère de la doctrine ni l'ardeur
de la propagande, c'est l'indifférence des gouvernements
européens. Les signes de l'orage leur échappent; lorsqu'il
éclate, ils le considèrent avec une égoïste quiétude; ils ne
s'en effrayent que quand les torrents débordent et que
l'inondation les gagne.

Ils n'ont pas su discerner le péril, ils ne savent pas mieux
le conjurer. Ils n'y opposent que des efforts incohérents,
des mesures contradictoires, des desseins sans cesse dé-
concertés. Menacés par un peuple insurgé et par une
doctrine subversive, ils n'ont ni un principe de conservation à opposer à la doctrine, ni une force publique à
opposer à la sédition. Tout est bouleversé en France, tout
subsiste en Europe. La France n'a ni gouvernement ni
trésor; il lui reste à peine les cadres d'une armée. Les
vieilles monarchies disposent de toutes les ressources des
gouvernements forts: leurs troupes sont sur le pied de
guerre, leurs généraux, instruits par l'étude et la pratique
des batailles, conduisent des soldats soumis et exercés.
Ils ont la science, la discipline, le nombre, les munitions,
les armes. Il semble que la France va succomber. Contre
toute attente, c'est l'anarchie qui s'organise, c'est la force
organisée qui se dissout. La France bat la coalition; elle
fait une chose plus étonnante: elle la divise. «Ces brigands,
écrivait un des souverains coalisés, ne veulent point d'amis
ni d'alliés, il leur faut des complices et des victimes.» Sauf
l'Angleterre, qui d'ailleurs a conquis pour son compte
les colonies françaises et prétend les garder, tous les
coalisés transigent tour à tour et deviennent complices
des vainqueurs, afin de partager les dépouilles des victimes.

La croisade entreprise par les rois contre la Révolution française, pour la défense du droit établi, aboutit au partage du continent entre les défenseurs du droit monarchique et les pouvoirs issus de la Révolution. La vieille Europe finit par une banqueroute cynique.

Pour traiter avec la Révolution française, la vieille Europe abdique son principe ; pour traiter avec la vieille Europe, la Révolution française fausse le sien. La France avait solennellement renoncé aux conquêtes. Elle apportait la paix au monde ; elle conviait les nations à la concorde : la tyrannie, disait-on, les avait séparées, la liberté devait les réunir. Qu'auraient-elles à s'envier l'une à l'autre, lorsque toutes seraient également heureuses ? La guerre éclata ; il parut à quelques-uns qu'elle accomplirait le règne de cette merveilleuse utopie. Il arriva ce qui, malheureusement, était beaucoup plus conforme à la nature des choses et aux passions humaines : la victoire rendit la Révolution belliqueuse. La guerre, commencée pour la défense du territoire français, se continua par l'invasion des territoires voisins. Après avoir conquis pour affranchir, la France partagea pour conserver.

*L'Europe et la Révolution française*

# PAUL VIDAL DE LA BLACHE

1843–1918

*359* *Paris : la vertu du lieu*

AUSSI loin que peut pénétrer l'histoire, les villages, bourgs ou petites villes apparaissent nombreux dans la région parisienne. On le voit par les chartes de donation, les cartulaires, comme dans les récits de guerre et de ravages. Tant d'amorces avaient été ici préparées par la nature au choix des hommes ! Les îles qui succèdent au confluent de la Marne et de la Seine offraient, avec un asile, l'avantage

du contact immédiat du fleuve. Au pied ou au-dessus des
rampes calcaires, il y avait place pour des rangées d'établisse-
ments, que la belle pierre semblait solliciter: les uns s'ali-
gnent en effet à la base; les autres, plus anciens peut-être,
ont pris stratégiquement position sur les promontoires, les
plateaux, les terrasses. Mais il y avait aussi, à flanc de
coteaux, sur la lisière des sables, au-dessus et au-dessous
du niveau de sources des argiles vertes, dans les dentelures
des gypses, des sites avantageux pour varier les cultures,
pour accrocher des plantations et des vergers. Les mêmes
coteaux virent à diverses lignes de hauteurs se superposer
les villages. Si le fleuve exerçait son attrait, la forêt finit
aussi par exercer le sien, grâce aux sources qui en garnissent
le pourtour. Les moindres reliefs, dans cette région où,
sans être puissants, ils abondent, donnèrent lieu à quelque
village, quelque point de groupement.

La région s'humanisa ainsi de bonne heure. Les indices
d'une vie active et spontanée s'y manifestent dès les temps
les plus anciens. De tout temps, on peut le dire, les environs
de Paris eurent un aspect animé et vivant, qui manqua
toujours à Rome, qui manque même encore maintenant à
Berlin. Aujourd'hui, c'est la grande ville qui est le foyer
d'émission de cette avant-garde de maisons la précédant
comme une armée en marche, qui envahit la plaine, escalade les hauteurs, submerge des collines entières. Mais
autrefois les bourgs ou villages, dont plusieurs ont été
englobés dans la capitale grandissante, avaient leur existence
propre, due aux conditions locales qui favorisaient partout
la naissance de petits groupes.

L'impression qu'on recueille dans les premiers témoignages qui s'expriment sur cette région parisienne, est celle
d'une nature saine et vivante, où le sol, le climat et les eaux
se combinent en une harmonie favorable à l'homme. Ce
pays garda longtemps, grâce aux abondantes forêts qui
l'entourent presque, le pénètrent même par endroits, une

physionomie de terre de chasse. Et néanmoins ce même pays était depuis longtemps déjà assez développé et civilisé, pour qu'un esprit raffiné, comme Julien, pût s'y plaire. On se reporte toujours volontiers à ce passage du *Mysopogon* où, comme par un amer retour sur les grandes villes populacières avec lesquelles il fut toujours en antagonisme ou en querelle, il décrit «sa chère Lutèce». L'accent en est vraiment délicat, comme imprégné de fraîcheur matinale. L'écrivain philosophe et l'homme d'action qui se réunissaient en lui, ont bien senti le charme et la saveur du lieu.

Cette petite station de bateliers et de pêcheurs, cantonnée dans une île, tenait un précieux gage d'avenir dans le fleuve dont les ramifications l'enveloppaient. Le fleuve fut l'âme de la ville grandissante. Celle-ci se dessine autour de lui, se moule également à ses deux rives; elle le suit pendant les 12 kilomètres de la courbe immense et vraiment souveraine qu'il trace entre ses murs. Bien ouvert par son orientation aux rayons du soleil, dont les premiers feux l'éclairent et dont les feux couchants illuminent un des plus merveilleux panoramas urbains qu'on puisse voir, le fleuve trace à travers la ville un grand courant d'air et de lumière. Il fait essentiellement partie de l'esthétique parisienne. Il s'associe aux scènes pittoresques que représentent les vieilles estampes, quand ses rives d'aval, encombrées de barques et couronnées de moulins, donnaient encore librement accès aux troupeaux. Il reflète aussi sa physionomie historique. Dans la courbe bordée d'édifices, qui va de Notre-Dame à la place de la Concorde en passant par le Louvre, se déroulent successivement la gravité du XIIIe siècle, la grâce de la Renaissance, l'élégance du XVIIIe siècle.

*Tableau de la Géographie de la France*

# ANATOLE FRANCE
1844–1924

*360*  *On fait la queue*

Dix heures du matin. Pas un souffle d'air. C'était le mois
de juillet le plus chaud qu'on eût connu. Dans l'étroite rue
de Jérusalem, une centaine de citoyens de la section faisaient
la queue à la porte du boulanger, sous la surveillance de
quatre gardes nationaux qui, l'arme au repos, fumaient leur
pipe.

La Convention nationale avait décrété le *maximum*:
aussitôt grains, farine avaient disparu. Comme les Israélites
au désert, les Parisiens se levaient avant le jour s'ils voulaient
manger. Tous ces gens, serrés les uns contre les autres,
hommes, femmes, enfants, sous un ciel de plomb fondu,
qui chauffait les pourritures des ruisseaux et exaltait les
odeurs de sueur et de crasse, se bousculaient, s'interpellaient, se regardaient avec tous les sentiments que les êtres
humains peuvent éprouver les uns pour les autres, antipathie, dégoût, intérêt, désir, indifférence. On avait appris,
par une expérience douloureuse, qu'il n'y avait pas de
pain pour tout le monde: aussi les derniers venus cher-
chaient-ils à se glisser en avant; ceux qui perdaient du
terrain se plaignaient et s'irritaient et invoquaient vainement leur droit méprisé. Les femmes jouaient avec rage
des coudes et des reins pour conserver leur place ou en
gagner une meilleure. Si la presse devenait plus étouffante,
des cris s'élevaient: «Ne poussez pas!» Et chacun protes-
tait, se disant poussé soi-même.

Pour éviter ces désordres quotidiens, les commissaires
délégués par la section avaient imaginé d'attacher à la
porte du boulanger une corde que chacun tenait à son
rang; mais les mains trop rapprochées se rencontraient sur
la corde et entraient en lutte. Celui qui la quittait ne

parvenait point à la reprendre. Les mécontents ou les plaisants la coupaient, et il avait fallu y renoncer.

Dans cette queue, on suffoquait, on croyait mourir, on faisait des plaisanteries, on lançait des propos grivois, on jetait des invectives aux aristocrates et aux fédéralistes, auteurs de tout le mal. Quand un chien passait, des plaisants l'appelaient Pitt. Parfois retentissait un large soufflet, appliqué par la main d'une citoyenne sur la joue d'un insolent, tandis que, pressée par son voisin, une jeune servante, les yeux mi-clos et la bouche entr'ouverte, soupirait mollement. A toute parole, à tout geste, à toute attitude propre à mettre en éveil l'humeur grivoise des aimables Français, un groupe de jeunes libertins entonnait le *Ça ira*, malgré les protestations d'un vieux jacobin, indigné que l'on compromît en de sales équivoques un refrain qui exprimait la foi républicaine dans un avenir de justice et de bonheur.

Son échelle sous le bras, un afficheur vint coller sur un mur, en face de la boulangerie, un avis de la Commune rationnant la viande de boucherie. Des passants s'arrêtaient pour lire la feuille encore toute gluante. Une marchande de choux, qui cheminait sa hotte sur le dos, se mit à dire de sa grosse voix cassée:
— Ils sont partis, les beaux bœufs! râtissons-nous les boyaux.

Tout à coup une telle bouffée de puanteur ardente monta d'un égout, que plusieurs furent pris de nausées; une femme se trouva mal et fut remise évanouie à deux gardes nationaux qui la portèrent à quelques pas de là, sous une pompe. On se bouchait le nez; une rumeur grondait; des paroles s'échangeaient, pleines d'angoisse et d'épouvante. On se demandait si c'était quelque animal enterré là, ou bien un poison mis par malveillance, ou plutôt un massacré de Septembre, noble ou prêtre, oublié dans une cave du voisinage.

— On en a donc mis là?

— On en a mis partout!

— Ce doit être un de ceux du Châtelet. Le 2, j'en ai vu trois cents en tas sur le Pont au Change.

Les Parisiens craignaient la vengeance de ces ci-devants qui, morts, les empoisonnaient.

*Les Dieux ont soif*

## *361*          *De Gestis Pinguinorum*

C'est sous la minorité du roi Gun que Johannès Talpa, religieux de Beargarden, composa, dans le monastère où il avait fait profession dès l'âge d'onze ans et dont il ne sortit jamais un seul jour de sa vie, ses célèbres chroniques latines en douze livres *De Gestis Pinguinorum*.

Le monastère de Beargarden dresse ses hautes murailles sur le sommet d'un pic inaccessible. On n'y découvre alentour que les cimes bleues des monts, coupées par les nuées.

Quand il entreprit de rédiger les *Gesta Pinguinorum*, Johannès Talpa était déjà vieux... Tandis qu'il rédigeait sa chronique, une guerre effroyable, à la fois étrangère et civile, désolait la terre pingouine. Les soldats de Crucha, venus pour défendre le monastère de Beargarden contre les barbares marsouins, s'y établirent fortement. Afin de le rendre inexpugnable, ils percèrent des meurtrières dans les murs et enlevèrent de l'église la toiture de plomb pour en faire des balles de fronde. Ils allumaient, à la nuit, dans les cours et les cloîtres, de grands feux auxquels ils rôtissaient des bœufs entiers, embrochés aux sapins antiques de la montagne; et, réunis autour des flammes, dans la fumée chargée d'une odeur de résine et de graisse, ils défonçaient les tonneaux de vin et de cervoise. Leurs chants, leurs blasphèmes et le bruit de leurs querelles couvraient le son des cloches matinales.

Enfin, les Marsouins, ayant franchi les défilés, mirent le

siège autour du monastère. C'étaient des guerriers du Nord,
vêtus et armés de cuivre. Ils appuyaient aux parois de la
roche des échelles de cent cinquante toises qui, dans
l'ombre et l'orage, se rompaient sous le poids des corps et
des armes et répandaient des grappes d'hommes dans les
ravins et les précipices; on entendait, au milieu des ténèbres,
descendre un long hurlement, et l'assaut recommençait.
Les Pingouins versaient des ruisseaux de poix ardente sur
les assaillants qui flambaient comme des torches. Soixante
fois, les Marsouins furieux tentèrent l'escalade; ils furent
soixante fois repoussés.

Depuis déjà dix mois, ils tenaient le monastère étroitement investi, quand, le saint jour de l'Épiphanie, un pâtre
de la vallée leur enseigna un sentier caché par lequel ils
gravirent la montagne, pénétrèrent dans les souterrains de
l'abbaye, se répandirent dans les cloîtres, dans les cuisines,
dans l'église, dans les salles capitulaires, dans la librairie,
dans la buanderie, dans les cellules, dans les réfectoires,
dans les dortoirs, incendièrent les bâtiments, tuèrent et
violèrent sans égard à l'âge ni au sexe. Les Pingouins,
brusquement réveillés, couraient aux armes; les yeux
voilés d'ombre et d'épouvante, ils se frappaient les uns
les autres, tandis que les Marsouins se disputaient entre
eux, à coups de hache, les vases sacrés, les encensoirs, les
chandeliers, les dalmatiques, les châsses, les croix d'or et
de pierreries.

L'air était chargé d'une âcre odeur de chair grillée; les
cris de mort et les gémissements s'élevaient du milieu des
flammes, et, sur le bord des toits croulants, des moines par
milliers couraient comme des fourmis et tombaient dans
la vallée. Cependant, Johannès Talpa écrivait sa chronique.
Les soldats de Crucha, s'étant retirés à la hâte, bouchèrent
avec des quartiers de roches toutes les issues du monastère,
afin d'enfermer les Marsouins dans les bâtiments incendiés.
Et, pour écraser l'ennemi sous l'éboulement des pierres de

taille et des pans de murs, ils se servirent comme de béliers des troncs des plus vieux chênes. Les charpentes embrasées s'effondraient avec un bruit de tonnerre et les arceaux sublimes des nefs s'écroulaient sous le choc des arbres géants, balancés par six cents hommes ensemble. Bientôt, il ne resta plus de la riche et vaste abbaye que la cellule de Johannès Talpa, suspendue, par un merveilleux hasard, aux débris d'un pignon fumant. Le vieux chroniqueur écrivait encore.

*L'Île des Pingouins*

# ISIDOR DUCASSE,
## *dit* COMTE DE LAUTRÉAMONT

1846–1870

*362*            *Les aboiements des chiens*

A u clair de la lune, près de la mer, dans les endroits isolés de la campagne, l'on voit, plongé dans d'amères réflexions, toutes les choses revêtir des formes jaunes, indécises, fantastiques. L'ombre des arbres, tantôt vite, tantôt lentement, court, vient, revient, par diverses formes, en s'aplatissant, en se collant contre la terre. Dans le temps, lorsque j'étais emporté sur les ailes de la jeunesse, cela me faisait rêver, me paraissait étrange; maintenant, j'y suis habitué. Le vent gémit à travers les feuilles ses notes langoureuses, et le hibou chante sa grave complainte, qui fait dresser les cheveux à ceux qui l'entendent. Alors, les chiens, rendus furieux, brisent leurs chaînes, s'échappent des fermes lointaines; ils courent dans la campagne, çà et là, en proie à la folie. Tout à coup, ils s'arrêtent, regardent de tous les côtés avec une inquiétude farouche, l'œil en feu: et, de même que les éléphants, avant de mourir, jettent dans le désert un dernier regard au ciel, élevant désespérément leur trompe, laissant leurs oreilles inertes, de même les

chiens laissent leurs oreilles inertes, élèvent la tête, gonflent
le cou terrible, et se mettent à aboyer, tour à tour, soit
comme un enfant qui crie de faim, soit comme un chat
blessé au ventre au-dessus d'un toit, soit comme une femme
qui va enfanter, soit comme un moribond atteint de la
peste à l'hôpital, soit comme une jeune fille qui chante un
air sublime, contre les étoiles au nord, contre les étoiles
à l'est, contre les étoiles au sud, contre les étoiles à l'ouest;
contre la lune; contre les montagnes, semblables au loin
à des roches géantes, gisantes dans l'obscurité; contre
l'air froid qu'ils aspirent à pleins poumons, qui rend l'intérieur de leur narine, rouge, brûlant; contre le silence de
la nuit; contre les chouettes, dont le vol oblique leur rase
le museau, emportant un rat ou une grenouille dans le
bec, nourriture vivante, douce pour les petits; contre les
lièvres, qui disparaissent en un clin d'œil; contre le voleur,
qui s'enfuit au galop de son cheval après avoir commis un
crime; contre les serpents, remuant les bruyères, qui leur
font trembler la peau, grincer les dents; contre leurs propres aboiements, qui leur font peur à eux-mêmes; contre
les crapauds, qu'ils broient d'un coup sec de mâchoire
(pourquoi se sont-ils éloignés du marais?); contre les
arbres, dont les feuilles, mollement bercées, sont autant
de mystères qu'ils ne comprennent pas, qu'ils veulent
découvrir avec leurs yeux fixes, intelligents; contre les
araignées, suspendues entre leurs longues pattes, qui
grimpent sur les arbres pour se sauver; contre les corbeaux,
qui n'ont pas trouvé de quoi manger pendant la journée,
et qui s'en reviennent au gîte l'aile fatiguée; contre les
rochers du rivage; contre les feux, qui paraissent aux mâts
des navires invisibles; contre le bruit sourd des vagues;
contre les grands poissons, qui, nageant, montrent leur
dos noir, puis s'enfoncent dans l'abîme; et contre l'homme
qui les rend esclaves. Après quoi, ils se mettent de nouveau
à courir dans la campagne, en sautant, de leurs pattes

sanglantes, par-dessus les fossés, les chemins, les champs, les herbes et les pierres escarpées. On les dirait atteints de la rage, cherchant un vaste étang pour apaiser leur soif. Leurs hurlements prolongés épouvantent la nature. Malheur au voyageur attardé! Les amis des cimetières se jetteront sur lui, le déchireront, le mangeront avec leur bouche d'où tombe du sang; car, ils n'ont pas les dents gâtées. Les animaux sauvages, n'osant pas s'approcher pour prendre part au repas de chair, s'enfuient à perte de vue, tremblants. Après quelques heures, les chiens, harassés de courir çà et là, presque morts, la langue en dehors de la bouche, se précipitent les uns sur les autres, sans savoir ce qu'ils font, et se déchirent en mille lambeaux, avec une rapidité incroyable. Ils n'agissent pas ainsi par cruauté. Un jour, avec des yeux vitreux, ma mère me dit: «Lorsque tu seras dans ton lit, que tu entendras les aboiements des chiens dans la campagne, cache-toi dans ta couverture, ne tourne pas en dérision ce qu'ils font; ils ont soif insatiable de l'infini, comme toi, comme moi, comme le reste des humains, à la figure pâle et longue. Même, je te permets de te mettre devant la fenêtre pour contempler ce spectacle, qui est assez sublime.» Depuis ce temps, je respecte le vœu de la morte. Moi, comme les chiens, j'éprouve le besoin de l'infini... Je ne puis, je ne puis contenter ce besoin!

*Les Chants de Maldoror*

# JORIS-KARL HUYSMANS

1848–1907

*363*            *La Cathédrale de Chartres*

DANS le mystère de son ombre brouillée par la fumée des pluies, elle montait, de plus en plus claire, à mesure qu'elle s'élevait dans le ciel blanc de ses nefs, s'exhaussant comme l'âme qui s'épure dans une ascension de clarté, lorsqu'elle gravit les voies de la vie mystique.

Les colonnes accotées filaient en de minces faisceaux, en de fines gerbes, si frêles qu'on s'attendait à les voir plier, au moindre souffle; et ce n'était qu'à des hauteurs vertigineuses que ces tiges se courbaient, se rejoignaient lancées d'un bout de la cathédrale à l'autre, au-dessus du vide, se greffaient, confondant leur sève, finissant par s'épanouir ainsi qu'en une corbeille dans les fleurs dédorées des clefs de la voûte.

Cette basilique, elle était le suprême effort de la matière cherchant à s'alléger, rejetant, tel qu'un lest, le poids aminci de ses murs, les remplaçant par une substance moins pesante et plus lucide, substituant à l'opacité de ses pierres l'épiderme diaphane des vitres.

Elle se spiritualisait, se faisait tout âme, toute prière, lorsqu'elle s'élançait vers le Seigneur pour le rejoindre; légère et gracile, presque impondérable, elle était l'expression la plus magnifique de la beauté qui s'évade de sa gangue terrestre, de la beauté qui se séraphise. Elle était grêle et pâle comme ces Vierges de Roger van der Weyden qui sont si filiformes, si fluettes, qu'elles s'envoleraient si elles n'étaient en quelque sorte retenues ici-bas par le poids de leurs brocarts et de leurs traînes. C'était la même conception mystique d'un corps fuselé, tout en longueur, et d'une âme ardente qui, ne pouvant se débarrasser complètement de ce corps, tentait de l'épurer, en le réduisant, en l'amenuisant, en le rendant presque fluide.

Elle stupéfiait avec l'essor éperdu de ses voûtes et la folle splendeur de ses vitres. Le temps était couvert et cependant toute une fournaise de pierreries brûlait dans les lames des ogives, dans les sphères embrasées des roses.

Là-haut, dans l'espace, tels que des salamandres, des êtres humains, avec des visages en ignition et des robes en braises, vivaient dans un firmament de feu; mais ces incendies étaient circonscrits, limités par un cadre incombustible de verres plus foncés qui refoulait la joie jeune et

claire des flammes, par cette espèce de mélancolie, par
cette apparence de côté plus sérieux et plus âgé que dégagent les couleurs sombres. L'hallali des rouges, la sécurité
limpide des blancs, l'alléluia répété des jaunes, la gloire
virginale des bleus, tout le foyer trépidant des verrières
s'éteignait quand il s'approchait de cette bordure teinte
avec des rouilles de fer, des roux de sauces, des violets
rudes de grès, des verts de bouteille, des bruns d'amadou,
des noirs de fuligine, des gris de cendre.

*La Cathédrale*

## 364 *Les plaines de la Beauce*

DURTAL aboutissait à une terrasse dominant la ville et il
s'accoudait à une balustrade de pierre grise, sèche, trouée,
pareille à une pierre ponce et fleurie de lichens couleur
d'orange et de soufre.

Au-dessous de lui, s'étendait une vallée comblée par des
cheminées et des toits fumants qui couvraient d'une résille
bleuâtre ce sommet de ville. Plus bas, tout était immobile
et sans vie; les maisons dormaient, ne s'éveillaient même
pas dans ces éclairs de jour que dardent les vitres d'une
croisée qu'on ouvre; aucune tache écarlate, comme il y
en a dans tant de rues de province lorsqu'un édredon de
percale pend, coupé au milieu par la barre d'appui d'une
fenêtre; tout était clos et terne et tout se taisait; l'on n'entendait même pas ce ronflement de ruche qui bourdonne au-
dessus des lieux habités. A part le roulement lointain d'une
voiture, le claquement d'un fouet, l'aboi d'un chien, tout
était muet; c'était la cité en léthargie, la campagne morte.

Et, au-dessus du vallon, sur l'autre rive, ce site devenait
encore plus taciturne et plus morne; les plaines de la Beauce
filaient à perte de vue, sans un sourire, sous un ciel indifférent qu'entravait une ignoble caserne dressée en face de la
cathédrale.

La mélancolie de ces plaines s'allongeant sans un soulève-
ment de terrain, sans un arbre! — Et l'on sentait que,
derrière l'horizon, elles continuaient à s'enfuir aussi plates;
seulement, à la monotonie du paysage s'ajoutait l'âpre
furie des vents soufflant en tempête, balayant les coteaux,
rasant les cimes, se concentrant autour de cette basilique,[1]
qui, perchée tout en haut, brisait leurs efforts depuis des
siècles.

Il avait fallu, pour la déraciner, l'aide de la foudre
allumant ses tours et encore la rage combinée des ouragans
et des incendies n'avait-elle pu détruire la vieille souche
qui, replantée après chaque désastre, avait toujours reverdi
en de plus vigoureuses pousses!

*La Cathédrale*

# GUY DE MAUPASSANT
1850–1893

*365        Histoire d'une fille de ferme*

En rentrant, elle raconta son malheur au fermier, qui la
laissa partir pour autant de temps qu'elle voudrait, promettant de faire faire sa besogne par une fille de journée et de
la reprendre à son retour.

Sa mère était à l'agonie; elle mourut le jour même de
son arrivée et, le lendemain, Rose accouchait d'un enfant
de sept mois, un petit squelette affreux, maigre à donner
des frissons, et qui semblait souffrir sans cesse, tant il
crispait douloureusement ses pauvres mains décharnées
comme des pattes de crabe.

Il vécut cependant.

Elle raconta qu'elle était mariée, mais qu'elle ne pouvait
se charger du petit; et elle le laissa chez des voisins qui
promirent d'en avoir bien soin.

Elle revint.

[1] Chartres cathedral

Mais alors, en son cœur si longtemps meurtri, se leva, comme une aurore, un amour inconnu pour ce petit être chétif qu'elle avait laissé là-bas; et cet amour même était une souffrance nouvelle, une souffrance de toutes les heures, de toutes les minutes, puisqu'elle était séparée de lui.

Ce qui la martyrisait surtout, c'était un besoin fou de l'embrasser, de l'étreindre en ses bras, de sentir contre sa chair la chaleur de son petit corps. Elle ne dormait plus la nuit; elle y pensait tout le jour; et, le soir, son travail fini, elle s'asseyait devant le feu, qu'elle regardait fixement comme les gens qui pensent au loin.

On commençait même à jaser à son sujet, et on la plaisantait sur l'amoureux qu'elle devait avoir, lui demandant s'il était beau, s'il était grand, s'il était riche, à quand la noce, à quand le baptême? Et elle se sauvait souvent pour pleurer toute seule, car ces questions lui entraient dans la peau comme des épingles.

Pour se distraire de ces tracasseries, elle se mit à l'ouvrage avec fureur, et, songeant toujours à son enfant, elle chercha les moyens d'amasser pour lui beaucoup d'argent.

Elle résolut de travailler si fort qu'on serait obligé d'augmenter ses gages.

Alors, peu à peu, elle accapara la besogne autour d'elle, fit renvoyer une servante qui devenait inutile depuis qu'elle peinait autant que deux, économisa sur le pain, sur l'huile et sur la chandelle, sur le grain qu'on jetait trop largement aux poules, sur le fourrage des bestiaux qu'on gaspillait un peu. Elle se montra avare de l'argent du maître comme si c'eût été le sien, et, à force de faire des marchés avantageux, de vendre cher ce qui sortait de la maison et de déjouer les ruses des paysans qui offraient leurs produits, elle eut seule le soin des achats et des ventes, la direction du travail des gens de peine, le compte des provisions; et, en peu de temps, elle devint indispensable. Elle exerçait une telle surveillance autour d'elle, que la ferme, sous sa

direction, prospéra prodigieusement. On parlait à deux
lieues à la ronde de la «servante à maître Vallin»; et le
fermier répétait partout: — «Cette fille-là, ça vaut mieux
que de l'or.»

Cependant, le temps passait et ses gages restaient les
mêmes. On acceptait son travail forcé comme une chose
due par toute servante dévouée, une simple marque de
bonne volonté; et elle commença à songer avec un peu
d'amertume que si le fermier encaissait, grâce à elle,
cinquante ou cent écus de supplément tous les mois, elle
continuait à gagner ses 240 francs par an, rien de plus, rien
de moins.

Elle résolut de réclamer une augmentation. Trois fois
elle alla trouver le maître et, arrivée devant lui, parla d'autre
chose. Elle ressentait une sorte de pudeur à solliciter de
l'argent, comme si c'eût été une action un peu honteuse.
Enfin, un jour que le fermier déjeunait seul dans la cuisine,
elle lui dit d'un air embarrassé qu'elle désirait lui parler
particulièrement. Il leva la tête, surpris, les deux mains sur
la table, tenant de l'une son couteau, la pointe en l'air,
et de l'autre une bouchée de pain, et il regarda fixement
sa servante. Elle se troubla sous son regard et demanda
huit jours pour aller au pays parce qu'elle etait un peu
malade. Il les lui accorda tout de suite; puis, embarrassé
lui-même, il ajouta:

— Moi aussi j'aurai à te parler quand tu seras revenue.

*Histoire d'une fille de ferme*

# JEAN-LÉON JAURÈS
1859–1914

*366*     *La patrie universelle*

Qu'on ne dise point que les patries, ayant été créées,
façonnées par la force, n'ont aucun titre à être des organes
de l'humanité nouvelle fondée sur le droit et façonnée par

l'idée, qu'elles ne peuvent être les éléments d'un ordre supérieur, les pierres vivantes de la cité nouvelle instituée par l'esprit, par la volonté consciente des hommes. Même si elles n'avaient été jusqu'ici que des organismes de force, même si on oubliait la part de volonté, de pensée, de raison, de droit, de libre et sublime dévouement, qui est déjà comme incorporée dans la patrie, c'est dans les grands groupements historiques que doit s'élaborer le progrès humain. L'esprit, même s'il est premier dans le monde, a accepté de se produire dans la nature, selon la nature. Sa force, sa victoire, ce n'est pas de répudier la nature, c'est de l'élever à soi, de la transformer par degrés. L'individu humain lui aussi est le produit d'une terrible évolution de nature. Il est l'héritier de bien des forces brutales, il porte en lui bien des instincts d'animalité. Va-t-il donc renoncer à lui-même? Va-t-il maudire en lui la nature et la refouler? Où sera son point d'appui pour s'élancer plus haut? et quel sera le prix de sa victoire s'il n'offre en quelque sorte au gouvernement de la raison qu'une âme morte et une sensibilité éteinte? Cet ascétisme abstrait est impossible, même au chrétien. Les rêves mystiques les plus purs et les plus nobles empruntent quelque chose de leur flamme à la chaleur subtile du sang, à la force épurée mais subsistante de désirs légués par les siècles. L'homme qui s'est élevé à la vie morale et à la maîtrise de soi refoule les colères aveugles qui se traduiraient en violence injuste, mais il n'éteint pas dans son cœur et dans ses veines l'amour de la vie, le principe des généreuses colères qui communiquent une force organique profonde aux révoltes de l'esprit de justice et de la conscience outragée. L'homme qui se gouverne par la raison sait sacrifier, s'il le faut, sa vie au devoir, et subordonner à l'idée même l'instinct de conservation, le plus universel et le plus fort de tous les instincts, et qui semble traduire dans la sensibilité des êtres organisés une loi de nature plus profonde encore et plus générale.

Mais même quand il immole librement sa vie, il ne cesse pas de l'aimer. Il n'a pas ce dégoût de vivre, ce *taedium vitae*, qui est comme le châtiment des époques où il y a divorce de la sensibilité et de la raison, où les uns s'épuisent à des voluptés sans noblesse et sans joie, où les autres se réfugient dans le fanatisme moral des stoïciens, dans le devoir abstrait et sec, sevré des sèves de la nature et des sucs de la terre. Dans la hiérarchie de la vie, comme Aristote et Auguste Comte l'ont montré magnifiquement, le supérieur suppose l'inférieur. Il s'y appuie, mais il ne le supprime pas. Il le transforme. Il se l'approprie. Dans l'individu humain la sensibilité n'abolit pas les fonctions végétatives, mais elle les règle en quelque façon, selon les indications du besoin obscurément ressenti et les avertissements du plaisir et de la douleur. La raison n'abolit pas la sensibilité, mais elle la règle, elle l'ennoblit, en appliquant à de hautes fins de science et de justice les forces du désir et de la passion, qui enveloppent elles-mêmes les forces inconscientes. Ainsi toute la nature, de bas en haut, est associée à la montée de l'esprit; les puissances obscures s'élèvent dans la lumière et se transfigurent sans se dissiper. De même les nations s'élèveront dans l'humanité sans se dissoudre. La grande force collective, la grande passion collective des peuples organisés, au lieu de se déchaîner en violences d'orgueil et de convoitise, sera soumise à la loi supérieure de l'ordre humain, réglée et pénétrée jusqu'en son fond par l'idée du travail, de la justice et de la paix. Mais elle ne perdra pas sa vertu.

*L'Armée nouvelle*

# HENRI-LOUIS BERGSON

1859–1941

*367*       *La Durée*

NOTRE durée n'est pas un instant qui remplace un instant : il n'y aurait alors jamais que du présent, pas de prolongement du passé dans l'actuel, pas d'évolution, pas de durée concrète. La durée est le progrès continu du passé qui ronge l'avenir et qui gonfle en avançant. Du moment que le passé s'accroît sans cesse, indéfiniment aussi il se conserve. La mémoire... n'est pas une faculté de classer des souvenirs dans un tiroir ou de les inscrire sur un registre. Il n'y a pas de registre, pas de tiroir, il n'y a même pas ici, à proprement parler, une faculté, car une faculté s'exerce par intermittences, quand elle veut ou quand elle peut, tandis que l'amoncellement du passé sur le passé se poursuit sans trêve. En réalité le passé se conserve de lui-même, automatiquement. Tout entier, sans doute, il nous suit à tout instant : ce que nous avons senti, pensé, voulu depuis notre première enfance est là, penché sur le présent qui va s'y joindre, pressant contre la porte de la conscience qui voudrait le laisser dehors. Le mécanisme cérébral est précisément fait pour en refouler la presque totalité dans l'inconscient et pour n'introduire dans la conscience que ce qui est de nature à éclairer la situation présente, à aider l'action qui se prépare, à donner enfin un travail *utile*. Tout au plus des souvenirs de luxe arrivent-ils, par la porte entre-bâillée, à passer en contrebande. Ceux-là, messagers de l'inconscient, nous avertissent de ce que nous traînons derrière nous sans le savoir. Mais, lors même que nous n'en aurions pas l'idée distincte, nous sentirions vaguement que notre passé nous reste présent. Que sommes-nous, en effet, qu'est-ce que notre *caractère*, sinon la condensation de l'histoire que nous avons vécue depuis notre naissance, avant notre naissance même,

puisque nous apportons avec nous des dispositions pré-
natales? Sans doute nous ne pensons qu'avec une petite
partie de notre passé; mais c'est avec notre passé tout
entier, y compris notre courbure d'âme originelle, que nous
désirons, voulons, agissons. Notre passé se manifeste donc
intégralement à nous par sa poussée et sous forme de tendance, quoiqu'une faible part seulement en devienne
représentation.

De cette survivance du passé résulte l'impossibilité,
pour une conscience, de traverser deux fois le même état.
Les circonstances ont beau être les mêmes, ce n'est plus
sur la même personne qu'elles agissent, puisqu'elles la
prennent à un nouveau moment de son histoire. Notre
personnalité, qui se bâtit à chaque instant avec de l'expérience accumulée, change sans cesse. En changeant, elle
empêche un état, fût-il identique à lui-même en surface,
de se répéter jamais en profondeur. C'est pourquoi notre
durée est irréversible. Nous ne saurions en revivre une parcelle, car il faudrait commencer par effacer le souvenir de
tout ce qui a suivi. Nous pourrions, à la rigueur, rayer ce souvenir de notre intelligence, mais non pas de notre volonté.

*L'Évolution créatrice*

# GEORGES COURTELINE
1860–1929

*368   A la recherche d'un Ministère*

Ce matin-là, sortant de l'hôtel des *Trois-Boules* où il était
descendu:

— Il faut pourtant que cette affaire finisse, se dit le conservateur du Musée de Vanne-en-Bresse, successible au
legs Quibolle pour une paire de jumelles marines et deux
chandeliers Louis XIII.

Il avait quitté Vanne-en-Bresse, quelques écus dans le
gousset et déjà à plusieurs reprises, poursuivi de l'idée

fixe de repartir le lendemain muni de ses ampliations, il s'était fait envoyer de l'argent; des mandats de cinquante francs, laborieusement arrachés à l'âpre épargne de la conservatrice. Celle-ci, pourtant, enfin lassée d'une absence qui s'éternisait, avait en gros et en détail envoyé les trente francs du retour avec signification que les sources étaient taries; d'où pour le conservateur, l'obligation de réintégrer en toute hâte, sous peine de rester en détresse dans une ville où il ne connaissait pas un chat.

Il partit donc.

Une heureuse combinaison de correspondances le jetant de tramways en tramways l'amena devant la Direction de Dons et Legs qu'il reconnut à son drapeau.

Quand nous disons qu'il la reconnut...

La vérité nous force à confesser ceci: que, plutôt, il crut la reconnaître, et qu'il battit une bonne demi-heure les corridors de l'Instruction Publique, désorienté de plus en plus, se retrouvant de moins en moins, progressivement étonné, stupéfait, puis abasourdi qu'aucun garçon de bureau ne semblât soupçonner l'existence d'un employé supérieur du nom de «de La Hourmerie».

Il pensait:

— Ce n'est pas possible!... je prononce mal.

Quand il eut compris sa méprise, à un avis placardé à un mur et qui interdisait aux visiteurs l'accès des bureaux de «l'Instruction Publique», il sourit. C'était un homme simple, sans nerfs, malaisément irritable. Il rebroussa chemin. Revenu devant la loge du concierge, il en poussa, d'une main discrète, la porte:

— La Direction des Dons et Legs?

Du haut en bas de l'unique croisée ouverte sur la rue de Grenelle, par où prenait jour la loge du portier, se tendaient, parallèles et pressées comme les cordes d'une harpe, un régiment de minces ficelles déjà garnies de verdures touffues. En sorte que, chassée vers elles des flancs vernis d'un coupé de maître qui stationnait devant le porche, la lumière du dehors arrivait en demi-nuit : une façon de jour d'aquarium où flottaient des rideaux de lit dans un enfoncement d'alcôve, des portraits de famille, les ors étincelants d'une pendule Empire. Le casier du personnel occupait tout un pan de mur, hérissé de lettres et de journaux.

— Je vous demande pardon, répéta, ébloui, le conservateur du musée de Vanne-en-Bresse. La Direction des Dons et Legs, s'il vous plaît ?

Mais le concierge l'envoya coucher, ou à peu près. Entre les mains d'un tailleur accroupi derrière ses jarrets et qui le maniait comme un tonton, ce fonctionnaire était en train d'essayer une tunique neuve. Il avait gardé sa casquette, laquelle, couleur bleu de Prusse, était plus vaste qu'une roulette de jeu. De son bras droit, long étendu, on ne voyait que l'extrémité des doigts hors du bâti grossier de la manche ; et le bras gauche dans le rang, les talons sur la même ligne, il coulait vers une haute glace, qui le reflétait jusqu'aux hanches, les regards obliques du monsieur qui va être bien habillé et en tire quelque suffisance.

Sa réponse fut un aboiement :

— ... uaneau.

Il voulait dire : « Rue Vaneau ».

— Plaît-il ? fit le conservateur.

Touché et complaisant :

— Ça fait suite à la rue Bellechasse, la première rue à droite dans la rue de Grenelle, dit le tailleur qui s'était levé et qui hachurait à la craie les reins formidables du concierge. C'est à deux pas d'ici, monsieur.

— Bien obligé.

Le vieillard se remit en route, tourna l'angle de la rue de Grenelle, et ne manqua en aucune façon, — comme cela était à prévoir, — de prendre la Direction des Cultes pour la Direction des Dons et Legs.

*Messieurs les Ronds-de-cuir*

# FÉLIX FÉNÉON

1861–1944

*369*               *Le but de la peinture*

EN peinture, aussi bien qu'en littérature, la représentation de la nature est une chimère; l'idéal de la représentation de la nature (vue ou non à travers un tempérament) est le trompe-l'œil, et dans le tableau trompe-l'œil, pourquoi les personnages ne remuent-ils pas? pourquoi ne les entend-on pas, etc? Le système de la représentation de la nature aboutit logiquement à faire du théâtre le suprême degré de l'art. Au contraire, le but de la peinture, de la littérature, est de donner, par les moyens spéciaux de la peinture et de la littérature, le sentiment des choses; ce qu'il convient d'exprimer, c'est non l'image, mais le caractère. Dès lors, à quoi bon retracer les mille détails insignifiants que l'œil perçoit? Il faut prendre le trait essentiel, le reproduire — ou, pour mieux dire, le produire; une silhouette suffit pour exprimer une physionomie; le peintre, négligeant toute photographie avec ou sans retouche, ne cherchera qu'à fixer, en le moindre nombre possible de lignes et de couleurs caractéristiques, la réalité intime, l'essence de l'objet qu'il s'impose.

L'art primitif et l'art populaire qui est la continuation de l'art primitif dans le contemporain, sont symboliques de cette façon. L'imagerie d'Épinal procède par le tracé des contours. Dans leur perfection de métier, les peintres anciens avaient cette technique. Et tel encore est l'art japonais.

Or, quelle application pratique tirer de là?

D'abord la distinction très rigoureuse du dessin et de la coloration. Confondre le trait et la couleur (et l'on n'invoquera pas le vain prétexte que dans la nature les lignes n'existent pas!), c'est ne pas avoir compris les moyens d'expression spéciaux qu'ils sont: le trait exprime ce qu'il y a de permanent; la couleur, ce qu'il y a de momentané; le trait, signe quasi abstrait, donne le caractère de l'objet; l'unité de couleur pose l'atmosphère, fixe la sensation. De là la circonscription du trait et de la couleur conçue par l'imagerie populaire et l'art japonais; l'image d'Épinal et l'album japonais tracent d'abord la ligne, et dans la ligne, par le procédé du «coloris au patron», placent la couleur; semblablement, le peintre tracera le dessin par lignes fermées, entre lesquelles il posera les tons variés dont la juxtaposition doit donner la sensation de coloration générale voulue, le dessin affirmant la couleur et la couleur affirmant le dessin.

Et le travail du peintre sera quelque chose comme une peinture par compartiments, analogue au cloisonné, et sa technique consistera en une sorte de cloisonnisme.

*De la représentation de la nature*

# MAURICE BARRÈS
1862–1923

*370    Souvenance*

Si j'interroge mes premières années, j'y vois d'abord un paroxysme de tumulte français: sous un soleil fulgurant, des trains chargés de soldats — de soldats par milliers, suants, ivres et débraillés — couraient à la frontière (juillet 1870), alors que toute ma petite ville, les hommes, les femmes et les enfants, penchée aux barrières de la gare, leur tendait du vin, du café, de la bière et de l'alcool encore, en criant: «A Berlin!» Nous faisions pour le mieux! Et peu de jours plus tard, sous la pluie, pendant une interminable journée de douleur et de stupéfaction, ce fut, pêle-mêle, cavaliers avec fantassins, et les soldats boueux insultant les officiers, dont un général pleurait (du moins ma jeune imagination me persuadait qu'il pleurait), ce fut l'immense et sale confusion, les troupeaux en retraite sur Châlons.

Et puis le surlendemain, à huit heures du soir, dans l'ombre, au milieu de notre silence, apparurent cinq uhlans, qui chevauchaient, le revolver au poing. Ils précédaient la puissante nappe des vainqueurs, dont l'odeur immonde de graisse, de cuir, de chicorée, m'est aujourd'hui encore présente... Après cela, tout Wagner et tout Nietzsche et leur solide administration, qu'est-ce que vous voulez que ça me fasse? Ce n'est pas la question de savoir où est la supériorité. Tout mon cœur est parti dans ma sixième année par la route de Mirecourt, avec les zouaves et les turcos qui grelottaient et qui mendiaient et de qui, trente jours avant, j'étais si sûr qu'ils allaient à la gloire.

*Les Amitiés françaises*

## 371   *La Terre et ses Morts*

LES ancêtres que nous prolongeons ne nous transmettent intégralement l'héritage accumulé de leurs âmes que par la permanence de l'action terrienne. C'est en maintenant sous nos yeux l'horizon qui cerna leurs travaux, leurs félicités ou leurs ruines, que nous entendrons le mieux ce qui nous est permis ou défendu. De la campagne, en toute saison, s'élève le chant des morts. Un vent léger le porte et le disperse comme une senteur. Que son appel nous oriente! Le cri et le vol des oiseaux, la multiplicité des brins d'herbe, la ramure des arbres, les teintes changeantes du ciel et le silence des espaces nous rendent sensible, en tous lieux, la loi de l'éternelle décomposition, mais le climat, la végétation, chaque aspect, les plus humbles influences de notre pays natal nous révèlent et nous commandent notre destin propre, nous forcent d'accepter nos besoins, nos insuffisances, nos limites enfin et une discipline, car les morts auraient peu fait de nous donner la vie si la terre devenue leur sépulcre ne nous conduisait aux lois de la vie.

*Amori et dolori sacrum*

*372      L'humanité autour d'un cercueil*

DE grand matin, ce dimanche même, 31 mai,[1] la famille et
les vingt maires de Paris avaient accompagné le long de
l'avenue d'Eylau, depuis cinq jours avenue Victor-Hugo,
l'illustre dépouille qu'on allait installer pour vingt-quatre
heures d'apothéose sous l'Arc de Triomphe. Dix milles
personnes attendaient. «Tête nue!» cria-t-on quand s'éleva
sous le monument l'hôte des six cent cinquante-deux
généraux de l'Empire.

Tout le jour ce fut le défilé de Paris dont les rangs pressés
se formaient avenue Hoche, pour s'écouler par l'avenue
du Bois. Haussée sur un double piédestal de velours violet,
une immense urne qui montait jusqu'au cintre proposait
aux plus lointains regards le cercueil. Partout des écussons
dans des trophées de drapeaux affichaient comme des de-
vises glorieuses les titres de ses œuvres. Leurs noms,
toujours jeunes dans l'esprit de ce peuple parisien, l'habitué
des théâtres ou des lectures par livraisons, protestaient
contre l'idée de mort. Un immense voile de crêpe, dont
on avait essayé de tendre l'angle droit de l'Arc de Triomphe,
paraissait, des Champs-Élysées, une vapeur, une petite
chose déplacée sur ce colosse triomphal. La garde du
corps, confiée aux enfants des bataillons scolaires, était
relevée toutes les demi-heures pour qu'un plus grand
nombre participassent d'un honneur capable de leur former
l'âme.

Ces enfants, ces crêpes flottants, ces nappes d'admira-
teurs épandues à l'infini et dont les vagues basses battaient
la porte géante, tout semblait l'effort de pygmées voulant
retenir un géant: une immense clientèle crédule qui supplie
son bon génie.

*Les Déracinés*

[1] 1885

*373*                    *Le Cortège*

A MIDI moins le quart, vingt et un coups de canon retentirent sur Paris. A l'Étoile, les discours commencèrent,
infectés d'esprit partisan et vaniteux et se traînant à terre,
alors qu'il eût fallu unifier la France et la soulever pour
que courageusement, en ce jour de gloire et de deuil, elle
mesurât le terrain qu'elle est en train de perdre dans les
manœuvres générales de l'humanité. Ce pendant, le char
des pauvres, où se croisaient sur un drap noir deux lauriers,
avec l'éclat le plus imposant s'engagea sur la pente des
Champs-Élysées. L'antithèse ne laissa aucun visage insensible; d'une extrémité à l'autre des Champs-Élysées se
produisit un mouvement colossal, un souffle de tempête;
derrière l'humble corbillard marchaient des jardins de
fleurs et les pouvoirs cabotinants de la Nation, et puis la
Nation elle-même, orgueilleuse et naïve, touchante et
ridicule, mais si sûre de servir l'idéal! Notre fleuve français
coula ainsi de midi à six heures, entre les berges immenses
faites d'un peuple entassé depuis le trottoir, sur des tables,
des échelles, des échafaudages, jusqu'aux toits. Qu'un tel
phénomène d'union dans l'enthousiasme, puissant comme
les plus grandes scènes de la nature, ait été déterminé pour
remercier un poète-prophète, un vieil homme qui par ses
utopies exaltait les cœurs, voilà qui doit susciter les plus
ardentes espérances des amis de la France. Le son grave
des marches funèbres allait dans ces masses profondes saisir
les âmes disposées et marquer leur destinée. Gavroche,
perché sur les réverbères, regardait passer la dépouille de
son père indulgent et, par lui, s'élevait à une certaine notion
du respect.

Cette foule où chacun porte en soi, appropriée à sa
nature, une image de Hugo, conduit sa cendre de l'Arc
de Triomphe au Panthéon. Chemin sans pareil! Qui ne
donnerait sa vie pour le parcourir cadavre! Il va à l'ossuaire

des grands hommes : — au caveau national et aux bibliothèques.

*Les Déracinés*

## 374 *La Sibylle d'Auxerre*

Nous manquons de détails sur l'intimité exacte des Sibylles. D'admirables pages subsistent, qui les montrent dans l'instant solennel de leur génie. Mais la préparation de cette haute minute et la rémission qu'elles subissaient ensuite, en quittant le trépied, voilà ce que nous ignorons. Quel malheur qu'il ne se soit trouvé aucun des prêtres du temple, aucune des femmes qui servaient la Sibylle et que son génie conquérait, pour tenir un registre de ses frémissements ! Les gens du pays ont dit à saint Justin qu'elle parlait si vite qu'on n'arrivait pas à noter ses improvisations. Âme charmante, plus que tes oracles et tes chants extatiques, on voudrait connaître l'harmonie de toute ta personne et ta transfiguration à l'heure où tu deviens la parole du Dieu, quand la liqueur commence à fermenter dans la coupe.

Souvent elle est couchée dans l'ombre, pâle et défaite, au point que ses membres ne semblent plus assemblés que par des liens distendus, mais il est visible que le moindre effleurement, chant d'un oiseau, couleur d'un nuage, parfum d'une fleur, insensible glissement de la minute qui passe, la ressusciterait ; et soudain, sur un mot du dehors ou bien à cause d'une pensée qui monte s'ouvrir à la surface de son âme, voici qu'elle se lève à demi, porte la main à son cœur, pour en arracher une flèche, et sa parole jaillit avec une énergie si dramatique que notre émerveillement se mêle d'épouvante. Ses idées se volatilisent dans une suite d'illuminations, et son âme jette ses appels aux deux mondes, visible et invisible.

Dans ces minutes parfaites, les chants et les images se levaient de cet être charmant, comme autant d'oiseaux multicolores, et filaient vers le ciel pour revenir, ayant tracé

leurs sillages de lumière, se poser sur ses épaules, ses mains
et sa chevelure, en sorte que tout l'éther autour d'elle
vibrait de grands frissons pareils à des palmes dont elle
composait l'attache, comme un paon quand il déploie sa
pompeuse roue. Cependant son visage doré étincelait de
tendresse et de fierté.

Mais voici qu'à cette aube d'azur se mêlent des nuages
funestes. La belle fiévreuse veut éprouver toutes les violences et se livre sans frein aux oscillations de son âme.
Pour elle, nulle loi dans le ciel, qu'elle parcourt avec la
divine liberté des comètes. Étincelante de jeunesse, elle se
plonge en flammes dans la mer. C'est un mariage perpétuel
d'aurore et de crépuscule. C'est l'heure du départ et c'est
l'heure de l'abattement des rêves. A sa vingtième année,
elle mêle l'assombrissement du soir; aux chants de l'aurore,
des silences de minuit sur le bord de l'abîme.

*Le Mystère en pleine lumière*

## 375   *Les saisons sur la colline*

CONNAISSEZ-VOUS la rude allégresse de gravir les pentes
de la colline par une courte après-midi glaciale de l'hiver?
Il semble que vous remontiez dans les parties les plus
reculées de l'histoire. Le ciel est couvert d'épais nuages qui
naviguent et sous lesquels des troupes de corneilles, par
centaines, voltigent, allant des sillons de la plaine jusqu'aux
peupliers des routes, ou bien s'élevant à une grande hauteur
pour venir tomber d'un mouvement rapide, au milieu
des arbres qui forment, sur le sommet, le petit bois de
Plaimont. Par intervalles, un vent glacé balaye la colline
en formant des tourbillons d'une force irrésistible, et il
semble que tous les esprits de l'air se donnent rendez-vous
là-haut, assurés d'y trouver la plus entière solitude. C'est
un royaume tout aérien, étincelant, agité, où la terre ne

compte plus, livré aux seules influences inhumaines du froid, de la neige et des rafales.

Mais vienne le printemps et ses longues journées molles, chargées de pluie, chargées de silence. Sur les branches encore nues et sur la terre brune, tout se prépare à surgir, précédé, annoncé par l'aubépine dans les ronces et par l'alouette dans le ciel. La pluie, toujours la pluie! La plaine et les villages, autour de la colline, se recueillent sous les longues averses qui flattent leur verdure. Journées d'indifférence et de monotonie, où les vergers et les prairies et toutes les cultures, sous un grand ciel chargé d'humidité, sommeillent et nous présentent un visage de douceur, de force et de maussaderie. Le printemps est triste en Lorraine, ou du moins sévère; la neige, à tous instants, passe encore dans le ciel et prolonge ses derniers adieux. Vers la fin des plus belles journées, il n'est pas rare que l'hiver, dans un dur coup de vent, revienne montrer sa figure entre les nuages du soleil couchant. N'importe! Nous goûtons une sensation de sécurité; au fond de nous, un être primitif connaît le cycle de la nature et se réjouit avec confiance d'une suite de jours qui vont verdir, et de semaine en semaine, embellir. Quand le soleil brille au-dessus de la terre mouillée et que les oiseaux s'élancent et font ouïr la fraîcheur toute neuve de leurs voix, nous respirons, dans l'averse qui vient de passer, une force prête à se développer, une vigoureuse espérance, un long espace de plaisir, qui va depuis les coucous et les marguerites d'avril jusqu'aux veilleuses de septembre.

*La Colline inspirée*

# MAURICE MAETERLINCK

1862–1949

*376*      *Les noces de la reine-abeille*

BIEN peu, je pense, ont violé le secret des noces de la reine-abeille, qui s'accomplissent aux replis infinis et éblouissants d'un beau ciel. Mais il est possible de surprendre le départ hésitant de la fiancée, et le retour meurtrier de l'épouse.

Malgré son impatience, elle choisit son jour et son heure, et attend à l'ombre des portes qu'une matinée merveilleuse s'épanche dans l'espace nuptial, du fond des grandes urnes azurées. Elle aime le moment où un peu de rosée mouille d'un souvenir les feuilles et les fleurs, où la dernière fraîcheur de l'aube défaillante lutte dans sa défaite avec l'ardeur du jour, comme une vierge nue aux bras d'un lourd guerrier, où le silence et les roses de midi qui s'approche, laissent encore percer çà et là quelque parfum des violettes du matin, quelque cri transparent de l'aurore.

Elle paraît alors sur le seuil, au milieu de l'indifférence des butineuses qui vaquent à leurs affaires, ou environnée d'ouvrières affolées, selon qu'elle laisse des sœurs dans la ruche ou qu'il n'est plus possible de la remplacer. Elle prend son vol à reculons, revient deux ou trois fois sur la tablette d'abordage, et quand elle a marqué dans son esprit l'aspect et la situation exacte de son royaume qu'elle n'a jamais vu de dehors, elle part comme un trait au zénith de l'azur.

Elle gagne ainsi des hauteurs et une zone lumineuse que les autres abeilles n'affrontent à aucune époque de leur vie. Au loin, autour des fleurs où flotte leur paresse, les mâles ont aperçu l'apparition et respiré le parfum magnétique qui se répand de proche en proche jusqu'aux ruchers voisins. Aussitôt les hordes se rassemblent et plongent à sa suite dans la mer d'allégresse dont les bornes limpides se déplacent. Elle, ivre de ses ailes, et obéissant à la magnifique loi de l'espèce qui choisit pour elle son amant et veut que le plus fort l'atteigne seul dans la solitude de l'éther, elle monte toujours, et l'air bleu du matin s'engouffre pour la première fois dans ses stigmates abdominaux et chante comme le sang du ciel dans les mille radicelles reliées aux deux sacs trachéens qui occupent la moitié de son corps et se nourrissent de l'espace. Elle monte toujours. Il faut qu'elle atteigne une région déserte que ne hantent plus les oiseaux qui pourraient troubler le mystère. Elle s'élève encore, et déjà la troupe inégale diminue et s'égrène sous elle. Les faibles, les infirmes, les vieillards, les mal venus, les mal nourris des cités inactives ou misérables, renoncent à la poursuite et disparaissent dans le vide. Il ne reste plus en suspens, dans l'opale infinie, qu'un petit groupe infatigable. Elle demande un dernier effort à ses ailes, et voici que l'élu des forces incompréhensibles la rejoint, la saisit, la pénètre et, qu'emportée d'un double élan, la spirale ascendante de leur vol enlacé tourbillonne une seconde dans le délire hostile de l'amour.

*La Vie des abeilles*

# JULES RENARD
1864–1910

*377*     *Les Philippe*

Je leur ai fait une visite de nouvel an.

J'avais quitté une campagne touffue, je l'ai retrouvée dégarnie, mais plus verte qu'en octobre parce que les blés sortent de terre. L'herbe si longtemps grillée s'est rafraîchie d'une herbe neuve et courte que les bœufs ne peuvent pas saisir de leurs grosses lèvres. Il a fallu les rentrer à la ferme. On ne voit plus, dans la campagne, les familles de bœufs qui l'habitaient. Seuls, quelques chevaux restent au pré. Ils savent prendre leur nourriture où le bœuf n'attrapait rien. Ils craignent moins le froid et s'habillent l'hiver d'un poil grossier à reflets de velours.

Sauf une espèce de chêne dont la feuille persiste et ne tombera que pour céder sa place à la feuille nouvelle, tous les arbres ont perdu toutes leurs feuilles.

La haie impénétrable est devenue transparente, et le merle noir ne s'y cache pas sans peine.

Le peuplier porte, à sa pointe, un vieux nid de pies hérissé en tête de loup, comme s'il voulait balayer ces nuages, plus fins que des toiles d'araignées, qui pendent au ciel.

Quant à la pie, elle n'est pas loin. Elle sautille, à pieds joints, par terre, puis de son vol droit et mécanique, elle se dirige vers un arbre. Quelquefois elle le manque et ne peut s'arrêter que sur l'arbre voisin. Solitaire et commune, on ne rencontre qu'elle le long de la route. En habit du matin au soir, c'est notre oiseau le plus français.

Toutes les pommes aigres sont cueillies, toutes les noisettes cassées.

La mûre a disparu des ronces agressives.

Les prunelles flétries achèvent de s'égrainer, et comme la gelée a passé dessus, celui qui les aime les trouve délicieuses.

Mais le rouge fruit du rosier sauvage se défend et il mourra le dernier parce qu'il a un nom rébarbatif et du poil plein le cœur.

A l'entrée du village, je m'étonne qu'il soit si petit. Les maisons que séparaient leurs jardins semblent, ces jardins dépouillés, ne faire qu'une contre l'église. Le château s'est rapproché, ainsi que les fermes éparses, les champs nets, les vignes claires, les bois percés à jour, et d'un point à l'autre de l'horizon borné, la rivière coule toute nue.

Personne dehors. Aucune porte ne s'ouvre à mon passage. Quelques rares cheminées fument. Les autres fument sans doute à l'intérieur.

Enfin j'arrive chez Philippe et j'ai plaisir à les revoir, lui et sa femme. Il est vêtu comme au mois d'août et il porte seulement sa barbe d'hiver. Ma visite ne le surprend et ne l'émeut que jusqu'à un certain point. Il me donne à toucher sa main fendillée et me dit qu'il n'y a rien de nouveau.

— Point de mort, depuis mon départ?

— Vous ne voudriez pas, dit-il.

— Non, Philippe, mais qu'est-ce qu'il y aurait de drôle?

— Si les gens du pays mouraient comme ça, dit Philippe, il n'en resterait bientôt plus.

— Vous avez raison... Travaillez-vous fort en ce moment?

— Je bricole, dit Philippe, en attendant qu'il fasse bon bêcher; je casse des pierres pour mes prestations; je fais des fagots; j'appointis des pieux de vigne; je charroie du fumier au jardin et le reste du temps je me chauffe et puis je me couche.

— A quelle heure?

— J'ai bien du mal à dépasser huit heures. Si j'essaye de lire l'almanach, je m'endors le nez sur le papier.

— Et vous, madame Philippe, après votre ménage, qu'est-ce que vous faites?

— Vous le voyez, répond Mme Philippe, je tricote une chaussette.

— Toujours la même?

— Ce serait malheureux, dit-elle.

— Pour qui celle-là? Pour Pierre?

— Non, pour Antoine.

— Le soldat. Se plaît-il au régiment?

— C'est difficile à savoir, répond Mme Philippe. Il n'écrit guère, parce qu'il met trois jours à gagner un timbre, et il n'en écrit pas long à la fois.

— Quand le verrez-vous?

— Ce soir, peut-être.

— Comment, ce soir?

— Oui, dans sa dernière lettre il nous annonçait son arrivée pour aujourd'hui, par le train du soir. Il ne nous a pas récrit contre-ordre.

— C'est qu'il va venir. N'allez-vous pas, Philippe, au-devant de lui?

— Pourquoi faire!

— Pour le ramener de la gare.

— Il connaît le chemin, dit Philippe. Il s'amènera seul. Il est grand.

— Vous l'auriez embrassé tout chaud.

— Oh ça!

— Quoi! Vous aimez bien votre Antoine.

— Ce n'est pas l'habitude, chez nous, d'aller à la gare, dit Philippe gêné. D'ailleurs, moi je ne pense pas qu'il vienne; il serait déjà ici.

Comme Philippe regarde l'horloge et calcule des heures dans sa tête, j'entends un bruit de grelots.

— Écoutez, dis-je, c'est lui.

— En voiture! ça m'étonnerait, dit Philippe avec calme. Il aurait donc trouvé une occasion!

Mme Philippe se lève et les aiguilles de sa chaussette remuent comme les antennes d'une bête inquiète. Philippe ouvre la porte et va voir.

Ce n'est pas Antoine, c'est un fermier complaisant qui dépose un paquet adressé aux Philippe et que lui a remis un homme de la gare.

Mme Philippe à genoux déficelle le paquet, et elle y trouve les effets de civil d'Antoine. Il devait les apporter lui-même s'il venait en permission.

— C'est qu'il ne viendra pas, dit-elle.

— Il y a peut-être, lui dis-je, une lettre dans le paquet?

— Non, dit-elle.

— Cherchez au fond.

— Rien, dit-elle.

— Vous recevrez sûrement, demain, un mot par le facteur. Antoine vous expliquera pourquoi il ne vient pas, et il vous souhaitera la bonne année.

— C'est probable, dit Philippe.

Mme Philippe déplie et secoue les effets, une culotte, une veste, un chapeau mou, une cravate cordonnée et un peu de linge sale.

— Voilà, dit-elle, toutes les nippes qui l'enveloppaient quand il nous a quittés. On croirait qu'il est mort.

*Le Vigneron dans sa vigne*

# MARCEL SCHWOB

1867–1905

### 378   Nul homme n'avait vu la face de ces rois

LA nuit se passa et le roi fut inquiet pendant son sommeil.
Et le matin il erra par son palais, parce qu'un désir mauvais
avait rampé dans son cœur. Mais ni dans les salles à coucher, ni dans la haute salle dallée des festins, ni dans les
salles peintes et dorées des fêtes, il ne trouva ce qu'il
cherchait. Dans toute l'étendue de la résidence royale il
n'y avait pas un miroir. Ainsi l'avait fixé l'ordre des oracles
et l'ordonnance des prêtres depuis de longues années.

Le roi sur son trône noir ne s'amusa pas des bouffons
et n'écouta pas les prêtres et ne regarda pas ses femmes :
car il songeait à son visage.

Quand le soleil couchant jeta vers les fenêtres du palais
la lumière de ses métaux sanglants, le roi quitta la salle du
brasier, écarta les gardes, traversa rapidement les sept
cours concentriques fermées de sept murailles étincelantes,
et sortit obscurément dans la campagne par une basse
poterne.

Il était tremblant et curieux. Il savait qu'il allait rencontrer
d'autres visages, et peut-être le sien. Dans le fond de son
âme, il voulait être sûr de sa propre beauté. Pourquoi ce
misérable mendiant lui avait-il glissé le doute dans la
poitrine ?

Le roi au masque d'or arriva parmi les bois qui cer-
claient la berge d'un fleuve. Les arbres étaient vêtus
d'écorces polies et rutilantes. Il y avait des fûts éclatants de
blancheur. Le roi brisa quelques rameaux. Les uns sai-
gnaient à la cassure un peu de sève mousseuse, et l'intérieur
restait marbré de taches brunes ; d'autres révélaient des
moisissures secrètes et des fissures noires. La terre était
sombre et humide sous le tapis varicolore des herbes et

des petites fleurs. Le roi retourna du pied un gros bloc veiné de bleu, dont les paillettes miroitaient sous les derniers rayons; et un crapaud en poche molle s'échappa de la cachette vaseuse avec un tressaut effaré.

A la lisière du bois, sur la couronne de la berge, le roi émergeant des arbres s'arrêta, charmé. Une jeune fille était assise sur l'herbe; le roi voyait ses cheveux tordus en hauteur, sa nuque gracieusement courbée, ses reins souples qui faisaient onduler son corps jusqu'aux épaules; car elle tournait entre deux doigts de sa main gauche un fuseau très gonflé, et la pointe d'une quenouille épaisse s'effilait près de sa joue.

Elle se leva interdite, montra son visage, et, dans sa confusion, saisit entre ses lèvres les brins du fil qu'elle pétrissait. Ainsi ses joues semblaient traversées par une coupure de nuance pâle.

Quand le roi vit ces yeux noirs agités, et ces délicates narines palpitantes, et ce tremblement des lèvres, et cette rondeur du menton descendant vers la gorge caressée de lumière rose, il s'élança, transporté, vers la jeune fille et prit violemment ses mains.

— Je voudrais, dit-il, pour la première fois, adorer une figure nue; je voudrais ôter ce masque d'or, puisqu'il me sépare de l'air qui baise ta peau; et nous irions tous deux émerveillés nous mirer dans le fleuve.

La jeune fille toucha avec surprise du bout des doigts les lames métalliques du masque royal. Cependant le roi défit impatiemment les crochets d'or; le masque roula dans l'herbe, et la jeune fille, tendant les mains sur ses yeux, jeta un cri d'horreur.

L'instant d'après elle s'enfuyait parmi l'ombre du bois en serrant contre son sein sa quenouille emmaillotée de chanvre.

Le cri de la jeune fille retentit douloureusement au cœur du roi. Il courut sur la berge, se pencha vers l'eau du fleuve, et de ses propres lèvres jaillit un gémissement rauque. Au moment où le soleil disparaissait derrière les collines brunes et bleues de l'horizon, il venait d'apercevoir une face blanchâtre, tuméfiée, couverte d'écailles, avec la peau soulevée par de hideux gonflements, et il connut aussitôt, au moyen du souvenir des livres, qu'il était lépreux.

*Le Roi au Masque d'Or*

# ROMAIN ROLLAND

1868–1944

*379*                    *La forêt des sons*

MAINTENANT, sa plus grande joie est quand sa mère doit passer la journée en service, ou faire une course en ville. Il écoute ses pas descendre dans l'escalier : les voilà dans la rue ; ils s'éloignent. Il est seul. Il ouvre le piano, il approche une chaise, il se juche dessus ; ses épaules arrivent à hauteur du clavier : c'est assez pour ce qu'il veut. Pourquoi attend-il d'être seul ? Personne ne l'empêcherait de jouer, pourvu qu'il ne fasse pas trop de bruit. Mais il a honte devant les autres, il n'ose pas. Et puis, on cause, on se remue ; cela gâte le plaisir. C'est tellement plus beau, quand on est seul ! — Christophe retient son souffle, pour que ce soit plus silencieux encore, et aussi parce qu'il est un peu ému, comme s'il allait tirer un coup de canon. Le cœur lui bat, en appuyant le doigt sur la touche ; quelquefois, il le relève, après l'avoir enfoncé à moitié, pour le poser sur une autre. Sait-on ce qui va sortir de celle-ci, plutôt que de celle-là ? Tout à coup, le son monte ; il y en a de profonds, il y en a d'aigus, il y en a qui tintent, il y en a d'autres qui grondent. L'enfant les écoute longuement, un à un, diminuer et s'éteindre ; ils se balancent comme les cloches, lorsqu'on est dans les champs, et que le vent les apporte et les éloigne tour à tour ; puis,

quand on prête l'oreille, on entend dans le lointain d'autres
voix différentes, qui se mêlent et tournent, comme des
vols d'insectes ; elles ont l'air de vous appeler, de vous
attirer au loin... loin... de plus en plus loin, dans des
retraites mystérieuses, où elles plongent et s'enfoncent...
Les voilà disparues !... Non ! elles murmurent encore...
Un petit battement d'ailes... — Que tout cela est étrange !
Ce sont comme des esprits. Qu'ils obéissent ainsi, qu'ils
soient tenus captifs dans cette vieille caisse, voilà qui ne
s'explique point !

Mais le plus beau de tout, c'est quand on met deux
doigts sur deux touches à la fois. Jamais on ne sait au juste
ce qui va se passer. Quelquefois, les deux esprits sont
ennemis ; ils s'irritent, ils se frappent, ils se haïssent, ils
bourdonnent d'un air vexé ; leur voix s'enfle ; elle crie,
tantôt avec colère, tantôt avec douleur. Christophe adore
cela : on dirait des monstres enchaînés, qui mordent leurs
biens, qui heurtent les parois de leur prison ; il semble
qu'ils vont les rompre, et faire irruption au dehors, comme
ceux dont parle le livre de contes, les génies emprisonnés
dans des coffrets arabes sous le sceau de Salomon. —
D'autres vous flattent : ils tâchent de vous enjôler ; mais
on sent qu'ils ne demandent qu'à mordre, et qu'ils ont la
fièvre. Christophe ne sait pas ce qu'ils veulent ; mais ils
l'attirent, et le troublent ; ils le font presque rougir. — Et
d'autres fois encore, il y a des notes qui s'aiment : les sons
s'enlacent, comme on fait avec les bras, quand on se baise ;
ils sont gracieux et doux. Ce sont les bons esprits ; ils ont
des figures souriantes et sans rides ; ils aiment le petit
Christophe, et le petit Christophe les aime ; il a les larmes
aux yeux de les entendre, et il ne se lasse pas de les rappeler.
Ils sont ses amis, ses chers et tendres amis.

*Jean-Christophe*

*380*          *Une forme raffinée*

Mercredi 9 août 1905

Vous ne comprenez pas, dites-vous, la monotonie de
notre hexamètre français rimé. Je n'en suis pas du tout
surpris. Je ne connais pas d'étranger qui se doute de ce
qu'il est vraiment; et j'ajoute que personne n'a su, chez
nous, le leur faire comprendre. (Il y a si peu de gens, même
chez nous, qui soient vraiment sensibles à la poésie française, et qui sachent analyser leur jouissance.) Je vais
essayer de vous mettre sur la voie, par une observation
que je ne crois pas qu'on ait encore exprimée, et qui, à mon
avis, est la clef de notre système poétique traditionnel :

Vous venez de voir l'extraordinaire pouvoir de se transformer, de changer d'accents, qu'ont la plupart des mots
français. Cette propriété permet à notre langue d'avoir une
des proses les plus souples qui existent. Mais elle serait un
sérieux obstacle à constituer une poésie, si cette liberté
extrême, qui tend à l'anarchie, n'était sévèrement maintenue
dans des cadres fixes. — Vous ne remarquez que ces cadres,
qui ne sont que la charpente du vers français. Mais nous,
nous ne voyons plus, ou presque plus, la charpente. Vous
ne vous doutez pas de la variété infinie de combinaisons
rythmiques, qui se succèdent dans les hexamètres de Hugo
ou de Verlaine. Sans la loi que s'impose à elle-même [*sic*],
d'instinct, l'esprit de la race, nous irions tout droit, je crois,
à la prose rythmée, ou à la poésie libre. Et en fait, même
ainsi, notre poésie est, le plus souvent, une prose rythmée.
— Voyez-vous : les fortes lois de la raison n'apparaissent
d'ordinaire que chez les peuples qui ont besoin d'elles pour
combattre et réprimer leurs instincts naturels, trop forts et
trop dangereux. Tout récemment, Kipling montrait que
l'hypocrisie biblique des Anglais, qu'on leur reproche tant,
leur est une nécessité absolue pour vivre : sans ce frein, tout
ce qu'il y a de sauvage et de déréglé dans la nature anglaise

entraînerait la race aux pires excès. — La perruque Louis
XIV et les lois rigoureuses de la société du grand siècle sont
des masques et des freins que s'obligea à porter une société
brutale et passionnée, qui avait peur de ses propres instincts.
(Lisez le curieux livre de Funck-Brentano : *L'Affaire des
Poisons* : vous verrez quelles passions féroces bouillonnaient
dans cette cour à perruques.) — C'est bien là pour nous l'intérêt, — que vous ne soupçonnez pas — des tragédies de
Racine, que nous y retrouvons la même férocité cachée
sous la même politesse apparente. Vous trouvez cela faux.
Et je ne serais pas loin de voir là, au contraire, un des
sommets de la civilisation humaine : toute l'animalité
primitive encore conservée pure et voilée seulement
par la forme la plus raffinée. — Eh bien, la loi d'airain
qui régit notre poésie vient, je crois, du même besoin de
mater une langue trop libre et trop fluide, qui s'échappe
et qui fuit, quand on croit la saisir.

*Lettre à Richard Strauss*

# ÉMILE-AUGUSTE CHARTIER,
## *dit* ALAIN

1868–1951

*381*        *Géométrie et Poésie*

JE trouve ridicule qu'on laisse le choix, aux enfants ou
aux familles, d'apprendre ceci plutôt que cela. Ridicule
aussi qu'on accuse l'État de vouloir leur imposer ceci et
cela. Nul ne doit choisir, et le choix est fait. Napoléon,
je crois bien, à exprimé en deux mots ce que tout homme
doit savoir le mieux possible : géométrie et latin. Élar-
gissons ; entendons par latin l'étude des grandes œuvres,
et principalement de toute la poésie humaine. Alors, tout
est dit.

# 554 ALAIN

La géométrie est la clef de la nature. Qui n'est point géomètre ne percevra jamais bien ce monde où il vit et dont il dépend. Mais plutôt il rêvera selon la passion du moment, se trompant lui-même sur la puissance antagoniste, mesurant mal, comptant mal, nuisible et malheureux. Aussi je n'entends point qu'on doive enseigner toute la nature; non, mais régler l'esprit selon l'objet, d'après la nécessité clairement aperçue. Il n'en faut pas plus, mais il n'en faut pas moins. Celui qui n'a aucune idée de la nécessité géométrique manquera l'idée même de nécessité extérieure. Toute la physique et toute l'histoire naturelle ensemble ne la lui donneront point. Donc peu de science, mais une bonne science, et toujours la preuve la plus rigoureuse. Le beau de la géométrie est qu'il y a des étages de preuves, et quelque chose de net et de sain dans toutes. Que la sphère et le prisme, donc, nous donnent des leçons de choses. A qui? A tous. Il est bien plaisant de décider qu'un enfant ignorera la géométrie parce qu'il a peine à la comprendre; c'est un signe au contraire qu'il faut patiemment l'y faire entrer. Thalès ne savait point toute notre géométrie; mais ce qu'il savait, il le savait bien. Ainsi la moindre vue de la nécessité sera une lumière pour toute une vie. Ne comptez donc pas les heures, ne mesurez pas les aptitudes, mais dites seulement: «Il le faut.»

La poésie est la clef de l'ordre humain, et, comme j'ai dit souvent, le miroir de l'âme. Mais non pas la niaise poésie, que l'on rime exprès pour les enfants; au contraire, la plus haute poésie, la plus vénérée. Là-dessus on trouve souvent à dire que l'enfant ne comprendra guère. Sans aucun doute il ne comprendra pas d'abord. Mais la puissance de la poésie est en ceci, à chaque lecture, que d'abord, avant de nous instruire, elle nous dispose par les sons et le rythme, selon un modèle humain universel. Et cela est bon aussi pour l'enfant, surtout pour l'enfant. Comment apprend-il à parler, sinon en réglant sa nature animale d'après ce ramage humain qu'il entend? Faites donc qu'il récite scrupuleusement le beau ramage. C'est ainsi qu'en réglant d'abord ses passions, il se met en situation de comprendre toutes les passions, s'élevant aussitôt au sentiment, point d'observation d'où l'on découvre tout le paysage humain.

Mais il est grossier et comme sauvage? Il est indifférent à ces choses? Je n'en crois rien. La grande poésie a prise sur tous. Les plus rudes compagnons veulent la plus grande poésie. Il n'en faut pas moins contre la grimace, qui est une sorte de poésie, mais sans secours. Donc toute la poésie à tous, autant qu'on pourra. L'homme qui n'est pas discipliné selon cette imitation n'est pas un homme.

Géométrie et poésie; cela suffit. L'une tempère l'autre. Mais il faut les deux. Homère et Thalès le conduiront par la main. L'enfant a cette ambition d'être un homme; il ne faut point le tromper; encore moins lui donner à choisir dans ce qu'il ignore. Sans quoi le catéchisme nous ferait rougir. Car les théologiens enseignaient à tous tout ce qu'ils savaient, s'arrêtant à l'esprit rebelle. Et, dans le doute, ils baptisaient toute forme humaine. Allons-nous choisir, nous autres, et refuser le baptême humain au frivole ou à l'endormi?

*Propos sur l'éducation*

# CHARLES MAURRAS
1868–1952

*382*                      *Ont-ils aimé?*

L'AMOUR n'est pas un dieu, enseignait la sagesse antique; l'amour n'est qu'un démon, tout ensemble bon et mauvais. La sagesse moderne nous apprend que l'amour n'est pas une règle de vie, mais un de ces principes qui composent la vie, qu'il faut traiter comme la vie, diriger et accorder au reste du monde. Il agite l'univers et le perpétue, mais, mouvant «le soleil et les autres étoiles», il n'est point en état de les détruire et de les rétablir à lui seul, même dans la retraite de deux cœurs enivrés.

L'homme y reste le vieil animal politique, occupé de la société et ne cessant jamais de l'occuper de lui. Qu'un amour se prétende affranchi de l'ordre de la nature et des conventions du monde; qu'il se glorifie d'étonner le vulgaire en le choquant ou de le déconcerter en le dépassant: cela signifie simplement qu'il a négligé un certain genre de considérations, mais il n'a pas aboli la réalité qu'elles représentent; plus que tout autre amour, celui-ci sera traversé à l'improviste de sentiments et d'intérêts indignes de lui ou de soins presque indélicats. En négligeant les plans sur lesquels se meut tout amour, en le traitant comme une pure et mystique communion des intelligences sans rapport avec les milieux matériels et les milieux humains, les romantiques se sont trompés gravement sur les conditions de l'amour.

Ils ont même ignoré jusqu'à sa nature, si préoccupés qu'ils parussent de la voir et de la fixer.

L'amour naturel cherche le bonheur. Il est donc inquiétude, impatience, désir. Il est une poursuite de tout autre que lui et se rue d'abord hors de lui. Quelles que soient ses passions ou ses énergies, c'est à leur propre fin, c'est à un calme heureux, à un traité de paix et d'accord internel qu'aspirent toutes ces guerres intérieures. Elles seraient moins vives sans la volonté d'y échapper et de les finir. L'homme amoureux n'avive la cuisson de sa plaie qu'en tentant d'arracher une pointe qui le déchire.

Pour bien aimer, il ne faut pas aimer l'amour. Il ne faut pas le rechercher, il est même important de sentir pour lui quelque haine. S'il veut garder toute la douceur de son charme et la force de ses vertus, l'amour doit s'imposer comme un ennemi qu'on redoute, non comme un flatteur

qu'on appelle. La *Phèdre malgré soi*... du théâtre classique
reste le modèle du véritable mal sacré : non souhaité, subi.
Le «J'aimais à aimer» des *Confessions* de saint Augustin
témoigne de l'ivresse d'un jeune barbare, excitée par une
civilisation qui déclinait à la manière de la nôtre. Mais,
née dans un siècle meilleur, l'âme d'Alfred de Musset se
fût sentie trop fine, trop polie et trop vigoureuse pour
élever un vœu semblable. Elle n'eût jamais nommé force
une faiblesse. Elle eût connu les joies supérieures de l'âme
noble qui se règle et qui s'appartient. Sa sagesse, sa culture,
son ironie, autant de défenses précieuses élevées du fond
d'elle-même et fortifiées autour d'elle contre cette naissance
de l'orage à demi divin auquel l'esprit naturel de conservation voudra toujours s'opposer dans les êtres sains.
Tous les êtres d'élite seront jaloux de ce genre de liberté.
C'est par un tremblement de l'Esprit de la vie que, dans la
*Vie nouvelle*, s'annonce la présence de la messagère d'amour.

Sans doute, quand l'objet est fort, quand il est digne et
quand la passion est puissante, est-il bon que ce soit le
trouble, en fin de compte, qui l'emporte; plus l'obstacle
aura été élevé, énergique la résistance, plus ce trouble
victorieux aura gagné d'éclat ou de durée et pourra donner
de délices. Telle est la grâce de la sagesse, tel est le prix de
la raison, que leur frein serré constitue la condition dernière
de tout plaisir un peu intense et pénétrant. Elles seules
composent une volonté ferme, un corps pudique et un
cœur vrai. Hélas! à force de se relâcher, les romantiques
auront créé ce vil olympe de héros dissolus, d'où semblent
retombées des générations toutes faites d'argile. A force de
poursuivre l'occasion de l'amour, d'en entretenir le désir
et d'en cultiver les mélancolies et le désespoir, ils ont plutôt
voilé qu'enflammé et plutôt abaissé que sublimé l'image de
l'antique démon. Leur langage déclamatoire, leurs attitudes
théâtrales pouvaient les abuser eux-mêmes et leur laisser
une idée de sincérité, mais, précisément, l'appareil nous

offusque, et nous ne pouvons nous défendre de douter d'eux.

La postérité éloignée sera plus sévère que nous. Voilà, se dira-t-elle, des hommes et des femmes qui sont bien enragés d'aimer! Mais qu'est-ce qu'un amour qui ne fait que se rechercher et se reposer en lui-même au lieu de se fuir? Est-ce l'amour? Ont-ils aimé?

*Les Amants de Venise*

# PAUL CLAUDEL

1868–1955

## *383      Le vers essentiel*

ON ne pense pas d'une manière continue, pas davantage qu'on ne sent d'une manière continue. Il y a des coupures, il y a intervention du néant. La pensée bat comme la cervelle et le cœur. Notre appareil à penser en état de chargement ne débite pas une ligne ininterrompue, il fournit par éclairs, secousses, une masse disjointe d'idées, images, souvenirs, notions, concepts, puis se détend avant que l'esprit se réalise à l'état de conscience dans un nouvel acte. Sur cette matière première l'écrivain éclairé par sa raison et son goût et guidé par un but plus ou moins distinctement perçu travaille, mais il est impossible de donner une image exacte des allures de la pensée si l'on ne tient pas compte du blanc et de l'intermittence.

Tel est le vers essentiel et primordial, l'élément premier du langage, antérieur aux mots eux-mêmes: une idée isolée par du blanc. Avant le mot une certaine intensité, qualité et proportion de tension spirituelle.

*Réflexions et Propositions sur le vers français*

*384*                    *Le Porc*

Je peindrai ici l'image du Porc.

C'est une bête solide et tout d'une pièce; sans jointure et sans cou, ça fonce en avant comme un soc. Cahotant sur ses quatre jambons trapus, c'est une trompe en marche qui quête, et toute odeur qu'il sent, y appliquant son corps de pompe, il l'ingurgite. Que s'il a trouvé le trou qu'il faut, il s'y vautre avec énormité. Ce n'est point le frétillement du canard qui entre à l'eau, ce n'est point l'allégresse sociable du chien; c'est une jouissance profonde, solitaire, consciente, intégrale. Il renifle, il sirotte, il déguste, et l'on ne sait s'il boit ou s'il mange; tout rond, avec un petit tressaillement, il s'avance et s'enfonce au gras sein de la boue fraîche; il grogne, il jouit jusque dans le recès de sa triperie, il cligne de l'œil. Amateur profond, bien que l'appareil toujours en action de son odorat ne laisse rien perdre, ses goûts ne vont point aux parfums passagers des fleurs ou de fruits frivoles; en tout il cherche la nourriture: il l'aime riche, puissante, mûrie, et son instinct l'attache à ces deux choses, fondamental: la terre, l'ordure.

Gourmand, paillard, si je vous présente ce modèle, avouez-le: quelque chose manque à votre satisfaction. Ni le corps ne se suffit à lui-même, ni la doctrine qu'il nous enseigne n'est vaine. «N'applique point à la vérité l'œil seul, mais tout cela sans réserve qui est toi-même.» Le bonheur est notre devoir et notre patrimoine. Une certaine possession parfaite est *donnée*. — Mais telle que celle qui fournit à Énée des présages, la rencontre d'une truie me paraît toujours augurale, un emblême politique. Son flanc est plus obscur que les collines qu'on voit au travers de la pluie, et quand elle se couche, donnant à boire au bataillon de marcassins qui lui marche entre les jambes, elle me paraît l'image même de ces monts que traient les grappes de villages attachées à leurs torrents, non moins massive et non moins difforme.

Je n'omets pas que le sang de cochon sert à fixer l'or.

*Connaissance de l'est*

# ANDRÉ GIDE

1869-1951

*385*    *Entre Biskra et Touggourt* [1900]

DANS l'oasis encore. — Une clarté douce, si pâle que la clarté déjà paraît ombre et l'ombre semble profondeur. Un clair de lune matinal dans lequel va se fondre l'aube...

La route traverse le village. Tout dort. Dans les maisons d'argile gris de cendre, pas une lampe, pas un feu.

Vous souvient-il qu'à notre précédent voyage, à cette heure et à cet endroit, sur le mur effondré de la mosquée, un tout petit hibou miaulait, que ne dérangea pas notre approche, mais qui, sérieux, nous regarda le regarder?

Puis les derniers palmiers s'espacent; et ce douteux rêve de vie qu'était la dormante oasis nous abandonne au désert, à la nuit, à la mort.

Pourtant, au loin, infiniment distants, quelques feux, trois ou quatre, — campement de nomades, haltes de caravanes.

Pas un nuage dans l'azur. Bientôt va poindre l'aube. C'est, violette et triste à l'Orient, comme une meurtrissure de la nuit.

Nous croisons une caravane. La lune, presque au zénith, ne fait à chacun des chameaux qu'une discrète ombre courte. — Il fait froid. Athman, à la manière des Arabes, pour dormir, enfonce son énorme turban dans les trois capuchons de ses burnous, se tasse, s'arrondit, devient citrouille comme l'empereur Claude.

La plaine — que le sel argente — sous la lune reluit faiblement. Magnésie ou soude, je ne sais, le sol lisse et givré d'argent paraît de matière fluide. Et là-dessus, par places, un bouquet de lentisques, une touffe de maigres joncs.

Pas un nuage. Voici l'aube. C'est, de l'azur encore froid de la nuit jusqu'à la rouge lisière des sables, une prismatique analyse du jour, plus délicatement et plus subtilement nuancée, mais aussi précisément détaillée que celle d'un parfait arc-en-ciel; et, sur la terre émerveillée, une résurrection des couleurs. C'est d'une absence d'art totale, d'une beauté purement et uniquement naturelle.

Cela ne durera qu'un instant. Déjà toute nuance subtile s'efface; il ne doit plus rester dans l'espace que l'or brutal et que le bleu.

Mais avant que le soleil paraisse, le ciel se colore à nouveau d'une étrange pâleur orange, où bientôt le soleil paraît, rouge et plat, et comme un fer mou sur l'enclume.

*Amyntas*

## *386*      *La croix d'améthystes*

— ALISSA t'attend dans le jardin, me dit mon oncle, après m'avoir embrassé paternellement, lorsque, à la fin d'avril, j'arrivai à Fongueusemare. Si d'abord je fus déçu de ne pas la trouver prompte à m'accueillir, tout aussitôt après je je lui sus gré de nous épargner à tous deux l'effusion banale des premiers instants du revoir.

Elle était au fond du jardin. Je m'acheminai vers ce rond-point, étroitement entouré de buissons, à cette époque de l'année tout en fleurs, lilas, sorbiers, cytises, weigelias; pour ne point l'apercevoir de trop loin, ou pour qu'elle ne me vît pas venir, je suivis, de l'autre côté du jardin, l'allée sombre où l'air était frais sous les branches. J'avançais lentement; le ciel était comme ma joie, chaud, brillant, délicatement pur. Sans doute elle m'attendait venir par l'autre allée; je fus près d'elle, derrière elle, sans qu'elle m'eût entendu approcher; je m'arrêtai... Et comme si le temps eût pu s'arrêter avec moi : Voici l'instant, pensai-je, l'instant le plus délicieux peut-être, quand il précéderait le bonheur même, et que le bonheur même ne vaudra pas....

Je voulais tomber à genoux devant elle; je fis un pas, qu'elle entendit. Elle se dressa soudain, laissant rouler à terre la broderie qui l'occupait, tendit les bras vers moi, posa ses mains sur mes épaules. Quelques instants nous demeurâmes ainsi, elle, les bras tendus, la tête souriante et penchée, me regardant tendrement sans rien dire. Elle était vêtue toute en blanc. Sur son visage presque trop grave, je retrouvais son sourire d'enfant...

— Écoute, Alissa, m'écriai-je tout d'un coup : j'ai douze jours libres devant moi. Je n'en resterai pas un de plus qu'il ne te plaira. Convenons d'un signe qui voudra dire : c'est demain qu'il faut quitter Fongueusemare. Le lendemain, sans récriminations, sans plaintes, je partirai. Consens-tu ?

N'ayant point préparé mes phrases, je parlais plus aisément. Elle réfléchit un moment, puis :

— Le soir où, descendant pour dîner, je ne porterai pas à mon cou la croix d'améthystes que tu aimes... comprendras-tu ?

— Que ce sera mon dernier soir.

— Mais sauras-tu partir, reprit-elle, sans larmes, sans soupirs...

— Sans adieux. Je te quitterai ce dernier soir comme je l'aurais fait la veille, si simplement que tu te demanderas d'abord : n'aurait-il pas compris ? mais quand tu me chercheras, le lendemain matin, simplement je ne serai plus là.

— Le lendemain je ne te chercherai plus.

Elle me tendit la main; comme je la portais à mes lèvres :

— D'ici le soir fatal, dis-je encore, pas une allusion qui me fasse rien pressentir.

— Toi, pas une allusion à la séparation qui suivra.

Il fallait à présent rompre la gêne que la solennité de ce revoir risquait d'élever entre nous.

— Je voudrais tant, repris-je, que ces quelques jours près de toi nous paraissent pareils à d'autres jours... Je veux dire : ne pas sentir, tous deux, qu'ils sont exceptionnels. Et puis... si nous pouvions ne pas trop chercher à causer d'abord...

Elle se mit à rire. J'ajoutai :

— N'y a-t-il rien à quoi nous puissions nous occuper ensemble ?

De tout temps nous avions pris plaisir au jardinage. Un jardinier sans expérience remplaçait l'ancien depuis peu, et le jardin, abandonné durant deux mois, offrait beaucoup à faire. Des rosiers étaient mal taillés ; certains, à végétation puissante, restaient encombrés de bois mort ; d'autres, grimpants, croulaient, mal soutenus ; des gourmands en épuisaient d'autres. La plupart avaient été greffés par nous ; nous reconnaissions nos élèves ; les soins qu'ils réclamaient nous occupèrent longuement et nous permirent, les trois premiers jours, de beaucoup parler sans rien dire de grave, et, lorsque nous nous taisions, de ne point sentir peser le silence.

C'est ainsi que nous reprîmes l'habitude l'un de l'autre. Je comptais sur cette accoutumance plus que sur n'importe quelle explication. Le souvenir même de notre séparation déjà s'effaçait entre nous, et déjà diminuaient cette crainte que souvent je sentais en elle, cette contraction de l'âme qu'elle craignait en moi. Alissa, plus jeune qu'à ma triste visite d'automne, ne m'avait jamais paru plus jolie. Je ne l'avais pas encore embrassée. Chaque soir je revoyais sur son corsage, retenue par une chaînette d'or, la petite croix d'améthystes briller. En confiance, l'espoir renaissait dans

mon cœur; que dis-je : espoir ? C'était déjà de l'assurance,
et que j'imaginais sentir également chez Alissa; car je
doutais si peu de moi que je ne pouvais plus douter d'elle.
Peu à peu nos propos s'enhardirent.

— Alissa, lui dis-je un matin que l'air charmant riait et
que notre cœur s'ouvrait comme les fleurs, — à présent
que Juliette est heureuse, ne nous laisseras-tu pas, nous
aussi...

Je parlais lentement, les yeux sur elle; elle devint soudain
pâle si extraordinairement que je ne pus achever ma phrase.

— Mon ami! commença-t-elle, et sans tourner vers moi son
regard — je me sens plus heureuse auprès de toi que je
n'aurais cru qu'on pût l'être... mais crois-moi : nous ne
sommes pas nés pour le bonheur.

— Que peut préférer l'âme au bonheur ? m'écriai-je im-
pétueusement. Elle murmura :

— La sainteté... si bas que, ce mot, je le devinai plutôt
que je ne pus l'entendre.

Tout mon bonheur ouvrait les ailes, s'échappait de moi
vers les cieux.

— Je n'y parviendrai pas sans toi, dis-je, et le front dans
ses genoux, pleurant comme un enfant, mais d'amour et
non point de tristesse, je repris : pas sans toi; pas sans toi !

Puis ce jour s'écoula comme les autres jours. Mais au
soir Alissa parut sans le petit bijou d'améthystes. Fidèle à
ma promesse, le lendemain, dès l'aube, je partis.

*La Porte étroite*

# MARCEL PROUST

1871-1922

*387*   *Les gisements profonds du sol mental*

AUSSI le côté de Méséglise et le côté de Guermantes restent-
ils pour moi liés à bien des petits événements de celle de

toutes les diverses vies que nous menons parallèlement,
qui est la plus pleine de péripéties, la plus riche en épisodes,
je veux dire la vie intellectuelle. Sans doute elle progresse
en nous insensiblement, et les vérités qui en ont changé
pour nous le sens et l'aspect, qui nous ont ouvert de nouveaux chemins, nous en préparions depuis longtemps la
découverte; mais c'était sans le savoir; et elles ne datent
pour nous que du jour, de la minute où elles nous sont devenues visibles. Les fleurs qui jouaient alors sur l'herbe,
l'eau qui passait au soleil, tout le paysage qui environna
leur apparition continue à accompagner leur souvenir de
son visage inconscient ou distrait; et certes quand ils
étaient longuement contemplés par cet humble passant,
par cet enfant qui rêvait — comme l'est un roi, par un
mémorialiste perdu dans la foule, — ce coin de la nature,
ce bout de jardin n'eussent pu penser que ce serait grâce à
lui qu'ils seraient appelés à survivre en leurs particularités
les plus éphémères; et pourtant ce parfum d'aubépine qui
butine le long de la haie où les églantiers le remplaceront
bientôt, un bruit de pas sans écho sur le gravier d'une
allée, une bulle formée contre une plante aquatique par
l'eau de la rivière et qui crève aussitôt, mon exaltation les a
portés et a réussi à leur faire traverser tant d'années suc-
cessives, tandis qu'alentour les chemins se sont effacés et
que sont morts ceux qui les foulèrent et le souvenir de ceux
qui les foulèrent. Parfois ce morceau de paysage amené
ainsi jusqu'à aujourd'hui se détache si isolé de tout, qu'il
flotte incertain dans ma pensée comme une Délos fleurie,
sans que je puisse dire de quel pays, de quel temps — peut-
être tout simplement de quel rêve — il vient. Mais c'est
surtout comme à des gisements profonds de mon sol mental,
comme aux terrains résistants sur lesquels je m'appuie
encore, que je dois penser au côté de Méséglise et au côté
de Guermantes. C'est parce que je croyais aux choses, aux
êtres, tandis que je les parcourais, que les choses, les êtres

qu'ils m'ont fait connaître sont les seuls que je prenne encore au sérieux et qui me donnent encore de la joie. Soit que la foi qui crée soit tarie en moi, soit que la réalité ne se forme que dans la mémoire, les fleurs qu'on me montre aujourd'hui pour la première fois ne me semblent pas de vraies fleurs. Le côté de Méséglise avec ses lilas, ses aubépines, ses bluets, ses coquelicots, ses pommiers, le côté de Guermantes avec sa rivière à têtards, ses nymphéas et ses boutons d'or, ont constitué à tout jamais pour moi la figure des pays où j'aimerais vivre, où j'exige avant tout qu'on puisse aller à la pêche, se promener en canot, voir des ruines de fortifications gothiques et trouver au milieu des blés, ainsi qu'était Saint-André-des-Champs, une église monumentale, rustique et dorée comme une meule ; et les bluets, les aubépines, les pommiers qu'il m'arrive, quand je voyage, de rencontrer encore dans les champs, parce qu'ils sont situés à la même profondeur, au niveau de mon passé, sont immédiatement en communication avec mon cœur. Et pourtant, parce qu'il y a quelque chose d'individuel dans les lieux, quand me saisit le désir de revoir le côté de Guermantes, on ne le satisferait pas en me menant au bord d'une rivière, où il y aurait d'aussi beaux, de plus beaux nymphéas que dans la Vivonne, pas plus que le soir en rentrant — à l'heure où s'éveillait en moi cette angoisse qui plus tard émigre dans l'amour, et peut devenir à jamais inséparable de lui — je n'aurais souhaité que vînt me dire bonsoir une mère plus belle et plus intelligente que la mienne. Non ; de même que ce qu'il me fallait pour que je pusse m'endormir heureux, avec cette paix sans trouble qu'aucune maîtresse n'a pu me donner depuis, puisqu'on doute d'elles encore au moment où on croit en elles et qu'on ne possède jamais leur cœur comme je recevais dans un baiser celui de ma mère, tout entier, sans la réserve d'une arrière-pensée, sans le reliquat d'une intention qui ne fût pas pour moi — c'est que ce fût elle,

c'est qu'elle inclinât vers moi ce visage où il y avait au-
dessous de l'œil quelque chose qui était, paraît-il, un défaut,
et que j'aimais à l'égal du reste; de même ce que je veux
revoir, c'est le côté de Guermantes que j'ai connu, avec la
ferme qui est un peu éloignée des deux suivantes serrées
l'une contre l'autre, à l'entrée de l'allée des chênes; ce
sont ces prairies où, quand le soleil les rend réfléchissantes
comme une mare, se dessinent les feuilles des pommiers,
c'est ce paysage dont parfois, la nuit dans mes rêves,
'lindividualité m'étreint avec une puissance presque
fantastique et que je ne peux plus retrouver au réveil.
Sans doute pour avoir à jamais indissolublement uni en
moi des impressions différentes, rien que parce qu'ils me
les avaient fait éprouver en même temps, le côté de Méséglise ou le côté de Guermantes m'ont exposé, pour l'avenir,
à bien des déceptions et même à bien des fautes. Car souvent j'ai voulu revoir une personne sans discerner que
c'était simplement parce qu'elle me rappelait une haie
d'aubépines, et j'ai été induit à croire, à faire croire à un
regain d'affection, par un simple désir de voyage. Mais
par là même aussi, et en restant présents en celles de mes
impressions d'aujourd'hui auxquelles ils peuvent se relier,
ils leur donnent des assises, de la profondeur, une dimen-
sion de plus qu'aux autres. Ils leur ajoutent aussi un charme,
une signification qui n'est que pour moi. Quand par les
soirs d'été le ciel harmonieux gronde comme une bête
fauve et que chacun boude l'orage, c'est au côté de Méséglise que je dois de rester seul en extase à respirer, à travers
le bruit de la pluie qui tombe, l'odeur d'invisibles et
persistants lilas.

*Du côté de chez Swann*

*388*        *Le petit traintrain de la vie*

AINSI passait la vie pour ma tante Léonie, toujours identique, dans la douce uniformité de ce qu'elle appelait, avec un dédain affecté et une tendresse profonde, son «petit traintrain». Préservé par tout le monde, non seulement à la maison, où chacun ayant éprouvé l'inutilité de lui conseiller une meilleure hygiène, s'était peu à peu résigné à le respecter, mais même dans le village où, à trois rues de nous, l'emballeur, avant de clouer ses caisses, faisait demander à Françoise si ma tante ne «reposait pas», — ce traintrain fut pourtant troublé une fois cette année-là. Comme un fruit caché qui serait parvenu à maturité sans qu'on s'en aperçût et se détacherait spontanément, survint une nuit la délivrance de la fille de cuisine. Mais ses douleurs étaient intolérables, et comme il n'y avait pas de sage-femme à Combray, Françoise dut partir avant le jour en chercher une à Thiberzy. Ma tante, à cause des cris de la fille de cuisine ne put reposer, et Françoise, malgré la courte distance, n'étant revenue que très tard, lui manqua beaucoup. Aussi, ma mère me dit-elle dans la matinée: «Monte donc voir si ta tante n'a besoin de rien.» J'entrai dans la première pièce et, par la porte ouverte, vis ma tante, couchée sur le côté, qui dormait; je l'entendis ronfler légèrement. J'allais m'en aller doucement, mais sans doute le bruit que j'avais fait était intervenu dans son sommeil et en avait «changé la vitesse», comme on dit pour les automobiles, car la musique du ronflement s'interrompit une seconde et reprit un ton plus bas, puis elle s'éveilla et tourna à demi son visage que je pus voir alors; il exprimait une sorte de terreur; elle venait évidemment d'avoir un rêve affreux; elle ne pouvait me voir de la façon dont elle était placée, et je restais là ne sachant si je devais m'avancer ou me retirer; mais déjà elle semblait revenue au sentiment de la réalité et avait reconnu le mensonge des visions qui l'avaient

effrayée; un sourire de joie, de pieuse reconnaissance envers
Dieu qui permet que la vie soit moins cruelle que les rêves,
éclaira faiblement son visage, et avec cette habitude qu'elle
avait prise de se parler à mi-voix à elle-même quand elle se
croyait seule, elle murmura : « Dieu soit loué ! nous n'avons
comme tracas que la fille de cuisine qui accouche. Voilà-t-il
pas que je rêvais que mon pauvre Octave était ressuscité et
qu'il voulait me faire faire une promenade tous les jours ! »
Sa main se tendit vers son chapelet qui était sur la petite
table, mais le sommeil recommençant ne lui laissa pas la
force de l'atteindre : elle se rendormit, tranquillisée, et je
sortis à pas de loup de la chambre sans qu'elle ni personne
eût jamais appris ce que j'avais entendu.

*Du côté de chez Swann*

## 389        *La mort de la grand'mère*

LE bruit de l'oxygène s'était tu, le médecin s'éloigna du
lit. Ma grand'mère était morte.

Quelques heures plus tard, Françoise put une dernière
fois et sans les faire souffrir peigner ces beaux cheveux
qui grisonnaient seulement et jusqu'ici avaient semblé
être moins âgés qu'elle. Mais maintenant, au contraire,
ils étaient seuls à imposer la couronne de la vieillesse sur le
visage redevenu jeune d'où avaient disparu les rides, les
contractions, les empâtements, les tensions, les fléchisse-
ments que, depuis tant d'années, lui avait ajoutés la
souffrance. Comme au temps lointain où ses parents lui
avaient choisi un époux, elle avait les traits délicatement
tracés par la pureté et la soumission, les joues brillantes
d'une chaste espérance, d'un rêve de bonheur, même d'une
innocente gaieté, que les années avaient peu à peu détruits.
La vie en se retirant venait d'emporter les désillusions de la
vie. Un sourire semblait posé sur les lèvres de ma grand'-
mère. Sur ce lit funèbre, la mort, comme le sculpteur du

moyen âge, l'avait couchée sous l'apparence d'une jeune fille.

*Le Côté de Guermantes*

### 390　　　*Le vieux duc*

JE ne l'eusse sans doute pas reconnu, si on ne me l'avait clairement désigné. Il n'était plus qu'une ruine, mais superbe, et moins encore qu'une ruine, cette belle chose romantique que peut être un rocher dans la tempête. Fouettée de toutes parts par les vagues de souffrance, de colère de souffrir, d'avancée montante de la mort qui la circonvenaient, sa figure, effritée comme un bloc, gardait le style, la cambrure que j'avais toujours admirés; elle était rongée comme une de ces belles têtes antiques trop abîmées mais dont nous sommes trop heureux d'orner un cabinet de travail. Elle paraissait seulement appartenir à une époque plus ancienne qu'autrefois, non seulement à cause de ce qu'elle avait pris de rude et de rompu dans sa matière jadis plus brillante, mais parce qu'à l'expression de finesse et d'enjouement avait succédé une involontaire, une inconsciente expression, bâtie par la maladie, de lutte contre la mort, de résistance, de difficulté à vivre. Les artères ayant perdu toute souplesse avaient donné au visage jadis épanoui une dureté sculpturale. Et sans que le duc s'en doutât, il découvrait des aspects de nuque, de joue, de front, où l'être, comme obligé de se raccrocher avec acharnement à chaque minute, semblait bousculé dans une tragique rafale, pendant que les mèches blanches de sa magnifique chevelure moins épaisse venaient souffleter de leur écume le promontoire envahi du visage. Et comme ces reflets étranges, uniques, que seule l'approche de la tempête où tout va sombrer donne aux roches qui avaient été jusque-là d'une autre couleur, je compris que le gris plombé des joues raides et usées, le gris presque blanc et

moutonnant des mèches soulevées, la faible lumière encore
départie aux yeux qui voyaient à peine, étaient des teintes
non pas irréelles, trop réelles au contraire, mais fantastiques,
et empruntées à la palette, inimitable dans ses noirceurs
effrayantes et prophétiques, de la vieillesse, de la proximité
de la mort.

*Le Temps retrouvé*

# PAUL-AMBROISE VALÉRY

1871-1945

*391* [*La chambre de M. Teste*

NOUS étions à sa porte. Il me pria de venir fumer un cigare
chez lui.

Au haut de la maison, nous entrâmes dans un très petit
appartement «garni». Je ne vis pas un livre. Rien n'indi-
quait le travail traditionnel devant une table, sous une lampe,
au milieu de papiers et de plumes. Dans la chambre verdâtre
qui sentait la menthe, il n'y avait autour de la bougie que
le morne mobilier abstrait, — le lit, la pendule, l'armoire
à glace, deux fauteuils — comme des êtres de raison. Sur
la cheminée, quelques journaux, une douzaine de cartes de
visite couvertes de chiffres, et un flacon pharmaceutique.
Je n'ai jamais eu plus fortement l'impression du quelconque.
C'était le logis quelconque, analogue au point quelconque
des théorèmes, — et peut-être aussi utile. Mon hôte existait
dans l'intérieur le plus général. Je songeai aux heures
qu'il faisait dans ce fauteuil. J'eus peur de l'infinie tristesse
possible dans ce lieu pur et banal. J'ai vécu dans de telles
chambres, je n'ai jamais pu les croire définitives, sans
horreur.

*La Soirée avec M. Teste*

*392*                    *La Danseuse*

ÉRYXIMAQUE : Toute, elle devient danse, et toute se
consacre au mouvement total !

PHÈDRE : Elle semble d'abord, de ses pas pleins d'esprit,
effacer de la terre toute fatigue, et toute sottise... Et voici
qu'elle se fait une demeure un peu au-dessus des choses, et
l'on dirait qu'elle s'arrange un nid dans ses bras blancs...
Mais, à présent, ne croirait-on pas qu'elle se tisse de ses
pieds un tapis indéfinissable de sensations ?... Elle croise,
elle décroise, elle trame la terre avec la durée... O le charmant ouvrage, le travail très précieux de ses orteils intelligents qui attaquent, qui esquivent, qui nouent et qui
dénouent, qui se pourchassent, qui s'envolent !... Qu'ils
sont habiles, qu'ils sont vifs, ces purs ouvriers des délices
du temps perdu !... Ces deux pieds babillent entre eux, et
se querellent comme des colombes !... Le même point
du sol les fait se disputer comme pour un grain !... Ils
s'emportent ensemble, et se choquent dans l'air, encore !...
Par les Muses, jamais pieds n'ont fait à mes lèvres plus
d'envie !

                                              *L'Âme et la Danse*

*393*        *Crois-tu qu'elle en sache quelque chose ?*

SOCRATE : Mais qu'est-ce donc que la danse, et que
peuvent dire des pas ?

PHÈDRE : Oh ! Jouissons encore un peu, naïvement, de
ces beaux actes !... A droite, à gauche ; en avant, en arrière ;
et vers le haut et vers le bas, elle semble offrir des présents,
des parfums, de l'encens, des baisers, et sa vie elle-même,
à tous les points de la sphère, et aux pôles de l'univers...

Elle trace des roses, des entrelacs, des étoiles de mouvement, et de magiques enceintes... Elle bondit hors des
cercles à peine fermés... Elle bondit et court après des

fantômes!... Elle cueille une fleur qui n'est aussitôt qu'un sourire!... Oh! comme elle proteste de son inexistence par une légèreté inépuisable! Elle s'égare au milieu des sons, elle se reprend à un fil... C'est la flûte secourable qui l'a sauvée! O mélodie!...

SOCRATE: On dirait maintenant que tout n'est que spectres autour d'elle... Elle les enfante en les fuyant; mais si, tout à coup, elle se retourne, il nous semble qu'elle apparaisse aux immortels!

PHÈDRE: N'est-elle pas l'âme des fables, et l'échappée de toutes les portes de la vie?

ÉRYXIMAQUE: Crois-tu qu'elle en sache quelque chose? et qu'elle se flatte d'engendrer d'autres prodiges que des coups de pied très élevés, des battements, et des entrechats péniblement appris pendant son apprentissage?

SOCRATE: Il est vrai que l'on peut aussi considérer les choses sous ce jour incontestable... Un œil froid la regarderait aisément comme une démente, cette femme bizarrement déracinée, et qui s'arrache incessamment de sa propre forme, tandis que ses membres devenus fous semblent se disputer la terre et les airs; et que sa tête se renverse, traînant sur le sol une chevelure déliée; et que l'une de ses jambes est à la place de cette tête; et que son doigt trace je ne sais quels signes dans la poussière!... Après tout, pourquoi tout ceci? — Il suffit que l'âme se fixe et se refuse, pour ne plus concevoir que l'étrangeté et le dégoût de cette agitation ridicule... Que si tu le veux, mon âme, tout ceci est absurde!

*L'Âme et la Danse*

### 394 *A partir d'un simple rythme*

IL y a une sorte d'énergie qui s'empare de l'être et qui le fait capable de produire certaines choses qu'il ne produirait pas à l'état ordinaire. Et parmi ces choses, il en est une particulièrement significative qui est ce que l'on peut appeler l'effusion rythmique. La propriété de se sentir producteur de rythme.

Cette production, dans mon cas particulier, et non pas seulement dans cette phase initiale de ma vie, a joué un rôle assez marqué et assez singulier pour que j'en dise un mot : il est arrivé que j'ai écrit certains poèmes à partir d'un simple rythme, sans savoir de quoi il serait question dans ces poèmes : en particulier, un poème fait beaucoup plus tard que l'époque dont je m'occupe et qui s'appelle « Le Cimetière Marin ». Il a été fait à partir d'un certain rythme qui m'est venu à l'esprit et qui, peu à peu, s'est en quelque sorte nourri de certains mots, dont le rapprochement lui-même a semblé former un texte — le phénomène ressemblant assez à celui que vous observez si vous faites quelquefois de la photographie, à ce qui se passe quand vous développez une plaque impressionnée et que vous voyez apparaître dans le bain révélateur quelques fragments, d'abord insignifiants, puis qui prennent une sorte de forme, au moins de fragments de forme qui, peu à peu, arrivent à se joindre pour former une image significative. Eh bien, je dois dire que c'est le phénomène auquel j'ai assisté moi-même ; je ne l'ai découvert qu'à la réflexion ultérieure, quand j'ai fait certains poèmes. J'ai vu apparaître comme sur un dispositif rythmique, qui servait peut-être de révélateur, certains éléments verbaux qui arrivaient à une signification, cette signification peu à peu se précisait pour donner une sorte de définition virtuelle d'un poème. Là-dessus, naturellement, devait s'ensuivre un travail beaucoup plus considérable, un travail qui utilisait ce point de départ, cette image rythmique de cet objet, ce sujet, et me permettait de travailler dans un certain son en conservant autant que possible l'énergie rythmique initiale.

*Souvenirs poétiques*

*395*        *Un mariage de corbeaux*

UN jour, dans les hauteurs, doucement bouleversées par le vent, de grands arbres, en Normandie, je vis se discuter, se conclure et se célébrer un mariage de corbeaux. Il était impossible de donner un autre sens à cette scène aérienne très animée. Il y avait là deux familles, de futurs beaux-parents, de futurs époux, des tantes et des cousins. Tout ce monde croassait, ergotait, objectait, réfutait; l'air en était rompu. De temps à autre, un groupe s'envolait, allait en aparté se consulter dans le bleu, redescendait aux branches où se jouait la comédie des accordailles. Enfin, tout parut se conclure; et le jeune couple bientôt prit le large, au milieu des horribles vociférations, qui, dans notre langage, seraient des vœux, des conseils, de tendres adieux, des bénédictions, et tout ce viatique verbal, dont nous usons dans les grandes circonstances à l'adresse de ceux qui partent pour quelque temps ou pour toujours.

*Mélange*

*396*      *Nous entrons dans l'avenir à reculons*

J'ACHÈVERAI cette conférence en répétant ce que je viens de vous dire, c'est à quel point je voudrais voir dans les jeunes esprits cette tension vers les choses de la pensée et vers l'analyse profonde de ces conditions nouvelles dans lesquelles ils vont vivre, que nous ne sommes pas capables de prévoir, nous qui sommes les vieux, et que personne ne voit d'ailleurs clairement aujourd'hui. Ne pas oublier que nous sommes toujours trompés par ce que nous savons au sujet des choses qui se trouvent. J'ai écrit quelque part, je me permets de me citer parce que c'est une expression pittoresque et grossière, je dis que nous entrons dans l'avenir à reculons... et c'est précisément ce qu'on appelle l'enseignement de l'histoire. Je crois qu'il ne faut pas s'y fier, il faut se fier à ce qu'on est, à ce qu'on désire fortement, sans se préoccuper des contingences dans lesquelles on est dans l'instant même ; l'instant passe, ce qui ne peut pas passer c'est la volonté de développer en soi toutes les formes, toutes les énergies de toute nature. C'est le désir d'être aussi complet qu'on peut l'être, de ne rien négliger de ce qui peut ajouter quelque chose à la sensation de vivre. Je vous disais que j'estime que tout homme qui vit était, par là même qu'il vit, capable d'une infinité de vies différentes de la sienne, capable de passer par tous autres chemins, d'avoir subi d'autres événements, d'avoir connu d'autres amis, d'avoir essayé d'autres carrières : chacun de nous ne peut exister que parce qu'il est au début une infinité de personnages possibles. Il ne faut pas oublier cela, il ne faut pas se restreindre à ces spécialisations qui consacrent une fois pour toutes ; en quelque sorte, la trop grande restriction de l'être humain. Il faut arriver à sentir toujours, quoi qu'on fasse, à la fois que cela mérite d'être fait aussi bien que possible, mais aussi en même temps — comment dirais-je ? que cela est une partie d'un ensemble beaucoup plus riche que ce que l'on représente soi-même.

*Souvenirs poétiques*

# LÉON BLUM

1872-1950

## 397   *Une salle de spectacle doit être incommode*

Un public est une foule, et ses réactions ressortissent à la psychologie collective. Quand vous êtes pris dans une foule, vous sentez comme elle, vous vibrez comme elle. Bien souvent même, l'entraînement commun vous associera à des sentiments, à des actes qu'une fois rendu à vous-même vous jugerez inexplicables, incompatibles avec votre caractère personnel. Mais, pour que la communication s'opère, pour que le courant s'établisse, une condition est rigoureusement nécessaire, le contact physique. C'est le contact qui agglomère le nombre en foule, la pluralité en collectivité. Pour qu'il y ait foule, il faut «se sentir les coudes»; pour que le courant circule à travers la chaîne humaine, il faut se tenir par les mains. Cette cohésion matérielle, ce contact effectif des corps rendent seuls possible la réaction collective. Et voilà pourquoi une salle de spectacle doit être incommode. Si l'on veut que les spectateurs se condensent en une masse, qu'une âme commune se crée, que de grandes émotions d'ensemble puissent surmonter les apathies individuelles, il faut que de corps à corps on se touche et l'on se sente, il faut que la salle enferme et comprime les individus qu'elle contient jusqu'à les fondre en une personne unique; il faut que l'acteur, de la scène, éprouve devant lui la présence de cet être collectif, qu'il puisse s'adresser à lui, se pencher vers lui, le ramasser de la voix ou de la main.

En se reportant ainsi aux lois élémentaires de la psychologie collective, on lèverait probablement la plupart des difficultés du théâtre, celle, par exemple, qui préoccupait déjà La Bruyère: «D'où vient que l'on rit si librement au théâtre et que l'on a honte d'y pleurer?...» La honte n'y est pour rien, et s'il est moins ordinaire de voir «pleurer tout franchement et de concert» que d'entendre un «ris universel», la cause en est simplement que les larmes sont moins contagieuses que le rire, ou, pour mieux dire, moins impersonnelles. Ce qui est certain, en tout cas, c'est que l'émotion, allât-elle ou non jusqu'aux larmes, dépend, tout comme l'hilarité, de cette espèce de communion matérielle. Et, pour assurer cette communion, rien ne vaudra nos vieilles salles démodées, poudreuses, rétrécies, où le mélange humain peut arriver à la consistance. Qu'on n'espère pas nous troubler avec l'exemple des théâtres étrangers. En Allemagne, en Russie, les théâtres possèdent un public intellectuel, ou visant à l'intellectualité, qui s'assied au théâtre comme à un cours public de Sorbonne. Or, le spectateur peut, sans dommage, demeurer autonome lorsque son jugement moral ou esthétique doit être seul intéressé. Quand il s'agit de musique, cette indépendance matérielle est non seulement possible, mais souhaitable, l'effet dernier de la musique étant d'isoler l'auditeur dans sa rêverie intérieure. Mais pour le théâtre courant de comédie ou de drame, celui qui s'adresse uniquement à la sensibilité, la règle est inéluctable. Que le confort s'arrête à la porte de la salle. En additionnant des spectateurs trop à l'aise, on n'obtiendra jamais un public.

*Le Théâtre et les Mœurs*

## *398* *Le jeune Stendhal*

POUR composer une image plus distincte du jeune Stendhal, tel qu'il arriva de sa province en brumaire an VIII, tentons de rassembler tous ces traits épars. Au physique, des yeux étincelants, une grosse tête lourde et crépue sur un corps malingre. Ce garçon de dix-sept ans avait l'apparence et la fragilité d'une fillette de quatorze. Au moral, «l'expérience d'un enfant de neuf ans et l'orgueil du diable». Il n'a imaginé le monde qu'à travers les romans et il est incapable de s'adapter au monde réel, à la fois par manque d'usage et par défaut de clairvoyance, car le jugement ne peut se former sans cette «éducation des autres» à laquelle ses parents l'ont soustrait. Il est à la fois confiant et méfiant à l'excès: confiant par nature, par illusion romanesque, par besoin d'expansion, d'admiration, d'adoration; méfiant par politique, par nécessité de défense, par habitude de chercher l'arrière-pensée intéressée derrière le conseil qu'on lui donne ou dans la lecture qu'on lui propose. Les hommes méfiants par système sont généralement les plus exposés à l'erreur. Mais quelle source infinie d'écoles et de déceptions quand la méfiance se complique d'abandons juvéniles et se combine avec une totale inexpérience! Plus on calcule, plus l'on se trompe, et c'est l'histoire de Julien Sorel au séminaire. Par-dessus tout, une grande opinion et une constante occupation de soi-même, nées l'une et l'autre de la vie contractée et solitaire, un appétit de bonheur qui n'était qu'un immense besoin de détente, de l'enthousiasme, une aspiration candide vers les tâches nobles, le dégoût du mensonge, de la platitude et de la courtisanerie, et cette sensibilité maladive qui se blesse au sang de ce qui ne fait qu'effleurer les autres... C'était de quoi beaucoup souffrir.

*Stendhal et le Beylisme*

# CHARLES PÉGUY

1873–1914

*399   L'amitié est une opération d'une fois*

L'AMITIÉ est une opération charnelle qui se fait une fois dans la vie. Et qui ne se recommence pas. Je veux dire qu'elle est essentiellement une opération terrienne, une opération de date, une opération temporelle qui se fait, qui s'inscrit une fois, dans une certaine terre, à une certaine date du temps de la vie. C'est une de ces opérations qu'il n'est point donné à l'homme de recommencer, de faire deux fois, d'imiter, de feindre, de controuver, de forger, de faire *comme si*. C'est une de ces opérations qui ont dans la vie de l'homme, dans la carrière de l'homme une valeur unique, un prix incommutable et non interchangeable, un prix unique, un prix inévaluable, sans équivalent, sans contre-partie possible, et pour ainsi dire un prix sans prix. C'est une opération de l'ordre du berceau, de la famille, de la race, de la patrie, du temps, de la date, de tout cet ordre temporel, d'une importance unique, irremplaçable, où l'opération ne se fait qu'une fois.

Car il faut pour la déterminer un recoupement, une intersection : entre la ligne ascendante, verticale, de la race et la ligne horizontale du temps.

Toute amitié, pour chaque homme, est comme une promotion. Elle s'obtient en coupant une certaine race, une certaine histoire, qui monte, à chaque fois par un certain temps, par une certaine date, qui barre.

Et quand on la manque et dans la mesure où on la manque (et on la manque toujours en quelque mesure, comme toute opération humaine) on ne la recommence pas davantage; ça compte pour joué; on n'a tout de même que cette fois-là.

*Les Cahiers de la Quinzaine*

## 400 *Jeanne d'Arc*

IL y eut il ne faut sans doute peut-être pas dire pendant tout le Moyen-Âge, mais pendant tout le règne de la Féodalité il y eut si je puis dire et plus que quelque contrariété et comme une certaine concurrence profonde entre la religion de l'honneur et la religion de Dieu. Soyons assurés que Jeanne d'Arc le sentait très profondément. Elle était trop profondément peuple et trop profondément chrétienne et trop grande et trop profondément sainte pour ne pas le sentir et l'avoir senti très profondément. Elle fut une fleur de vaillance française, de charité française, de sainteté française. Elle fut une fleur de la race chrétienne et de la race française, une fleur de chrétienté, une fleur de toutes les vertus héroïques. On ne peut pas dire, à moins de forcer beaucoup le sens des mots, ou au contraire à moins de se remettre à parler mou, qu'elle fut une fleur de chevalerie. Une vocation trop profonde l'avait marquée. Croyons qu'une sainte marquée à ce point pour tant de grandeur et

pour une vie si profonde, marquée à ce point pour toutes
les vertus, marquée, appelée à ce point pour le ciel avait
mesuré d'avance tout ce qu'il y a de précaire dans un
honneur qui n'est que de ce monde. Elle faillit entrer
plusieurs fois en conflit avec les lois de la guerre, qui
étaient un cas particulier, mais la partie la plus considérable
de la loi de chevalerie. Elle faillit entrer plusieurs fois
formellement en conflit avec les lois de chevalerie. Elle
y entra formellement au moins cette fois, ce jour où ayant
ville prise elle ne voulut point *laisser aller* un paquet de
prisonniers français que les Anglais avaient avec eux dans
la ville, et qu'ils voulaient et devaient emmener, car ils
étaient à eux, autant qu'on peut être à quelqu'un, de par
toutes les lois de la guerre, puisqu'on ne les leur avait pas
rachetés, puisqu'on ne les leur avait pas repayés. Mais les
marchands du Temple aussi avaient payé la patente, les
marchands du Temple aussi étaient en règle. Elle ne s'embarrassait point de tout ça. L'idée de laisser partir tous ces
pauvres gens, d'une ville qu'elle avait prise, lui était monstrueuse. Elle ne s'embarrassa pas de tout son règlement.
Tout ce règlement, qu'elle savait très bien, qu'elle connaissait parfaitement, mais qu'elle connaissait comme
appris, après, qu'elle ne connaissait point d'enfance, de
Domremy, tout d'un coup ne lui pesa plus rien dans les
mains dans un de ces accès de grande charité comme il n'en
a été donné qu'aux plus grands saints. Elle entra dans une
de ces grandes colères blanches, de ces grandes colères
pures qui faisaient trembler une armée. On céda vite, on
céda, on céda, aussitôt on céda. On arrangea tout ça. On
se dépêcha. On les paya aux Anglais. On paya. On ne paya
pas. Tout le monde avait parfaitement compris que ces
gens-là ne s'en iraient pas de là. Les Anglais avaient pourtant capitulé à cette condition qu'ils s'en iraient saufs
*avec leurs biens*. Mais les Anglais aimaient mieux s'en aller.
Quand elle était là, ils aimaient généralement mieux s'en

aller. C'était une habitude qu'elle leur avait fait prendre.
Il y avait en ce temps-là au royaume de France de certaines
heures qui sonnaient où les Anglais avaient envie de s'en
aller. Quand elle entrait dans ces saintes colères, il ne faisait
pas bon. Les Anglais n'en menaient pas large. Les Français
non plus d'ailleurs. Elle avait de ces grandes colères qui
n'ont été données qu'aux très grandes saintes, qui par la
grande colère de Jésus, articulées par la grande colère de
Jésus chassant les marchands du Temple rejoignent dans
le temps les plus grandes colères des plus grands prophètes
du plus grand peuple d'Israël.

*Les Cahiers de la Quinzaine*

# ÉLIE FAURE

1873-1936

*401*      *La peinture chinoise*

HORS des oiseaux, des poissons, des fleurs, des choses qu'il
faut tenir entre les doigts pour les décrire, hors des portraits
directs, purs et nets, dont la pénétration candide étonne,
hors des paravents brodés et des peintures décoratives qui
tremblent de battements d'ailes, la grande peinture chinoise
nous envahit à la façon des ondes musicales. Elle éveille
des sensations intimes et vagues, d'une profondeur sans
limites, mais impossibles à situer, qui passent les unes dans
les autres et s'enflent de proche en proche pour nous
conquérir entièrement sans nous permettre d'en saisir
l'origine et la fin. Les formes chinoises peintes n'ont pas
l'air d'être encore sorties du limon primitif. Ou bien encore
on les dirait apparues à travers une couche d'eau si limpide,
si calme qu'elle ne troublerait pas leurs tons depuis mille
ans saisis et immobilisés sous elle. Pollen des fleurs, nuances
indécises de la gorge des oiseaux, couleurs subtiles qui
montent, avec leur maturité même, de la profondeur des

fruits, les soies peintes de la Chine n'ont rien à voir avec l'objet. Ce sont des états d'âme en présence du monde, et l'objet n'est qu'un signe, d'ailleurs profondément aimé, qui suggère cet état d'âme suivant la façon dont il se comporte et se combine avec les autres objets. La transposition est complète, et constante. Et elle leur permet de peindre ou plutôt d'évoquer des choses jamais vues — des fonds sous-marins par exemple, — avec une poésie si profonde qu'elle crée la réalité. Ainsi, sur une toile de la grandeur d'une serviette où, dans le brouillard du matin, un héron lisse ses plumes, l'espace immense est suggéré. L'espace est le complice perpétuel de l'artiste chinois. Il se condense autour de ses peintures avec tant de lenteur subtile qu'elles semblent émaner de lui. Ils peignent leurs noirs et leurs rouges avec une douceur puissante, et comme s'ils les dégageaient peu à peu de la patine d'ambre sombre qu'ils paraissent avoir prévue et calculée. Des enfants jouent, des femmes passent, des sages et des dieux devisent, mais ce n'est jamais cela qu'on voit. On entend des mélodies paisibles qui tombent sur le cœur en nappes de sérénité.

*L'Art médiéval*

# SIDONIE-GABRIELLE COLETTE

1873–1954

*402*            *La Forêt de Crécy*

A LA première haleine de la forêt, mon cœur se gonfle. Un ancien moi-même se dresse, tressaille d'une triste allégresse, pointe les oreilles, avec des narines couvertes pour boire le parfum...

Le vent se meurt sous les allées couvertes, où l'air se balance à peine, lourd, musqué... Une vague molle de parfum guide les pas vers la fraise sauvage, ronde comme une perle, qui mûrit ici en secret, noircit, tremble et tombe, dissoute lentement en suave pourriture framboisée dont l'arôme enivre, mêlé à celui d'un chèvrefeuille verdâtre, poissé de miel, à celui d'une ronde de champignons blancs... Ils sont nés de cette nuit, et soulèvent de leurs têtes le tapis craquant de feuilles et de brindilles... Ils sont d'un blanc fragile et mat de gant neuf, emperlés, moites comme un nez d'agneau; ils embaument la truffe fraîche et la tubéreuse...

Sous la futaie centenaire, la verte obscurité solennelle ignore le soleil et les oiseaux. L'ombre impérieuse des chênes et des frênes a banni du sol l'herbe, la fleur, la mousse et jusqu'à l'insecte. Un écho nous suit, inquiétant, qui double le rythme de nos pas... On regrette le ramier, la mésange; on désire le bond roux d'un écureuil ou le lumineux petit derrière des lapins... Ici la forêt, ennemie de l'homme, l'écrase.

Tout près de ma joue, collé au tronc de l'orme où je m'adosse, dort un beau papillon crépusculaire dont je sais le nom: lychénée... Clos, allongé en forme de feuille, il attend son heure. Ce soir, au soleil couché, demain, à l'aube trempée, il ouvrira ses lourdes ailes bigarrées de fauve, de gris et de noir. Il s'épanouira comme une danseuse tournoyante, montrant deux autres ailes plus courtes, éclatantes, d'un rouge de cerise mûre, barrées de velours noir; — dessous voyants, juponnage de fête et de nuit qu'un manteau neutre, durant le jour, dissimule...

*Les Vrilles de la Vigne*

### 403 *Scène d'hiver*

Il y avait dans ce temps-là de grands hivers, de brûlants étés. J'ai connu, depuis, des étés dont la couleur, si je ferme les yeux, est celle de la terre ocreuse, fendillée entre les tiges du blé et sous la géante ombelle du panais sauvage, celle de la mer grise ou bleue. Mais aucun été, sauf ceux de mon enfance, ne commémore le géranium écarlate et la hampe enflammée des digitales. Aucun hiver n'est plus d'un blanc pur à la base d'un ciel bourré de nues ardoisées, qui présageaient une tempête de flocons plus épais, puis un dégel illuminé de mille gouttes d'eau et de bourgeons lancéolés... Ce ciel pesait sur le toit chargé de neige des greniers à fourrages, le noyer nu, la girouette, et pliait les oreilles des chattes... La calme et verticale chute de neige devenait oblique, un faible ronflement de mer lointaine se levait sur ma tête encapuchonnée, tandis que j'arpentais le jardin, happant la neige volante... Avertie par ses antennes, ma mère s'avançait sur la terrasse, goûtait le temps, me jetait un cri:

— La bourrasque d'Ouest! Cours! Ferme les lucarnes du grenier!... La porte de la remise aux voitures!... Et la fenêtre la chambre du fond!

Mousse exalté du navire natal, je m'élançais, claquant des sabots, enthousiasmée si du fond de la mêlée blanche et bleu-noir, sifflante, un vif éclair, un bref roulement de foudre, enfants d'Ouest et de Février, comblaient tous deux un des abîmes du ciel... Je tâchais de trembler, de croire à la fin du monde.

Mais dans le pire du fracas ma mère, l'œil sur une grosse loupe cerclée de cuivre, s'émerveillait, comptant les cristaux ramifiés d'une poignée de neige qu'elle venait de cueillir aux mains même de l'Ouest rué sur notre jardin.

*Sido*

## 404  *Sans atours, non sans grâce*

La maison d'Annie est une basse vieille maison à un étage, chaude l'hiver et fraîche l'été, un logis sans atours, non sans grâce. Le petit fronton de marbre sculpté — trouvaille d'un grand-père nourri de bonnes lettres — s'écaille

et moisit, tout jaune, et, sous les cinq marches descellées du
perron, un crapaud chante le soir, d'un gosier amoureux
et plein de perles. Au crépuscule, il chasse les derniers
moucherons, les petites larves qui gîtent aux fentes des
pierres. Déférent, mais rassuré, il me regarde de temps en
temps, puis s'appuie d'une main humaine contre le mur,
et se soulève debout pour happer… j'entends le «mop»
de sa bouche large… Quand il se repose, il a un tel mouvement de paupières, pensif et hautain, que je n'ai pas encore
osé lui adresser la parole… Annie le craint trop pour lui
faire du mal.

Un peu plus tard, vient un hérisson, un être brouillon,
inconséquent, hardi, froussard, qui trotte en myope, se
trompe de trou, mange en goinfre, a peur de la chatte,
et même un bruit de jeune porc lâché. La chatte grise le
hait, mais ne l'approche guère, et le vert de ses yeux
s'empoisonne quand elle le regarde.

Un peu plus tard encore, une délicate chauve-souris, très
petite, me frôle les cheveux. C'est l'instant où Annie
frissonne, rentre et allume la lampe. Je reste encore un peu
pour suivre les cercles brisés de la «rate-volage» qui crisse
en volant, comme un ongle sur une vitre… Et puis je
rentre dans le salon rose de lumière, où Annie brode sous
l'abat-jour.

*La Retraite sentimentale*

# MAX JACOB

1876–1944

*405*        *On servait surtout des desserts*

Il y avait, dans le pays des Balibriges, un roi nommé
Kaboul Ier qui régalait les enfants pauvres tous les ans, le
jour de sa fête: c'était une habitude qu'il avait prise. Le
premier chef des cuisines royales arrivait un mois à

l'avance dans la cour de l'École communale, avec un crayon et un papier, pour parler à l'instituteur.

— Je viens, disait-il, vous demander les noms des meilleurs élèves de la classe; ceux qui ont eu le plus de bons points seront invités à dîner chez le roi.

L'instituteur disait: «Il y a tel, tel et tel!» On n'en prenait jamais plus de trente. La veille de la fête, à quatre heures, cinq carrosses en or attendaient les bons élèves et les amenaient au palais.

Le palais existe encore aujourd'hui et il n'y en a pas de plus beau au monde. Il est sur une colline hors de la ville, à l'endroit où sont les citernes qui fournissent l'eau pure aux habitants. Les chambres y sont telles qu'on y conserve des plantes hautes comme des arbres et qu'elles abritent des bosquets, des colonnes, des aquariums pleins de poissons dorés, des jets d'eau; les jardins sont si grands qu'on y a bâti une quantité de terrasses ou les palmiers et les orangers sortent du marbre, entre des tapis, des tableaux et des bassins.

Au dîner du roi, chacun des enfants avait un valet derrière lui, qui lui proposait des plats; on servait surtout des desserts: des gâteaux feuilletés aux amandes, à la vanille et à la crème, des fleurs roulées dans du sucre, des glaces au marasquin, à la framboise, à la pistache, aux confitures et au jus de cerises, des capilotades de marrons du Pérou, des fruits des tropiques confits, glacés et naturels dans de la neige, dans des parfums, dans des liqueurs en sauce et des sirops au rhum, dans des pâtes transparentes peintes, décorées et façonnées de manière à amuser et à régaler en même temps.

Les élèves de l'école communale n'avaient jamais rien mangé de si bon.

*Histoire du Roi Kaboul I<sup>er</sup> du Marmiton Gauwain*

# PAUL HAZARD

1878-1944

*406*                  *Robinson Crusoe*

Il y avait un vieillard grincheux, morose, qui de tous les
êtres de la terre semblait le moins destiné à plaire aux enfants. Il est vrai qu'il en avait eu huit pour son compte,
fils et filles; mais les fils se débrouillent d'eux-mêmes; et
l'on remplit tout son devoir à l'égard de ses filles quand on
leur donne une dot au moment du mariage: elles savent
bien la réclamer elles-mêmes, les coquines. Ainsi pensait le
vieux De Foe. Comment aurait-il écrit pour les enfants des
autres, lui qui n'aimait pas les siens?

Il écrivait pour gagner de l'argent, c'était l'essentiel. Et
pour continuer à faire parler de lui, ainsi qu'on avait fait
du temps de sa force. Comme on l'avait exalté, critiqué,
calomnié, méprisé, admiré! Ces choses-là ne s'oublient
pas, et même quand on a pris le parti de la retraite, on souhaite que son nom retentisse encore, au moins chez les
libraires de Londres et dans les cafés. Il écrivait pour se
confesser, pour épancher le trop-plein d'une activité que
l'âge ne parvenait pas à tarir. Il s'adressait à tout le monde,
aux gentilshommes, aux bourgeois, aux marchands dont
les navires faisaient commerce sur toutes les routes du
monde, aux femmes qui frissonnent au récit des grandes
aventures; à tout le monde, sauf aux enfants.

Être de ces précepteurs, être de ces pédagogues qui
mouchent les marmots dans les écoles de Londres, non pas.
Sa famille aurait voulu le voir pasteur, et il fit bien sans
doute de ne pas écouter son zèle; il avait, il est vrai, la
haine du papisme, l'horreur de l'église établie, une tendance à moraliser et à sermonner quoi qu'il advînt; mais
il ne distingua jamais nettement la notion du bien de celle
du mal. Il fut marchand, non pas de ceux qui pratiquent

l'ordre et l'économie, vertus mesquines, et qui passent leur vie à travailler petitement derrière leur comptoir; il aima les coups de génie, le jeu, les spéculations qui permettent de gagner une fortune d'un seul coup ou qui la font perdre; il aima l'argent pour le dépenser, fastueux, besogneux et, même dans ses périodes de richesse, toujours gêné. Mais sa plus grande passion fut celle de la politique. Embrasser une cause, la défendre, publier le journal qui tous les matins s'impose à l'opinion, lancer tracts et pamphlets qui blessent l'adversaire à l'endroit sensible, répondre à la violence par la violence, provoquer l'injure, faire de chaque jour une bataille: ah! quelles délices! Cela s'appelle vivre. Le métier a ses vicissitudes: on est au pouvoir, favori des grands et du roi. Le roi meurt, le pouvoir change de mains, tout d'un coup l'on tombe, et pour une brochure qui déplaît à l'autorité, on est mis au pilori, comme ce fut son cas, l'année 1703. Encore eut-il la chance, attaché au poteau, sur la place publique, d'être non pas couvert d'injures et de crachats mais applaudi et acclamé, car le peuple, ce jour-là, fut avec lui. Il ne le fut pas toujours. La pente est dangereuse, peu à peu on en vient à ne plus songer qu'à l'effet produit, au bruit, au succès, à l'argent, sans se préoccuper de la nature de la cause qu'on défend; voire on défend deux causes contraires, d'abord l'une après l'autre, ensuite les deux à la fois. On est agent secret, espion, vendu.

Si bien qu'on se trouve, vers la soixantaine, assez mal en point. On quitte Londres, on renonce à la bataille où l'on est trop vieux pour figurer au premier rang; on s'établit à la campagne, c'est la retraite...

Pas encore. Quand on s'appelle De Foe, il n'est de retraite véritable que la mort. Il noue des intrigues, traite des affaires obscures, se réchauffe le sang en se disputant avec ses filles. Pour entretenir un confort qui lui semble une nécessité première, il reprend la plume et devient romancier.

L'histoire de Selkirk, de ce marin qui vécut quatre ans et quatre mois dans l'île de Juan Fernandez, qui devint quasi sauvage et fut une des curiosités de Londres à son retour — voilà de quoi exciter sa verve. Écrivant sans se relire, et finissant son livre comme une corvée, pour que l'éditeur ait bientôt sa copie, et lui-même son argent, il publie en 1719 *La vie et les aventures étranges et surprenantes de Robinson Crusoe d'York, marin...* Il y a eu, dans le monde entier, peu de livres plus fameux.

Car il a été choisi par le peuple immense des enfants, peuple fidèle et qui n'oublie pas facilement ses dieux. De Foe ne l'avait pas écrit pour les petits? Les petits l'ont pris pour eux, sans cérémonie. Ils ont commencé par le décanter, jusqu'à ce qu'il fut débarrassé des éléments trop lourds que son flot puissant n'entraînait qu'avec peine: ces prêches répétés, ces vérités premières, à savoir que les affaires humaines sont exposées à des changements et à des désastres; que la prospérité dont nous abusons devient souvent la source de nos plus grands malheurs; que la reconnaissance n'est pas une vertu inhérente à la nature humaine; qu'il faut se contenter d'un bonheur moyen, de peur que le Ciel condamne à un échange défavorable celui qui n'est pas satisfait de son sort; toutes réflexions excellentes, mais si lourdement assénées et si nombreuses, qu'elles sont capables d'exciter à mal faire, quand ce ne serait que pour varier un peu.

*Les Livres, les Enfants et les Hommes*

# CHARLES-FERDINAND RAMUZ

1878–1947

407 *M. Renard*

*Commencement de juin 41.* — Il a grandi. On a réussi à l'alimenter plus ou moins, essayant de diverses nourritures dont il dédaigne la plupart, mais il accepte la viande crue et certaines viandes cuites qu'on lui coupe en petits morceaux.

On a essayé de lui donner du mou qui a l'avantage de ne pas coûter cher, mais il s'en détourne avec dédain. Il a fallu lui acheter du bifteck haché. J'en ai pour quatre-vingts centimes par jour.

On a vu qu'il s'ennuyait dans la chambre où on l'avait primitivement enfermé et où il passait ses journées à tourner en rond, dressé sur ses pattes de derrière contre le mur; alors on l'a installé au pressoir, qui ne sert plus, mais où subsiste, avec le treuil et la palanche, une énorme assise en granit, montée sur quatre piliers qui laissent entre eux un vide obscur, bas de plafond, où il s'est enfoncé, ayant tout de suite trouvé là le site qui lui convenait, rocheux, obscur, secret; et y a disparu sous la terre meuble, où il s'est creusé un profond terrier.

On ne conçoit pas qu'une si petite bête soit capable d'un si grand travail.

Il doit y procéder la nuit, parce que, pendant le jour, la porte du pressoir reste ouverte et il ne se hasarde guère hors de son trou, sauf quand il joue dans le jardin; mais, le matin, chaque matin, on voit que le tas des déblais s'est accru et est maintenant tout mêlé de cailloux qu'il arrache avec ses pattes...

Il est extrêmement farouche, sensible au moindre bruit. Il faut beaucoup d'appels et le froissement du papier qu'on déplie (le papier de journal qui enveloppe la viande) pour le décider à paraître. On le voit d'abord passer la tête de derrière le pilier où il a fait son trou; il tourne vers vous deux yeux vifs pleins d'intelligence, qui vous interrogent et les alentours longuement, avant qu'il se décide à sortir. Puis s'avance en rampant sur le ventre, les oreilles couchées en arrière, et pisse abondamment en poussant de petits cris. Il a commencé par glousser comme un poussin; il gémit maintenant par quintes espacées dont on ne voit pas bien la signification; est-ce la faim qu'elles veulent dire, ou le plaisir de revoir la lumière, ou est-ce encore une façon qu'il a de déplorer une injuste captivité?

Pourtant la porte du pressoir reste ouverte tout le jour; M. Renard pourrait s'en aller, s'il voulait, et quand et comme il le voudrait: M. Renard ne s'en va pas. Bien au contraire, il ne sort guère du pressoir que quand il y a quelqu'un pour lui tenir compagnie, mais quelqu'un qu'il connaît et en qui il ait confiance, une personne de la maison, celle particulièrement qui lui apporte à manger; alors il se roule sur le dos, il se laisse caresser, frotter, gratter, brosser, et il en oublie sa viande. Puis tout à coup se précipite sur le petit morceau qu'on en a laissé tomber à côté de lui (quand on la lui présente dans son assiette où cette viande hachée fait masse, il sait mal en tirer parti et s'engoue facilement); puis le voilà parti dans le jardin où commencent des courses éperdues. C'est sous le cognassier; il y a là un carré de gazon qui est tout entouré d'une bordure de hauts iris avec leurs glaives et qui viennent de fleurir; il se jette au travers, on le voit bondir vers ces fleurs violettes haut perchées qui se balancent et l'intriguent, faisant figure de quelque proie à deux pieds au-dessus de lui, retombe; tourne en rond, ventre à terre, et on entend le bruit des tiges qu'il casse; les buissons d'hortensias s'agitent à son passage comme s'ils étaient secoués à leur cime par un grand vent. Et puis se calme tout à coup et revient, les oreilles en arrière: alors on lui jette encore un morceau de viande; et on peut le prendre, on peut le tenir dans ses bras et le bercer comme un enfant.

*Journal*

## 408    *Une autre plénitude*

A MESURE que j'avançais dans la vie, je vois qu'instinctivement j'ai laissé tomber tout ce qui n'était pas mon occupation, ou ma préoccupation essentielle, toutes ces

activités latérales, toutes ces distractions, ces divertissements où la plupart des hommes cherchent l'oubli ou ce
qu'ils croient la plénitude : — mais, moi, je cherchais une
autre plénitude. Et donc plus de «vacances», plus de
voyages, suppression des concerts, par exemple, des visites,
des dîners : rien d'extérieur, replié sur moi-même. Et
j'avais des amis, et j'ai encore des amis, mais je ne vais plus
les voir, ce qui fait qu'ils ne viennent plus me voir ou
rarement; et j'aimais à marcher, et j'aime encore marcher,
mais je ne marche plus que difficilement (ma jambe), ce
qui fait que de plus en plus je suis enfermé matériellement
chez moi, et de plus en plus enfermé en moi-même. Et
c'est bien ce à quoi j'avais tendu inconsciemment, mais il
faut voir qu'une telle concentration (un tel dépouillement)
n'est supportable que quand elle s'opère au bénéfice d'une
chose qui vous dépasse et qu'on juge assez importante
pour y sacrifier tout le reste.

*Journal*

# HENRI FOCILLON

1881–1943

*409*                    *Corot en Italie*

SURTOUT il étudiait la lumière romaine, si limpide dans les
belles saisons intermédiaires, l'automne, le printemps, et
jusque dans les transparentes rigueurs de l'hiver. Nulle
part le ciel n'est à ce point l'espace, nulle part il ne rayonne
avec un plus doux et plus solennel empire, et nulle part non
plus il ne se laisse plus profondément pénétrer. Les ondulations du sol, les lignes et les groupes d'arbres, les monuments bien construits s'étagent avec limpidité sur une série
de plans que les vapeurs des climats du nord laissent moins
aisément paraître. Sur les murailles espacées le soleil se
répercute comme un écho qui s'affaiblit sans mourir, et les

ombres elles aussi, à mesure qu'elles s'éloignent du champ des oppositions fortes, recueillent de plus en plus le reflet du ciel, deviennent plus blondes, ne sont enfin que des accents légers. Ainsi se définit un univers où les choses n'existent qu'en vertu de deux principes : la loi de l'harmonie qui les enchaîne, la loi de la lumière qui les éclaire, l'une étant pour le peintre fonction de l'autre, car la manière dont les formes se lient, s'encadrent et s'ajustent n'est pas indépendante de la manière dont elles répondent à la lumière. Telles sont les délicates correspondances dont Corot étudiait le secret en Italie. Ses aînés, ses jeunes maîtres étaient pleinement capables de bien dessiner cette nature à laquelle les Français d'âme élevée furent toujours très sensibles, mais aucun d'eux ne l'avait encore vraiment peinte, par indifférence optique, par inattention au jeu exquis des valeurs. Les valeurs, c'est-à-dire l'exacte mesure de la lumière à la surface des corps, les valeurs dans leur justesse locale et dans leurs rapports d'ensemble, voilà ce qu'il y a de rare et de personnel dans le paysage de Corot. Ce sont leurs accords qui nous communiquent d'une manière si pénétrante sa poésie intime et qui lui assurent une perpétuelle justesse de ton.

Il avait aussi, dès cette époque, au plus haut degré, le sentiment de l'atmosphère, et ce n'est pas la même chose. La lumière de son art rayonne, non dans l'espace aride des géomètres, mais dans un milieu souple et changeant. On y voit clair, mais on y respire aussi. Même dans cet air léger de l'Italie, la lumière est enveloppe et baigne toutes choses tendrement. L'atmosphère n'est pas brume ou densité, elle ne pèse pas, elle s'interpose, elle établit non seulement des rapports de clair-obscur, mais une plus secrète alliance. Le trait qui la pénètre n'est pas une flèche à trajectoire tendue. En touchant le tranchant des arêtes, il les émousse, et les surfaces nues elles-mêmes, les grands pans désolés où s'installe le soleil, les bâtisses carrées, bien à leur plan,

les minces colonnes blanches, les coupoles rondes, les
peupliers noirs et les cyprès participent à la vie d'un milieu
aérien. Les «lointains» des vieux maîtres en donnaient
quelque idée, mais il arrive qu'ils tournent à ces fades
fraîcheurs, à ces évanouissements de la matière dans un
rose ou dans un bleu qui sentent l'atelier et le procédé,
tandis que des ombres massives, aggravées par les ans, les
encadrent avec tristesse. L'atmosphère de Corot est partout,
elle donne à tout une qualité mystérieuse et précise, un
charme surprenant de vraisemblance et de songe.

*La Peinture au XIXᵉ siècle*

# ROGER MARTIN DU GARD

1881–1958

*410*        « *Jaurès vient d'être assassiné!* »

LA nuit était lourde. L'asphalte empestait. Tout alentour
de la rue Montmartre, les voies étaient noires de piétons.
La circulation était interrompue. Des grappes humaines se
penchaient aux fenêtres. Des passants, qui ne se connaissaient pas, s'interpellaient: — «Jaurès vient d'être assassiné!»

Un cordon de sergents de ville avait à peu près réussi à
faire le vide devant le *Croissant*,[1] et s'efforçait de maintenir
à distance les vagues déferlantes venues des boulevards,
où la nouvelle s'était répandue avec la rapidité d'un court-
circuit.

Comme Jacques et Jenny arrivaient au carrefour, un
détachement de gardes républicains montés débouchait de
la rue Saint-Marc. Le peloton dégagea d'abord l'accès de
la rue des Victoires, jusqu'à la Bourse. Puis il vint se déployer au centre de la place, et caracola quelques minutes,

[1] The café in which Jaurès was assassinated on 31 July 1914

pour refouler les curieux contre les maisons. A la faveur du désordre, — des gens timorés s'échappaient par les rues latérales, — Jacques et Jenny purent se glisser au premier rang. Leurs regards étaient fixés sur la façade du sombre café, dont les volets de fer étaient descendus. Par l'entre-bâillement de la porte, gardée par des sergents de ville, et qui ne s'ouvrait plus que pour le va-et-vient de la police, on apercevait, par instants, la salle violemment éclairée.

Coup sur coup, deux taxis, plusieurs limousines à cocardes, franchirent le barrage. Ceux qui en descendaient, salués par le lieutenant qui dirigeait le service d'ordre, s'engoufffraient précipitamment dans le café, dont la porte se refermait aussitôt. Des gens renseignés murmuraient des noms : «Le Préfet de police... le docteur Paul... Le Préfet de la Seine... Le Procureur de la République... ».

Enfin, par la rue des Victoires, une voiture d'ambulance, dont le timbre clair tintait sans arrêt, s'avança au trot de son petit cheval. Un peu de silence se fit. Les agents placèrent la voiture devant l'entrée du *Croissant*. Quatre infirmiers sautèrent sur la chaussée et entrèrent dans le restaurant, laissant béante la porte arrière du véhicule.

Dix minutes passèrent.

La foule, énervée, piétinait sur place : — «Qu'est-ce qu'ils foutent là-dedans!» — «Faut bien faire les constatations, quoi!»

Soudain, Jacques sentit les doigts de Jenny se crisper sur sa manche. La porte du *Croissant* venait de s'ouvrir à double vantaux. Tout le monde se tut. M. Albert sortit sur le trottoir. L'intérieur du café apparut, illuminé comme une chapelle, et grouillant de sergots noirs. On les vit s'écarter, faire la haie, pour livrer passage à la civière. Elle était recouverte d'une nappe. Quatre hommes, nu-tête, la portaient. Jacques reconnut des silhouettes familières : Renaudel, Longuet, Compère-Morel, Théo Bretin.

Sur la place, tous les fronts, instantanément, se découvrirent. A la fenêtre d'un immeuble, un timide : «Mort à l'assassin ! » jaillit, et monta dans la nuit.

Lentement, dans un silence qui permettait de distinguer le pas des porteurs, la civière blanche franchit le seuil, traversa le trottoir, se balança quelques secondes, et, d'un seul coup, disparut au fond du véhicule. Deux hommes, aussitôt, y montèrent. Un sergent de ville grimpa près du cocher. Puis l'on perçut nettement le bruit de la portière. Alors, tandis que le cheval démarrait, et que la voiture, encadrée par un peloton d'agents cyclistes, s'engageait, en tintant, vers la Bourse, une soudaine, une sourde et houleuse rumeur, couvrit la sonnerie grêle du timbre, et, s'élevant de partout à la fois, délivra enfin ces centaines de poitrines oppressées : — «Vive Jaurès !... Vive Jaurès !... Vive Jaurès !... »

*Les Thibault*

# JEAN GIRAUDOUX

1882–1944

*411*        *«Voicy la saison joyeuse »*

LE printemps vint à l'improviste. Tous les astres de l'hiver scintillèrent quelques semaines au-dessus de feuillages déjà épanouis. Pas de hannetons. Une lune rousse bourdonnante, dépaysée, à laquelle les plus tendres pousses résistaient avec l'entêtement de lauriers centenaires. Plus d'ornières, plus de crevasses, de guérets défoncés. Partout un gazon, un blé, un orge dru et ras ; un enfant au galop pouvait traverser la France sans tomber. Des pluies soudaines rapportaient aux rivières les eaux douces dérobées à l'autre année. Les canaux étaient combles et débordaient chaque matin. Les sourciers, à toute minute égarés, retenant des deux mains leur baguette, arrivaient à des étangs inconnus, à des lacs. Le réservoir des jets d'eau, des fontaines,

avait été remonté sur la plus haute montagne, était
une neige au soleil. Déjà résonnaient à l'aube les détonations lointaines des champs de tir : la guerre était ouverte.
Déjà le poète était étendu sur le dos au milieu de la prairie,
cherchant au-dessus de lui, comme un mineur dans son
couloir, son ouvrage de la journée. Déjà les merles surveil-
laient les fleurs de cerisier, les moineaux les feuilles de
radis... Les lycéennes écartaient leurs fourrures, montraient
leurs visages nouveaux, et les collégiens les regardaient sans
peur, désireux de les épouser. Les jardiniers ouvraient
leurs serres, les gardiens leurs musées, on allait rapporter
chaque palmier, chaque tableau dans son bosquet habituel...
Seuls, dépassant les taillis de cent coudées, restaient
fidèles à l'hiver les grands arbres, les ormes, les platanes,
les chênes. On ne leur en voulait pas ; on savait que dans
six mois, géants lents à comprendre, ils resteraient fidèles
à l'automne.

*Simon le Pathétique*

### 412    *L'heure de la salade*

Moïse aussi, à tous les dîners, et même en invité chez
des hôtes qui flattaient discrètement cette manie, prétendait faire la meilleure salade du monde. Ce spectacle
avait toujours paru à Églantine une espèce de comédie,
et il lui était pénible, car toutes les qualités qu'elle jugeait
le propre de Moïse, son dédain de l'humanité, son génie
à lire dans le cœur des autres, étaient remplacés à l'heure
de la salade par l'enfantillage et la cécité. De la minute
où était apporté devant lui le saladier, coupe en cristal
pur qui ne laissait pas plus perdre aux regards un détail de
l'opération qu'une cornue, jusqu'au moment où la dernière
feuille de salade disparaissait non sans hoquet dans le
gosier de l'invité auquel les crudités sont défendues, la
flatterie, la fausse indépendance, la fausse rudesse, sentant

Moïse incapable de les distinguer de la vérité et de l'amitié, sévissaient autour de la table. Il était d'abord émis des doutes sur la possibilité d'une réussite aussi complète que celle du dernier repas. Un général qui n'avait jamais menti et qui eût donné sa vie pour de la fine 48, prétendait que la salade bien faite est ce qu'il y a de meilleur au monde. Un ministre languedocien qui n'avait jamais cédé un pouce de ses convictions, tenait tête au général une minute par l'éloge des cailles au raisin, arrosées de vrai Narbonne, puis se rendait, se rendait à la salade. Quand Moïse réclamait l'huile spéciale, qu'on apportait dans des burettes Louis XIII, ainsi qu'un chrème, quelque chose comme ce sourire angoissé qui flotte sur les lèvres des femmes à la mort de Tristan, apparaissait sur les lèvres de sa voisine. Les plus habiles, affectant une sévère franchise, penchaient pour le vinaigre de vin, afin de pouvoir s'avouer vaincus tout à l'heure, car Moïse faisait la salade au citron. Il y ajoutait de l'estragon, des épices. Il la remuait lui-même avec des cuillers d'or. De longues discussions éclataient, les mêmes que la dernière fois, semblables à des versets, entre les adoratrices de la romaine et les amateurs de batavia. Des allusions aigres douces étaient faites au talent de Colette, qui mangeait les cœurs de salade nature : Chéri était bien surfait. On tirait au clair l'origine et le meilleur emploi du sel, du poivre. Entre les Indes et Cayenne, entre les mines de gemme et les marais salants, des combats de préséance s'élevaient, tranchés par Moïse. Cette mission de chef de tribu, de roi en famille, de prophète, qui avait été refusée à Moïse pour les autres actes de sa vie, et qu'il eût d'ailleurs déclinée, il la revendiquait au repas, au moment de la salade, du mets qu'on ne tranche pas. Dans cette occasion seule il témoignait d'une autorité impatiente, imposant silence à quelque nouvel initié, qui voulait parler de Lavallière au couvent ou de la fréquence des incendies dans les wagons de chevaux de course, sensible au moindre intérêt et cruel à la moindre indifférence, comme si c'était lui, et non les invités, qui devait souffrir, mourir, si le mélange était raté. Puis, passée parfois de main en main pour éviter l'entremise des laquais, qui trouvaient pour la présenter, le jour où ils recevaient cette faveur, des courbettes inconnues pour le Château Lafitte, cette herbe, comme une herbe ensorcelée, obligeait les convives les plus entêtés à la louer, à louer le poivre, à louer Cayenne, à louer Moïse. Un concert d'éloges s'élevait, coupé soudain par le silence de cette assemblée qui paissait comme un troupeau, soudain végétarienne et pour peu qu'on l'eût voulu, ruminante, et dans ce bruit de prairie, Moïse, son humilité et son orgueil satisfaits, sentait monter en lui une immense pitié pour les humains, brebis à bijoux et à monnaie, et dans ce jeu des mâchoires sur les fibres végétales, lui apparaissaient sur la tête des invités les places où poussent les cornes, les oreilles mobiles. Puis l'on changeait les assiettes, et les convives s'attaquaient avec un faux mépris aux aliments que Moïse n'avait pas preparés lui-même, le Pont l'Évêque et le champagne brut. Seule Églantine, toute droite en face du maître, faisait effort pour aimer cette faiblesse d'un homme qui ne pouvait en avoir, tentait même de lui savoir gré de voiler d'une feuille de salade cet orgueil, cette sincérité féroce.

*Églantine*

# JACQUES MARITAIN
(1882–    )

413        *Art et Moralité*

En fait... il ne peut pas y avoir d'œuvre d'art purement «gratuite», — l'univers excepté. Non seulement notre acte de création artistique est ordonné à une fin dernière, vrai Dieu ou faux dieu, mais il est impossible qu'il ne concerne

pas, à cause du milieu où il trempe, certaines fins prochaines intéressant l'ordre humain; l'ouvrier travaille pour
un salaire, et l'artiste le plus désincarné a quelque souci
d'agir sur les âmes et de servir une idée, serait-ce seulement
une idée esthétique. Ce qui est requis, c'est la parfaite discri-
mination pratique entre la fin de l'ouvrier (*finis operantis*,
disaient les scolastiques), et la fin de l'ouvrage (*finis operis*):
en sorte que l'ouvrier travaille pour son salaire, mais que
l'ouvrage ne soit réglé et posé dans l'être qu'en ordre à son
propre bien à lui, nullement en ordre au salaire; en sorte
que l'artiste travaille pour toutes les intentions humaines
qu'il lui plaira, mais que l'œuvre prise en elle-même ne
soit faite, construite et membrée que pour sa propre beauté.

... Bien des questions se simplifieraient, si l'on distinguait
l'art lui-même et ses conditions matérielles ou subjectives.
L'art est quelque chose de l'homme, comment ne dépen-
drait-il pas des dispositions du sujet où il se trouve? Elles
ne le constituent pas, mais elles le conditionnent.

Ainsi par exemple l'art comme tel est *supra tempus* et
*supra locum*, il transcende comme l'intelligence toute limite
de nationalité, et il n'a sa mesure que dans l'amplitude
infinie de la beauté. Comme la science, la philosophie, la
civilisation, par sa nature et par son objet propres il est
universel.

Mais il ne réside pas dans une intelligence angélique, il
est subjecté dans une âme qui est la forme substantielle
d'un corps vivant, et qui par la nécessité naturelle où elle
est d'apprendre et de se perfectionner difficilement et peu
à peu, fait de l'animal qu'elle anime un animal naturellement politique. L'art est ainsi foncièrement dépendant de
tout ce que la race et la cité, la tradition spirituelle et
l'histoire envoient au corps de l'homme et à son intelligence. Par son sujet et par ses racines, il est d'un temps et
d'un pays.

Voilà pourquoi les œuvres les plus universelles et les plus humaines sont celles qui portent le plus franchement la marque de leur patrie. Le siècle de Pascal et de Bossuet fut un siècle vigoureusement national. Au temps des grandes victoires pacifiques de Cluny, et au temps de Saint Louis, il y eut sur la chrétienté un rayonnement intellectuel français, — mais d'abord catholique, — et c'est alors que le monde connut la plus pure et la plus libre internationale de l'esprit, et la culture la plus universelle.

Il apparaît ainsi que l'attachement au milieu naturel, *politique et territorial*, d'une nation est une des conditions de la vie propre et donc de l'universalité même de l'intelligence et de l'art; tandis qu'un culte *métaphysique et religieux* de la nation, qui essaierait d'asservir l'intelligence à la physiologie d'une race ou aux intérêts d'un État, met en péril de mort l'art et toute vertu de l'esprit.

*Art et Scolastique*

# JULES SUPERVIELLE
1884-1960

*414*    *Orphée*

ORPHÉE trop épris de musique en oubliait son épouse. Et celle-ci était aimée en secret par un berger brutal du nom d'Aristhée qui depuis longtemps avait tué en lui toute musique.

Une fois qu'il poursuivait Eurydice dans les lagunes et les joncs, elle fut piquée à mort par un serpent issu de la nuit même et qui en résumait les surprises et la perfidie.

Et voilà Orphée qui accourt de très loin guidée par son cœur enfin réveillé. L'encens des funérailles achève de tirer son amour de sa torpeur. Dévoré de silence devant le corps inerte de sa femme, le poète décide de se taire à jamais et ne répond même pas aux questions que lui posent

les dieux. Toute musique, toute parole lui paraît désormais
profanante.

Les dieux ne purent supporter longtemps d'être privés
de cette voix si pure qu'elle liait la terre au ciel sans effort,
dans la plus grande délicatesse.

Orphée fut autorisé à aller chercher sa morte ressuscitée
et à la sortir des enfers, en la précédant, le regard fixé sur
la porte des Ombres. Mais à quelques pas à peine de la
délivrance, le plus humain des poètes ne put s'empêcher,
malgré la divine défense, de tourner la tête vers son aimée.
Tout d'abord, il ne vit pas que son geste venait de faire
disparaître son épouse mais presque aussitôt il se mit à
chanter une chanson si triste qu'il n'y avait plus de place
au monde, après elle, pour Eurydice.

Cruellement éclairé par sa propre musique, il se déses-
pérait d'avoir si mal aimé son épouse, et, dans son
délire, l'animateur des rochers rassemblait en grande hâte
des strophes accourues des lointains de lui-même pour
tenter, malgré tout, de remettre en mouvement le cœur
d'Eurydice, devenu de pierre.

Mais déjà le vent de la mort poussait Orphée à bonne
distance des enfers.

Les Bacchantes, qui haïssaient la musique et la poésie
où les sens étanchent leur soif aux dépens de la lubricité,
s'étaient échelonnées à la sortie des enfers pour guetter le
poète sur le bord de la route, comme un horrible cordon de
police aux mamelles vindicatives.

Aussi belles que féroces, elles pensaient que si la première
ne parvenait pas à séduire Orphée, la seconde le ferait, ou
la troisième, ou la vingtième qui cachait deux poignards.

Et comme Orphée passait devant elles sans même les
voir, elles se précipitèrent sur lui toutes ensemble et
l'égorgèrent devant la mer.

Le poète réduit à sa tête tranchée mais encore musicienne,
et à sa lyre surnageante, continuait de chanter à voix

basse son amour pour Eurydice. Ses lèvres murmuraient, plusieurs heures après sa mort, des images neuves, de beaux accents que nul ne pouvait entendre sinon les poètes à venir.

La lyre toute proche et qui se voulait encore docile, sans mains pour la mettre en branle, mue par le souffle inter-mittent de l'esprit, jouait maintenant toute seule et comme de mémoire, d'une mémoire en lambeaux.

Et parfois elle s'éloignait un peu sur la houle de la mer, ou bien elle se rapprochait de la tête d'Orphée, jusqu'à la toucher.

*Les Premiers Pas de l'Univers*

# ROBERT KEMP

1885-1959

*415* « *Et Sainte-Beuve ?* »

Qu'importe qu'il ait eu le visage chafouin, le cheveu rare et roux, l'âme rancuneuse, le cœur pas toujours brave ? Qu'il se soit tapi dans son feuilleton comme un serpent dans un buisson de roses, et gorgé, en même temps que de ses vérités, de poisons qui l'ont tué prématurément, et lui faisaient plus de mal qu'à ses victimes, — lesquelles se portent parfois assez bien ? L'envers ne valait pas l'endroit ? C'est entendu. Personne ne défend l'amant d'Adèle Hugo. Sauf André Billy[1] qui, au fond, a peut-être raison, car on ne tient pas assez compte de sa laideur, des désirs, par force refoulés, de ce sentimental et de ce sensuel. Être laid, avoir de petits yeux bordés de rouge, être écon-duit par les jolies femmes qu'il eût adorées, âme et chair, — sauf par une seule, une égarée, qui cherchait près de lui une revanche clandestine ; — être un raffiné, un délicat, et ne posséder, en esprit, que des mortes. Savoir ce que

---

[1] Novelist and critic (b. 1882), author of *Vie de Sainte-Beuve* (1952)

l'on vaut, — se connaître trop bien soi-même, — et quêter des illusions, de courts vertiges, jusqu'à la soixantaine, — mais pas longtemps après, puisqu'il meurt à soixante-cinq ans, — dans des amours, si l'on peut dire, ancillaires, à relent de graillon ou de savon à bon marché. Faire le difficile et le réticent devant l'imprimé, et se contenter, si peu, et si mal, de filles faciles, muettes de bêtise ou dévideuses de vulgarités...

Le martyre de Sainte-Beuve, au milieu des Lamartine, des Musset, des Flaubert! Envier peut-être la négresse de Baudelaire et les jeunes bonnes de Hugo, et la rayonnante Juliette, tous les régals du grand goinfre. Rôder autour du bonheur des autres; constater que la beauté obstinée de madame Récamier fait oublier qu'elle vieillit; surprendre les succès de Gautier auprès des danseuses; apprécier l'enlèvement de la belle et noble ardente comtesse d'Agoult par Liszt, rayonnant et chevelu, génial jusqu'au bout des doigts... Gagner, chaque semaine, après de longues recherches et un effort de méditation héroïques, — et les exigences, ensuite, de son amour pour un langage clair et léger, et ses infinis scrupules d'artiste qui se veut digne de ses modèles, — deux cent cinquante francs! Achever son séjour sur terre dans un étroit logement de la rue du Montparnasse, tracassé d'incommodités peu flatteuses. En vérité, on ne peut envier à Sainte-Beuve que son intelligence et sa gloire. Triste séjour sur terre, dans les livres. Son amertume était légitime. Si elle a gâté son caractère et son œuvre, — l'œuvre moins qu'on ne le dit: comptez les pages! — pardonnons vite.

Ce dont nous aurions besoin, c'est d'une statistique des erreurs de Sainte-Beuve, comparée à celle de ses réussites, de ses divinations. Les erreurs sont saillantes, mais peu nombreuses; les jugements justes et les heureuses découvertes fourmillent.

On pourrait le pasticher, et parler à peu près ainsi :

« Aimer Sainte-Beuve, c'est aimer la raison de Descartes, finement insinuée dans les mailles du sentiment; ne pas préférer le bon sens à tout, mais le souhaiter partout. Aimer Sainte-Beuve, c'est souhaiter d'acquérir un savoir solide, mais léger, et qui ne gâte jamais le plaisir de lire, ni ne rompe le contact, âme à âme, avec les écrivains. Goûter, plus que le flash du sunlight, une lumière égale et douce, sur les pages du livre, éclairant les lignes et les interlignes. Aimer Sainte-Beuve, c'est se pencher avec prédilection sur les *Correspondances* et les *Mémoires*, où l'homme se confesse avec un peu plus de loyauté, ou du moins de netteté, que dans des vers et des romans. Aimer Sainte-Beuve, c'est avoir le goût des découvertes, dans le fin fond des caractères. C'est aussi vouloir conquérir des amis, après les avoir bien choisis, pour leurs menues vertus et leur bon ton, leurs élégances morales, plutôt que pour des mérites turbulents et qui sautent aux yeux de la foule. Aimer Sainte-Beuve, c'est, beaucoup, aimer les femmes d'esprit, les amants mélancoliques, secrets, ni vantards ni tapageurs. Aimer Sainte-Beuve, c'est être «amateur d'âmes», sans exiger qu'elles soient faisandées, ni se détourner pourtant lorsqu'elles exhalent un fumet troublant, aux narines subtiles. C'est aimer de passer des heures et des heures en bonne compagnie, quand tout se tait à l'entour; à l'heure de fantômes. Aimer Sainte-Beuve, c'est se méfier des *coruscances* du langage, se plaire aux jeux du prisme, dont les sept couleurs, par les bords, se fondent l'une dans l'autre, chacune préparant l'éclat de sa voisine. C'est aller vers le rêve, plutôt qu'au-devant des réalités brutales. Aimer Sainte-Beuve, c'est sans doute être un peu timide, et préférer la plaine aux«grands vieux monts horribles »... Aimer Sainte-Beuve, c'est chercher des plaisirs lents et modérés, qui ne risquent pas de faire mourir de congestion, ni d'infarctus. C'est être «vieille France», errer à loisir dans une foule de jeunes spectres qui parlent bien, sentent bon, et trouvent le moyen de n'être ni papelards ni grossiers. Aimer Sainte-Beuve, c'est sûrement aimer Virgile, et, avec un rien de méfiance, Benjamin Constant. Aimer Sainte-Beuve, c'est acquérir une insatiable curiosité. Elle mènera loin de lui : jusqu'à Stendhal ; et Mallarmé peut-être ; jusqu'à Proust sûrement ; à Valéry ce n'est que probable ; jusqu'à Apollinaire, — point d'interrogation ; — jusqu'à Éluard, à son intimisme, plus certainement... Aimer Sainte-Beuve, c'est aimer la critique comme un art de finesse, comme on aime les pastels de La Tour ou les portraits de Clouet. »

Mais voilà bien des mots superflus. Il suffisait d'écrire « Sainte-Beuve ». Tout est dans ce nom, féminin et feutré, un peu sifflant au départ, dès son initiale de serpent.

*Neuf Siècles de littérature française*

## FRANÇOIS MAURIAC

(1885- )

*416*      *Les étés qui vont venir*

AUTANT qu'il ait plu, le sable d'Argelouse ne retient aucune flaque. Au cœur de l'hiver, il suffit d'une heure de soleil pour impunément fouler, en espadrilles, les chemins feutrés d'aiguilles, élastiques et secs. Bernard chassait tout le jour, mais rentrait pour les repas, s'inquiétait de Thérèse, la soignait comme il n'avait jamais fait. Très peu de contrainte dans leurs rapports. Il l'obligeait à se peser tous les trois jours, à ne fumer que deux cigarettes après chaque repas. Thérèse, sur le conseil de Bernard, marchait beaucoup : « L'exercice est le meilleur apéritif. »

Elle n'avait plus peur d'Argelouse ; il lui semblait que les pins s'écartaient, ouvraient leurs rangs, lui faisaient signe de prendre le large. Un soir, Bernard lui avait dit :

« Je vous demande d'attendre jusqu'au mariage d'Anne; il faut que tout le pays nous voie, une fois encore, ensemble; après, vous serez libre. » Elle n'avait pu dormir, durant la nuit qui suivit. Une inquiète joie lui tenait les yeux ouverts. Elle entendit à l'aube les coqs innombrables qui ne semblaient pas se répondre: ils chantaient tous ensemble, emplissaient la terre et le ciel d'une seule clameur. Bernard la lâcherait dans le monde, comme autrefois dans la lande cette laie qu'il n'avait pas su apprivoiser. Anne enfin mariée, les gens diraient ce qu'ils voudraient: Bernard immergerait Thérèse au plus profond de Paris et prendrait la fuite. C'était entendu entre eux. Pas de divorce ni de séparation officielle; on inventerait, pour le monde, une raison de santé (« elle ne se porte bien qu'en voyage »). Il lui réglerait fidèlement ses gemmes, à chaque Toussaint.

Bernard n'interrogeait pas Thérèse sur ses projets: qu'elle aille se faire pendre ailleurs. « Je ne serai tranquille, disait-il à sa mère, que lorsqu'elle aura débarrassé le plancher. » — « J'entends bien qu'elle reprendra son nom de jeune fille... N'empêche que si elle fait des siennes, on saura bien te retrouver. » Mais Thérèse, affirmait-il, ne ruait que dans les brancards. Libre, peut-être, n'y aurait-il pas plus raisonnable. Il fallait, en tous cas, en courir la chance. C'était aussi l'opinion de M. Larroque. Tout compte fait, mieux valait que Thérèse disparût; on l'oublierait plus vite, les gens perdraient l'habitude d'en parler. Il importait de faire le silence. Cette idée avait pris racine en eux et rien ne les en eût fait démordre: il fallait que Thérèse sortît des brancards. Qu'ils en étaient impatients!

Thérèse aimait ce dépouillement que l'hiver finissant impose à une terre déjà si nue; pourtant la bure tenace des feuilles mortes demeurait attachée aux chênes. Elle découvrait que le silence d'Argelouse n'existe pas. Par les temps les plus calmes, la forêt se plaint comme on pleure sur soi-même, se berce, s'endort et les nuits ne sont qu'un indéfini chuchotement. Il y aurait des aubes de sa future vie, de cette inimaginable vie, des aubes si désertes qu'elle regretterait peut-être l'heure du réveil à Argelouse, l'unique clameur des coqs sans nombre. Elle se souviendra, dans les étés qui vont venir, des cigales du jour et des grillons de la nuit. Paris : non plus les pins déchirés, mais les êtres redoutables ; la foule des hommes après la foule des arbres.

Les époux s'étonnaient de ce qu'entre eux subsistait si peu de gêne. Thérèse songeait que les êtres nous deviennent supportables dès que nous sommes sûrs de pouvoir les quitter. Bernard s'intéressait au poids de Thérèse, — mais aussi à ses propos : elle parlait devant lui plus librement qu'elle n'avait jamais fait : «A Paris... quand je serai à Paris...». Elle habiterait l'hôtel, chercherait peut-être un appartement. Elle comptait suivre des cours, des conférences, des concerts, «reprendre son éducation par la base». Bernard ne songeait pas à la surveiller ; et, sans arrière-pensée, mangeait sa soupe, vidait son verre. Le docteur Pédemay, qui parfois les rencontrait sur la route d'Argelouse, disait à sa femme : «Ce qu'il y a d'étonnant, c'est qu'ils n'ont pas du tout l'air de jouer la comédie.»

*Thérèse Desqueyroux*

# JULES ROMAINS

(1885– )

*417*       *Contre-attaque au Mort-Homme*

SOUDAIN, une rumeur passa :

— Il paraît que nous allons contre-attaquer. Les Boches ont encore avancé. Ils vont descendre de ce côté-ci du Mort-Homme... Les chasseurs ont perdu des tranchées... C'est nous qui devons les reprendre.

Puis il y eut un temps d'une longueur infinie. Le bombardement, qui avait repris, s'éparpillait maintenant de

tous les côtés. Les obus, avec tous leurs noms, avec tous
ces chiffres magiques et glaçants qui leur servent de noms,
avec leurs bruits qui ne se ressemblent pas mais où l'on se
perd, avec leurs fumées qui diffèrent aussi comme les champignons vénéneux, avec leurs odeurs qui se mélangent
toutes, vous donnaient l'impression qu'ils éclataient en
même temps dans les airs, dans la terre, dans l'intérieur
de votre ventre. Et ce triste, triste pays devant vous, qu'on
aperçoit par une petite brèche du parapet (bien défendu
surtout de passer la tête en-dessous). Ce triste pays, malgré
le soleil, tout nu, tout grisâtre; qui s'en va devant vous vers
l'ennemi en faisant des ondulations très lentes. C'est là
en face qu'il faudra monter. Là où le sol est à chaque instant
arraché par un obus. Et la fumée sort du sol, comme si
un crochet, coup après coup, tirait la laine d'un matelas.
Et il faudra marcher tout le long de cette pente perforée
par les obus, ratissée par les mitrailleuses. Pourvu que cela
n'arrive pas! Pourvu que l'ordre de partir ne vienne jamais!
Il y a des choses comme cela, des chances de la dernière
minute. Que les Boches, trop épuisés, ou trop marmités
par notre artillerie (car elle tape dur notre artillerie, les 75,
les 155, et le reste) se mettent à reculer tout seuls. Ou que
les chasseurs aient l'amour-propre de vouloir reprendre
eux-mêmes les tranchées qu'ils ont perdues. Ou que, pour
une raison ou une autre, le commandement change d'avis...
Pétain, ça se sait, ne veut pas qu'on sacrifie les hommes.

Alors, on voit le lieutenant Voisenon de Pelleriès
enfiler ses gants, lisser son peu de moustache. Il tire son
épée (car, depuis ce matin, il a mis son épée); il crie, de sa
voix courtoise:

— Mes amis, c'est à nous!

Puis, en franchissant le parapet:

— Vive la nation! Vive la République!

Les petits crient, comme on crie dans les rêves, sans
être bien sûrs que le son réussit à sortir. Ils s'élancent,

assez facilement, parce que le but est encore très loin, et que la mitraille ne se concentre pas encore sur eux. Le lieutenant entonne la Marseillaise. Alors, ils font leur possible pour chanter la Marseillaise. De temps en temps, interrompant la Marseillaise, le lieutenant leur crie :

— Faites comme moi ! Couchez-vous.

Lui ne se couche qu'à moitié ; il les surveille du coin de l'œil. Eux se couchent tout à fait.

Quelques-uns commencent à tomber. Les camarades, parfois, ne s'en aperçoivent pas ; parfois, les regardent tomber ; mais sans tout à fait y croire. Ils retrouvent un vers de la Marseillaise ; ils le crient au petit bonheur. Ils ne savent pas si c'est le même que chante le lieutenant ; le même que crient les camarades.

— Attention, mes amis. Il y a un barrage d'artillerie à traverser... Faites comme moi... Courbez le corps tant que vous pouvez, et jetez-vous à toute vitesse... Ne vous couchez de nouveau que cinquante mètres plus loin.

Wazemmes ravale le morceau de Marseillaise qui lui tournait dans la gorge pour répéter à «ses hommes» :

— Faites comme moi !... A toute vitesse...

Il se lance lui-même, le plus courbé qu'il peut, mais aussi le plus vite qu'il peut. Le bruit est épouvantable.

— Ho !

Il n'a même pas une seconde pour se dire qu'il vient d'être touché, qu'il souffre affreusement, et que c'est fini.

*Verdun*

# ALAIN-FOURNIER

1886–1914

*418*      *Le pauvre pierrot*

ENFIN glissa lentement, entre les rideaux, la face — sillonnée de rides, tout écarquillée tantôt par la gaieté tantôt par la détresse, et semée de pains à cacheter ! — d'un long pierrot en trois pièces mal articulées, recroquevillé sur son ventre comme par une colique, marchant sur la pointe des pieds comme par excès de prudence et de crainte, les mains empêtrées dans des manches trop longues qui balayaient la piste.

Je ne saurais plus reconstituer aujourd'hui le sujet de sa pantomime. Je me rappelle seulement que dès son arrivée dans le cirque, après s'être vainement et désespérément retenu sur les pieds, il tomba. Il eut beau se relever; c'était plus fort que lui; il tombait. Il ne cessait pas de tomber. Il s'embarrassait dans quatre chaises à la fois. Il entraînait dans sa chute une table énorme qu'on avait apportée sur la piste. Il finit par aller s'étaler par delà la barrière du cirque jusque sur les pieds des spectateurs. Deux aides racolés dans le public à grand'peine, le tiraient par les pieds et le remettaient debout après d'inconcevables efforts. Et chaque fois qu'il tombait, il poussait un petit cri, varié chaque fois, un petit cri insupportable, où la détresse et la satisfaction se mêlaient à doses égales. Au dénouement, grimpé sur un échafaudage de chaises, il fit une chute immense et très lente, et son ululement de triomphe strident et misérable durait aussi longtemps que sa chute, accompagné par les cris d'effroi des femmes.

Durant la seconde partie de sa pantomime, je revois, sans bien m'en rappeler la raison, «le pauvre pierrot qui tombe» sortant d'une de ses manches une petite poupée bourrée de son et mimant avec elle toute une scène tragi-comique. En fin de compte, il lui faisait sortir par la bouche tout le son qu'elle avait dans le ventre. Puis, avec de petits cris pitoyables, il la remplissait de bouillie et au moment de la plus grande attention, tandis que tous les spectateurs, la lèvre pendante, avaient les yeux fixés sur la fille visqueuse et crevée du pauvre pierrot, il la saisit soudain par un bras et la lança à toute volée, à travers les spectateurs, sur la figure de Jasmin Delouche, dont elle ne fit que mouiller

l'oreille pour aller ensuite s'aplatir sur l'estomac de M<sup>me</sup>
Pignot, juste au-dessous du menton. La boulangère poussa
un tel cri, elle se renversa si fort en arrière et toutes ses
voisines l'imitèrent si bien que le banc se rompit et la boulangère, Fernande, la triste veuve Delouche et vingt autres
s'effondrèrent, les jambes en l'air, au milieu des rires, des
cris, et des applaudissements, tandis que le grand clown,
abattu la face contre terre, se relevait pour saluer et dire :
— Nous avons, Messieurs et Mesdames, l'honneur de vous
remercier !

*Le Grand Meaulnes*

*419*                     *Le chemin de l'aventure*

LA merveilleuse promenade !... Dès que nous eûmes passé
le Glacis et contourné le Moulin, je quittai mes deux compagnons, M. Seurel dont on eût dit qu'il partait en guerre
— je crois bien qu'il avait mis dans sa poche un vieux
pistolet — et ce traître de Mouchebœuf.

Prenant un chemin de traverse, j'arrivai bientôt à la
lisière du bois — seul à travers la campagne pour la première
fois de ma vie comme une patrouille que son caporal a
perdue.

Me voici, j'imagine, près de ce bonheur mystérieux que
Meaulnes a entrevu un jour. Toute la matinée est à moi
pour explorer la lisière du bois, l'endroit le plus frais et le
plus caché du pays, tandis que mon grand frère aussi est
parti à la découverte. C'est comme un ancien lit de ruisseau.
Je passe sous les basses branches d'arbres dont je ne sais
pas le nom mais qui doivent être des aulnes. J'ai sauté tout
à l'heure un échalier au bout de la sente, et je me suis
trouvé dans cette grande voie d'herbe verte qui coule
sous les feuilles, foulant par endroits les orties, écrasant
les hautes valérianes.

Parfois mon pied se pose, durant quelques pas, sur un

banc de sable fin. Et dans le silence, j'entends un oiseau —
je m'imagine que c'est un rossignol, mais sans doute je
me trompe, puisqu'ils ne chantent que le soir — un oiseau
qui répète obstinément la même phrase : voix de la matinée,
parole dite sous l'ombrage, invitation délicieuse au voyage
entre les aulnes. Invisible, entêté, il semble m'accompagner
sous la feuille.

Pour la première fois me voilà, moi aussi, sur le chemin
de l'aventure. Ce ne sont plus des coquilles abandonnées
par les eaux que je cherche, sous la direction de M. Seurel,
ni des orchis que le maître d'école ne connaisse pas, ni
même, comme cela nous arrivait souvent dans le champ du
père Martin, cette fontaine profonde et tarie couverte d'un
grillage, enfouie sous tant d'herbes folles qu'il fallait chaque
fois plus de temps pour la retrouver... Je cherche quelque
chose de plus mystérieux encore. C'est le passage dont
il est question dans les livres, l'ancien chemin obstrué,
celui dont le prince harassé de fatigue n'a pu trouver l'entrée.
Cela se découvre à l'heure la plus perdue de la matinée,
quand on a depuis longtemps oublié qu'il va être onze
heures, midi... Et soudain en écartant, dans le feuillage
profond, les branches, avec ce geste hésitant des mains
à hauteur du visage inégalement écartées, on l'aperçoit
comme une longue avenue sombre dont la sortie est un
rond de lumière tout petit.

Mais tandis que j'espère et m'enivre ainsi, voici que
brusquement je débouche dans une sorte de clairière, qui
se trouve être tout simplement un pré. Je suis arrivé
sans y penser à l'extrémité des Communeaux, que j'avais
toujours imaginée infiniment loin. Et voici à ma droite,
entre des piles de bois, toute bourdonnante dans l'ombre,
la maison du garde. Deux paires de bas sèchent sur l'appui
de la fenêtre. Les années passées, lorsque nous arrivions à
l'entrée du bois, nous disions toujours, en montrant un
point de lumière tout au bout de l'immense allée noire :

«C'est là-bas la maison du garde; la maison de Baladier.»
Mais jamais nous n'avions poussé jusque-là. Nous entendions dire quelquefois, comme s'il se fût agi d'une expédi-
tion extraordinaire : «Il a été jusqu'à la maison du garde!...»
    Cette fois, je suis allé jusqu'à la maison de Baladier, et je
n'ai rien trouvé.

*Le Grand Meaulnes*

# MARC BLOCH

1886-1944

420                *Dilexit veritatem*

Où que je doive mourir, en France ou sur la terre étrangère
et à quelque moment que ce soit, je laisse à ma chère
femme ou, à son défaut, à mes enfants le soin de régler
mes obsèques, comme ils le jugeront bon. Ce seront des
obsèques purement civiles : les miens savent bien que je
n'en aurais pas voulu d'autres. Mais je souhaite que, ce
jour-là — soit à la maison mortuaire, soit au cimetière —
un ami accepte de donner lecture des quelques mots que
voici :
    Je n'ai point demandé que, sur ma tombe, fussent récitées
les prières hébraïques, dont les cadences, pourtant,
accompagnèrent, vers leur dernier repos, tant de mes
ancêtres et mon père lui-même. Je me suis, toute ma vie
durant, efforcé, de mon mieux, vers une sincérité totale de
l'expression et de l'esprit. Je tiens la complaisance envers
le mensonge, de quelques prétextes qu'elle puisse se parer,
pour la pire lèpre de l'âme. Comme un beaucoup plus
grand que moi, je souhaiterais volontiers que, pour toute
devise, on gravât sur ma pierre tombale ces simples mots :
*Dilexit veritatem.* C'est pourquoi il m'était impossible
d'admettre qu'en cette heure des suprêmes adieux, où
tout homme a pour devoir de se résumer soi-même, aucun

appel fût fait en mon nom, aux effusions d'une orthodoxie, dont je ne reconnais point le *credo*.

Mais il me serait plus odieux encore que, dans cet acte de probité, personne pût rien voir qui ressemblât à un lâche reniement. J'affirme donc, s'il le faut, face à la mort, que je suis né Juif; que je n'ai jamais songé à m'en défendre ni trouvé aucun motif d'être tenté de le faire. Dans un monde assailli par la plus atroce barbarie, la généreuse tradition des prophètes hébreux, que le christianisme, en ce qu'il eut de plus pur, reprit pour l'élargir, ne demeure-t-elle pas une de nos meilleures raisons de vivre, de croire et de lutter? Étranger à tout formalisme confessionnel comme à toute solidarité prétendument raciale, je me suis senti, durant ma vie entière, avant tout et très simplement Français. Attaché à ma patrie par une tradition familiale déjà longue, nourri de son héritage spirituel et de son histoire, incapable, en vérité, d'en concevoir une autre où je puisse respirer à l'aise, je l'ai beaucoup aimée et servie de toutes mes forces. Je n'ai jamais éprouvé que ma qualité de Juif mît à ces sentiments le moindre obstacle. Au cours des deux guerres, il ne m'a pas été donné de mourir pour la France. Du moins, puis-je, en toute sincérité, me rendre ce témoignage: je meurs, comme j'ai vécu, en bon Français.

Il sera ensuite — s'il a été possible de s'en procurer le texte — donné lecture de mes cinq citations.

*Testament* [Clermont-Ferrand, le 18 mars 1943]

# MARCEL JOUHANDEAU

(1888–    )

*421*        *Le cirque à domicile*

TOUT le long de la rue de l'Ancienne-Prison, puis à travers la place du Marché, ma mère allègrement s'en revenait ce

jour-là de la boulangerie de sa mère où avait cuit notre
déjeuner. Elle tenait par les deux anses à bout de bras un
plateau sur lequel finissait de mijoter dans une cocotte, un
ragoût de mouton aux choux-raves; et par-dessus, dans
quatre plats renversés l'un sur l'autre, une omelette et un
clafouti. Comme elle entrait dans la rue des Pommes, du
fond de notre cour, Milou, un des garçons, s'engageait de
son côté au pas de course dans le couloir de la maison avec
l'intention de franchir d'un bond marches, trottoir et
ruisseau pour atterrir, comme une fleur, au milieu de la
chaussée. Il n'avait pas prévu l'obstacle. En effet, au moment
précis où, à un mètre du sol, il voguait, n'obéissant plus qu'à
son élan, ma mère de profil surgit devant lui, lui barrant
le passage, nantie de sa charge sacrée. A tous les témoins
de la scène, il en resta un souvenir émerveillé, légendaire,
magique. L'un des pieds du garçon en effet s'était logé
dans la poche du tablier de la malheureuse et combien de
secondes l'étoffe mit-elle à céder à la pesée et ma mère
avait-elle résisté au choc reçu, toujours est-il que chacun
prétendait avoir vu Milou demeurer en l'air, un temps
appréciable, dans un équilibre parfait, les bras étendus, un
sourire aux lèvres, qui s'était changé en stupeur brusquement, quand ma mère, après avoir lutté jusqu'à l'extrême
limite de l'énergie, pour ne pas lâcher son échafaudage de
mets, dut consentir à s'effondrer avec Milou au milieu
d'un grand fracas de vaisselle cassée, parmi les débris de
notre festin. Pas de numéro de cirque pareil, comparable,
s'exclamait-on autour d'eux, sans la moindre décence et c'est
tout juste si l'on n'applaudit pas et si l'on se retint de leur
demander de recommencer. Seulement, on devine qu'un
spectateur ne partageait pas ce sentiment, c'était mon
père debout sur le seuil de sa boucherie, le moins fait pour
excuser une maladresse, voire un geste inutile, si élégamment mené qu'il fût, surtout quand il y allait de son repas.
Exact jusqu'au scrupule et dans les plus petites choses, il

n'admettait jamais le moindre retard et malgré la hâte que l'on mettait autour de lui à battre les œufs et à trancher le jambon, il fulminait contre Milou, menaçant de le jeter dehors, sans un mot de commisération à ma mère, qui cependant oubliait tout, sa dignité bafouée, sa coiffure défaite, son vêtement déchiré, dont un lambeau à son côté pendait lamentablement, sans parler des contusions multiples qui allaient se révéler bientôt si intolérables que, malgré l'effort qu'elle faisait pour sourire encore, un sanglot lui échappa; tout le monde à table et servi, on dut la mettre au lit.

Seulement, le Ciel veillait, vengeur de l'innocence :

« Ainsi, Paul, tu n'as pas voulu te ranger plus bénévolement au pas de la fatalité, ni accepter de meilleure humeur l'inévitable qui, d'ailleurs, avait revêtu aujourd'hui l'air aimable d'un exercice improvisé d'acrobatie ? Tu auras, toi aussi, ton tour de piste. »

Le lendemain, en effet, comme le même Milou, dans son box de l'abattoir, allait saigner le cochon, voilà que l'animal se dérobe au couteau, tire sur la corde, s'échappe et gagne la porte sur laquelle deux hommes, debout, conversaient, lui barrant le chemin. A cela ne tienne. Le porc passe la tête entre les jambes de mon père qui lui tournait le dos et à califourchon l'emporte.

Notre écuyer improvisé s'agrippe aux oreilles, avant d'embrasser le col de sa monture pour décrire dans cette posture comique, sous les yeux de ses garçons et de tous ses collègues assemblés autour de la cour, cercles sur cercles, tantôt vite ou plus lentement, selon que le bête se fatigue ou s'affole. Enfin, Milou en tête, une battue s'organise et, sans catastrophe, se termina la corrida qui vengea ma mère, mais personne n'eût pu prétendre s'apercevoir de son triomphe.

*Mémorial: I. Le livre de mon père et de ma mère*

# JEAN COCTEAU

1889–1963

*422*          *La visite aux lignes*

DES bureaucrates, encore des bureaucrates, pensait Guillaume. Il cherchait une brèche. Son but était ce lieu redoutable qu'il entendait la nuit crépiter comme une pièce d'artifice, cette fusillade leste, inégale, semblable aux tics d'un dormeur rêvant qu'il marche.

Le surlendemain le colonel lui donna un guide pour la visite aux lignes. Ils partirent à onze heures, au clair de lune.

Au lieu de prendre le système de boyaux si cher au colonel, on lui désobéissait et on gagnait la berge par l'ancienne grande rue de Nieuport. On marchait de barrage en barrage, entre les dominos de quelques pans de murs et de la lune. Le lune grandissait ces petites ruines toutes jeunes, et à droite du sable, deux ou trois arbres chloroformés dormaient debout.

Un pont de poutres, de solives, de madriers, de rondins, de barriques s'entrechoquant, traversait l'Yser à son embouchure. L'eau grise se bousculait, pénétrait tragiquement la mer du Nord, comme un troupeau de moutons entre à l'abattoir.

La nuit, cette eau devenait phosphorescente. Si on y jetait une douille, elle sombrait toute éclairée comme le *Titanic*. Un projectile y tombant, sa chute allumait au fond un boulevard de magasins splendides.

Sur l'autre rive commençaient les tranchées. Guillaume toucha le premier de ces sacs de sable qui protègent la ville creuse et dans lesquels les balles s'enfouissent avec le bruit du frelon dans la fleur.

Le dédale des tranchées était interminable. Guillaume suivait son guide silencieux qui fumait la pipe, empaqueté dans des moufles, des peaux de mouton, des passe-montagnes. On entendait les vagues tantôt derrière soi, tantôt devant, à gauche ou à droite. On tournait sans se rendre compte, et on ne savait jamais où mettre la mer. Quelquefois, l'eau vous montait à mi-jambes.

Cette Venise, cette Alger, cette Naples de songe semblait aussi vide que les dunes, car, dans mille celliers, les zouaves dormaient, serrés comme des bouteilles. On les cassait aux jours d'orgie.

Sur deux points de ce front, le méandre des lignes allemandes et françaises se joignait presque. Le premier, nommé Mamelon-Vert, près de Saint-Georges, le deuxième près de la plage. De part et d'autre, on y avait creusé des postes d'écoute.

Guillaume se glissa dans la sape. On ne passait qu'à plat-ventre. Cette sape débouchait dans une fosse contenant deux hommes. Le jour, ils jouaient aux cartes. Les ennemis occupaient une fosse analogue à douze mètres. Chaque fois qu'un des zouaves éternuait, une voix allemande criait: «Dieu vous bénisse.»

Le long du mur de première ligne, sur une sorte de remblai, de corniche, de piédestal, se tenaient, de place en place, les guetteurs. Ce mur se composait de tout, comme le reste de la ville. Outre les sacs, on le sentait fait avec des armoires à glace, des commodes, des fauteuils, des dessus de piano, de l'ennui, de la tristesse, du silence.

Ce silence, aggravé par la fusillade et le reflux, était pareil au silence des boules de verre où il neige. On y marchait comme on vole en rêve.

La botte de caoutchouc de Guillaume ayant glissé, il remua l'eau. Un des guetteurs se retourna. C'était un goumier. Il mettait le doigt sur la bouche. Ensuite, il redevint statue.

Car cet Arabe au burnous de journaux et de ficelle se tenait plus immobile que, sur son cheval, Antar mort. Guillaume contemplait, entre les sacs, enfarinée de lune,

cette silhouette d'un meunier jaloux, terrible, guetttant
avec un fusil, à une lucarne de son moulin.

Ces guetteurs concentraient toute leur vie sur leur figure.
S'ils rechargeaient, leurs mains allaient et venaient comme
des domestiques. Aussi la France avait-elle, au bord de son
manteau, une étonnante hermine de visages attentifs.

Mais, ce qui attirait Guillaume, c'était la bande qui
foudroie, la bande mixte où poussent les ronces de fil
de fer. Nul n'y pose le pied en dehors des attaques, sauf
en patrouille, la nuit. Pour être d'une de ces patrouilles,
Guillaume eût fait n'importe quoi.

Au lieu de cela, il rebroussait chemin. Il n'était que
touriste. Il quittait le théâtre et se retrouvait dans la rue,
sans partager la mystérieuse vie des acteurs.

*Thomas l'Imposteur*

# CHARLES DE GAULLE
(1890-    )

*423      Ce qu'on attend du chef*

Au reste, dominer les événements, y imprimer une marque,
en assumer les conséquences, c'est bien là ce qu'avant tout
on attend du chef. L'élévation d'un homme au-dessus des
autres ne se justifie que s'il apporte à la tâche commune
l'impulsion et la garantie du caractère. Car enfin, le privilège
de la domination, le droit d'ordonner, l'orgueil d'être
obéi, les mille égards, hommages et facilités qui entourent
la puissance, l'honneur et la gloire dont le chef reçoit la
plus large part, pourquoi lui seraient-ils gratuits? Et,
comment les payer, sinon par le risque qu'il prend à son
compte? L'obéissance ne serait point tolérable si celui qui
l'exige n'en devait rien tirer d'effectif. Et qu'en tirera-t-il,
s'il n'ose, ne décide et n'entreprend?

La masse s'y trompe d'autant moins que, privée d'un

maître, elle a tôt subi les effets de sa turbulence. Les plus
habiles marins ne quittent point le port si personne ne
règle la manœuvre et quatre hercules réunis ne lèvent pas
un brancard s'il ne se trouve quelqu'un pour rythmer
leur effort. En face de l'action, la foule a peur, l'appréhension de chacun s'y multiplie à l'infini de toutes les
appréhensions des autres. «La peur est le ressort des assemblées.» Ardant du Picq a montré comment elle hante
les troupes. C'est pourquoi l'énergie du chef affermit les
subordonnés comme la bouée de sauvetage rassure les
passagers du navire. On veut savoir qu'elle est là et qu'on
peut, s'il y a péril, s'y accrocher de confiance... Mais la
foi des esprits, la sympathie des ardeurs... n'appartiennent
qu'aux chefs qui s'incorporent avec l'action, font leur affaire
des difficultés, mettent au jeu tout ce qu'ils possèdent. Il
se dégage de tels personnages un magnétisme de confiance
et même d'illusion. Pour ceux qui les suivent, ils person-
nifient le but, incarnent l'espérance. Le dévouement des
petits, concentré sur leur personne, confond le succès
de l'entreprise avec l'heur de les satisfaire. «Serons-nous
heureux, aujourd'hui?» demande César à un centurion, et
celui-ci: «Tu vas vaincre! Pour moi, ce soir, vivant ou
non, j'aurai mérité l'éloge de César.» Et la victoire de
Hanau réjouit Coignet parce que «l'Empereur y eut encore
une journée de bonheur».

Encore faut-il que ce dessein, où le chef s'absorbe, porte
la marque de la grandeur. Il s'agit de répondre, en effet,
au souhait obscur des hommes à qui l'infirmité de leurs
organes fait désirer la perfection du but, qui, bornés dans
leur nature, nourrissent des vœux infinis et, mesurant
chacun sa petitesse, acceptent l'action collective pourvu
qu'elle tende à quelque chose de grand. On ne s'impose
point sans presser ce ressort. Tous ceux dont c'est le rôle
de mener la foule s'entendent a l'utiliser. Il est la base de
l'éloquence: pas d'orateur qui n'agite de grandes idées

autour de la plus pauvre thèse. Il est le levier des affaires : tout prospectus de banquier se recommande du progrès. Il est le tremplin des partis dont chacun ne cesse d'invoquer le bonheur universel. Ce que le chef ordonne doit revêtir, par conséquent, le caractère de l'élévation. Il lui faut viser haut, voir grand, juger large, tranchant ainsi sur le commun qui se débat dans d'étroites lisières. Il lui faut personnifier le mépris des contingences, tandis que la masse est vouée aux soucis de détail. Il lui faut écarter ce qui est mesquin de ses façons et de ses procédés, quand le vulgaire ne s'observe pas. Ce n'est point affaire de vertu et la perfection évangélique ne conduit pas à l'empire. L'homme d'action ne se conçoit guère sans une forte dose d'égoïsme, d'orgueil, de dureté, de ruse. Mais on lui passe tout cela et, même, il en prend plus de relief s'il s'en fait des moyens pour réaliser de grandes choses. Ainsi, par cette satisfaction donnée aux secrets désirs de tous, par cette compensation offerte aux contraintes, il séduit les subordonnés et, lors même qu'il tombe sur la route, garde à leurs yeux le prestige des sommets où il voulait les entraîner. Mais, qu'il se borne au terre à terre, qu'il se contente de peu, c'en est fait ! il peut être un bon serviteur, non pas un maître vers qui se tournent la foi et les rêves.

*Le Fil de l'épée* ('Du Prestige')


# LOUIS-FERDINAND CÉLINE

1894–1961

*424*      *Tout ce qu'on ne comprenait pas*

AU-DESSUS de nos têtes, à deux millimètres, à un millimètre peut-être des tempes, venaient vibrer l'un derrière l'autre ces longs fils d'acier tentants que tracent les balles qui veulent vous tuer, dans l'air chaud d'été.

Jamais je ne m'étais senti aussi inutile parmi toutes ces balles et les lumières de ce soleil. Une immense, universelle moquerie.

Je n'avais que vingt ans d'âge à ce moment-là. Fermes désertes au loin, des églises vides et ouvertes, comme si les paysans étaient partis de ces hameaux pour la journée, tous, pour une fête à l'autre bout du canton et qu'ils nous eussent laissé en confiance tout ce qu'ils possédaient, leur campagne, les charrettes, brancards en l'air, leurs champs, leurs enclos, la route, les arbres et même les vaches, un chien avec sa chaîne, tout, quoi. Pour qu'on se trouve bien tranquilles à faire ce qu'on voudrait pendant leur absence. Ça avait l'air gentil de leur part. «Tout de même, s'ils n'étaient pas ailleurs! — que je me disais — s'il y avait encore eu du monde par ici, on ne se serait sûrement pas conduits de cette ignoble façon! Aussi mal! On aurait pas osé devant eux! Mais, il n'y avait plus personne pour nous surveiller. Plus que nous, comme des mariés qui font des cochonneries quand tout le monde est parti.»

Je me pensais aussi (derrière un arbre) que j'aurais bien voulu le voir ici moi, le Déroulède[1] dont on m'avait tant parlé, m'expliquer comment qu'il faisait, lui, quand il prenait une balle en plein bidon.

Ces Allemands accroupis sur la route, têtus et tirailleurs, tiraient mal, mais ils semblaient avoir des balles à en revendre, des pleins magasins sans doute. La guerre décidément, n'était pas terminée! Notre colonel, il faut dire ce qui est, manifestait une bravoure stupéfiante! Il se promenait au beau milieu de la chaussée et puis de long en large parmi les trajectoires aussi simplement que s'il avait attendu un ami sur le quai de la gare, un peu impatient seulement.

Moi d'abord la campagne, faut que je le dise tout de suite,

[1] An allusion to Paul Déroulède's advocacy of 'la revanche' after the Franco-Prussian War

j'ai jamais pu la sentir, je l'ai toujours trouvée triste, avec ses bourbiers qui n'en finissent pas, ses maisons où les gens n'y sont jamais et ses chemins qui ne vont nulle part. Mais quand on y ajoute la guerre en plus, c'est à pas y tenir. Le vent s'était levé, brutal, de chaque côté des talus, les peupliers mêlaient leurs rafales de feuilles aux petits bruits secs qui venaient de là-bas sur nous. Ces soldats inconnus nous rataient sans cesse, mais tout en nous entourant de mille morts, on s'en trouvait comme habillés. Je n'osais plus remuer.

Ce colonel, c'était donc un monstre! A présent, j'en étais assuré, pire qu'un chien, il n'imaginait pas son trépas! Je conçus en même temps qu'il devait y en avoir beaucoup des comme lui dans notre armée, des braves, et puis tout autant sans doute dans l'armée d'en face. Qui savait combien? Un, deux, plusieurs millions peut-être en tout? Dès lors ma frousse devint panique. Avec des êtres semblables, cette imbécillité infernale pouvait continuer indéfiniment... Pourquoi s'arrêteraient-ils? Jamais je n'avais senti plus implacable la sentence des hommes et des choses.

Serais-je donc le seul lâche sur la terre? pensais-je. Et avec quel effroi!... Perdu parmi deux millions de fous héroïques et déchaînés et armés jusqu'aux cheveux? Avec casques, sans casques, sans chevaux, sur motos, hurlants, en autos, sifflants, tirailleurs, comploteurs, volants, à genoux, creusant, se défilant, caracolant dans les sentiers, pétaradant, enfermés sur la terre, comme dans un cabanon, pour y tout détruire, Allemagne, France et Continents, tout ce qui respire, détruire, plus enragés que les chiens, adorant leur rage (ce que les chiens ne font pas), cent, mille fois plus enragés que mille chiens et tellement plus vicieux! Nous étions jolis! Décidément, je le concevais, je m'étais embarqué dans une croisade apocalyptique.

On est puceau de l'Horreur comme on l'est de la volupté. Comment aurais-je pu me douter moi de cette horreur en

quittant la place Clichy? Qui aurait pu prévoir avant d'entrer vraiment dans la guerre, tout ce que contenait la sale
âme héroïque et fainéante des hommes? A présent, j'étais
pris dans cette fuite en masse, vers le meurtre en commun,
vers le feu... Ça venait des profondeurs et c'était arrivé...
Il y a bien des façons d'être condamné à mort. Ah! combien n'aurais-je pas donné à ce moment-là pour être en
prison au lieu d'être ici, moi crétin! Pour avoir, par exemple,
quand c'était si facile, prévoyant, volé quelque chose, quelque part, quand il en était temps encore. On ne pense à
rien! De la prison, on en sort vivant, pas de la guerre.
Tout le reste, c'est des mots.

*Voyage au bout de la nuit*

# JEAN GIONO

(1895– )

*425*      *La nonne et les cholériques*

A u moment où l'on se demandait s'il fallait encore croire
à quelque chose, si elle arrivait, les murs redevenaient des
murs, les chambres des chambres avec toutes leurs sta-
lactites de souvenirs intactes, avec leur puissance d'abri
intacte. La mort, eh! bien oui, mais elle perdait instantanément son côté diabolique. Elle ne poussait plus à s'affranchir de tout; elle ne faisait plus franchir que des frontières
raisonnables; on ne pouvait plus se permettre ces convulsions d'égoïsmes dans lesquelles, la plupart du temps,
les vivants reproduisaient, par une sorte de singerie luci-
férienne, les convulsions d'agonie dont ils avaient eu le
spectacle.

Il suffisait de quelques gestes très simples. On aurait
beaucoup surpris la nonne si on lui avait dit que les deux
tiers de sa qualité venaient de son aspect physique, de son
gros ventre de gargamelle, de la moue de ses grosses lèvres,

de sa grosse tête, de ses grosses mains, de sa placidité de grosse femme, de ses gros pieds sous lesquels les planchers tremblaient toujours un peu. C'était cette masse qui autorisait les miracles. Plus vive, elle aurait eu la facilité de faire vingt gestes dans lesquels le bon aurait peut-être passé inaperçu; la graisse, la lourdeur, le poids ne lui permettaient d'en faire qu'un. C'était le bon. Et il était là, incontestable, comme le nez au milieu de la figure. On était obligé de croire à sa vertu car c'était un vieux geste ordinaire qu'on avait fait cent mille fois et dont les conséquences étaient certaines.

Elle arrivait et il y avait parfois un ou deux cadavres étendus dans ces atroces poses cocasses, les cuisses écartées, les mains fourrées dans le ventre, la tête rejetée en arrière dans ce grand rire blanc et pourpre des cholériques. Quelquefois même ces cadavres avaient comme bondi à travers la chambre et s'étaient abattus en travers de n'importe quel meuble. Il y avait, cachés dans des coins ou, de préférence dans des encoignures de fenêtres (le désir de fuite), un homme ou une femme changés en chien, en train de gémir, de tousser, d'aboyer, prêts à flatter le premier venu; un ou deux enfants, raides comme la justice, les yeux comme des œufs; et elle entrait. Souvent, quand le spectacle était comme cela horrible à râper la peau, voilà ce qu'elle faisait: elle s'asseoyait, plaçait le moulin à café entre ses cuisses et commençait à moudre le café. Instantanément, l'homme ou la femme cessaient d'être le chien. Pour les enfants, c'était à la fois plus délicat et plus facile: ils étaient tout de suite attirés par l'énorme poitrine de la nonne; elle avait alors un geste très simple pour pousser sa croix pectorale de côté.

D'autres fois (mais toujours de science exacte et sans jamais se tromper), il ne s'agissait pas de moulin à café. Elle entrait dans une de ces maisons bourgeoises où la cuisine est cachée, où tous les meubles sont sous des housses. C'étaient toujours des endroits où les cadavres avaient un extraordinaire mordant. Là, d'ordinaire, on n'avait pas entouré les malades de beaucoup de soins. Généralement, on n'avait pas eu le courage de les contenir dans les lits; on les avait laissés se lever et divaguer; on avait plutôt fui devant eux. Les fauteuils étaient renversés comme après une bagarre, les tables n'étaient plus sous l'aplomb de la suspension, le pupitre à musique était cassé; on s'était comme jeté les partitions de valses à la tête; le mort avait ruisselé de tous les côtés avant de s'abattre sur le piano.

Dans l'instant où Angélo passait la porte, il se disait: «Et ici, qu'est-ce qu'on va faire?» Par-dessus l'épaule de la nonne, il voyait cet intérieur bourgeois charrué pour de terribles semences et les survivants, agglomérés dans un coin du salon, comme de petits singes saisis par le froid.

Tout de suite, la nonne tirait la table à son aplomb, relevait les chaises, plaçait les fauteuils, ramassait les morceaux de musique. Elle ouvrait une porte qui donnait dans la chambre. Elle demandait: «Où sont les draps neufs?» Ces mots étaient magiques. Ils lui donnaient la plus fulgurante des victoires. Pas plus tôt prononcés, on entendait dans le tas des singes glacés le bruit d'un trousseau de clefs. Ce bruit lui-même avait une vertu si puissante qu'on voyait sortir du tas une femme qui redevenait tout de suite femme et, tout de suite patronne. Quelques-unes parmi celles dont le visage était plus particulièrement recouvert de cheveux éplorés, titubaient encore un peu et allaient, dans leur ivresse, jusqu'à tendre le trousseau de clefs. Mais la nonne ne le prenait jamais. «Venez ouvrir l'armoire vous-même», disait-elle. Après, on faisait le lit bien carré. Ce n'est qu'une fois le lit bien fait qu'on s'occupait du cadavre et alors en plein. Mais déjà les rouages de la maison s'étaient remis en marche et déjà la mort pouvait frapper de nouveau un coup diabolique dans cette famille sans rien détruire d'essentiel.                    *Le Hussard sur le toit*

# MARCEL PAGNOL

(1895– )

*426*      *Les études entomologiques*

MON père, soucieux de l'avancement de nos études, nous conseilla de renoncer aux jeux inutiles : il nous recommanda l'observation minutieuse des mœurs des insectes, et de commencer par celles des fourmis car il voyait en elles le modèle du bon citoyen.

C'est pourquoi le lendemain matin, nous arrachâmes longuement les herbes et la baouco[1] autour de l'entrée principale d'une belle fourmilière. Quand la place fut bien nette, dans un rayon d'au moins deux mètres, je réussis à me glisser dans la cuisine, pendant que ma mère et ma tante cueillaient des amandes derrière la maison; là, je volai un grand verre de pétrole, et quelques allumettes.

Les fourmis, qui ne se doutaient de rien, allaient et venaient en double colonne, comme les dockers sur la passerelle d'un navire.

Je m'assurai d'abord que personne ne pouvait nous voir, puis je versai longuement le pétrole dans l'orifice principal. Un grand désordre agita la tête de la colonne, et des dizaines de fourmis remontèrent du fond: elles couraient çà et là, éperdues, et celles qui avaient une grosse tête ouvraient et refermaient leurs fortes mandibules, en cherchant l'invisible ennemi. J'enfonçai alors dans le trou une mèche de papier: Paul réclama la gloire d'y mettre le feu, ce qu'il fit très correctement. Une flamme rouge et fumeuse s'éleva, et nos études commencèrent.

Par malheur, les fourmis se révélèrent trop aisément combustibles. Instantanément foudroyées par la chaleur, elles disparaissaient dans une étincelle. Ce petit feu d'artifice fut assez plaisant, mais bien court. De plus, après la

---

[1] rough grass

sublimation des externes, nous attendîmes en vain la sortie
des puissantes légions souterraines, et l'explosion bruyante
de la reine, sur laquelle j'avais compté : mais rien ne parut,
et il ne resta sous nos yeux qu'un petit entonnoir noirci
par le feu, triste et solitaire comme le cratère d'un volcan
éteint.

*Souvenirs d'enfance*

# HENRY DE MONTHERLANT

(1896-        )

*427        M. de Coantré sur son départ*

Pour le train d'une heure, M. de Coantré arriva à la gare
Saint-Lazare à midi et quart. Comme il y avait eu l'avant-
veille grande scène d'adieux avec M. Octave, il se tenait
pour assuré que celui-ci ne viendrait pas le mettre dans le
train. Il en avait à la fois un filet d'amertume (la distance
était si courte du boulevard Haussmann à la gare, qu'il
y avait presque désobligeance à ne la franchir pas en cette
occasion), et un immense soulagement : la plus grande
preuve d'amitié que l'on puisse donner à un nerveux, c'est
de ne l'accompagner pas à la gare, où on troublerait toute
son affaire, et peut-être jusqu'à la catastrophe : bagages
perdus, trains manqués, et pour le moins la plus mauvaise
place dans le compartiment, voilà le bilan ordinaire d'une
présence indiscrète.

Sa mallette enregistrée — une vieille mallette écornée,
dont une serrure sur deux était cassée — et sa valise à la
main, il prit un billet de troisième, content de voyager dans
cette classe, non seulement pour l'économie, mais parce
qu'il s'y trouverait avec des humbles. La sueur au front,
d'émotion, il cherchait son train, quand il aperçut Georges,
le chauffeur de son oncle, qui venait vers lui.

— Monsieur a déjà son billet ? Monsieur le baron m'envoie

pour m'occuper de Monsieur. Et d'abord, voilà le *Mail*
que monsieur le baron envoie à Monsieur, pour lire dans le
train.

Georges tendait à M. de Coantré le numéro du jour du
*Daily Mail* (il prononçait *Mail* comme on le prononce,
par exemple, dans *l'Orme du Mail*), et en même temps lui
prenait de force sa valise. M. de Coantré vit s'envoler,
comme ballon rouge, le billet de dix francs qu'il faudrait
lui donner pour boire. «Oh! pour quelques pas, c'est tout
à fait inutile. Nous voici au quai.» Et il désignait le portillon,
où un contrôleur poinçonnait les billets. «Mais j'ai un billet
de quai», dit Georges.

Donc, Georges allait savoir que M. de Coantré voyageait
en troisième! Léon eût pu se faire installer en seconde, et
puis, le chauffeur parti, passer en troisième. Mais cette
opération lui parut un Himalaya, car il n'était pas une minute, depuis qu'il était là, où il n'eût cru que le train allait
partir dans la minute suivante: il la jugea impossible, faute
de temps. Alors il prit une décision héroïque. «J'ai perdu
mon billet,» dit-il, fouillant dans ses poches. «Il faut que
j'en reprenne un autre.» «Je vais y aller, que Monsieur
m'attende là», dit Georges. «Mais non! Mais non!» cria
le comte, qui voulait changer son billet de troisième
contre un billet de seconde, au lieu que Georges allait
payer le prix entier d'une seconde. «Monsieur n'aura
qu'un instant seulement à attendre. Une première?» —
«Non, une seconde. Mais je vais y aller moi-même, j'aime
mieux ça. Je vous en prie!» — «Alors, si Monsieur n'a
pas confiance!» — «Mais si, j'ai confiance!» balbutia M.
de Coantré, se troublant davantage, et n'osant plus rien
dire, dès l'instant qu'on le prenait sur ce pied-là. «Eh
bien, allez-y, mais pour l'amour de Dieu, faites vite!»
Il lui donna cent francs.

Il resta devant le portillon, sa valise à ses pieds, dans le
dernier état de la contrariété. Ainsi, par la faute de cet

animal — et de son bon oncle, — il devrait payer deux
billets, de troisième et de seconde! Et cela fut bien pis
quand il lui parut que Georges tardait : le train allait partir!
Et il avait son billet en poche, et n'avait qu'à s'installer,
mais Georges, de retour, sûrement le dépisterait! Tout
cela est si affreux que nous n'avons pas le courage de le
décrire. Enfin Georges revint. M. de Coantré, en proie à
une nervosité qui touchait à la frénésie, crut ne pouvoir
faire moins que lui donner vingt francs pour boire.

*Les Célibataires*

# LOUIS ARAGON

(1897–    )

428      *En quittant la capitale : mars 1815*

COMME tous les jeunes Français de sa génération, Théodore
connaissait mieux la géographie de l'Europe que celle de
son pays. Si rapides que soient les victoires, on les suit
sur la carte, on les devance par l'esprit, et il faut à l'enthousiasme de la jeunesse comprendre et prévoir les
mouvements des armées par ceux du terrain, s'imaginer les
villes, les forêts, les fleuves... Et, pour possédé qu'il fût
de la peinture, et détourné de la guerre, portant en lui,
derrière cette courtoisie déférente qui lui conciliait les
gens, une grande négation sourde de tout ce qui exaltait
son entourage, Géricault avait eu seize ans l'année d'Austerlitz, vingt l'année de Saragosse, et il existe une contagion
de la gloire. Mais, dans une lumière inversée, les défaites
sont comme la foudre, elles aveuglent d'abord, et il faut
encore, après l'éclair, quelque temps pour les entendre.
L'invasion de 1814 n'avait rien appris à ces jeunes gens
inquiets, dévorés d'espoirs et de désespoirs coexistants,
humiliés à la fois et pris du vertige du désastre, aspirant à
une vie différente et nouvelle, fatigués et excédés de tous

ces Agamemnon et de tous ces Léonidas, de cette allure
théâtrale de la vie publique, écœurés aussi de l'énorme
pourriture de l'argent qui en était l'évident revers, du prix
dont était insolemment payé l'héroïsme. Les Alliés n'avaient
pas mis trois mois du Rhin à Paris, et encore les provinces
rhénanes et belges n'étaient-elles que des marches où le recul
même prenait figure de manœuvres. Mais de ce qui, pour un
général Maison comme pour un élève des collèges impériaux,
pour les badauds du boulevard du Temple ou les spécula-
teurs de la Bourse, un valet d'écuries à Versailles ou le
peintre Théodore Géricault, — de ce qui, malgré le mythe
de l'Empire, les préfets et les garnisons, demeurait pour
tous la frontière de la France, jusqu'à cette ville qu'il suffit
aux envahisseurs de serrer dans leur main pour arrêter
toute circulation dans le grand corps français, de la frontière
à Paris, on n'avait eu ni le temps, ni l'affreux sang-froid de
rien voir, sous les nouvelles contradictoires et précipitées
de l'avance alliée, les victoires de dernière heure, triom-
phalement annoncées par les journaux, les regards égarés
jetés de la Champagne aux Flandres, l'incertitude du coup
principal, l'orgueil traqué soudain qui cède.

Pour Théodore, dans ces départements qui n'étaient que
des pointillés mis de son vivant sur les cartes de France,
il n'y avait que les petits ronds administratifs des villes,
c'était comme un vaste glacis vide entre le monde des
langues étrangères et ce qui était son existence même, ce
mélange d'inquiétudes et de découvertes, d'émerveillements
et de déceptions, de tabac fumé dans l'arrière-boutique
où il avait peint le *Chasseur* de 1812, de vin blanc bu à
Saint-Cloud, de courses folles, par ce grand parc d'Île-de-
France sur un cheval écumant, dont on ne sait qui, de lui
ou de son cavalier, s'abattra le premier, les montagnes
russes de Tivoli et les Vinci du Louvre, la Promenade du
Bord de l'Eau et le Cirque Franconi, les étranges lumières
du soir dans les carrières de Montmartre et les disputes

sans fin sur la vie et l'art, la prééminence de la couleur sur
le discours ou le contraire, avec Horace Vernet ou Dedreux-
Dorcy, Paris, ce mélange de pouillerie et d'élégance, de
palais et de baraques, magnifique et sordide, comme un
grand opéra aux coulisses innombrables, sans fin, un décor
de splendeurs planté dans un dépotoir d'infirmes et
d'épluchures, la chamarrure insolente des Tuileries et
l'entassement des rues sombres, la jacasserie des marchés
et les montreurs de chiens et d'ours dans le puits noir des
cours.

Et voilà qu'abandonnant tout cela derrière lui, il avançait
dans ce grand vide, avec l'irresponsabilité du soldat, par
des itinéraires que d'autres avaient étudiés pour lui, si
même ils en avaient eu les loisirs! en pleines ténèbres
nocturnes, dans cet habit rouge qui le brûlait, invisible,
cavalier d'une chasse infernale, au trot prolongé d'une
bête exténuée dont il ressentait les souffrances, l'haleine
forcée, le pas devenu incertain, butant aux pierres, s'enfonçant dans la boue, sous les rafales de vent et de pluie,
pincé malgré le manteau et la sueur, le poids du har-
nachement, par un froid de neige à la veille du printemps,
voilà que Théodore Géricault, et qu'est-ce que c'est que
cette guimbarde cahotante malgré ses chevaux frais, eux,
de la dernière poste, ce train de voitures, où là-bas en tête
un Roi podagre somnole dans les lys des coussins et
appuie sa lippe bourbonienne à l'épaule du Duc de Duras,
voilà que Théodore Géricault, dans la chevauchée fantastique des mousquetaires, rompus, meurtris, les pieds
saignants dans les bottes, les fesses échauffées par les culottes
de « fort cuir», près de quinze lieues sans changer de pas,
qu'à ces haltes dans l'eau de bourgades dont on se faisait
difficilement dire les noms, ou dans les brusques arrêts où
l'on risquait se jeter les uns sur les autres, parce qu'une
berline avait mal compris un tournant, ou des cavaliers
s'étaient lancés en travers de leur propre convoi, le croyant

coupé soudain par les voyageurs qui débusquaient d'un
chemin de campagne, voilà que Théodore Géricault est
pris du vertige de l'homme qui tombe, qui tombe dans le
vide ou dans un rêve, il ne sait, conscient à la folie de toutes
les choses insignifiantes de son corps et de son âme, de
toutes les pièces de son habillement, de chaque anneau
de ses courroies, de la selle et de l'étrier, et de tout ce qu'il
a oublié de faire avant de partir, habité de souvenirs exagéré-
ment lucides et battus comme un jeu de cartes, à poursuivre
une inexprimable angoisse, une pensée unique aux développements sans fin, qui se reprend, se perd, se répète, se
brise et se renoue, au trot, au trot de la nuit interminable,
étouffante, glacée, au clapotement rapide et répété, sans
fin répété des chevaux sur le terrain détrempé, on n'imagine
pas les variations de nature d'une route inondée pendant
des heures et des heures, le sentiment du gravier, l'épaisse
argile, le limon qui se délave, les cailloux qui dévalent,
l'enfoncement des ornières, les sabots lourds de boue
collante, les flaques soudaines comme si on entrait dans un
ruisseau et les variations d'un paysage absent, montées,
descentes, courbes de la route, ombres indiscernables,
présence spectrale des arbres, des talus, les rares maisons
obscures après de longs déserts traversés, le sentiment
parfois qu'on a quitté la route à la faveur d'une pente, et
soudain des buissons devant soi, le silence renforcé par
le vacarme du convoi, le chevauchement des pensées, le
sentiment en tous ces hommes d'être des étrangers l'un à
l'autre, personne ne vit la même histoire, c'est une fuite
de destins individuels, une bousculade d'équipées... au
trot, au trot, au trot d'une monarchie qui se déglingue,
d'un monde qui roule à l'envers, dans la fuite d'une fausse
chevalerie, dans ses habits de théâtre, avec ses étendards
neufs, son honneur d'Épinal, sa peur des comparaisons,
son arrogance d'enfant qui fait la grosse voix dans le noir,
une chaise à roulettes pour trône et le Voltaire de Kehl

sous l'autel, au trot, au trot, et tant pis pour l'essieu qui se
brise au fourgon des bagages du Prince de Wagram, lequel
n'en sait rien, se rongeant les ongles à son habitude,
dans la seconde voiture du convoi, et rêve à Mme
Visconti, une cassette sur les genoux, bon Dieu, cela fait
un bel embrouillamini, une rupture dans le charroi, tirez-
moi cette bagnole dans les fossés, oui ou merde? regardez
les chevaux qui se jettent les uns sur les autres, halte!
halte! et l'on repart, on se reprend, on s'échelonne, au
trot, au trot! vous allez perdre Sa Majesté, perdre le fil
de l'Histoire, laisser passer la suite de ce feuilleton héroï-
comique, bougres de cons, serrez, serrez, au trot! il
ne faut pas que se relâche la panique, que la peur ait
des trous, la fuite des repos, serrez, serrez, nous n'avons
que ça en commun, la blême épouvante qui gargouille dans
les estomacs des nobles voyageurs et fait voler le manteau
des cavaliers à la première lueur de l'aube.

*La Semaine sainte*

# MARCEL ARLAND

(1899-          )

*429    La maison de M^{lle} Aimée*

CETTE maison que, de ma chaise auprès du feu, j'apercevais
derrière la rue, le treillis et le jardin terne, il est peu de
jours que je n'y aie songé, enfant, à cette même place; le
soir surtout, quand, revenu de l'école, mon goûter pris,
mes devoirs bâclés, je posais sur mes genoux un livre de la
bibliothèque du village et restais immobile jusqu'à l'heure
de la lampe, tandis qu'à deux pas de moi, une capeline
sur les épaules, les pieds sur une chaufferette, mon
arrière-grand-mère poursuivait avec quelque présence

intérieure un éternel entretien, et parfois, me regardant, se laissait aller à un mince sourire. Alors si j'abandonnais un instant ma lecture, c'était, tournant les yeux du côté de cette demeure, pour y porter les plus rares aventures de mon livre. Dans la nuit tombante, le mur du jardin, qui s'éloignait et grandissait à la fois, rendait plus secrets et plus inaccessibles encore le jardin, la maison, et cette vieille fille, M<sup>lle</sup> Aimée, l'un des trois ou quatre visages sans lesquels je n'imagine pas mon enfance.

Le mur était lézardé, moussu, et peuplé de fourmis. Des surgeons de glycine, des branches de mirabellier passaient par-dessus et tendaient, la saison venue, des fleurs et des fruits aux enfants. Un jour que j'attirais ainsi un rameau, au milieu du mur la porte verte s'ouvrit; à peine avais-je pu m'inquiéter, elle s'était refermée devant un visage indulgent et craintif.

Jusqu'alors, j'avais rarement aperçu M<sup>lle</sup> Aimée. Elle vivait avec une vieille religieuse, que l'on appelait Sœur Théotime, ou plus communément la Sœur. Elle ne sortait guère que pour la grand-messe du dimanche. Elle recevait peu de visites, non qu'elle s'y dérobât, mais il semblait que son aménité deconcertât les paysans.

Des allées bordées de fleurs et d'arbres fruitiers traversaient son jardin. Quand l'après-midi était chaude, un pliant sous le bras, toujours soigneusement vêtue de gris, elle sortait de la maison, ouvrait une ombrelle et s'avançait dans une allée. Se baissant parfois pour relever une fleur, écartant son ombrelle pour regarder un coin du ciel, elle allait s'asseoir à l'ombre d'une charmille. Bientôt, la vaisselle lavée, la Sœur la rejoignait et lui faisait lecture de la *Croix*.

C'est ainsi que je les vis, le jour que, passée la porte verte, mon arrière-grand-mère et moi pénétrâmes dans le vaste jardin. La veille, M<sup>lle</sup> Aimée nous avait apporté des fraises; c'était cette visite que ma grand-mère lui rendait, la main

mal assurée sur la canne droite pourtant et les yeux clairement levés.

Tandis qu'à notre vue, la Sœur repliait le journal, M<sup>lle</sup>
Aimée se leva, et sourit, les mains légèrement tendues en
signe d'accueil, la tête un peu inclinée sur l'épaule. Elle
avait une cinquantaine d'années; son visage, petit, rond,
aux yeux noirs, était très blanc, mais un peu fripé près des
paupières et aux commissures des lèvres. Presque tous ses
gestes n'étaient qu'ébauchés. Je n'aurais su dire si, à la fin
de ses phrases, elle se plaignait ou chantait un peu.

Elle voulut me caresser la joue; mais, timides, ses doigts
me frôlèrent à peine.

— Eh bien! petit, dit-elle; on vit les uns près des autres
sans se voir, jusqu'à la mort.

Puis elle parut embarrassée par ses paroles, sourit encore
et nous offrit des fleurs. Elle en avait toute l'année; elle
en donnait aux jeunes filles qui décoraient l'église, aux
petits garçons qui les lançaient par poignées à la Fête-
Dieu; et, pour les enterrements, elle en composait des croix
et des couronnes.

*Antarès*

# ANTOINE DE SAINT-EXUPÉRY

(1900–1944)

*430*      *Un sens nouveau*

Ainsi, les nécessités qu'impose un métier, transforment et
enrichissent le monde. Il n'est même point besoin de nuit
semblable pour faire découvrir par le pilote de ligne un
sens nouveau aux vieux spectacles. Le paysage monotone, qui fatigue le passager, est déjà autre pour l'équipage.
Cette masse nuageuse, qui barre l'horizon, cesse pour lui
d'être un décor: elle intéressera ses muscles et lui posera
des problèmes. Déjà il en tient compte, il la mesure, un

langage véritable la lie à lui. Voici un pic, lointain encore : quel visage montrera-t-il ? Au clair de lune, il sera le repère commode. Mais si le pilote vole en aveugle, corrige difficilement sa dérive, et doute de sa position, le pic se changera en explosif, il remplira de sa menace la nuit entière, de même qu'une seule mine immergée, promenée au gré des courants, gâte toute la mer.

Ainsi varient aussi les océans. Aux simples voyageurs, la tempête demeure invisible : observées de si haut, les vagues n'offrent point de relief, et les paquets d'embrun paraissent immobiles. Seules de grandes palmes blanches s'étalent, marquées de nervures et de bavures, prises dans une sorte de gel. Mais l'équipage juge qu'ici tout amerrissage est interdit. Ces palmes sont, pour lui, semblables à de grandes fleurs vénéneuses.

Et si même le voyage est un voyage heureux, le pilote qui navigue quelque part, sur son tronçon de ligne, n'assiste pas à un simple spectacle. Ces couleurs de la terre et du ciel, ces traces de vent sur la mer, ces nuages dorés du crépuscule, il ne les admire point, mais les médite. Semblable au paysan qui fait sa tournée dans son domaine et qui prévoit, à mille signes, la marche du printemps, la menace du gel, l'annonce de la pluie, le pilote de métier, lui aussi, déchiffre des signes de neige, des signes de brume, des signes de nuit bienheureuse. La machine, qui semblait d'abord l'en écarter, le soumet avec plus de rigueur encore, aux grands problèmes naturels. Seul au milieu du vaste tribunal qu'un ciel de tempête lui compose, ce pilote dispute son courrier à trois divinités élémentaires, la montagne, la mer et l'orage.

*Terre des hommes*

# ANDRÉ MALRAUX

(1901–   )

*431      En rade de Hongkong*

Nous venons de dépasser le phare. Les tentatives de sommeil ont été abandonnées; hommes et femmes sont sur le pont. Limonades, whisky-sodas. Au ras de l'eau, des lignes d'ampoules électriques dessinent en pointillé lumineux le contour des restaurants chinois. Au-dessus, la masse du rocher fameux, puissante, d'un noir compact à la base, monte en se dégradant dans le ciel, et finit par arrondir au milieu des étoiles sa double bosse asiatique entourée d'une brume légère. Ce n'est pas une silhouette, une surface de papier découpé, mais une chose solide et profonde comme une matière vraie, comme une terre noire. Une ligne de globes (une route?) ceint la plus haute des deux bosses, le Pic, comme un collier. Des maisons, on ne voit qu'un semis de lumières incroyablement serrées, presque mêlées au-dessus du profil tremblant des restaurants chinois, et qui se désagrège, comme le noir du roc, à mesure qu'il s'élève, pour aller se perdre là-haut dans les étoiles éclatantes et lourdes. Dans la baie, très nombreux, des grands paquebots dorment, illuminés, avec leurs étages de hublots, dont les reflets en zigzags se mêlent dans l'eau encore chaude à ceux de la ville. Toutes ces lumières dans la mer et dans le ciel de Chine, ne font pas songer à la force des blancs qui les ont créées, mais à un spectacle polynésien, à l'une de ces fêtes dans lesquelles les dieux peints sont honorés par de grandes libérations de lucioles lancés dans la nuit des îles comme des graines...

Vertical, un écran confus passe devant nous, cachant tout, sans autre son que celui d'une guitare monocorde: voile de jonque. L'air est tiède — et si calme!...

Le paysage de points lumineux, soudain, cesse d'avancer vers nous. Halte. Les ancres plongent avec un fracas

assourdissant de ferrailles remuées. Demain matin, à
sept heures, la police viendra à bord. Défense de descendre
à terre.

*Les Conquérants*

432     *Les taches humaines sur la route*

CINQUANTE sirènes à la fois envahirent l'air : ce jour était
veille de fête, et le travail cessait. Avant tout changement
du port, des hommes minuscules gagnèrent, comme des
éclaireurs, la route droite qui menait à la ville, et bientôt
la foule la couvrit, lointaine et noire, dans un vacarme
de klaxons : patrons et ouvriers quittaient ensemble le
travail. Elle venait comme à l'assaut, avec le grand mouvement inquiet de toute foule contemplée à distance. Gisors
avait vu la fuite des animaux vers les sources, à la tombée
de la nuit : un, quelques-uns, tous, précipités vers l'eau
par une force tombée avec les ténèbres ; dans son souvenir,
l'opium donnait à leur ruée cosmique une sauvage harmonie, alors que les hommes perdus dans le lointain vacarme
de leurs socques lui semblaient tous fous, séparés de
l'univers dont le cœur battant quelque part là-haut dans la
lumière palpitante les prenait et les rejetait à la solitude,
comme les grains d'une moisson inconnue. Légers, très
élevés, les nuages passaient au-dessus des pins sombres et
se résorbaient peu à peu dans le ciel ; et il lui sembla qu'un
de leurs groupes, celui-là précisément, exprimait les hommes
qu'il avait connus ou aimés, et qui étaient morts. L'humanité était épaisse et lourde, lourde de chair, de sang, de souffrance, éternellement collée à elle-même comme tout ce
qui meurt ; mais même le sang, même la chair, même la
douleur, même la mort se résorbaient là-haut dans la
lumière comme la musique dans la nuit silencieuse : il
pensa à celle de Kama, et la douleur humaine lui sembla
monter et se perdre comme le chant même de la terre ;

sur la paix frémissante et cachée en lui comme son cœur,
la douleur possédée refermait lentement ses bras inhumains.

*La Condition humaine*

### 433    *Berceuse pour la mort de l'Allemagne*

On descendait dans la chambre d'Hitler par un escalier
en colimaçon, de marbre gris je crois. Près des remparts
encore debout qui ceinturaient Nuremberg concassée où
nos chars ne retrouvaient plus même les places publiques,
des squelettes nous avaient accueillis à un balcon : ceux
du musée d'Histoire naturelle, dont un obus avait soufflé
les vitrines. Le stade n'était pas détruit. Les avancées
latérales sur lesquelles brûlaient les feux tandis que parlait
Hitler, la tribune, et même le couloir monumental semblable
au Temple de Granit, étaient encore debout. Des morceaux
tordus de l'aigle de bronze du fronton jonchaient le sol
ravagé naguère par les démons et les dieux de l'Allemagne,
comme si le Troisième Reich s'était éteint avec les hauts
faisceaux des phares qui avaient barré le ciel noir à l'heure
où s'allumaient les feux. Silence de l'après-midi, le silence
des villes détruites dont on a enterré les cadavres. Nous
nous engageâmes dans l'escalier en colimaçon, craignant
confusément qu'il ne fût miné. Bientôt nos torches électriques furent inutiles : une lueur rouge venait des profondeurs. Un faible chœur montait vers nous comme la
voix de cet infime incendie. Il semblait que la terre de la
ville hantée, celle des Cavaliers de l'Apocalypse et des
souvenirs hitlériens, eût voulu conserver un écho du grand
fléau, de la flamboyante traînée qui avait ravagé l'Europe
jusqu'à Stalingrad et qui embrasait alors Berlin : réservoirs
d'essence comme des bûchers de dieux hindous avec leurs
noirs panaches de dix kilomètres, fermes dont la neige
reflétait l'incendie au fond de la nuit, villes sous les bombes
au phosphore. Nous descendions vers la lueur immobile,

sacrée comme ces flammes que j'ai vues dans la solitude des montagnes de Perse où s'élevaient jadis les autels des mages. Il nous semblait descendre, non vers le bureau vaguement mythologique du dictateur, mais vers un sanctuaire du feu qui pendant des années l'avait accompagné comme le bûcher patient attendait Hercule. Il l'attendait en chantant, non avec la voix crépitante des flammes, mais avec le murmure qui accompagne l'incandescence du four du boulanger. Et ce chant nous pénétrait comme une lointaine bénédiction. L'horreur que nous connaissions trop (nous avions ouvert des camps d'extermination) était restée sur le stade avec les villes transformées en tas de cailloux et les morceaux déchiquetés du grand aigle de bronze. Ici, un crépuscule sans hommes chantait, dans les profondeurs de la terre, son inexplicable berceuse pour la mort de l'Allemagne.

Nous descendions. Au-delà des dernières marches qui semblaient couvrir les débris d'un vaste miroir rouge — amoncellement de boîtes de sardines ouvertes éclairées par des lampes électriques à petits abat-jour cramoisis, celles d'Hitler ? — une cohue de soldats noirs arrivés avec la première unité américaine improvisaient une danse rituelle en chantant à bouche fermée un admirable spiritual. Chant des plantations à la tombée du soir, mélopée de la détresse inventée jadis par quelque esclave du Sud en écoutant les pagayeurs, et qui nous parvenait encore, perdue, lorsque nous rejoignîmes les pylônes géométriques imités de ceux du temple de Granit...

C'était le printemps, car, au moment où, quittant le couloir des pilleurs de tombes, je retrouve le Nil et son brouillard de sable, ma mémoire m'apporte sous les squelettes accrochés aux balcons, seule et cahotante dans la pierraille de Nuremberg déserte, une grosse cycliste souriante au guidon chargé de lilas...

*Antimémoires*

# RAYMOND QUENEAU

(1903-    )

*434*       *La Métaphysique*

— Si je néglige le côté pratique d'un objet fabriqué, dit Étienne.

— Vous faites de l'esthétique, interrompit Pierre. Ou de la magie.

— Mais je ne veux faire ni esthétique, ni magie, protesta Étienne. Les hommes croient faire une chose, et puis ils en font une autre. Ils croient faire une paire de ciseaux, et c'est autre chose qu'ils font. Bien sûr, *c'est* une paire de ciseaux, c'est fait pour couper et ça coupe, mais c'est aussi tout autre chose.

— Pourquoi les ciseaux ?

— Ou tout autre objet fabriqué, tout objet fabriqué. Une table même. Une maison. C'est une maison, puisqu'on y habite, mais c'est aussi autre chose. Ce n'est pas de l'esthétique, car il ne s'agit ni de beau, ni de laid. Et quant à la magie, je ne comprends pas.

— Ce qui serait intéressant, ce serait de dire ce qu'est cette «autre chose».

— Sans doute. Mais ce n'est pas possible. Ça dépend des circonstances, ou bien on ne peut l'exprimer. Les mots aussi sont des objets fabriqués. On peut les envisager indépendamment de leur sens.

Étienne venait de découvrir ça, en le disant. Il se le répéta pour lui-même, et s'approuva. Ça, c'était une idée.

— En dehors de leur sens, ils peuvent dire tout autre chose. Ainsi le mot «théière» désigne *cet* objet, mais je puis le considérer en dehors de cette signification, de même que la théière elle-même je puis la regarder en dehors de son sens pratique, c'est-à-dire de servir à faire du thé ou même d'être un simple récipient.

— Vous réfléchissez depuis longtemps à ces questions? demanda Pierre.

— Oh non, répondit Étienne, je les invente au fur et à mesure. Je parle et ça veut dire quelque chose. Du moins pour moi; du moins, je le suppose. Est-ce que vous trouvez un sens à ce que je dis?

Pierre agita la tête à plusieurs reprises; il signifiait ainsi: oui.

— Et ce qui est naturel, et par conséquent n'a pas de sens, lui en attribuez-vous un?

— Je n'ai pas encore réfléchi à cela. Mais pourquoi *par conséquent*?

— Sans doute. Croyez-vous que les oiseaux et les cailloux et les étoiles et les crustacés et les nuages aient un sens? Qu'ils ont été fabriqués dans un but quelconque?

— Je ne pense pas, répondit Étienne, bien que je n'aie pas étudié la question de près. En tout cas, ce qui est naturel peut acquérir un sens; quand les hommes lui en donnent un.

Pendant le silence qui suivit, tous deux avancèrent de quelques pas, car ils se promenaient.

— Voilà qui est curieux, murmura Étienne, on croit faire ceci et puis on fait cela. On croit voir ceci et l'on voit cela. On vous dit une chose, vous en entendez une autre et c'est une troisième qu'il fallait comprendre. Tout le temps, partout, il en est ainsi.

— Pour moi, aussi, dit Pierre, les choses, le monde n'a pas la signification qu'il se donne, il n'est pas ce qu'il prétend être; mais je ne crois pas qu'il ait une autre signification. Il n'en a aucune.

— C'est comme ça que vous pensez? interrogea Étienne. Moi, je disais: on croit voir une chose et on en voit une autre.

— Et moi je dis, on croit voir une chose, mais on ne voit rien. Et vous savez, ajouta Pierre, je ne tiens pas plus

que cela à ce que je viens de vous dire. Je m'exprime rarement en termes métaphysiques.

— Quels termes métaphysiques? Je n'en connais pas,
objecta Étienne.

— Peut-être, mais vous en faites.

— De quoi?

— De la métaphysique.

— Ah! Eh bien ce n'est pas trop tôt, répondit Étienne.

*Le Chiendent*

# JEAN-PAUL SARTRE

(1905–      )

### 435      *La religion des livres*

J'AI commencé ma vie comme je la finirai sans doute:
au milieu des livres. Dans le bureau de mon grand-père, il
y en avait partout; défense était faite de les épousseter
sauf une fois l'an, avant la rentrée d'octobre. Je ne savais
pas encore lire que, déjà, je les révérais, ces pierres levées:
droites ou penchées, serrées comme des briques sur les
rayons de la bibliothèque ou noblement espacées en allées
de menhirs, je sentais que la prospérité de notre famille
en dépendait. Elles se ressemblaient toutes, je m'ébattais
dans un minuscule sanctuaire, entouré de monuments
trapus, antiques, qui m'avaient vu naître, qui me verraient
mourir et dont la permanence me garantissait un avenir
aussi calme que le passé. Je les touchais en cachette pour
honorer mes mains de leur poussière mais je ne savais trop
qu'en faire et j'assistais chaque jour à des cérémonies dont
le sens m'échappait: mon grand-père — si maladroit,
d'habitude, que ma mère lui boutonnait ses gants — maniait
ces objets culturels avec une dextérité d'officiant. Je l'ai
vu mille fois se lever d'un air absent, faire le tour de sa
table, traverser la pièce en deux enjambées, prendre un

volume sans hésiter, sans se donner le temps de choisir, le feuilleter en regagnant son fauteuil, par un mouvement combiné du pouce et de l'index puis, à peine assis, l'ouvrir d'un coup sec «à la bonne page» en le faisant craquer comme un soulier. Quelquefois je m'approchais pour observer ces boîtes qui se fendaient comme des huîtres et je découvrais la nudité de leurs organes intérieurs, des feuilles blêmes et moisies, légèrement boursouflées, couvertes de veinules noires, qui buvaient l'encre et sentaient le champignon.

Dans la chambre de ma grand-mère les livres étaient couchés; elle les empruntait à un cabinet de lecture et je n'en ai jamais vu plus de deux à la fois. Ces colifichets me faisaient penser à des confiseries de Nouvel An parce que leurs feuillets souples et miroitants semblaient découpés dans du papier glacé. Vifs, blancs, presque neufs, ils servaient de prétexte à des mystères légers. Chaque vendredi, ma grand-mère s'habillait pour sortir et disait : «Je vais *les* rendre»; au retour, après avoir ôté son chapeau noir et sa voilette, elle *les* tirait de son manchon et je me demandais, mystifié : «Sont-ce les mêmes?». Elle les «couvrait» soigneusement puis, après avoir choisi l'un d'eux, s'installait près de la fenêtre, dans sa bergère à oreillettes, chaussait ses besicles, soupirait de bonheur et de lassitude, baissait les paupières avec un fin sourire voluptueux que j'ai retrouvé depuis sur les lèvres de la Joconde; ma mère se taisait, m'invitait à me taire, je pensais à la messe, à la mort, au sommeil : je m'emplissais d'un silence sacré. De temps en temps, Louise avait un petit rire; elle appelait sa fille, pointait du doigt sur une ligne et les deux femmes échangeaient un regard complice. Pourtant, je n'aimais pas ces brochures trop distinguées; c'étaient des intruses et mon grand-père ne cachait pas qu'elles faisaient l'objet d'un culte mineur, exclusivement féminin. Le dimanche, il entrait par désœuvrement dans la chambre de sa femme et se plantait devant elle sans rien trouver à lui dire; tout le monde le regardait, il tambourinait contre la vitre puis, à bout d'invention, se retournait vers Louise et lui ôtait des mains son roman: «Charles! s'écriait-elle furieuse, tu vas me perdre ma page!» Déjà, les sourcils hauts, il lisait; brusquement son index frappait la brochure: «Comprends pas! — Mais comment veux-tu comprendre? disait ma grand-mère: tu lis par-dedans!» Il finissait par jeter le livre sur la table et s'en allait en haussant les épaules.

*Les Mots*

### 436 *Je savais lire*

JE grimpais sur mon lit-cage avec *Sans Famille* d'Hector Malot, que je connaissais par cœur et, moitié récitant, moitié déchiffrant, j'en parcourus toutes les pages l'une après l'autre: quand la dernière fut tournée, je savais lire.

J'étais fou de joie: à moi ces voix séchées dans leurs petits herbiers, ces voix que mon grand-père ranimait de son regard, qu'il entendait, que je n'entendais pas! Je les écouterais, je m'emplirais de discours cérémonieux, je saurais tout. On me laissa vagabonder dans la bibliothèque et je donnai l'assaut à la sagesse humaine. C'est ce qui m'a fait. Plus tard, j'ai cent fois entendu les antisémites reprocher aux juifs d'ignorer les leçons et les silences de la nature; je répondais: «En ce cas, je suis plus juif qu'eux.» Les souvenirs touffus et la douce déraison des enfances paysannes, en vain les chercherais-je en moi. Je n'ai jamais gratté la terre ni quêté des nids, je n'ai pas herborisé ni lancé des pierres aux oiseaux. Mais les livres ont été mes oiseaux et mes nids, mes bêtes domestiques, mon étable et ma campagne; la bibliothèque, c'était le monde pris dans un miroir; elle en avait l'épaisseur infinie, la variété, l'imprévisibilité. Je me lançai dans d'incroyables aventures: il fallait grimper sur les chaises, sur les tables, au risque de

provoquer des avalanches qui m'eussent enseveli. Les
ouvrages du rayon supérieur restèrent longtemps hors de
ma portée; d'autres, à peine je les avais découverts, me
furent ôtés des mains; d'autres, encore, se cachaient: je les
avais pris, j'en avais commencé la lecture, je croyais les
avoir remis en place, il fallait une semaine pour les retrouver. Je fis d'horribles rencontres: j'ouvrais un album,
je tombais sur une planche en couleurs, des insectes hideux
grouillaient sous ma vue. Couché sur le tapis, j'entre-
pris d'arides voyages à travers Fontenelle, Aristophane,
Rabelais: les phrases me résistaient à la manière des choses;
il fallait les observer, en faire le tour, feindre de m'éloigner
et revenir brusquement sur elles pour les surprendre hors
de leur garde: la plupart du temps, elles gardaient leur
secret. J'étais La Pérouse, Magellan, Vasco de Gama; je
découvrais des indigènes étranges: «Héautontimorou-
ménos» dans une traduction de Térence en alexandrins,
«idiosyncrasie» dans un ouvrage de littérature comparée.
Apocope, Chiasme, Parangon, cent autres Cafres impéné-
trables et distants surgissaient au détour d'une page et
leur seule apparition disloquait tout le paragraphe. Ces
mots durs et noirs, je n'en ai connu le sens que dix ou
quinze ans plus tard et, même aujourd'hui, ils gardent leur
opacité: c'est l'humus de ma mémoire.

*Les Mots*

# MAURICE BLANCHOT

(1907– )

*437      L'influence de l'écrivain*

LE livre n'est-il donc rien? Pourquoi alors l'action de
fabriquer un poêle peut-elle passer pour le travail qui forme
et entraîne l'histoire et pourquoi l'acte d'écrire apparaît il

comme une pure passivité qui demeure en marge de l'histoire et que l'histoire entraîne malgré elle ? La question paraît déraisonnable, et pourtant, elle pèse sur l'écrivain d'un poids accablant. A première vue, on se dit que la puissance formatrice des œuvres écrites est incomparable; on se dit aussi que l'écrivain est un homme doué de plus de capacité d'action qu'aucun autre, car il agit sans mesure, sans limites : nous le savons (ou nous aimons à le croire), une seule œuvre peut changer le cours du monde. Mais justement c'est là ce qui donne à réfléchir. L'influence des auteurs est très grande, elle dépasse infiniment leur action, elle la dépasse à tel point que ce qu'il y a de réel dans cette action ne passe pas dans cette influence et que cette influence ne trouve pas dans ce peu de réalité la substance vraie qui serait nécessaire à son étendue. Que peut un auteur ? Tout, d'abord tout : il est dans les fers, l'esclavage le presse, mais qu'il trouve, pour écrire, quelques instants de liberté, et le voici *libre* de créer un monde sans esclave, un monde où l'esclave, devenu maître, fonde la loi nouvelle; ainsi, écrivant, l'homme enchaîné obtient immédiatement la liberté pour lui et pour le monde; il nie tout ce qu'il est pour devenir tout ce qu'il n'est pas. En ce sens, son œuvre est une action prodigieuse, la plus grande et la plus importante qui soit. Mais regardons-y de plus près. Pour autant qu'il se donne *immédiatement* la liberté qu'il n'a pas, il néglige les conditions vraies de son affranchissement, il néglige ce qui doit être fait de réel pour que l'idée abstraite de liberté se réalise. Sa négation à lui est *globale*. Elle ne nie pas seulement sa situation d'homme muré, mais elle passe par-dessus le temps qui dans ce mur doit ouvrir les brèches, elle nie la négation du temps, elle nie la négation des limites. C'est pourquoi, en fin de compte, elle ne nie rien et l'œuvre où elle se réalise n'est pas elle-même une action réellement négative, destructrice et transformatrice, mais réalise plutôt l'impuissance à nier, le refus d'intervenir

dans le monde et transforme la liberté qu'il faudrait in-
carner dans les choses selon les voies du temps en un idéal
au-dessus du temps, vide et inaccessible.

L'influence de l'écrivain est liée à ce privilège d'être
maître de tout. Mais il n'est maître que de tout, il ne possède
que l'infini, le fini lui manque, la limite lui échappe. Or,
on n'agit pas dans l'infini, on n'accomplit rien dans l'illi-
mité, de sorte que, si l'écrivain agit bien réellement en
produisant cette chose réelle qui s'appelle un livre, il
discrédite aussi, par cette action, toute action, en substituant au monde des choses déterminées et du travail
défini un monde où *tout* est *tout de suite* donné et rien n'est
à faire qu'à en jouir par la lecture.

En général, l'écrivain apparaît soumis à l'inaction parce
qu'il est le maître de l'imaginaire où ceux qui entrent à sa
suite perdent de vue les problèmes de leur vie vraie. Mais
le danger qu'il représente est bien plus sérieux. La vérité,
c'est qu'il ruine l'action, non parce qu'il dispose de l'irréel,
mais parce qu'il met à notre disposition *toute* la réalité.
L'irréalité commence avec le tout. L'imaginaire n'est
pas une étrange région située par delà le monde, il est le
monde même, mais le monde comme ensemble, comme
tout. C'est pourquoi, il n'est pas dans le monde, car il est
le monde, saisi et réalisé dans son ensemble par la négation
globale de toutes les réalités particulières qui s'y trouvent,
par leur mise hors de jeu, leur absence, par la réalisation
de cette absence elle-même, avec laquelle commence la
création littéraire, qui se donne l'illusion, lorsqu'elle revient
sur chaque chose et sur chaque être, de les créer, parce que
maintenant elle les voit et les nomme à partir *du* tout, à
partir de l'absence *de* tout, c'est-à-dire de rien.

*La Littérature et le droit à la mort*

(652)

# La Sainte Bible

*438*		*Les ossements desséchés*

[Pub. 1955]

LA main de Yahvé fut sur moi, et il m'emmena par l'esprit de Yahvé, et il me déposa au milieu de la vallée, une vallée pleine d'ossements. Il me la fit parcourir parmi eux en tous sens. Or les ossements étaient très nombreux sur le sol de la vallée, et ils étaient complètement desséchés. Il me dit: «Fils d'homme, ces ossements vivront-ils?» Je dis: «Seigneur Yahvé, tu le sais.» Il me dit: «Prophétise sur ces ossements. Tu leur diras: Ossements desséchés, écoutez la parole de Yahvé. Ainsi parle le Seigneur Yahvé à ces ossements. Voici que je vais faire entrer en vous l'esprit, et vous vivrez. Je mettrai sur vous des nerfs, je ferai pousser sur vous de la chair, je tendrai sur vous de la peau et je vous donnerai un esprit, et vous vivrez, et vous saurez que je suis Yahvé.» Je prophétisai, comme j'en avais reçu l'ordre. Or il se fit un bruit au moment où je prophétisais; il y eut un frémissement et les os se rapprochèrent l'un de l'autre. Je regardai; ils étaient recouverts de nerfs, la chair poussait et la peau se tendait par-dessus, mais il n'y avait pas d'esprit en eux. Et il me dit: «Prophétise à l'esprit, prophétise, fils d'homme. Tu diras à l'esprit: Ainsi parle le Seigneur Yahvé. Viens des quatre vents, esprit, souffle sur ces morts, et qu'ils vivent.» Je prophétisai comme il m'en avait donné l'ordre, et l'esprit vint en eux, et ils reprirent vie et se mirent debout sur leurs pieds: grande, immense armée.

Alors il me dit: «Fils d'homme, ces ossements, c'est toute la maison d'Israël. Les voilà qui disent: «Nos os sont «desséchés, notre espérance est détruite, c'en est fait de nous.» C'est pourquoi, prophétise. Tu leur diras: Ainsi parle le Seigneur Yahvé. Voici que j'ouvre vos tombeaux, et je vais vous faire remonter de vos tombeaux, mon peuple, et je vous reconduirai sur le sol d'Israël. Et vous saurez que je suis Yahvé, lorsque j'ouvrirai vos tombeaux et que je vous ferai remonter de vos tombeaux, mon peuple. Et je mettrai mon esprit en vous, et vous vivrez, et je vous installerai sur votre sol, et vous saurez que moi, Yahvé, j'ai dit et je fais, oracle de Yahvé.»

*La Bible de Jérusalem. Ézéchiel* 37

# CLAUDE LÉVI-STRAUSS
(1908– )

*439*     *cette arche ténue demeurera*

EN se déplaçant dans son cadre, l'homme transporte avec soi toutes les positions qu'il a déjà occupées, toutes celles qu'il occupera. Il est simultanément partout, il est une foule qui avance de front, récapitulant à chaque instant une totalité d'étapes. Car nous vivons dans plusieurs mondes, chacun plus vrai que celui qu'il contient, et lui-même faux par rapport à celui qui l'englobe. Les uns se connaissent par l'action, les autres se vivent en les pensant, mais la contradiction apparente qui tient à leur coexistence se résout dans la contrainte que nous subissons d'accorder un sens aux plus proches et de le refuser aux plus lointains; alors que la vérité est dans une dilatation progressive du sens, mais en ordre inverse et poussée jusqu'à l'explosion.

En tant qu'ethnographe, je cesse alors d'être seul à souffrir d'une contradiction qui est celle de l'humanité tout entière et qui porte en soi sa raison. La contradiction demeure seulement quand j'isole les extrêmes; à quoi sert d'agir, si la pensée qui guide l'action conduit à la découverte de l'absence de sens? Mais cette découverte n'est pas immédiatement accessible: il faut que je la pense et je ne puis la penser d'un seul coup. Que les étapes soient

douze, comme dans la Boddhi; qu'elles soient plus nombreuses ou qu'elles le soient moins, elles existent toutes
ensemble et, pour parvenir jusqu'au terme, je suis perpétuellement appelé à vivre des situations dont chacune exige
quelque chose de moi : je me dois aux hommes comme je
me dois à la connaissance. L'histoire, la politique, l'univers
économique et social, le monde physique et le ciel même,
m'entourent de cercles concentriques dont je ne puis
m'évader par la pensée sans concéder à chacun une parcelle
de ma personne. Comme le caillou frappant une onde dont
il annèle la surface en la traversant, pour atteindre le fond
il faut d'abord que je me jette à l'eau.

Le monde a commencé sans l'homme et il s'achèvera
sans lui. Les institutions, les mœurs et les coutumes, que
j'aurai passé ma vie à inventorier et à comprendre, sont une
efflorescence passagère d'une création par rapport à
laquelle elles ne possèdent aucun sens, sinon peut-être
celui de permettre à l'humanité d'y jouer son rôle. Loin
que ce rôle lui marque une place indépendante et que
l'effort de l'homme — même condamné — soit de s'opposer
vainement à une déchéance universelle, il apparaît lui-
même comme une machine, peut-être plus perfectionnée
que les autres, travaillant à la désagrégation d'un ordre
originel et précipitant une matière puissamment organisée
vers une inertie toujours plus grande et qui sera un jour
définitive. Depuis qu'il a commencé à respirer et à se
nourrir jusqu'à l'invention des engins atomiques et thermo-
nucléaires, en passant par la découverte du feu — et sauf
quand il se reproduit lui-même — l'homme n'a rien fait
d'autre qu'allègrement dissocier des milliards de structures
pour les réduire à un état où elles ne sont plus susceptibles
d'intégration. Sans doute a-t-il construit des villes et cultivé
des champs; mais, quand on y songe, ces objets sont eux-
mêmes des machines destinées à produire de l'inertie à un
rythme et dans une proportion infiniment plus élevée que

la quantité d'organisation qu'ils impliquent. Quant aux
créations de l'esprit humain, leur sens n'existe que par
rapport à lui et elles se confondront au désordre dès
qu'il aura disparu. Si bien que la civilisation, prise dans son
ensemble, peut être décrite comme un mécanisme prodigieusement complexe où nous serions tentés de voir la
chance qu'a notre univers de survivre, si sa fonction n'était
de fabriquer ce que les physiciens appellent l'entropie,
c'est-à-dire de l'inertie. Chaque parole échangée, chaque
ligne imprimée, établissent une communication entre deux
interlocuteurs, rendant étale un niveau qui se caractérisait
auparavant par un écart d'information, donc une organisation plus grande. Plutôt qu'anthropologie, il faudrait
écrire «entropologie» le nom d'une discipline vouée à
étudier dans ses manifestations les plus hautes ce processus
de désintégration.

Pourtant, j'existe. Non point, certes, comme individu;
car que suis-je, sous ce rapport, sinon l'enjeu à chaque
instant remis en cause de la lutte entre une autre société,
formée de quelques milliards de cellules nerveuses abritées
sous la termitière du crâne, et mon corps, qui lui sert de
robot? Ni la psychologie, ni la métaphysique, ni l'art ne
peuvent me servir de refuge, mythes désormais passibles,
aussi par l'intérieur, d'une sociologie d'un nouveau genre
qui naîtra un jour et ne leur sera pas plus bienveillante
que l'autre. Le moi n'est pas seulement haïssable: il n'a
pas de place entre un *nous* et un *rien*. Et si c'est pour ce
nous que finalement j'opte, bien qu'il se réduise à une
apparence, c'est qu'à moins de me détruire — acte qui
supprimerait les conditions de l'option — je n'ai qu'un
choix possible entre cette apparence et rien. Or, il suffit
que je choisisse pour que, par ce choix même, j'assume
sans réserve ma condition d'homme: me libérant par là
d'un orgueil intellectuel dont je mesure la vanité à celle
de son objet, j'accepte aussi de subordonner ses prétentions

aux exigences objectives de l'affranchissement d'une multitude à qui les moyens d'un tel choix sont toujours déniés.

Pas plus que l'individu n'est seul dans le groupe et que chaque société n'est seule parmi les autres, l'homme n'est seul dans l'univers. Lorsque l'arc-en-ciel des cultures humaines aura fini de s'abîmer dans le vide creusé par notre fureur ; tant que nous serons là et qu'il existera un monde — cette arche ténue qui nous relie à l'inaccessible demeurera : montrant la voie inverse de celle de notre esclavage et dont, à défaut de la parcourir, la contemplation procure à l'homme l'unique faveur qu'il sache mériter : suspendre la marche, retenir l'impulsion qui l'astreint à obturer l'une après l'autre les fissures ouvertes au mur de la nécessité et à parachever son œuvre en même temps qu'il clôt sa prison ; cette faveur que toute société convoite, quels que soient ses croyances, son régime politique et son niveau de civilisation ; où elle place son loisir, son plaisir, son repos et sa liberté ; chance, vitale pour la vie, de se *déprendre* et qui consiste — adieu sauvages ! adieu voyages ! — pendant les brefs intervalles où notre espèce supporte d'interrompre son labeur de ruche, à saisir l'essence de ce qu'elle fut et continue d'être, en deçà de la pensée et au delà de la société, dans la contemplation d'un minéral plus beau que toutes nos œuvres ; dans le parfum, plus savant que nos livres, respiré au creux d'un lis ; ou dans le clin d'œil alourdi de patience, de sérénité et de pardon réciproque qu'une entente involontaire permet parfois d'échanger avec un chat.

*Tristes Tropiques*

# ALBERT CAMUS
1913-1960

440 *État de peste*

A PARTIR de ce moment, il est possible de dire que la peste fut notre affaire à tous. Jusque là, malgré la surprise et l'inquiétude que leur avaient apportées ces événements singuliers, chacun de nos concitoyens avait poursuivi ses occupations, comme il l'avait pu, à sa place ordinaire. Et sans doute, cela devait continuer. Mais une fois les portes fermées, ils s'aperçurent qu'ils étaient tous, et le narrateur lui-même, pris dans le même sac et qu'il fallait s'en arranger. C'est ainsi, par exemple, qu'un sentiment aussi individuel que celui de la séparation d'avec un être aimé devint soudain, dès les premières semaines, celui de tout un peuple, et, avec la peur, la souffrance principale de ce long temps d'exil.

Une des conséquences les plus remarquables de la fermeture des portes fut, en effet, la soudaine séparation où furent placés des êtres qui n'y étaient pas préparés. Des mères et des enfants, des époux, des amants qui avaient cru procéder quelques jours auparavant à une séparation temporaire, qui s'étaient embrassés sur le quai de notre gare avec deux ou trois recommandations, certains de se revoir quelques jours ou quelques semaines plus tard, enfoncés dans la stupide confiance humaine, à peine distraits par ce départ de leurs préoccupations habituelles, se virent d'un seul coup éloignés sans recours, empêchés de se rejoindre ou de communiquer. Car la fermeture s'était faite quelques heures avant que l'arrêt préfectoral fût publié, et, naturellement, il était impossible de prendre en considération les cas particuliers. On peut dire que cette invasion brutale de la maladie eut pour premier effet d'obliger nos concitoyens à agir comme s'ils n'avaient pas de sentiments individuels. Dans les premières heures de la journée où l'arrêté entra en vigueur, la préfecture fut assaillie par une foule de demandeurs qui, au téléphone ou auprès des fonctionnaires, exposaient des situations également intéressantes et, en même temps, également impossibles à examiner. A la vérité, il fallut plusieurs jours pour que nous nous rendissions compte que nous nous trouvions dans une situation sans compromis, et que les

mots «transiger», «faveur», «exception», n'avaient plus de
sens.

Même la légère satisfaction d'écrire nous fut refusée.
D'une part, en effet, la ville n'était plus reliée au reste du
pays par les moyens de communication habituels, et, d'autre
part, un nouvel arrêté interdit l'échange de toute correspondance, pour éviter que les lettres pussent devenir les
véhicules de l'infection. Au début, quelques privilégiés
purent s'aboucher aux portes de la ville, avec des sentinelles
des postes de garde, qui consentirent à faire passer des
messages à l'extérieur. Encore était-ce dans les premiers
jours de l'épidémie, à un moment où les gardes trouvaient
naturel de céder à des mouvements de compassion. Mais,
au bout de quelque temps, lorsque les mêmes gardes
furent bien persuadés de la gravité de la situation, ils se
refusèrent à prendre des responsabilités dont ils ne pouvaient prévoir l'étendue. Les communications téléphoni-
ques interurbaines, autorisées au début, provoquèrent de
tels encombrements aux cabines publiques et sur les lignes,
qu'elles furent totalement suspendues pendant quelques
jours, puis sévèrement limitées à ce qu'on appelait les cas
urgents, comme la mort, la naissance et le mariage. Les
télégrammes restèrent alors notre seule ressource. Des
êtres que liaient l'intelligence, le cœur et la chair, en furent
réduits à chercher les signes de cette communion ancienne
dans les majuscules d'une dépêche de dix mots. Et comme,
en fait, les formules qu'on peut utiliser dans un télégramme
sont vite épuisées, de longues vies communes ou des
passions douloureuses se résumèrent rapidement dans un
échange périodique de formules toutes faites comme :
«Vais bien. Pense à toi. Tendresse.»

Certains d'entre nous, cependant, s'obstinaient à écrire
et imaginaient sans trève, pour correspondre avec l'extérieur, des combinaisons qui finissaient toujours par s'avérer
illusoires. Quand même quelques-uns des moyens que nous

avions imaginés réussissaient, nous n'en savions rien, ne recevant pas de réponse. Pendant des semaines, nous fûmes réduits alors à recommencer sans cesse la même lettre, à recopier les mêmes renseignements et les mêmes appels, si bien qu'au bout d'un certain temps, les mots qui d'abord étaient sortis tout saignants de notre cœur se vidaient de leur sens. Nous les recopiions alors machinalement, essayant de donner au moyen de ces phrases mortes des signes de notre vie difficile. Et pour finir, à ce monologue stérile et entêté, à cette conversation aride avec un mur, l'appel conventionnel du télégramme nous paraissait préférable.

*La Peste*

# CLAUDE SIMON

(1913–    )

*441*        *Les funérailles d'un assassiné*

CE qu'ils regardaient à présent, quatre étages au-dessous d'eux et sur leur gauche, c'était quelque chose d'encore indistinct, confus et sombre qui emplissait l'avenue d'un bord à l'autre et au milieu ou plutôt au-dessus de quoi non pas avançait mais semblait osciller sur place, immobile et tremblotante, une sorte de pyramide noire, argent et rouge. Plus tard ils distingueraient: d'abord la clique, la musique en uniforme, puis un vide, puis les quatre chevaux caparaçonnés de noir et noirs eux-mêmes de robe, l'œil noir et humide injecté de pourpre, les longs cils noirs saillant au milieu du rond bordé d'un galon d'argent ménagé dans la cagoule qui leur couvrait la tête, et le corbillard (ou plutôt, étant donné sa taille, sa hauteur: le catafalque) lui-même, et pendant un instant rien que cela: les seize pattes fines et noires piaffant, le crépitement des seize sabots sur le pavé et le lent, solennel et lugubre crissement des roues dans le silence. Mais pour le moment le catafalque avait l'air de voguer sans but, ou plutôt de planer, échappant à la pesanteur, opulent, ténébreux et burlesque, au-dessus des têtes, à la façon de ces grappes que, dans les fêtes, les marchands de ballons tiennent attachés à une perche, de sorte que la foule semblait s'y cramponner, non pour le soutenir, le porter à dos d'homme comme il avait d'abord paru, mais pour l'empêcher de s'envoler, comme s'ils craignaient de voir le tout (les noires plumes d'autruche, les sanglantes gerbes de fleurs, le cocher et les quatre chevaux d'apocalypse) s'élever vers le ciel dans une apo-théose funèbre et féérique, planer un moment au-dessus de la ville en rapetissant (non pas emporté par ses rosses piaffantes, galopantes et empennées, mais l'attelage et le char tout entier à l'arrêt, immobiles, risibles et dérisoires, comme un de ces jouets d'enfant), et disparaître. Et, de même qu'ils semblaient ne pas avancer (ce qui, il fallait bien l'admettre, n'était qu'une passagère illusion d'optique, puisqu'un peu plus tôt encore l'avenue était vide), on n'imaginait pas plus ni où, ni quand, ni vers quoi ils (c'est-à-dire ceux qui composaient la foule) le conduisaient, ni même s'ils avaient jamais eu le dessein, formé le projet, de le porter dans un quelconque endroit car il semblait inconcevable que ce fût à un des cimetières de la banlieue poussiéreuse et suante qui entourait la ville (la même banlieue peut-être où on l'avait trouvé deux jours plus tôt au matin : non pas l'un de ces corps aux pieds sales chaussés d'espadrilles couchés le long d'un mur de fabrique ou de ferme et qui semblent dormir là, dans l'ombre mou-chetée des platanes, paisibles, aussi bien indifférents aux pastilles de soleil qui rampent sur leurs yeux qu'aux nuées de mouches, jusqu'à ce qu'approchant on se rende compte qu'ils sont alignés comme pour être comptés, d'une effroya-ble immobilité, et barbouillés de sang séché — mais en pyjama (ou peut-être en son uniforme de commandant), et proprement abattu d'une seule, ou tout au plus de deux

balles dans le dos ou la nuque comme quelqu'un qu'on a
poliment invité à descendre d'une voiture pour se dé-
gourdir les jambes, les deux détonations claquant alors
dans la nuit, puis une troisième (la portière refermée de
l'auto), puis le grondement décroissant du moteur, puis
plus rien sous les étoiles indifférentes que l'indifférent et
monotone crissement des grillons), inconcevable donc
qu'ils fussent en train de marcher vers un de ces cimetières
de banlieue, où on le déposerait sous une urne ou une
stèle...

*Le Palace*

# ALAIN ROBBE-GRILLET

(1922– )

*442        Au bord de la falaise*

LE soleil avait complètement disparu. Pour peu que le
regard s'écartât du rivage, la mer apparaissait d'un vert
uniforme, mat, opaque et comme figé. Les vagues semblaient naître à une très faible distance, pour se gonfler brusquement, submerger d'un seul coup les roches géantes
détachées de la côte et s'écrouler par derrière en éventails
laiteux, s'engouffrer plus loin en bouillonnant dans les
anfractuosités de la paroi, surgir de trous insoupçonnés,
s'entrechoquer au milieu des chenaux et des grottes, ou
jaillir soudain vers le ciel en panaches d'une hauteur
inattendue — qui se répétaient pourtant aux mêmes
points, à chaque lame.

Dans un renfoncement protégé par une saillie oblique,
où l'eau plus calme clapotait au gré du ressac, une épaisse
couche de mousse jaunâtre s'était accumulée, dont le vent
détachait des lambeaux qu'il dispersait en tourbillons
jusqu'en haut de la falaise. Sur le sentier qui longeait le
bord, Mathias marchait d'un pas rapide, mallette à la main
et canadienne boutonnée, plusieurs mètres en arrière du

pêcheur. Celui-ci, une bouteille pleine pendant au bout de
chaque bras, avait fini par se taire à cause du vacarme. De
temps à autre il se retournait vers le voyageur et criait
quelques mots à son adresse, qu'il accompagnait de mouvements confus des coudes — embryons avortés de dé-
monstrations plus vastes. Mathias ne pouvait entreprendre
d'en reconstituer le plein développement, car il était
obligé, afin de tendre l'oreille dans cette direction, de garder
les yeux ailleurs. Il s'arrêta même un instant, pour mieux
essayer de comprendre. A l'angle d'un étroit couloir,
entre deux murailles presque verticales, l'eau s'enflait et
se creusait tour à tour, au passage du flot; il ne se pro-
duisait à cet endroit ni déferlement ni remous; la masse
mouvante y demeurait lisse et bleue, tout en montant et
descendant contre la pierre. La disposition des rochers aux
alentours amenait un brusque afflux de liquide dans la
passe, sous la poussée duquel le niveau s'élevait à une
hauteur dépassant de beaucoup celle de la vague initiale.
L'affaissement s'amorçait aussitôt, qui créait en quelques
secondes, à la même place, une dépression si profonde
qu'on s'étonnait de ne pas y découvrir le sable, ou les
galets, ou l'extrémité ondulante des algues. La surface y
restait au contraire du même bleu intense, teinté de violet
le long des parois. Mais pour peu que le regard s'écartât
de la côte, la mer apparaissait, sous le ciel chargé de nuages,
d'un vert uniforme, mat, opaque et comme figé.

Un écueil plus avancé, situé déjà dans cette zone où
la houle avait l'air quasi insignifiante, échappait malgré
sa forme basse à l'immersion périodique. C'est à peine si
un liséré d'écume en cernait le contour. Trois mouettes
s'y tenaient immobiles sur de légères proéminences, l'une
un peu au-dessus des deux autres. Elles se présentaient de
profil, toutes les trois orientées de façon identiques et aussi
semblables entre elles que si on les avait peintes, sur la
toile de fond, au moyen du même pochoir — pattes raides,

corps horizontal, tête dressée, œil fixe, bec pointant vers l'horizon.

Le chemin s'abaissait ensuite le long d'une crique, pour atteindre la petite plage qui terminait une sorte de vallée très exiguë, envahie par les roseaux. Le triangle de sable était entièrement occupé par une barque sans mât tirée au sec et cinq ou six pièges à crabes — grands paniers ronds à claire-voie, faits de minces baguettes maintenues par des liens d'osier. Un peu en retrait, devant les premiers roseaux, s'élevait une maisonnette solitaire, au milieu d'un coin d'herbe rase raccordé à la grève par un raidillon. Le pêcheur tendit un des litres de vin vers le toit d'ardoises et dit : «On y est.»

*Le Voyeur*

## MICHEL BUTOR

(1926– )

*443*        *Sur un sol nouveau*

J'AI arraché ma valise et je me suis mis à marcher sur ce sol nouveau, dans cet air étranger, au milieu des trains immobiles.

L'employé a fermé la grille et s'en est allé.

J'avais faim, mais, dans le grand hall, les mots «bar», «restaurant», s'étalaient au-dessus de rideaux de fer baissés.

Voulant fumer, j'ai fouillé dans la poche de mon veston, mais le paquet de gauloises était vide, et il n'y avait rien d'autre.

Pourtant c'était là que je croyais avoir rangé, quelques instants plus tôt, quelques heures plus tôt, je ne savais déjà plus, la lettre du directeur de Matthews and Sons qui me donnait l'adresse de l'hôtel où ma chambre était réservée.

Je l'avais relue dans le train une dernière fois, il était donc impossible qu'elle fût dans ma valise, puisque je n'avais pas ouvert celle-ci de tout le trajet; mais après

avoir cherché en vain dans mes vêtements, il a fallu que je
vérifie, que je glisse ma main entre mes chemises, en vain.

Elle devait être tombée dans le compartiment où je ne
pouvais plus retourner à ce moment, mais je n'accordais à
cela nulle importance, convaincu que je trouverais facilement un gîte provisoire dans les environs immédiats.

Le chauffeur de taxi, dont j'étais le dernier espoir pour la
nuit, m'a demandé où je voulais être mené (ses paroles ne
pouvaient avoir d'autre sens), mais les mots qu'il employait,
je ne les reconnaissais pas, et ceux par lesquels j'aurais
voulu le remercier, je ne parvenais pas à les former dans
ma bouche; c'est un simple murmure que je me suis entendu prononcer.

Il m'a regardé en hochant la tête et, tandis que je m'éloi-
gnais de la gare, silencieusement, droit devant moi, j'ai vu
sa voiture noire faire le tour de la plate-forme, descendre
par la pente bordée de parapets, disparaître par la rue déserte
en bas.

Les hauts réverbères éclairaient de lumière orange les
enseignes éteintes, les hautes façades sans volets, où toutes
les fenêtres étaient obscures, où toutes les vitrines étaient
fermées, où rien ne signalait un hôtel.

Je suis arrivé à un endroit où les maisons s'écartaient,
et dans l'espace libre, là-bas, j'apercevais des bus à deux
étages qui démarraient.

Les rares personnes que je croisais semblaient se hâter,
comme s'il ne restait plus que quelques instants avant un
rigoureux couvre-feu.

Je sais maintenant que la grande rue que j'ai prise à
gauche, c'est Brown Street; je suis, sur le plan que je viens
d'acheter à Ann Bailey, tout mon trajet de cette nuit-là;
mais en ces minutes obscures, je n'ai même pas cherché à
l'angle les lettres d'un nom, parce que les inscriptions que
je désirais lire, c'étaient «Hôtel», «Pension», «Bed and
Breakfast», ces inscriptions que j'ai vues depuis, repassant

de jour devant ces maisons, éclater en émail sur des vitres
au premier ou second étage, alors si bien cachées dans
l'ombre de cette heure indue.

Je suis retourné vers la place qui s'était vidée entre temps ;
j'ai traîné dans quelques-unes de ces ruelles sur lesquelles
donne l'arrière des immeubles, m'arrêtant tous les dix pas
pour poser ma lourde valise et changer de bras ; puis,
comme le brouillard devenait pluie, j'ai décidé de remonter
à la gare pour y attendre le matin.

Parvenu en haut de la pente, j'ai été surpris par la
largeur de la façade ; certes, je ne l'avais pas regardée avec
attention tout à l'heure, mais était-il possible que je fusse
passé sous ce portique ? N'y avait-il pas une marquise ? Et
cette tour, comment ne l'avais-je pas aperçue ?

Quand je suis entré, j'ai dû me rendre à l'évidence :
déjà ce court périple m'avait égaré ; j'étais arrivé dans une
autre gare, Bleston New Station, tout aussi vide que la
première.

Mes pieds me faisaient mal, j'étais trempé, j'avais des
ampoules aux mains ; mieux valait en rester là.

Je lisais au-dessus des portes : «Renseignements»,
«Billets», «Bar», «Chef de gare», «Sous-chef de gare»,
«Consigne», «Salle d'attente de première classe» (j'ai
tourné la poignée, j'ai tenté d'ouvrir), «Salle d'attente de
deuxième classe» (même insuccès), «Salle d'attente de
troisième classe» (c'était allumé à l'intérieur).

M'introduisant, j'ai vu deux hommes qui dormaient sur
les bancs de bois, deux hommes très sales, l'un allongé sur
le côté, le visage caché sous un chapeau, l'autre couché sur
le dos, les genoux en l'air, la tête renversée, la bouche ouverte, presque sans dents, avec une barbe de quinze jours
et une croûte sur la pommette droite, laissant traîner par
terre sa main droite à laquelle il manquait deux doigts.

Un troisième, assis près de la cheminée froide, plus âgé,
le dos courbé, les bras croisés sur son ventre, m'a examiné

de la tête aux pieds, m'a montré des yeux ses deux compagnons comme pour me mettre en garde, puis m'a désigné
d'un mouvement de menton un emplacement que j'ai nettoyé
sommairement avant d'y poser ma valise et de m'asseoir
à côté d'elle, en appuyant mon coude sur son couvercle.

Au bout d'un quart d'heure, comme on entendait un pas
lourd s'approcher, l'homme éveillé a fermé les yeux.

J'ai vu la poignée tourner lentement; les gonds se sont
mis à grincer; dans l'entrebâillement est passé le casque
bleu-noir, puis le visage d'un policeman qui a paru satisfait du calme et qui a éteint; les gonds se sont remis à
grincer; la serrure a claqué doucement.

Peu après, malgré mes efforts, je me suis endormi.

*L'Emploi du temps*

# FRANÇOISE SAGAN

(1935-    )

*444          Éloignement*

S IMON était resté seul dans le salon, n'ayant pas voulu, à
l'issue du procès, se mêler à la foule qui félicitait le grand
Maître. La maison était triste et froide, il avait gelé la
nuit d'avant et par la fenêtre on apercevait un paysage figé,
deux arbres dénudés et une pelouse jaunie, où pourrissaient
doucement deux fauteuils de rotin sacrifiés à l'automne
par un jardinier insouciant. Il lisait un livre anglais, une
étrange histoire au sujet d'une femme transformée en
renard, et de temps en temps riait tout haut, mais ses jambes
s'agitaient, il croisait les pieds, les décroisait, et le sentiment
de son malaise physique se glissait peu à peu entre le livre
et lui jusqu'au moment où il se leva, posa le livre et sortit.

Il descendit jusqu'à une petite mare, au bas du jardin,
respirant l'odeur du froid, l'odeur du soir mêlées à celle,
plus lointaine, d'un feu de feuilles mortes dont il distin-

guait à peine la fumée derrière une haie. Il aimait cette
dernière odeur plus que tout et s'arrêta une seconde pour
mieux la respirer, les yeux clos. De temps en temps, un
oiseau poussait un petit cri sans grâce et l'ensemble parfait,
la réunion de ces nostalgies le soulageaient vaguement de
la sienne. Il se pencha sur l'eau terne, y plongea la main,
regarda ses doigts maigres que l'eau rendait obliques,
presque perpendiculaires à sa paume. Il ne bougeait pas,
refermait son poing dans l'eau, avec lenteur, comme pour
y capter un mystérieux poisson... Il remonta lentement vers
la maison, s'allongea sur le tapis, remit une bûche dans le
feu...

*Aimez-vous Brahms...*

## 445 *Épilogue*

[1848]

APRÈS tout, quelles que soient les destinées futures du monde
et la prédominance des intérêts sur les idées, rien ne vivra dans la
mémoire, rien ne se transmettra que par les Lettres. Ces événements
eux-mêmes qui les effacent un moment et les éclipsent comme
aujourd'hui, ces catastrophes qui paraissent si considérables aux
contemporains, que seraient-elles sans le génie des Lettres? Que
sembleraient-elles à distance dans leur chaos, si l'historien ne les
débrouillait, ne les présentait sous un jour plus net, et ne leur
donnait, par la puissance de l'esprit, je ne sais quel ordre et
quelle grandeur, que souvent il serait difficile de leur trouver dans
la réalité... Je suis de ceux pour qui la littérature ainsi conçue,
ainsi aimée pour elle-même, est comme une religion ardemment
embrassée dès l'enfance; et au milieu de tout ce qui semblait
devoir en détacher ou en distraire, les années n'ont fait que la
confirmer en moi.

SAINTE-BEUVE: *Chateaubriand et son groupe littéraire:*
Discours d'ouverture

# INDEX OF AUTHORS AND SOURCES

*Note.* The date in round brackets immediately following the title is the date of first publication—or of writing or compilation—of the work from which passages have been selected. When these passages have been taken from modern works in copyright or from later editions (for the most part modern edited texts) of much earlier works, particulars are given, with the dates left unbracketed. Names of publishers of the editions used, with place of publication if outside Paris, are given for modern works in copyright and for the modern edited texts.

Volume and book references are given consistently; chapter or page references if the passage might otherwise be difficult to locate.

The following abbreviations have been used:

| | | | |
|---|---|---|---|
| ad fin. | ad finem; vers la fin | liv. | livre; book |
| app. | appendice; appendix | n° | numéro; number |
| c. | circa; vers | p., pp. | page(s) |
| ch. | chapitre; chapter | sér. | série(s); series |
| comp. | compilé; compiled | S.T.F.M. | Société des Textes |
| dial. | dialogue | | Français Modernes |
| éd., ed. | édité par [when part of the French title]; edited by | trad. | traduit par; translated by |
| | | v. | voir; see |
| ibid. | au même lieu; in the same place | vol. | volume(s) |
| | | wr. | écrit; written |

*No. Page*

ACADÉMIE FRANÇAISE, DICTIONNAIRE DE L', v. VILLEMAIN

ALAIN [CHARTIER, ÉMILE-AUGUSTE], 1868–1951
*Propos sur l'éducation* (1932), Presses Universitaires de France, 1948. N° XIX      381   553

ALAIN-FOURNIER [FOURNIER, HENRI-ALBAN], 1886–1914
*Le Grand Meaulnes* (Émile-Paul, 1913), ch. vii      418   611
Ibid., ch. ix      419   613

ALEMBERT, JEAN LE ROND D', 1717–1783
*Discours préliminaire de l'Encyclopédie* (1751), éd. F. Picavet, Armand Colin, 1929. P. 47      211   272

# INDEX OF HEADINGS[1]

[1] In this index I have followed the practice observed for an index of first lines. The order is strictly alphabetical according to the first word of the heading and to the spelling.

PRINTED IN GREAT BRITAIN
AT THE UNIVERSITY PRESS, OXFORD
BY VIVIAN RIDLER
PRINTER TO THE UNIVERSITY